MEMOIRES

POUR SERVIR
A L'HISTOIRE
DES
INSECTES.

Par M. DE REAUMUR, de l'Académie Royale des Sciences.

TOME PREMIER.

Sur les Chenilles & sur les Papillons.

A PARIS,
DE L'IMPRIMERIE ROYALE.

M. DCCXXXIV.

AVERTISSEMENT.

MALGRÉ la liaison que j'ai tâché de mettre entre les Mémoires que j'ai rassemblés sur l'Histoire des Insectes, ils pourroient, pour la plûpart, paroître & être lûs separément. La preuve en est que plusieurs de ceux qui doivent entrer dans le corps de l'ouvrage, ont déja été imprimés dans les Memoires de l'Academie. Cette consideration m'a fait penser que je pouvois, à plus forte raison, laisser voir le jour à chaque Volume à mesure qu'il seroit imprimé. J'ai pris ce parti d'autant plus volontiers, que j'ai connu l'avantage réel qui m'en pouvoit revenir. Je serai en état de profiter, pour les Volumes qui doivent suivre celui-ci, des lumieres qu'on voudra bien me communiquer. Je serai en état d'éclaircir, de rectifier, de corriger ce qui aura paru demander à l'être. J'ai crû d'ailleurs qu'on ne seroit pas fâché de n'être pas obligé de se charger à la fois de plusieurs volumes sur une même matiere. S'il arrivoit pourtant que celui-ci fist souhaiter d'avoir bientôt le second, il arriveroit ce que je desire le plus ; & je redoublerois mes soins pour satisfaire une impatience si flateuse pour moi. J'avouë neantmoins qu'il eût été mieux que tout ce que j'ai à donner sur les Chenilles & sur les Papillons, eût paru de suite ; on eût eu une histoire plus complete de ces Insectes: mais les observations qu'ils m'ont fournies, & les détails dans lesquels ils m'ont obligé d'entrer, m'ont mis dans la necessité de reserver pour le Volume suivant, plusieurs Memoires qui les regardent, dont quelques-uns

ont déja été-indiqués. Ils font même de ceux qui actuellement me paroiffent les plus curieux ; peut-être qu'ils
ne me paroîtront plus tels, lorfqu'ils feront plus près
d'être expofés au jugement du Public. Les Chenilles &
les Papillons rempliffent plus des trois quarts de plufieurs des ouvrages qui ont été donnés fur les Infectes.
Comme ils font les premiers Infectes dont nous avons
parlé, ils nous ont engagé à examiner à quoi fe reduifent
les metamorphofes ; & ce qui en a été dit par rapport
aux Chenilles & aux Papillons, l'a été pour tous les
autres Infectes.

TABLE
DES MEMOIRES
CONTENUS DANS CE VOLUME.

* ij

TABLE.

MEMOIRES

MEMOIRES

POUR SERVIR

A L'HISTOIRE

DES INSECTES.

PREMIER MEMOIRE.

DE L'HISTOIRE DES INSECTES

EN GENERAL;

*Et des vûës selon lesquelles on se propose de la traiter
dans cet ouvrage.*

NOUS ne sommes pas encore, à beaucoup près, arrivés au temps où l'on pourra raisonnablement entreprendre une Histoire generale des Insectes : des Sçavants de tous pays se sont plû depuis un siecle à les étudier; l'attention qu'ils leur ont donnée, nous a valu un grand nombre d'observations sûres & curieuses; cependant

Tome I.   A

il s'en faut bien qu'il y en ait encore aſſés de raſſemblécs. Le nombre des obſervations neceſſaires pour une hiſtoire de tant de petits animaux, paſſablement complette, eſt prodigieux. Quand on penſe à ce qu'eſt obligé de ſçavoir un habile Botaniſte, on en eſt effrayé ; ſa mémoire doit être chargée des noms de plus de douze à treize mille plantes; il doit être en état de ſe rappeller, toutes les fois qu'il le veut, l'image de chacune. Entre tant de plantes, il n'en eſt peut-être point qui n'ait ſes Inſectes particuliers; telle plante, tel arbre, comme le Cheſne, ſuffit à en élever pluſieurs centaines d'eſpeces differentes. Combien y en a-t-il cependant, qui ne vivent pas ſur les plantes! Combien y en a-t-il d'eſpeces, qui dévorent les autres! Combien y en a-t-il d'eſpeces, qui ſe nourriſſent aux dépens des plus grands animaux, qu'elles ſuccent continuellement, ou qui ſuccent d'autres inſectes! Combien y en a-t-il d'eſpeces, dont les unes paſſent la plus grande partie de leur vie dans l'eau, & dont les autres l'y paſſent toute entiére! L'immenſité des ouvrages de la nature ne paroît mieux nulle part que dans l'innombrable multiplicité de tant d'eſpeces de petits animaux. Un naturaliſte qui ſe réduiroit à une hiſtoire particuliére de ceux de ſon pays, donnât-il à ce pays des limites aſſés étroites, ne pourroit pas même ſe promettre de les décrire toutes. Il n'eſt point d'année qui n'offre à un obſervateur, dans les mêmes cantons, des inſectes qu'il n'y avoit pas encore vûs. Après tout, nous ſommes condamnés à n'avoir en tout genre qu'un ſçavoir très-borné, & ce que nous devons regretter le plus, n'eſt peut-être pas de ce qu'il y a des milliers d'eſpeces de petits animaux qui nous ſeront toûjours inconnuës; ſi nous pouvions parvenir à connoître toutes les eſpeces de Chenilles, de Papillons, de Mouches, de Moucherons, &c. à avoir des ſignes caractériſtiques, qui nous feroient diſtinguer les

unes des autres, des efpeces qui paroiffent les mêmes au
refte des hommes, ce feroit nous charger de connoiffances
qui ne laifferoient gueres de place à la memoire la plus
vafte pour des faits plus importants. Ce qui nous fuffit, ce
me femble, & ce dont notre curiofité doit fe contenter,
c'eft d'en connoître les principaux genres, & fur-tout de
connoître ceux qui fe préfentent fouvent à nos yeux; de
fçavoir ce qui leur eft propre à chacun, ce qu'ils offrent
de particulier, comment ils fe nourriffent, les différentes
formes qu'ils prennent pendant la durée de leur vie, comment ils fe perpetuent, les merveilleufes induftries que la
nature leur a apprifes pour leur confervation. D'ailleurs,
j'avouë que je ne ferois nullement touché d'une énumé-
ration bien exacte des efpeces de chaque genre, puffions-
nous la faire; il me femble que c'eft affés de confidérer
celles qui nous ont fait voir qu'elles méritoient d'être dif-
tinguées, foit par des adreffes qui leur font propres, foit
par des formes rares, ou par quelques autres endroits frappants. Tant que cent & cent efpeces de Mouches, & de
très-petits Papillons, ne nous offriront rien de plus remarquable que quelques légeres differences dans les formes
des aîles, dans celles des jambes, ou que des variétés de
couleurs, ou que des diftributions differentes des mêmes
couleurs, il me paroît qu'on peut les laiffer confonduës
les unes avec les autres.

Quoique nous refferrions beaucoup les bornes de l'étude
de l'hiftoire des infectes, il eft des gens qui trouveront
que nous lui en laiffons encore de trop étenduës : il en
eft même qui regardent toutes les connoiffances de cette
partie de l'Hiftoire Naturelle comme inutiles, qui les traitent, fans héfiter, d'amufements frivoles. Nous voulons
bien auffi qu'on les regarde comme des amufements, c'eft-
à-dire, comme des connoiffances qui, loin de peiner,

A ij

occupent agreablement l'efprit qui les acquiert; elles font
plus, elles l'élevent néceffairement à admirer l'auteur de
tant de prodiges. Devons-nous rougir de mettre même
au nombre de nos occupations, les obfervations & les
recherches qui ont pour objet des oùvrages où l'Eftre
fuprême femble s'être plû à renfermer tant de merveilles,
& à les varier fi fort ! L'Hiftoire Naturelle eft l'hiftoire
de fes ouvrages, il n'eft point de démonftrations de fon
exiftence, plus à la portée de tout le monde que celles
qu'elle nous fournit. Plufieurs auteurs qui nous ont fait
confidérer les différents Eftres de l'univers, par des endroits
par où on ne peut s'empêcher de les reconnoître pour
des productions de la puiffance & de la fageffe infinie,
paroiffent fouhaiter que les obfervations fur les infectes
fe multiplient, parce que les démonftrations de l'exiftence
de Dieu fe multiplient en même temps.

Les recherches, qui ont les infectes pour objet, ne
devroient pas même être regardées comme inutiles, par
ceux qui ne font cas que de ce que le commun des hommes
appelle *des biens réels,* elles peuvent nous conduire à augmenter le nombre de ces biens. Si on n'eût jamais obfervé
les Chenilles, eût-on découvert celle qui fournit tant à
notre luxe, & même à nos befoins ! Eût-on pû efpérer
que le travail d'une feule efpece d'infecte, deviendroit
l'objet d'une des principales parties de notre commerce ;
qu'il eût pû donner de l'occupation à tant d'arts & à
tant de manufactures différentes ! La Cire & le Miel des
Abeilles ont certainement des utilités réelles pour nous ;
ceux qui ont obfervé ces mouches induftrieufes dans les
forêts, qui ont fongé à en faire des animaux domeftiques,
qui les ont tranfportées dans les jardins ou aux environs
des maifons, pour les y faire multiplier davantage, & pour
profiter des fruits de leurs travaux, ne fe font-ils pas

occupés utilement! La Lacque, fi commode pour la Cire à cacheter, d'un fi grand ufage pour les Vernis, & dont on tire une teinture rouge pour les Marroquins, n'eft-elle pas dûë auffi à des efpeces de Fourmis aîlées! Les foins qu'on a dans le Royaume de Pégu, de ficher en terre une infinité de petits bâtons qui les invitent à venir s'y arrêter, & à y dépofer leur gomme réfineufe, donnent la facilité d'en faire des amas confiderables. Les anciens tiroient leur teinture pourpre, d'un petit coquillage: quoiqu'on dît du temps de *Pline*, que la découverte en étoit dûë à un chien qui, en mangeant un de ces coquillages, s'étoit teint les oreilles de cette belle couleur, il a fallu que des obfervateurs bien attentifs ayent examiné le Limaçon de mer qui la fourniffoit, pour découvrir le petit vaiffeau où eft contenuë la liqueur propre à cette teinture. Il n'y a gueres d'apparence que les anciens ayent donné à leurs étoffes, des nuances de rouge plus belles que celles que nous fçavons donner à nos draps & à nos tiffus de foye; il eft même à croire que nous avons de très-belles nuances en ce genre, qui leur manquoient. Ce font pour-tant des infectes dont ils ne fçavoient pas fe fervir, d'où nous tirons tous ces beaux rouges. Il eft à préfent très-bien prouvé que la Cochenille, dont le grand & utile ufage eft fi connu, n'eft qu'un infecte qui multiplie prodigieufement, & qu'on prend foin d'élever dans le Mexique. Un infecte qui croît fur une efpece de petit chêne, qui n'y eft bien fenfible que fous une forme, qui reffemble fi peu à celle d'un animal, qu'elle l'a fait prendre pendant long-temps, même par les phyficiens, pour une fimple galle de l'arbriffeau, cet infecte, dis-je, eft employé par nos teinturiers, & c'eft ce que nous appellons le *Kermes*, ou la *graine d'E'carlatte*.

Pourquoi croiroit-on qu'il ne refte plus à faire fur les infectes, de découvertes auffi utiles que celles dont nous

A iij

venons de faire mention ! Celles dont nous joüiſſons, peuvent conduire à en trouver de ſemblables, ou de differents genres. Quand on ſçait bien l'hiſtoire du Kermes, celle de la Cochenille, on eſt en état de reconnoître les inſectes qui leur ſont analogues, & de rechercher s'il n'y en a point de ceux-ci, dont nous puiſſions retirer les mêmes utilités. C'eſt en obſervant les coquillages qui donnoient la pourpre aux anciens, que j'ai obſervé une eſpece de petit œuf*, commun ſur certaines côtes, qui fournit une teinture rouge qui ne devroit pas être négligée, & qui ſeroit admirable pour les toiles. Ces galles, ſi connuës ſous le nom de *Noix de galles*, qui nous ſervent pour nos teintures noires, pour la compoſition de l'Encre, naiſſent à la vérité ſur des arbres, mais ce ſont des inſectes qui les font naître.

Un des plus anciens & des plus ſinguliers uſages qu'on ait imaginé de faire des inſectes, c'eſt celui de s'en ſervir pour faire meurir certaines eſpeces de figues ; on les y employoit du temps de Theophraſte, & de celui de Pline, & M. de Tournefort a vû ſubſiſter la même pratique dans les iſles de l'Archipel, où la récolte de ces fruits eſt un objet conſidérable pour les payſans. On y éleve deux eſpeces de figuiers, le ſauvage, qui eſt le *Caprificus* des Latins, & le domeſtique. Le ſauvage a des fruits pluſieurs fois dans l'année, dans leſquels naiſſent des vers qui ſe tranſforment en moucherons. Le ſecours des moucherons des figues ſauvages, eſt regardé comme neceſſaire pour faire meurir les figues domeſtiques ; la plûpart tombent ſans venir à une parfaite maturité, ſi ces inſectes ne viennent les picquer à propos. Pendant les mois de Juin & de Juillet, les payſans cueillent des figues ſauvages, & après les avoir enfilées dans des brins d'herbes ou de bois, ils les portent ſur des figuiers domeſtiques : ils ſont attentifs chaque ſoir, à

* *Mem. de l'Ac. 1711. p. 168.*

obferver les figues fauvages qui font en état d'être cueillies, c'eft-à-dire, qui contiennent des infectes prêts d'en fortir, & attentifs à obferver les figuiers domeftiques qui ont befoin qu'on leur en donne. Si le tranfport des figues fauvages n'eft pas fait à propos, les figues domeftiques tombent fans meurir. Il y a grande apparence que la néceffité de cette pratique a été confirmée par des experiences fouvent réïterées, puifque les payfans examinent avec foin & inquietude pendant le refte de l'année, fi les figues des figuiers fauvages feront en état de fournir des moucherons dans le temps convenable ; la récolte des moucherons eft néceffaire pour faire celle des figues. Quand ces moucherons manquent aux payfans, M. de Tournefort dit qu'ils ont encore une reffource, quoique légére, c'eft de répandre fur les figuiers domeftiques l'*Afcolombros*, plante très-commune dans le pays, & dans les fruits de laquelle naiffent des moucherons propres à picquer les figues.

Dans la plûpart de nos efpeces de fruits, ceux qui font picqués par des vers, qui fe nourriffent dans leur intérieur, font les premiers meurs ; les premieres prunes, les premieres poires à maturité font ordinairement verreufes. Les figuiers de l'efpece qu'on cultive en Grece, feroient-ils les feuls arbres dont on pût utilement avancer la maturité des fruits, & d'une plus grande quantité de fruits, par les picqueures des infectes !

Je m'arrêterai peu aux remedes que nous pouvons tirer, & que nous tirons des infectes ; les anciens nous en ont indiqué un bon nombre, dont Guillaume Vanden-Boffche a raffemblé une partie dans le 4.me Livre de fon Hiftoire Médicale des Animaux. Qui compteroit fur l'efficacité de tous ces remedes, auroit apparemment tort ; mais il eft certain qu'il y a des maladies dans lefquelles l'application des Mouches Cantharides produit de bons effets ;

qu'il y en a où l'on tire du fecours des petites faignées faites par les Sangſuës ; que les Cloportes, les Vers de terre, & bien d'autres inſectes fourniſſent auſſi des remedes utiles. Le merite de ces gouttes, ou de cet eſprit qu'on tire de la ſoye, eſt reconnu. Le Kermes, que nous ayons cité ci-deſſus pour les teintures, entre dans la compoſition de l'Alkermes, & eſt la baſe d'un ſirop vanté, & appellé *Sirop de Kermes*.

Dans l'hiſtoire des inſectes, il reſte un grand champ à des découvertes utiles, d'un genre tout oppoſé au genre de celles dont nous venons de faire mention. Une infinité de ces petits animaux déſolent nos plantes, nos arbres, nos fruits. Ce n'eſt pas ſeulement dans nos champs, dans nos jardins qu'ils font des ravages, ils attaquent dans nos maiſons, nos étoffes, nos meubles, nos habits, nos fourrures; ils rongent le bled de nos greniers; ils percent nos meubles de bois, les pieces des charpentes de nos bâtimens; ils ne nous épargnent pas nous-mêmes. Qui, en étudiant toutes les différentes eſpeces d'inſectes qui nous font nuiſibles, chercheroit des moyens de les empêcher de nous nuire, qui en chercheroit pour les faire périr, pour faire périr leurs œufs, ſe propoſeroit pour objet des travaux importants. C'eſt dans cette vûë que j'ai ſuivi l'hiſtoire des Teignes : le plaiſir que j'avois à obſerver l'admirable induſtrie qu'elles me découvroient, ne m'a point ſéduit, il ne m'a pas empêché de chercher les moyens les plus efficaces de les faire périr : J'ai déja fait imprimer dans les Memoires de l'Académie de 1728, ce que j'ai trouvé de mieux pour défendre les ouvrages de laine, & les pelleteries, contre leurs attaques.

La conſervation des grains eſt un des plus grands objets que puiſſent ſe propoſer ceux qui gouvernent des E'tats; leur attention & leur zele pour le bien du genre humain ne ſeroient-ils pas dignes d'éloges, s'ils excitoient, par des
récompenſes

récompenſes promiſes, à découvrir le ſecret de défendre nos bleds contre les inſectes qui y font de ſi grands ravages, lorſqu'ils ſe ſont introduits dans les greniers, qui y réduiſent les plus gros tas de grains à n'être plus que des tas d'un ſon léger! De pareils ſecrets ne ſçauroient être trouvés que par ceux qui étudieront bien ces inſectes. Souvent les charpentes des bâtiments périſſent, parce que des vers ont pénétré dans l'intérieur des plus groſſes pieces, qu'ils en ont haché les fibres, qu'ils les ont réduites en ſcieure & en pouſſiere. Nous voyons tous les jours des meubles de bois deſtinés à des uſages qui ne les fatiguent nullement, qui dureroient des ſuites de ſiecles, s'ils ne devenoient caſſants parce qu'ils deviennent vermoulus, c'eſt-à-dire, parce que les vers ont pulveriſé leur interieur. Des recherches où l'on ſe propoſeroit d'empêcher les vers de percer nos bois d'ouvrages, iroient directement au bien public. Dans ce genre, de quelle utilité ne ſeroient pas des experiences qui feroient découvrir les moyens d'arrêter ces Vers redoutables, dont la tête eſt armée de coquilles, qui criblent ſous l'eau les plus gros vaiſſeaux, & qui depuis quelques années cauſent de grandes inquietudes à la Hollande, pour s'être établis & trop multipliés dans les bois qui ſoûtiennent ſes digues!

Enfin ne ſeroit-il pas agreable d'empêcher les Chenilles de dépouiller entiérement de leurs feuilles les arbres deſtinés à nous donner des fruits ou une ombre agreable; de trouver le ſecret d'empêcher que nos fruits de toute eſpece fuſſent auſſi attaqués par les vers qu'ils le ſont dans certaines années! Les abondantes recoltes que nous promettoient nos arbres fruitiers ſe réduiſent quelquefois à peu, leurs fruits tombent avant que d'être à maturité, ou meurs, ils ne peuvent être conſervés parce qu'ils ſont verreux.

Tome I. .B

Il y a un grand nombre d'autres découvertes à defirer, qu'on ne peut attendre que de ceux qui obfervent bien les infectes ; ils peuvent même nous en procurer dont nous n'avons point d'idée.

Je ne difconviendrai pourtant pas que le nombre des obfervations utiles que nous fournit l'hiftoire des infectes, & même que le nombre de celles qu'on peut en efperer, eft petit en comparaifon du nombre, qu'elle nous offre, de ces obfervations qu'on appelle purement curieufes. Mais avec quelle fcience cela ne lui eft-il pas commun ! D'ailleurs fouvent ce que nous ne regardions que comme curieux, tient de bien près à l'utile ; fouvent quand l'utile eft découvert, on voit que ce qui ne fembloit que de pure curiofité, nous a conduit à le découvrir.

Après tout, ce n'eft pas fur l'utilité des ouvrages qu'on eft le plus rigide, c'eft même fur quoi on ne l'eft peut-être pas affés ; on en veut fur-tout qui plaifent, qui amufent, & ce ne font pas les plus utiles qui plaifent le plus. Ce n'eft pas affûrément la faute de la matiere, fi nous n'avons pas fur les infectes des ouvrages que tout le monde veuille lire. Le goût du merveilleux eft un goût general, c'eft ce goût qui fait lire plus volontiers des Romans, des Hiftoriettes, des Contes Arabes, des Contes Perfans, & même des Contes de Fées, que des hiftoires vrayes. Il ne fe trouve nulle part autant de merveilleux, & de merveilleux vrai que dans l'hiftoire des infectes ; mais nous avons peu d'ouvrages dans notre langue qui en traitent, le nombre même de ceux qui font écrits dans d'autres langues n'eft pas grand. Les plus confiderables de ces ouvrages, ceux qui contiennent une plus grande quantité d'obfervations, font pour la plûpart faits de maniere à ne pouvoir plaire qu'à ceux qui aiment déja cette efpece d'étude, mais ils ne font pas propres à la faire

aimer. Il en a coûté beaucoup de temps & de travail à
M. Ray, pour décrire plufieurs centaines d'efpeces de
Chenilles & de Papillons ; ces defcriptions font auffi la
grande partie de fon hiftoire des infectes : quoique, fans
être longues, elles foient bien circonftanciées, il faut
avoir une grande patience pour en lire une vingtaine de
fuite ; on eft bien-tôt las de n'entendre parler que de
differents arrangements ou de differents mêlanges de
couleurs, de taches, de rayes : d'autant plus que cet ouvrage manquant de figures, l'imagination n'eft point foû-
tenuë, elle a tout à faire.

M.^{de} Merian a été conduite à Surinam par un amour
veritablement heroïque pour les infectes ; ç'a été une
efpece de phenomene, de voir une dame traverfer les
mers pour aller peindre ceux de l'Amerique, après avoir
peint un grand nombre de ceux d'Europe : elle en eft
revenuë avec les tableaux d'un grand nombre d'admirables efpeces de Papillons & de Chenilles, qui ont été
magnifiquement gravés. Le recueil des planches où ces
infectes font reprefentés ne fçauroit manquer de plaire
aux yeux, mais il laiffe à defirer des difcours qui appriffent
quelque chofe de plus que ce que les figures montrent,
& ceux qui les accompagnent n'apprennent gueres davantage. L'ouvrage qu'Eleazar Albin, peintre, a donné
en 1720 fur les infectes, & fur-tout fur les Papillons &
fur les Chenilles, de l'Angleterre, n'eft fait auffi que pour
les yeux.

Goedaert eft un des premiers qui ait fuivi les transformations des infectes avec une grande attention & une
grande patience. Il étoit peintre, il en a peint lui-même
un nombre confiderable fous leurs differentes formes ; il
écrivoit les obfervations qu'ils lui offroient, mais il avoit
plus le talent de peindre que celui d'obferver. Son ouvrage

B ij

imprimé d'abord en Hollandois, a été enfuite traduit dans notre langue ; il eft un des plus étendus que nous ayons dans ce genre ; on y trouve les transformations de quantité de diverfes efpeces d'infectes, mais rapportées un peu trop féchement. D'ailleurs l'ouvrage n'a été imprimé qu'après la mort de l'auteur, & fans aucun ordre. Tout y eft pêle-mêle dans les éditions qui en ont été faites en Hollandois & en François. M. Lifter en a donné une édition Latine exempte de ce défaut. Il y a de plus joint des notes, dont plufieurs étoient abfolument necef-faires pour tenir en garde contre les endroits où Goedaert eft tombé dans des meprifes qui lui ont été juftement reprochées par Swammerdam, mais qui lui étoient par-donnables dans le temps où il écrivoit, où l'on ne commençoit encore qu'à défricher la fcience des infectes. Tout ce que nous avons actuellement de meilleur & de plus agreable fur cette matiere, ce font des differtations & des obfervations de differents fçavants, qui pour la plû-part font femées dans des Journaux litteraires & dans les Memoires des Academies. Des vûës extrêmement loua-bles ont déterminé depuis peu un auteur à extraire de ces differents ouvrages ce qui lui a paru de plus curieux ; il l'a donné au public fous le titre de *Spectacle de la Nature*. La part que j'ai aux obfervations qu'il a fait en-trer dans fon ouvrage, ne me permet pas même de le louer en general fur les choix qu'il a faits ; mais la façon dont les obfervations y font rapportées a été mieux louée que je ne le pourrois faire, par l'empreffement que le public a eu de les lire ; à peine le Livre a-t-il paru, que l'édition a été enlevée.

Ceux même qui ne voyagent que pour voyager, font conduits dans les pays qu'ils parcourent par un different efprit de curiofité. Ce font les mœurs, le genie des

peuples, leurs religions, dont les uns aiment à s'inſtruire.
D'autres ſont uniquement touchés des productions que
la nature y offre. Entre ceux-ci les uns ſe plaiſent à obſerver les plantes, d'autres à obſerver les animaux. Ce ſont
les mineraux qui attirent l'attention des autres. D'autres
ne s'attachent qu'à recueillir de précieux reſtes de l'anti-
quité. Ce que les pratiques & les ouvrages des arts ont
de particulier, eſt ce qui en occupe d'autres. L'hiſtoire des
inſectes eſt un vaſte, & je puis dire un immenſe pays,
qu'on peut parcourir dans différentes vûës. La partie par
où elle m'a le plus intereſſé, eſt celle auſſi à laquelle on
ſera plus generalement ſenſible, c'eſt celle qui embraſſe
tout ce qui a rapport au genie, aux mœurs, pour ainſi
dire, aux induſtries de tant de petits animaux. J'ai obſervé
autant que j'ai pû, leurs differentes façons de vivre, comment ils ſe procurent les aliments convenables, les ruſes
dont pluſieurs uſent pour ſe ſaiſir de ceux qui doivent
être leur proye, les précautions que d'autres prennent
pour ſe mettre en ſûreté contre leurs ennemis, leur prévoyance pour ſe défendre contre les injures de l'air, leurs
ſoins pour ſe perpetuer, le choix des endroits où ils dé-
poſent leurs œufs, tant afin qu'ils n'y courent aucuns
riſques, qu'afin que les petits qui en éclorront trouvent
à portée une nourriture propre, dès l'inſtant de leur
naiſſance. Le ſoin que d'autres ont de nourrir eux-mêmes
leurs petits, de les élever. C'eſt ſur tout cela, ce me ſemble, qu'on ne ſçauroit raſſembler trop d'obſervations.
Ceux même à qui une Araignée paroît le plus hideuſe,
aimeront à apprendre qu'il y en a une eſpece qui renferme ſes œufs dans une petite boîte de ſoye qu'elle
porte toûjours avec elle; que lorſque les petits ſont nés,
ils montent ſur le corps de leur mere, qu'ils s'y arrangent
les uns auprès des autres, qu'ils s'y tiennent cramponnés.

B iij

lorfqu'elle court avec le plus de vîteffe. On fera touché du
foin qu'ont les Abeilles & certaines Guefpes, de porter plufieurs fois, chaque jour, la becquée à leurs petits, comme
le font les oifeaux. Que d'autres dépofent leurs vers dans
des cellules qu'elles conftruifent de terre ; qu'elles les y
renferment avec la provifion d'aliment qui leur eft neceffaire jufqu'à leur accroiffement parfait. Des infectes naiffent avec une peau tendre & délicate que l'air deffeche-
roit trop, & qui ne refifteroit pas aux frottements qu'elle
feroit expofée à effuyer. La nature leur a appris à fe faire
de veritables habits ; les uns fe les font de laine, les autres
de foye, d'autres de feuilles d'arbres, & d'autres de differentes autres matieres : les uns les fçavent allonger &
élargir dans le befoin ; les autres fçavent s'en faire de
neufs quand les leurs font devenus trop courts & trop
étroits. Un infecte, c'eft le Formica-leo, eft obligé de
vivre de proye ; quoiqu'il ne puiffe marcher qu'à reçu-
lons ; la rufe lui donne ce que les autres obtiennent au
moyen d'une meilleure difpofition de leurs jambes. Il
fçait fe faire un trou en maniere de tremie ou d'entonnoir dans un fable roulant ; il fe pofte à l'affût au fond
de ce trou, ayant les deux cornes toûjours ouvertes &
prêtes à faifir les infectes qui y tombent pour avoir marché imprudemment fur les bords d'un précipice toûjours
prêts à s'ébouler. De pareils faits paroîtroient admirables
à qui fçait le moins admirer.

La prodigieufe varieté des formes des infectes de differentes claffes & de differents genres, offre un grand
fpectacle à qui fçait le confiderer : quelle varieté dans la
figure de leur corps, dans le nombre des jambes, dans
leur arrangement, dans la figure & la ftructure des aîles,
dont les unes font des efpeces de gazes, & dont les autres font couvertes de pouffiere de figures régulieres, &

arrangées comme des tuiles ; d'autres aîles ont des étuis, dans lesquels elles se tiennent le plus souvent pliées avec art !

Mais combien de merveilles nous sont cachées, & le sont pour toûjours ! Que nous en découvririons, si nous pouvions voir distinctement tout l'artifice de la structure interieure de leur corps ! Un sauvage né & élevé dans les plus épaisses forêts du Nord, qui se trouveroit tout d'un coup transporté devant un de nos superbes palais, concevroit de grandes idées des hommes qui ont élevé de tels édifices. Mais il auroit bien d'autres idées de l'industrie des hommes de ce nouveau pays, s'il parvenoit à voir tout ce que renferme l'interieur de ces palais, & à prendre quelque connoissance de tous les differents arts à qui sont dûës les commodités & les ornements qui y sont rassemblés. Nous sommes dans le cas du sauvage, à qui il ne seroit presque permis que de contempler les dehors de nos édifices ; les merveilles prodiguées dans la construction interieure des insectes nous échappent. Nous ne laissons pourtant pas d'y voir bien des mecaniques surprenantes, & qui doivent exciter ceux qui étudient les insectes, à pousser plus loin leurs recherches. On a découvert que les Chenilles ont un cœur ou une suite de cœurs, qui regne d'un bout à l'autre de leur dos : on a découvert que la plûpart des anneaux dont leur corps est composé, ont deux ouvertures ou deux bouches destinées à respirer l'air. Des animaux un peu plus grands, les Ecrevisses, nous ont appris que la nature en a faits dans qui il se forme chaque année un nouvel estomac, dont la premiere fonction est de digerer l'ancien. Quelle admirable organisation ne supposent pas ces changements de formes qui se font dans la plûpart des insectes pendant le cours de leur vie, dans ceux qui après avoir vêcu, &

cru fous la forme de Chenilles, prennent celle de Crifalide, & enfin celle de Papillon ! Sans changer de forme,
les Chenilles & quantité d'autres infectes changent plufieurs fois de peau : ce font des operations moins fra-
pantes que les autres, qui pourtant fuppofent une belle
mecanique, & qui paroiffent fort fingulieres à ceux qui
remarquent combien les dépouilles que les infectes quittent alors font complettes ; il n'eft aucune de leurs parties
exterieures dont l'enveloppe ne s'y trouve.

Ainfi ces infectes, qu'on avoit regardés autrefois
comme des animaux imparfaits, & à qui on en donnoit
le nom, bien examinés, font voir qu'il entre dans la
compofition de leur corps plus de parties, que dans celle
du corps des animaux dont nous avons la plus haute
idée. Un grand nombre de ces parties nous font cachées
par leur petiteffe, & les ufages de celles qui font à la
portée de nos yeux feuls, ou de nos yeux aidés du fecours d'une loupe, font fouvent difficiles à reconnoître.
Comment reconnoîtrions-nous tous leurs ufages, puifque malgré les diffections fans nombre qui ont été
faites des cadavres humains, nous ne fçavons pas à quoi
fervent plufieurs parties de notre corps, quoique de
groffeur confiderable ! L'ufage de la ratte, par exemple,
n'eft pas encore connu. Il y a pourtant dans l'interieur
des infectes, quantité de parties qu'une dexterité mediocre, & un peu d'habitude à les chercher font aifément
découvrir ; tels font fouvent les inteftins, l'eftomac. Nous
ferons même voir que plufieurs ont ce vifcere muni de
dents de formes differentes & differemment difpofées.
On trouve aifément leurs poumons finguliers, ou les trachées qui les compofent. On trouve les parties de l'un
& de l'autre fexe deftinées à la generation. On voit bien
des fingularités fur la ftructure de leurs bouches, fur celle

de

de leurs trompes. Quand quelques-unes des parties dont nous venons de parler, nous ont offert des particularités remarquables, nous les avons décrites & fait deſſiner. Je n'ai pourtant eu garde de me propoſer de donner des deſcriptions anatomiques complettes de chaque inſecte; il n'y en auroit point qui ne fournît la matiere d'un long Traité, ſi on vouloit décrire exactement tout ce qu'on y peut voir. Peut-être même ne ſerons-nous que trop entrés dans les détails anatomiques au goût de quelques lecteurs, au lieu que ceux qui ſont plus ſenſibles aux beautés & aux varietés de conſtruction que renferment les machines animales, ſouhaiteront ſouvent des recherches pouſſées plus loin que celles que nous donnerons.

On ne ſe laſſe point d'apprendre des faits du genre de ceux que nous venons d'indiquer; ceux qu'on a appris mettent ſur la voye d'en découvrir de nouveaux; les promenades qu'on ne deſtine qu'au délaſſement, en deviennent plus agréables & plus amuſantes, elles inſtruiſent. Alors des yeux, devenus curieux, & attentifs à obſerver, y voyent ce qui échappe aux autres; tout ſe trouve animé pour eux; les arbres, les plantes, les feuilles, les fleurs, ne ſont plus ſimplement des fleurs, des feuilles, des plantes, des arbres, ce ſont autant de pays habités : les inſectes qui ſont deſſus, & qui, lorſqu'on n'étoit point familiariſé avec eux, paroiſſoient à craindre, ou au moins dégoûtants, offrent alors un ſpectacle qui s'attire de l'attention; quand on ſe rappelle quelques-unes de leurs induſtries, on les voit avec plaiſir, on s'arrête à conſiderer leurs formes ſingulieres. On s'arrête volontiers à conſiderer une Chenille, un Ver, quand on ſçait quels inſectes aîlés ils doivent être un jour; on examine avec plus de plaiſir une Mouche, un Papillon, quand on connoît & qu'on ſe rappelle les formes ſous leſquelles ils ont vécu

Tome I.   C

ci-devant; on ne voit pas simplement le Ver & la Chenille, la Mouche & le Papillon, on voit en même temps les formes que les uns doivent prendre, & celles par lesquelles les autres ont passé.

Par ces mêmes raisons il m'a paru que les insectes qui se trouvent le plus souvent sous nos yeux, étoient ceux que l'on devoit le plus chercher à connoître; ce sont ceux, pour ainsi dire, avec qui nous avons à vivre; ce sont aussi ceux sur qui j'ai rassemblé le plus d'observations: la suite de celles, que j'ai à rapporter, sur les differentes classes & sur les principaux genres d'insectes, pourra être regardée comme une ébauche de leur histoire, ou comme des élements de la science des insectes.

Plus on observera ces petits animaux, & plus ils feront voir de faits & d'actions remarquables, qui dédommageront de ce qu'on trouvera à retrancher dans leur histoire des merveilles de certains genres, qui leur ont été attribuées par ceux qui ne les avoient pas regardés avec des yeux assés philosophes; car il faut avouer qu'il y a des merveilles de certains genres, qui leur ont été trop prodiguées. Plusieurs auteurs, & sur-tout des auteurs des siecles anterieurs à celui-ci, qui ont écrit sur l'histoire des insectes, semblent avoir été seduits par la passion qu'ils ont prise pour eux; ils ont été trop pleins d'admiration pour eux, ou au moins ont voulu nous en trop remplir: ils leur ont nui en cherchant à les faire valoir sans assés de menagement. Quand des lecteurs sensés, qui ne sont pas à portée de verifier des observations dont on leur fait le récit, les trouvent accompagnées de détails dans lesquels ils peuvent reconnoître plus que de l'incertitude, ils sont tentés de regarder comme fabuleux le récit entier; ce qu'il a de vrai ne sçauroit plus l'être pour eux. Ce sont sur-tout les éloges qu'on a donnés à l'intelligence

des infectes, qui n'ont pas été affés mefurés : on les a fait
penfer & agir comme nous, & fouvent même on les a
loués de ce qu'ils penfoient & agiffoient mieux que nous.
Il n'eft forte de connoiffances qu'on ne leur ait accordée;
on leur a trouvé toutes les vertus morales, même les plus
fublimes ; & fur quels fondements ! fur des fondements
fouvent tout-à-fait pueriles. La Mente, qui approche du
genre des Sauterelles, mais dont le corps eft beaucoup
plus effilé, a de longues jambes, elle plie, & pofe quelquefois les deux premieres l'une contre l'autre, fe tenant prefque droite. Il n'en a pas fallu davantage pour en faire un
infecte dévot ; fon attitude imite alors celle où nous
joignons les mains, on lui a fait prier Dieu : le peuple de
Provence l'appelle même *Preguedieu*. Sa charité, dit-on, eft
grande, au moins pour les enfants; lorfqu'il y en a quelqu'un qui lui demande le chemin, elle le lui montre avec
un de fes pieds ; on affûre qu'il eft rare qu'elle le lui en-
feigne mal, que cela n'arrive prefque jamais. On a donné
aux Fourmis du refpect pour leurs morts, on a loué les
foins avec lefquels elles leur rendent les devoirs funebres;
& cela fur ce qu'elles tranfportent hors de la fourmillere les
cadavres de celles qui y font mortes, comme elles tranfportent ceux des Mouches, des Chenilles, des Cloportes,
& des autres infectes qui y font venus mourir, ou qu'elles
y ont tués. On a voulu nous faire regarder les focietés des
Abeilles comme l'exemple du parfait gouvernement mo-
narchique, comme fi toûjours conduites par un chef, par
un roy, elles ne travailloient aux differents ouvrages aufquels elles s'occupent, que pour executer fes ordres. On a
vanté leur admirable fubordination. Tout ce que nous
fçavons pourtant, c'eft qu'elles travaillent en commun avec
beaucoup d'induftrie à differents ouvrages. Leur roy eft
devenu une reine, & enfuite plufieurs reines ou femelles,

Mouffet,
p. 118.

C ij

que nous fçavons être prodigieusement fécondes ; mais aſſûrément nous ignorons ſi elles donnent des ordres à tant d'ouvrieres, & rien ne conduit à le penſer, malgré tout ce que nous en a rapporté le plus grand des Poëtes Latins. Des auteurs, d'ailleurs extrêmement ſages & réſervés, ont été tentés de donner juſqu'à de la modeſtie & de la pudeur à ces meres ou reines des Abeilles ; ils leur ont fait une cour, qui entre dans leurs ſentiments, qui forme une eſpece de rideau devant celle qui pond ſes œufs. Voilà aſſûrément des vertus bien ſingulieres pour des mouches ! Eſt-ce à nos regards, ou à ceux des inſectes qui ſont hors de la ruche, que les Abeilles veulent cacher leur reine pendant qu'elle eſt dans une operation peu décente ! Elles la cacheroient d'ailleurs aſſés en continuant leurs travaux ordinaires, le nombre des habitants d'une ruche ne permet que trop peu de voir ce qui s'y paſſe. On veut encore que ce temps où la mere eſt occupée à faire des œufs, ſoit un temps de fête, & de réjouiſſances, pendant lequel ſe délaſſent ces mouches ſi laborieuſes. Pour trancher le mot, ce ſont-là des contes qui ne ſçauroient gueres amuſer que des enfants. Goedaert, dans le peu de diſcours qui accompagne ſes obſervations, nous a laiſſé quelques contes de cette eſpece. L'état où ſe trouvent ſouvent les feuilles des chevrefeuils, a fait connoître de reſte les petits inſectes qui ſe multiplient trop ſur cet arbriſſeau & ſur beaucoup d'autres plantes, on les appelle des *Pucerons ;* on les voit preſque toûjours entourés de Fourmis. Goedaert penſe que c'eſt par pure bonté d'ame que les Fourmis cherchent ainſi les Pucerons, que c'eſt pour les défendre contre leurs ennemis, enfin que les Fourmis ont du tendre pour ces petits inſectes, qu'elles ſe plaiſent à leur faire des careſſes. Il nous rapporte juſqu'aux diſcours qu'elles leur tiennent,

On fent bien que Goedaert n'étoit pas affés au fait de leur langue pour les entendre difcourir, & qu'il ne nous a voulu donner ces difcours que comme des gentilleffes : mais ce qu'il veut réellement, c'eft que les Fourmis ayent une tendreffe naturelle pour les Pucerons, qu'elles cher-chent à les défendre. Ce qu'il y a de vrai, comme nous le dirons dans l'hiftoire des Pucerons, c'eft que les pré-tenduës careffes des Fourmis font intereffées, elles trou-vent, & vont recueillir & lêcher fur le corps des Pucerons une liqueur miellée qui eft fort de leur goût. Aux curieufes obfervations que Goedaert nous a rapportées fur les répu-bliques des Bourdons, il en a joint plufieurs de la nature de la précedente : il veut, par exemple, qu'il y en ait un qui foit chargé chaque matin de réveiller tous les autres ; c'eft le fonneur, & il lui fait fonner la cloche, & cela, en faifant un bourdonnement confiderable avec fes aîles, qu'il agite avec une grande vîteffe. Quoiqu'il affûre que c'eft une obfervation qu'il a faite plufieurs fois, & qu'il en a eu pour témoins des curieux de l'hiftoire naturelle, il ne paroît pas avoir pris tous les foins néceffaires pour s'inftruire s'il y a réellement un Bourdon qui foit pourvû de la charge de fonneur : on ne voit point qu'il fe foit donné la peine de marquer celui qui eft obligé de fe lever plus matin que les autres, & de les éveiller. On fera apparemment difpofé à croire, qu'ici tout fe réduit à ce que les Bourdons agitent leurs aîles à leur réveil, après le repos de la nuit, pour les dégourdir, & qu'il y en a toûjours quelqu'un plus diligent que les autres, quoique ce ne foit pas le même chaque jour, qui fe met le pre-mier en mouvement, & qui veut fortir le premier ; que c'eft celui qui fort le premier, que Goedaert a crû chargé du foin de réveiller les autres.

Mais refuferons-nous toute intelligence aux infectes,

les réduirons-nous au simple état de machine! C'est-là la grande question de l'ame des bêtes, agitée tant de fois depuis M. Descartes, & par rapport à laquelle tout a été dit dès qu'elle a commencé à être agitée. Tout ce qui a dû resulter des disputes qu'elle a fait naître, c'est que les deux sentiments opposés ne soûtiennent rien que de très-possible, mais qu'il est impossible de démontrer lequel des deux est le vrai. Si quelqu'un se contentoit de soûtenir que Dieu a pû faire des machines capables de croître, de se multiplier, & d'executer tout ce que les insectes ou les autres animaux executent, qui oseroit nier que la Toute-puissance ait pû aller jusques-là! Mais si quelqu'un soûtenoit que Dieu a pû donner aux insectes des intelligences égales ou superieures même aux nôtres, sans nous mettre à portée de connoître qu'il les leur a données; si ce quelqu'un soûtenoit qu'une Huitre, toute vile qu'elle est à nos yeux, quoyque fixée à passer sur le même morceau de rocher une vie qui nous paroît fort triste, y peut jouir d'une vie très-agréable, étant toûjours occupée des plus hautes speculations, on ne sçauroit lui nier que le pouvoir suprême ne puisse aller là & plus loin; il peut créer & placer des intelligences où il veut.

Nous voyons dans les animaux, & dans les insectes autant que dans aucun des autres, des procedés qui nous donnent du penchant à leur croire un certain degré d'intelligence; nous y sommes conduits en raisonnant par analogie. Mais on leur reproche que leurs procedés sont trop constants, qu'ils ne nous font pas voir des suites d'actions assés variées. Cette histoire néantmoins nous donnera lieu plus d'une fois de faire remarquer, qu'il y a des insectes qui sçavent varier leurs procedés quand les circonstances le demandent. Pour réduire pourtant les choses au vrai, chaque espece d'insecte n'a, pour ainsi dire,

que son tour d'adreſſe par lequel elle ſçait attirer notre
admiration. Mais nous fiſſent - ils voir des actions plus
ſurprenantes, plus variées, des ſuites d'actions ſemblables
aux nôtres, ils ne gagneroient rien encore auprès de ceux
qui ſe ſont obſtinément déterminés à leur refuſer des
ames. La métaphyſique d'un ſçavant, illuſtre en tant de
genres differents *, l'a conduit à croire que nous n'agiſſons   * M. Leibnits:
nous-mêmes à l'exterieur que comme de pures machines,
que le corps de chaque homme eſt une machine qui a été
conſtruite pour executer une ſuite de mouvements &
d'actions, qui eſt celle que l'ame, deſtinée à habiter ce
corps, ſouhaitera qu'il execute pendant qu'elle l'habitera.

Un deſir qu'on ne ſçauroit aſſés louer, celui de donner
de grandes idées de l'auteur de l'univers, de faire mieux
voir l'étenduë de ſa providence, a conduit à bien des ju-
gements trop précipités, & à bien de faux raiſonnements
ceux qui ont voulu nous aſſigner les cauſes finales des
faits & des obſervations que leur avoient fourni les inſectes, qu'ils n'avoient conſiderés qu'en paſſant. Dès que
nous ouvrons les yeux, tout nous prouve ſa ſageſſe; elle
a ſans doute agi pour une fin, & pour la plus noble de
toutes les fins. Mais pouvons-nous nous promettre de découvrir les differentes fins qu'elle s'eſt propoſées dans la
conſtruction de chacun de ſes ouvrages, & dans l'arrangement de chacune de leurs parties, ſes fins particulieres,
s'il eſt permis de parler ainſi, de celles de l'Être qui voit
tout ſous un ſeul & même point de vûë ! On a pourtant
crû les appercevoir par tout, & rien n'eſt plus ordinaire
aux auteurs qui ont parlé des inſectes, que de nous
vouloir indiquer des cauſes finales qu'ils euſſent recon-
nuës n'être pas les vrayes, s'ils euſſent pris la peine de
raſſembler plus d'obſervations, & de les comparer enſemble. Une Chenille ſe renferme dans une coque, d'où

elle doit sortir papillon ; on a loué la Providence de ce qu'elle avoit appris à se faire des coques épaisses & solides à ces insectes, lorsqu'ils y doivent rester renfermés plusieurs mois, sur-tout pendant tous ceux de l'hyver, & de ce qu'elle n'avoit appris à d'autres qu'à se faire des coques minces, parce qu'ils ne doivent les habiter que pendant deux à trois semaines, & cela dans une saison assés douce. Mais des observations plus suivies eussent appris qu'il y a des insectes qui passent neuf à dix mois, & tout l'hyver dans des coques minces, pendant que d'autres s'en fabriquent d'extrêmement solides pour n'y demeurer que quinze à vingt jours d'été : qu'il y a plus, tel insecte ne reste que quelques semaines en été sous une enveloppe pareille à celle sous laquelle un autre insecte de la même espece passe tout l'hyver. La varieté des couleurs des Chenilles est assûrément admirable, mais on a voulu nous faire admirer, par rapport au choix des couleurs propres à chacune, ce qui ne l'étoit pas. On a dit que la Providence, pour pourvoir à leur conservation, de crainte que les oiseaux ne les eussent bien-tôt détruites, leur avoit donné à chacune la couleur des feuilles ou des tiges des plantes & des arbres sur lesquelles elles vivent. Il n'est pourtant gueres d'arbres, gueres de plantes qui n'eussent détrompé de cette idée, si on se fût donné la patience d'examiner les Chenilles qui les habitent ; sur la même plante, on en eût trouvé un grand nombre d'especes de couleurs tout-à-fait differentes. Il y a assûrément des causes finales particulieres qui nous sont connuës, mais peut-être y en a-t-il moins que nous ne croyons, ou au moins ne les connoissons-nous pas dans toute leur étenduë. Que l'œil ait été fait pour voir, la bouche pour recevoir les aliments, les dents pour les broyer, l'estomac pour les digérer, nous n'en sçaurions douter. Que

les

les aîles ayent été données au commun des infectes pour voler, nous n'en fçaurions douter encore. Cependant ce n'eft pas uniquement pour voler qu'elles leur ont été données ; il y a même des Papillons à qui elles n'ont point du tout été accordées pour voler. Nous en verrons qui les ont très-grandes & très-belles, plus grandes que les aîles de ceux qui volent le plus, & qui ne s'avifent pas, une feule fois dans leur vie, de s'en fervir, au feul ufage pour lequel nous nous imaginons qu'elles font faites ; ils ne femblent pas fçavoir qu'ils ont des aîles. De vouloir que l'auteur de la nature ne les leur ait données prefque que pour la fimple parure, comme quelqu'un veut qu'il n'ait donné au Grillon-Taupe, infecte dont nous parlerons bien-tôt, des aîles que pour la même fin, c'eft affûrément avoir des idées trop petites de la fageffe fuprême. Nous parlerons dans la fuite d'un infecte qui a des jambes pla-cées comme celles de tant d'autres infectes, formées de la même maniere & dans des proportions femblables, qui cependant ne marche prefque jamais que fur le dos, où il n'a point de jambes : tant qu'il marche fes jambes font en l'air, & celles de fes parties qui font les plus éloi-gnées du plan fur lequel il avance. Tout ce que nous voulons conclure, c'eft que nous devons être extreme-ment retenus fur l'explication des fins que s'eft propo-fées celui dont les fecrets font impenetrables ; que nous louons fouvent mal une fageffe qui eft fi fort au-deffus de nos éloges. Décrivons le plus exactement qu'il nous eft poffible fes productions, c'eft la maniere de la louer qui nous convient le mieux.

La forme de Memoire eft celle qui m'a paru la plus propre à cet ouvrage. Plus les faits font finguliers, plus ils demandent à être atteftés. Celui qui les annonce pour la premiere fois, ne fçauroit trop affûrer qu'il les a vûs, & comment il les a vûs : il n'y a gueres que dans des Memoires où l'on puiffe parler fouvent fur ce ton. Quand on me rapporte que dans chaque ruche, dans chaque république d'Abeilles, il n'y a que quelques reines ou femelles, je ne fuis pas affés perfuadé fi je foupçonne qu'on ne me parle que fur un oui dire : je ne le ferai pas même affés, fi on fe contente d'avancer qu'on l'a obfervé; je puis me défier de la maniere dont l'obfervation a été faite. Les Aftronomes font peu de cas de celles qu'on leur communique, fi on ne leur apprend en détail les précautions qu'on y a apportées, comment on a pris l'heure, comment on a verifié les inftruments. Ainfi fi l'on veut que je fois convaincu qu'il n'y a que trois ou quatre femelles dans une ruche, on m'affûrera, comme M. Maraldi l'affûre dans fon Memoire fur les Abeilles, qu'on a fait perir toutes celles d'une ruche; qu'on a examiné les unes après les autres toutes les mouches mortes, & qu'on n'en a trouvé que trois ou quatre de la grandeur qui eft particuliere aux meres.

Goedaert nous raconte les admirables précautions que prend l'infecte appellé *Courtillere* ou *Grillon-Taupe* pour conferver fes œufs, jufqu'où vont fes attentions pour les faire éclorre. Cet infecte, un des plus gros de ceux qui font connus, fait plus de ravages dans les jardins que les Taupes n'en font dans les prairies ; il a les deux jambes anterieures terminées, comme celles des Taupes, par deux efpeces de mains tournées en dehors, & qui de même font propres à ouvrir des chemins fous terre. Ces jambes anterieures meritent d'être plus exactement décrites, & elles le feront ailleurs. Goedaert nous apprend que le Grillon-Taupe dépofe fes œufs dans un trou qu'il a fait au milieu d'une motte de terre affés dure. Il entoure cette motte d'une efpece de foffé, pour ôter à des infectes,

qui aiment fes œufs, la facilité d'approcher de la nichée;
il y veille continuellement; il fait de temps en temps le
circuit du nid. Mais ce que fes foins & fon attention ont
de plus remarquable, c'eft que Goedaert nous affûre que
lorfque l'air devient chaud & fec, il éleve fon nid tout proche de la furface de la terre, afin que les œufs foient, pour
ainfi dire, couvés par la chaleur du foleil; que fi l'air au
contraire devient froid, s'il devient humide, le Grillon-
Taupe renfonce fon nid plus avant en terre. Après avoir
lû avec plaifir le récit de ces faits, on commence à craindre qu'il ne foit une jolie fable; on craint que Goedaert
n'ait crû voir ce qu'il n'a pas trop vû; on craint qu'il ne
tienne tout cela des jardiniers, ou qu'ayant fimplement
trouvé differents nids à differentes diftances de la furface
de la terre, il n'ait attribué comme des circonftances que
le même nid donne occafion d'obferver, celles qui ne
conviennent qu'à des nids differents. Enfin on voudroit
que Goedaert nous eût raconté comment il s'y eft pris
pour voir tous ces faits, qui fe paffent fous terre; on
voudroit qu'il nous dît pofitivement qu'il a mefuré la
profondeur où étoit le nid pendant une journée d'un
foleil brillant & clair, & celle où fe trouvoit enfuite le
même nid pendant une journée de pluye froide.

Si l'hiftoire des Animaux d'Ariftote eût été écrite fur le
ton que nous demandons, on en eût beaucoup plus pro-
fité : elle contient une très-grande quantité de faits; ceux
qu'il auroit affûré avoir vûs lui-même, meriteroient notre
croyance; mais il ne nous a point mis en état de les diftinguer des autres; tous y font rapportés de la même manière,
excepté quelques-uns qu'il ne donne que comme des *on dit*.
On fçait qu'Alexandre lui avoit fourni des fommes confiderables pour être employées aux recherches néceffaires
à un fi grand ouvrage; qu'Ariftote chargea bien des gens

du foin de lui procurer des animaux, & des obfervations fur les differentes efpeces d'animaux : il feroit à fouhaiter qu'il nous eût appris les talents & les connoiffances de ceux qu'il avoit mis en œuvre ; qu'il nous eût même averti de ce qu'il tenoit de chacun d'eux. C'eft fans doute fur la foi d'un mauvais obfervateur, qu'il nous a affûré que la Chenille du chou vient d'un Ver, & que ce Ver naît du chou même ; cette Chenille fort d'un œuf dépofé fur le chou par un Papillon. Les mêmes défauts fe trouvent dans les hiftoires des animaux de Pline & d'Elien, celle d'Ariftote en eft la bafe. L'ordre qu'a fuivi Ariftote dans l'arrangement des faits ne me paroît pas auffi le plus propre à les faire retenir ; il y fait de fuite de longues énumerations des animaux qui fe reffemblent par certains endroïts, & de ceux qui different par d'autres. Jamais ces fortes d'énumerations ne font affés complettes, & lors même qu'on leur peut juftement reprocher ce défaut, elles ont déja celui d'être trop longues. Elles contiennent dans Ariftote un chapitre entier ; à la fin de ce chapitre, une memoire ordinaire n'a plus prefents tous les animaux dont il y eft parlé, elle ne fe rappelle plus ceux qu'on y a dit naître d'une maniere femblable ou d'une maniere differente, &c.

Pendant cette longue fuite de fiecles où la barbarie a regné, l'hiftoire naturelle a eu le même fort que les autres fciences ; elle a été auffi traitée comme les autres, quand le goût du fçavoir a commencé à renaître. On a crû que toutes les vérités devoient être retrouvées dans les anciens, qu'ils avoient tout fçû, tout connu. C'eft principalement dans Ariftote qu'on a cherché l'hiftoire des animaux. Si l'Aldrovande, Gefner, Moufet & bien d'autres auteurs euffent autant étudié la nature elle-même qu'ils ont étudié les anciens Naturaliftes, le travail affidu de tant

de bons efprits eût fait faire de plus grands & de plus
prompts progrès à cette fcience. On n'obfervoit alors la
nature, que pour y voir ce qu'on avoit lû dans les anciens.
Au refte, fi leurs travaux n'ont pas été mieux dirigés, il
ne faut pas tant s'en prendre à leur genie qu'à celui du
fiecle où ils ont vêcu ; on ne faifoit cas alors que de ce
qui fe trouvoit dans les anciens ; il fembloit qu'on crût
les modernes incapables de penfer & même de voir, au
moins rien de nouveau. S'il eft pourtant des fciences dans
lefquelles nous puiffions & nous devions l'emporter fur
eux, ce font celles d'obfervations. La nature enfin ouvrit
les yeux à ceux même qui ne cherchoient à y voir que
ce qu'ils avoient vû dans Ariftote & dans Pline ; elle leur
montra des faits, dignes d'être remarqués, qu'ils cherchoient inutilement dans les livres qui devoient tout
contenir : elle leur en fit voir d'autres, qui leur donnerent
de juftes défiances fur la vérité de ceux qui avoient été
tranfmis. Après avoir perdu par degrés, & peut-être
trop, du refpect qu'on devoit aux anciens, on eft venu
à penfer qu'il falloit étudier de nouveau la nature elle-
même, vérifier tout ce qui a été rapporté, & chercher à
apprendre davantage. C'eft ainfi qu'en ont ufé Malpighi,
Swammerdam, Redi, & d'autres auteurs illuftres, foit du
même âge, foit plus modernes, qu'il feroit long de citer.
Ceux même qui par une ignorance, peut-être heureufe,
n'étoient pas en état de lire les anciens, comme Goedaert
& M.^{de} Merian, ont travaillé utilement.

Le premier pas, & un des plus importants, qu'il a fallu
faire dans l'hiftoire des infectes, a été de defabufer de
l'idée que les anciens avoient donnée de la maniere dont
s'engendroient une grande partie de ces petits animaùx.
Ils avoient crû les pouvoir faire naître de la pourriture de
corps de differentes efpeces. Ce pas ne fembloit pas bien

D iij

difficile, il l'a été cependant ; & rien ne prouve mieux que tout eſt capable de nous arrêter. Malgré le ridicule qu'il y a à faire naître une Mouche à miel de la chair pourrie d'un veau ou de celle d'un bœuf, les Gueſpes & les Bourdons de celle d'un cheval pourri, les Scarabés de celle des ânes ; à faire naître une infinité d'autres inſectes, les uns de fromage, les autres de plantes, & les autres même de bouë, il a fallu bien des obſervations & bien des raiſonnements avant que de détruire des ſentiments ſi abſurdes. Il y a eu même de nos jours des hommes illuſtres par leur ſçavoir qui ne les ont jamais abandonnés, tels ſont les fameux Pere Kircker & Bonnani, à qui pourtant l'Hiſtoire naturelle doit beaucoup. En 1717. il y eut encore un ouvrage imprimé à Veniſe, intitulé *Motivi di dubitar intorno la generatione de viventi ſecondo la commune opinione de Moderni,* où l'on veut reſſuſciter l'ancienne erreur.

Il eſt bien ſurprenant que de pareilles idées ayent pû ſubſiſter après qu'on a eû commencé à regarder les plus petits inſectes avec des yeux philoſophiques. On a vû néceſſairement que l'appareil des differentes parties que l'organiſation du corps d'une Mitte ſuppoſe, n'eſt pas moins grand que celui que demande le corps d'un éléphant : on a dû même avoir beſoin que la philoſophie nous apprît que le grand & le petit ne ſont quelque choſe que par rapport à nous, pour que les ſtructures des inſectes imperceptibles ne paruſſent pas plus admirables que celles de ces maſſes animées de grandeur coloſſale. La production des plus petits inſectes a donc dû paroître demander autant de préparatifs, autant d'appareils que celle des plus grands animaux. Il a dû paroître auſſi ridicule de faire naître une mouche de quelque corps pourri, de faire ſortir une huitre d'un peu de bouë, que de faire

naître un bœuf, un éléphant d'un gros tas de foin cor-
rompu.

Comme on n'avoit pas encore affés étudié la nature,
& qu'on voyoit fortir des vers des chairs qui commençoient à pourrir, on jugeoit que ces vers en naiffoient.
Les obfervations, curieufes par elles-mêmes, qu'ont faites
Redi, & en ces derniers temps Leeuwenhoek, étoient abfolument néceffaires pour détromper ceux dont l'efprit ne
voit que ce qui lui a été tranfmis par les yeux du corps.
Enfin rien ne montre mieux combien il étoit difficile de
prouver que les plus petits animaux naiffent précifément
comme les grands, que l'idée dans laquelle eft tombé ce
même Redi, ennemi déclaré des préjugés, qui fçavoit fi-
bien les combattre, & qui cependant, à la honte de l'efprit
humain, a crû avoir befoin de faire produire les infectes
qui naiffent dans les galles des plantes & des arbres, par
une ame qu'il a accordée pour cela aux arbres & aux
plantes.

Un autre point extrêmement effentiel à l'hiftoire des
infectes, c'eftoit d'éclaircir en quoi confiftent ces changements de formes que plufieurs nous font voir dans le
cours de leur vie. Il n'y a pas long-temps que leur hiftoire
étoit encore écrite comme l'a été celle des hommes qui
vivoient dans ces temps qu'on nomme heroïques ou fabuleux. L'hiftoire des infectes étoit reftée en poffeffion de
fes métamorphofes, qui valoient bien celles qui étoient
operées par la puiffance des dieux de la fable. Les anciens
n'avoient parlé des changements de formes des infectes
que fous les noms merveilleux de métamorphofe, de tranf-
formation. Les modernes ont continué après eux à tenir
ce langage obfcur, jufqu'à ce que de grands Naturaliftes
& grands Anatomiftes en même temps ayent donné des
idées claires de ces transformations, qu'ils ayent fait voir

que l'insecte qui se transforme ne fait que quitter une robe, une dépouille qui couvroit & tenoit emmaillotées certaines parties ; que ces parties, qui avoient crû sous cette enveloppe, s'étendent, se déployent, se dégagent les unes des autres lorsqu'elle cesse de les tenir gênées dans l'instant où l'insecte s'en défait ; alors il paroît comme un nouvel animal. Libavius, Malpighi & Swammerdam ont mis dans un grand jour ces mysterieuses metamorphoses. Un des principaux objets du travail du dernier a été de les bien développer. Cet auteur, un de ceux qui a le plus observé les insectes, & qui a le mieux sçû les voir, nous a donné sous le nom de leur histoire generale un ouvrage qui n'est à proprement parler que le plan sur lequel il croyoit que cette histoire dût être écrite. Les transformations qu'il avoit tant observées, lui ont fourni ses principales divisions. Nous nous arrêterons d'autant plus volontiers à expliquer le plan de Swammerdam, qu'il nous engage à rapporter les notions qui font comme la base de la science des insectes. Il distribuë tous ces petits animaux en quatre classes, dont il a tiré les caracteres de l'état où est chaque insecte après sa naissance, & de ceux par où il passe avant que de prendre sa derniere forme. Il a mis dans la premiere tous les insectes qui sortent de l'œuf avec une forme à peu-près pareille à celle qu'ils auront après être parvenus à leur dernier terme d'accroissement. Les Araignées, les Limaçons, les Vers de terre, les Sangsuës, &c. se rangent naturellement sous cette classe avec bien d'autres insectes dont il a fait l'énumeration. Mais il n'y eût pas mis les Puces, s'il les eût aussi-bien observées que Mrs Leeuwenhoek & Valisnieri l'ont fait depuis.

Cette premiere classe pouvoit même en fournir deux, dont l'une n'eût été composée que des insectes que nous

voyons

voyons sortir des œufs, & dont l'autre eût été composée de ceux qui sortent vivants du corps de leur mere. Les distinctions d'insectes ovipares & d'insectes vivipares sont assés marquées pour faire celles de deux classes ; les Cloportes auroient été dans la classe des Vivipares, &c.

Il range dans la seconde classe les insectes qui naissent ordinairement avec six pieds, & qui, après avoir crû jusqu'à un certain terme, quittent une dépouille sous laquelle les aîles étoient cachées : cette dépouille étant quittée, ils peuvent les étendre & en faire usage. Les insectes de cette classe marchent, courent, sautent dans les temps qui précedent ceux où ils doivent changer de forme, au lieu que dans la classe qui va suivre, les insectes qui doivent se dépouiller, pour la derniere fois, restent long-temps sans se donner de mouvements considerables. Les Grillons, les Sauterelles ordinaires, les Sauterelles-puces, les Punaises de bois, les longues mouches appellées *Demoiselles*, appartiennent à cette seconde classe. Parmi ceux qu'elle renferme, il y a des insectes dont le changement de forme est peu considerable, tel est celui du Perce-oreille, qui ne change alors sensiblement que vers l'endroit où est le court fourreau de ses aîles. Il a mis aussi dans cette classe l'Ephemere, cette espece de Mouche qui sort d'un Ver très-commun dans les rivieres, & dont on dit la durée de la vie fixée à un jour. Il en a donné ailleurs une histoire détaillée. Quand nous donnerons à notre tour celle de cet insecte singulier, il paroîtra peut-être qu'il fournit un exemple d'insectes qui n'appartiennent proprement ni à la seconde ni à la troisiéme classe de Swammerdam.

Les insectes qu'il a compris dans la troisiéme classe subissent des changements plus considerables que ceux de la seconde, avant que de paroître sous leur derniere forme. Toutes les especes de Chenilles, & un grand nombre

Tome I. E

d'efpeces de Vers font renfermées dans cette claffe. Ces Chenilles & ces Vers font des Chenilles & des Vers dans l'inftant qu'ils fortent de l'œuf, & avant même que d'en fortir; ils croiffent fous cette forme, ils la quittent quand ils font parvenus à un certain âge, ou à une certaine grandeur. L'infecte s'étant défait de fon fourreau paroît fous la forme de Crifalide, d'Aurellie, de Nymphe, car on a donné ces differents noms à l'infecte qui a pour lors une figure à peu près conique, fous laquelle il ne peut ni voler, ni marcher, ni manger, forme que vulgairement on nomme *féve,* lorfqu'on parle des Vers à foye qui l'ont prife. Enfin l'infecte, après avoir vêcu quelque temps fous cette forme, quitte un fecond fourreau, & paroît aîlé. Ce font-là les degrés par où paffent tant d'efpeces de Papillons avant que de paroître au jour avec leurs aîles, & par où paffent auffi plufieurs efpeces de Mouches.

Il a divifé cette claffe en deux fections, qui fourniroient elles-mêmes deux claffes affés diftinctes. Dans la premiere, il a compris tous les infectes qui, après avoir perdu leur forme de Ver ou de Chenille, & avoir pris celle fous laquelle ils font incapables de marcher & de voler, laiffent pourtant appercevoir des pieds & des aîles; fous cette forme ils font ce qu'on appelle proprement des *Nymphes.* Les Mouches à miel, les Guefpes, les Bourdons, & quantité d'autres infectes, paffent par l'état de Nymphes avant que de parvenir à pouvoir faire ufage de leurs aîles. Les Scarabés, qui font ces infectes qui femblent avoir deux aîles écailleufes ou cruftacées, qui ordinairement ne font que les étuis des veritables aîles, fe trouvent dans la même claffe auffi-bien que diverfes efpeces de Mouches, comme celles qui viennent au printemps fur les fleurs des arbres. Il a auffi ramené les Fourmis à cette premiere fection de la troifiéme claffe.

La feconde fection de cette claffe comprend tous les infectes qui paffent par la forme de Crifalide ou de Féve, c'eft-à-dire, ceux dont les jambes & les aîles font mieux cachées après leur premiere transformation. Il fait fortir toutes les efpeces de Papillons de ces fortes de Crifalides.

Swammerdam a mis dans la quatriéme claffe les infectes, qui lorfqu'ils quittent la forme fous laquelle ils ont crû, & qu'ils ont confervée depuis leur naiffance, pour prendre celle de Nymphe ou de Crifalide, ne rejettent pourtant pas le fourreau, la robe qui leur donnoit leur premiere forme : leur corps fe détache de toutes parts de cette enveloppe, & à mefure qu'il s'en détache, il fait prendre à cette même enveloppe une nouvelle figure qui approche fouvent de celle d'un œuf. Alors cette enveloppe devient une efpece de coque qui renferme l'infecte, mais à laquelle il eft auffi peu adherent que le poulet, prêt à naître, l'eft à la fienne. L'infecte eft dans cette coque fous la forme de Nymphe ou de Crifalide; dans la fuite il ouvre la coque, & en fort avec des aîles. C'eft ainfi qu'un grand nombre d'efpeces de Vers qui doivent paroître en Mouches, tels que ceux de la viande, quittent la figure de vers ; ils femblent fe transformer dans un œuf dont leur peau de ver fait la coque; ils fortent Mouches de ces coques.

Quoique les changements réels de forme, des infectes de cette claffe, foient précifément les mêmes que ceux des infectes de la troifiéme claffe, comme Swammerdam luimême l'a bien remarqué, la circonftance particuliere de la peau du Ver qui devient une coque dans laquelle la Nymphe fe trouve renfermée, fournit un caractere diftinctif. Mais apparemment que cette claffe n'auroit pas eu affés d'étenduë au gré de notre fçavant auteur, & que c'eft ce qui l'a déterminé à y faire entrer beaucoup d'autres infectes qui appartiennent autant à la troifiéme claffe qu'à celle-ci.

On ne voit pas, par exemple, pourquoi il a mis gene-ralement dans cette quatriéme claffe tous ces Vers qui naiffent dans les corps de Chenilles, tous ceux qui croif-fent dans les fruits, dans les galles des plantes, dans les bois pourris, puifque la plûpart de tous ceux-ci quittent réellement leur peau de ver, qu'ils ne s'en font point une coque, & qu'ils font réellement dans le cas de ceux de la troifiéme claffe. Mais ces mêmes infectes qui fe trouvent déplacés dans la quatriéme claffe, euffent pû être mis dans d'autres claffes, aifées à caractérifer, fi le plan de Swam-merdam lui eût permis de tirer les caractères d'ailleurs que des varietés fournies par les transformations.

La methode de Swammerdam eft auffi celle que Ray a fuivie. Ces quatre divifions generales nous donnent des idées des quatre differences les plus remarquables qui peuvent être obfervées dans la vie de tous les infectes. Je doute pourtant que l'ordre de ces divifions foit celui dans lequel leur hiftoire doive être écrite : il engage, cet ordre, à mettre dans des claffes differentes des infectes qu'on aimeroit à trouver enfemble. Mais le grand inconvenient de cette methode, c'eft qu'elle employe trop peu de di-vifions. Quatre claffes ne fuffifent pas affûrément pour mettre en état de diftinguer une fi innombrable quantité de genres d'infectes, qui ont tant de differences entre eux.

Nous devons à M. Valifnieri, celebre Profeffeur à Padouë, un grand nombre d'obfervations fur les infectes, intereffantes par elles-mêmes, & qui le devienent encore davantage par le jour dans lequel il les a mifes : perfonne n'eût été plus propre que lui à donner leur hiftoire ; mais des occupations d'un autre genre l'ont empêché de rem-plir le plan qu'il s'en étoit formé. Il l'a fait imprimer, en

Italien, fous le titre de *Nouvelle Idée d'une divifion generale des Infectes*. Il les partage d'abord en quatre claffes. Il compofe la premiére de tous les infectes qui habitent les plantes & qui s'en nourriffent, foit qu'ils fe tiennent fur leurs feuilles, fur leurs fleurs, fur leurs fruits, ou fur quelque autre de leurs parties.

Il réunit dans la feconde claffe ceux qui vivent, naiffent & meurent dans les eaux de toutes efpeces, parmi lefquelles il comprend les fucs exprimés des plantes.

Il raffemble dans la troifiéme tous ceux qui vivent fous terre, fous le fable, dans la bouë, dans les pierres, dans les crayes, dans les coquilles qui font hors de la mer, dans les os des corps morts.

Enfin il met dans la quatriéme claffe tous les infectes qui vivent fur d'autres animaux, ou dans d'autres animaux.

Voilà les divifions generales, qui devoient lui fournir un grand nombre de fubdivifions ; & pour en donner un exemple, il rapporte celles fous lefquelles on peut confiderer les infectes des plantes, il en donne quarante-deux principales ; chacune devroit encore felon lui être fubdivifée en plufieurs articles.

Dès qu'on voudra ramener les infectes à un petit nombre de claffes, on ne peut gueres prendre un meilleur ordre que celui de M. Valifnieri, ou que celui de Swammerdam ; mais au furplus tout ordre qui demande qu'on fe renferme dans des bornes fi étroites, ne fera pas fans inconveniens ; M. Valifnieri a fenti lui-même qu'il y en avoit dans le fien. Nous trouvons dans nos jardins, dans nos campagnes, fur les plantes, des Mouches qui ont vêcu dans l'eau jufqu'au moment de leur transformation ; les donnerons-nous aux plantes ou à l'eau ! mettrons-nous dans la claffe des animaux fouterrains ceux qui demeurent en terre jufqu'à ce qu'ils fe transforment !

E iij

generalement adoptée aujourd'hui, a ce même inconvenient. On voit une plante pour la premiere fois, avant
que de la pouvoir nommer sûrement, on est obligé d'attendre qu'elle ait donné des fleurs & des fruits ; aussi ne
peut-on s'empêcher d'avouer que c'est-là le grand defaut
de cette methode, mais on n'a pû faire mieux : les ports
& les feuilles des plantes n'ont pas paru fournir des caracteres assés marqués, assés constants & assés sûrs. Heureusement que les formes des insectes, leurs exterieurs, nous
offrent des differences constantes, souvent aisées à saisir,
& même frappantes, & qu'elles en offrent en assés grand
nombre pour donner les caracteres de bien des classes, &
ceux de bien des genres dans chacune de ces classes ; les
especes même ont quelquefois des varietés exterieures
très-remarquables. Une Araignée, une Fourmi, une Cloporte, un Ver de terre peuvent être jugés par le premier
coup d'œil des insectes de classes differentes. Les premiers
auteurs qui ont traité des insectes, ont aussi eu attention
à leurs formes dans les distributions qu'ils en ont faites,
mais ils ont negligé de déterminer en quoi consistoient
les caracteres de ceux de differentes classes ; ils se sont
contentés de traiter dans des articles differents des insectes
qui avoient des formes differentes. J'ai donc crû qu'un
des principaux objets de mon travail devoit être de donner des caracteres des classes & des genres des differents
insectes, tirés de leurs formes, & assés sensibles pour qu'on
pût décider sur le champ à quel genre appartient celui
qu'on voit pour la premiere fois. Quoique je n'aye pas
laissé d'entrer sur cela dans d'assés grands détails, je ne
regarde, & je ne dois encore regarder, que comme une
simple ébauche ce que j'ai donné sur les caracteres des
classes & des genres. Ce point est celui qui paroîtra le
plus important à ceux qui veulent sçavoir à fond l'histoire
naturelle,

d'œil mettroit au fait des transformations par où passe chaque insecte dans le cours de sa vie. Les Botanistes donnent des catalogues des plantes qui croissent dans les environs de certaines villes ; nous avons, par exemple, le catalogue de celles des environs de Paris par M. de Tournefort. Je voudrois que les observateurs qui travaillent à l'histoire des insectes, donnassent des catalogues de ceux qui se nourrissent sur chaque plante : il y a des arbres, tels que le chêne, l'orme, le saule, qui fourniroient d'assés grandes listes. De pareils catalogues apprendroient ce qu'on peut esperer de trouver sur chaque plante, sur chaque arbre. Qu'on commence à en dresser, on les rendra complets insensiblement. On pourra faire des catalogues semblables des insectes qui vivent dans les eaux, d'autres de ceux qui vivent sous terre, &c.

On a déja pû entrevoir quel est le plan que je me suis proposé de suivre dans cet ouvrage, par les observations dont j'ai montré faire plus de cas. Nous sommes d'abord frappés par la forme exterieure d'un insecte, les caracteres les plus commodes, & ceux ausquels il est le plus naturel de s'en tenir pour les divisions generales, semblent aussi devoir être pris des differences marquées des formes exterieures. Une bonne methode doit mettre en état de déterminer à quelle classe, à quel genre appartient un insecte la premiere fois qu'on le voit ; & c'est ce qu'on ne pourra faire dans toute methode qui tirera les caracteres d'ailleurs que de la forme exterieure. Celle de Swammerdam, qui a le défaut de fournir trop peu de divisions, exige qu'on sçache l'histoire d'un insecte, qu'on sçache toutes les transformations par où il passe, avant que de sçavoir la place qui lui convient. Il est pourtant vrai que la belle methode de M. de Tournefort pour l'arrangement des plantes, & qui est presque

generalement adoptée aujourd'hui, a ce même inconvenient. On voit une plante pour la premiere fois, avant
que de la pouvoir nommer fûrement, on eft obligé d'attendre qu'elle ait donné des fleurs & des fruits ; auffi ne
peut-on s'empêcher d'avouer que c'eft-là le grand defaut
de cette methode, mais on n'a pû faire mieux : les ports
& les feuilles des plantes n'ont pas paru fournir des caracteres affés marqués, affés conftants & affés fûrs. Heureufement que les formes des infectes, leurs exterieurs, nous
offrent des differences conftantes, fouvent aifées à faifir,
& même frappantes, & qu'elles en offrent en affés grand
nombre pour donner les caracteres de bien des claffes, &
ceux de bien des genres dans chacune de ces claffes ; les
efpeces même ont quelquefois des varietés exterieures
très-remarquables. Une Araignée, une Fourmi, une Cloporte, un Ver de terre peuvent être jugés par le premier
coup d'œil des infectes de claffes differentes. Les premiers
auteurs qui ont traité des infectes, ont auffi eu attention
à leurs formes dans les diftributions qu'ils en ont faites,
mais ils ont negligé de déterminer en quoi confiftoient
les caracteres de ceux de differentes claffes ; ils fe font
contentés de traiter dans des articles differents des infectes
qui avoient des formes differentes. J'ai donc crû qu'un
des principaux objets de mon travail devoit être de donner des caracteres des claffes & des genres des differents
infectes, tirés de leurs formes, & affés fenfibles pour qu'on
pût décider fur le champ à quel genre appartient celui
qu'on voit pour la premiere fois. Quoique je n'aye pas
laiffé d'entrer fur cela dans d'affés grands détails, je ne
regarde, & je ne dois encore regarder, que comme une
fimple ébauche ce que j'ai donné fur les caracteres des
claffes & des genres. Ce point eft celui qui paroîtra le
plus important à ceux qui veulent fçavoir à fond l'hiftoire
naturelle,

naturelle, la sçavoir par principes & dans toute son étenduë; mais il ne paroîtra que trop long à ceux qui ne sont touchés que de ce que cette science offre d'agreable. J'ai à leur demander grace pour tous les endroits où il s'agira de ces distributions de classes & de genres, ou pour le mieux encore je leur conseille de ne les point lire. Les sciences dont les dehors sont les plus riants, ont du sec & de l'aride, lorsqu'on les approfondit; qui n'y veut trouver que de l'agreable, doit se borner à les effleurer.

Il y a des insectes qui nous paroissent sous plusieurs formes pendant le cours de leur vie. Alors celle sous laquelle ils nous donnent, le plus ordinairement, envie de les connoître, est, à mon sens, celle qui doit décider de la place qu'on leur accordera. Je vois voler une Mouche à longues aîles, je deviens curieux de sçavoir quelle est l'origine de cette mouche; c'est en consultant l'histoire des Mouches, que je dois chercher à m'en instruire. Là je trouverai cette Mouche, j'y apprendrai peut-être qu'elle vient d'un insecte aquatique que je n'eusse jamais connu si cette Mouche ne m'eût donné envie de le connoître. Je trouverai qu'une autre Mouche à longues aîles vient d'un insecte qu'il faut aller déterrer sous le sable; qu'une autre vient d'un Ver qu'on trouve sur les feuilles de certains arbres. On aura donc l'histoire de ces Vers avec celle de leurs Mouches. Les Vers sous la forme desquels croissent les Guespes, les Mouches à miel, ne s'offrent point à nos yeux, mais notre curiosité est excitée pour les Guespes, pour les Mouches à miel que l'on voit frequemment: en cherchant à s'instruire de leur origine, on est conduit à observer les Vers dont elles sortent. Par la même raison je suivrai un ordre different en parlant des Papillons; leur histoire & celle des Chenilles sont la même; elles se trouveront aussi dans les mêmes articles; mais au

Tome I.   F

lieu que j'ai defcendu des Mouches à leurs Vers, je re-
monterai des Chenilles à leurs Papillons, parce que les
Chenilles font plus fouvent & plus conftamment devant
nos yeux que les Papillons; parce que les Chenilles font
plus aifées à obferver. Une énumeration bien exacte des
efpeces, & même des genres de chaque claffe n'entre
point dans mon projet; je me fuis principalement propofé
de faire connoître les genres & les efpeces qui fe prefentent le plus fouvent à nos yeux, de détailler des hiftoires
de quelques-uns des infectes de chaque different genre,
qui donneront au moins des idées generales de celles des
autres infectes des mêmes genres; enfin de faire mention
de toutes les efpeces qui nous auront fourni des faits remarquables.

J'ai déja affés déclaré que la partie de l'hiftoire des
infectes à laquelle j'ai été le plus fenfible, c'eft celle qui
regarde leur genie, leurs induftries; auffi leurs induftries
décideront fouvent de l'ordre dans lequel j'en traiterai.
J'ai crû, par exemple, qu'on aimeroit mieux voir de fuite
tous les infectes qui fçavent fe vêtir, & qui font fur-tout
remarquables par-là, que de les trouver difperfés en differentes claffes, comme ils le feroient neceffairement fuivant les methodes de Swammerdam & de Valifnieri. Je
fçais auffi qu'il pourra arriver dans celle que je fuis, que
des Papillons, des Mouches, des Scarabés fe trouveront
réunis dans un même article; mais cet inconvenient n'ar-
rivera pas fouvent, & il ne m'a pas paru fort grand. La
vraye utilité de l'ordre eft de difpofer les verités de maniere que celles qui précedent aident à acquerir celles
qui les fuivent, & de mettre l'efprit en état de les mieux
retenir toutes; on doit s'écarter de l'ordre general dès qu'il
n'a plus ces avantages. S'il y a des infectes qui n'offrent
qu'une feule action dans leur vie capable de les mettre

dans notre souvenir, c'est par rapport à cette action qu'il faut les considerer. Il y a des milliers d'especes de Moucherons, de Papillons, de Scarabés extrêmement petits, pour qui on seroit fort indifferent, si on n'en entendoit parler qu'avec ceux de leur classe, & pour qui on s'interesse dans d'autres circonstances. Lorsqu'on remarque sur les feuilles d'un arbre une galle d'une forme singuliere, on est bien aise de sçavoir comment elle a été produite; on est bien-aise de connoître le Ver qui y est renfermé, qui l'a fait croître; & de sçavoir ce que ce Ver doit devenir. Ainsi je ne me suis pas embarrassé que les insectes qui sortent des galles fussent de classes differentes comme de celles des Mouches, de celles des Papillons, de celles des Scarabés, j'ai parlé de plusieurs differentes especes de ces petits insectes en parlant des galles.

J'ai pourtant fait ensorte de ne pas abuser de cette licence; quand les insectes ont été remarquables par eux-mêmes, ce ne sont gueres que les industries de ceux d'une même classe que j'ai réunies sous un point de vûë: lorsque j'ai parlé de la maniere dont les Chenilles filent, je n'ai rien dit de la maniere de filer des Araignées, d'autant plus que dans ces deux classes où les insectes sont si differents par leur figure, ils filent pour des fins differentes, & par le moyen d'organes disposés differemment. Au reste j'ai été bien éloigné d'avoir la délicatesse de ne pas faire reparoître ici plusieurs Memoires que j'ai fait imprimer ci-devant parmi ceux de l'Academie, car lorsque je me suis déterminé à travailler à cet ouvrage, ç'a été sur ce que les Memoires que j'avois déja donnés, joints à ceux qui me restoient, me paroissoient pouvoir en fournir les materiaux.

Comme les vûës dans lesquelles j'ai fait mes observations ont été souvent differentes de celles que se font

propofées ceux qui ont fuivi les mêmes infectes ; que
d'ailleurs je me fuis obftiné à découvrir les moyens qu'ils
employoient pour parvenir à leurs differentes fins, il n'eft
pas furprenant que ceux même qui font les plus communs m'ayent fait voir des faits nouveaux, ou qu'on ne
s'étoit pas avifé de confiderer. J'ai détaillé avec foin les
differentes manieres dont je m'y fuis pris dans ces fortes
de recherches; on en fera plus en état de verifier les faits
que j'ai rapportés, & les routes que j'ai fuivies pourront
conduire à en découvrir qui m'ont échappé. Quoique
j'aye rendu le plus complettes qu'il m'a été poffible les hiftoires des infectes dont je parlerai, il y en aura encore qui
feront affés imparfaites , & malgré ces imperfections ,
l'ouvrage pourra répondre à fon titre ; des memoires fur
l'hiftoire des infectes peuvent laiffer un grand nombre de
faits à defirer. Il y a des obfervations pour lefquelles des
circonftances favorables m'ont manqué; la fortune a part
aux découvertes d'hiftoire naturelle comme elle en a à
celles de tous les autres genres. Il eft vrai pourtant qu'ici
on peut fouvent forcer la fortune à nous fervir ; elle eft
communement pour ceux qui la cherchent avec le plus
d'empreffement, c'eft-à-dire, que ceux qui travaillent le
plus à faire naître les occafions, qui font le plus attentifs
à faifir celles qui peuvent les conduire à leurs fins, y
arrivent ordinairement.

Divers auteurs ont nourri beaucoup d'efpeces differentes d'infectes pour avoir leurs transformations, mais
ils femblent n'avoir eu que cela en vûë ; de fçavoir, par
exemple, quel Papillon vient d'une certaine Chenille; ils
paroiffent avoir negligé de fe donner les petits foins neceffaires pour voir ce qui fe paffe de plus curieux dans
ce qui précede, ce qui accompagne & ce qui fuit ces
transformations. Ils ne femblent pas avoir affés cherché

à prendre des mesures pour découvrir comment les insectes executent diverses operations difficiles , comment
ils viennent à bout de plusieurs ouvrages industrieux.
C'est ce qu'on parviendra souvent à voir, quand on en
aura bien envie. Il ne faut souvent qu'avoir recours
à de petits expedients qui se présenteront à qui les voudra chercher. Quand on ne veut qu'avoir le Papillon
qui sort d'une Chenille , il suffit de nourrir deux ou trois
Chenilles de cette espéce ; mais quand on veut saisir ces
Chenilles dans des operations délicates, qu'elles n'executent qu'une fois dans leur vie, & qui ne durent que peu
d'instants, c'est un hazard si le temps de ces observations
n'échappe pas à l'observateur qui n'a nourri qu'une Chenille de cette espece. S'il en a nourri des centaines , il a
multiplié des centaines de fois les occasions d'observer
ces moments précieux ; & des centaines de Chenilles de
la même espece n'embarrassent pas plus à élever qu'une
seule , lorsqu'elles sont de celles qui vivent de feuilles
d'arbres communs ou de plantes communes, tout se réduit à les renfermer dans de plus grands vases.

Par rapport aux endroits dans lesquels on a tenu les
Chenilles renfermées, il paroît, par ce qui en est rapporté
dans divers ouvrages, qu'on les a mises ordinairement
dans des boîtes de bois. Des Chenilles mangent fort
bien, croissent, se transforment en crisalides & en papillons, quoiqu'elles soient privées du grand jour ; mais l'observateur n'est en état de voir leurs manœuvres que quand
il ouvre la boîte ; les mouvements qu'il fait pour l'ouvrir
déterminent ordinairement la Chenille à interrompre
celles qu'elle avoit commencées. Des bouteilles de verre,
telles que celles des cabinets des curieux, dont l'ouverture
a presque autant de diametre que le fond, & qu'on appelle
des *poudriers,* font des logements plus convenables ; leurs

parois permettent toûjours de voir l'insecte qui y est renfermé. De grandes cloches de verre, celles même qui
sont à l'usage des jardiniers, posées l'ouverture en haut,
peuvent fournir encore des logements plus spacieux : si
on les remplit en partie de terre couverte de gazon, on
y éleve commodement les insectes qui vivent d'herbes,
& sur-tout ceux qui aiment à aller sous terre de temps en
temps. Il y a nombre d'insectes qui ne volent point, &
qui ne sçauroient grimper le long du verre, ils restent
dans ces cloches, quoiqu'on ne les couvre pas ; ils y
font leurs œufs, les petits en éclosent, & y croissent.
Celles de ces cloches où l'on met des insectes qui volent
ou qui montent le long du verre, demandent à avoir des
couvercles, soit pleins, tels que ceux des boîtes ordinaires,
soit, & c'est le mieux, des couvercles à jour. J'en ai fait
faire de tels par des vanniers, de tissure semblable à celle
de ces paniers ou clayons dans lesquels on met les fro-
mages pour que leur lait s'égoutte, mais où les vuides
étoient moins grands.

Les volieres jusqu'ici n'ont été faites que pour les oiseaux, j'en ai fait faire pour y loger à la fois un très-grand
nombre de differentes especes d'insectes, & propres à
renfermer tous ceux dont le diametre du corps ne surpassoit gueres celui d'un fil d'archal ordinaire, les fils fins
du grillage n'étant qu'à cette distance les uns des autres.
Le fond de la voliere étoit du gazon sur lequel il y avoit
des plantes de differentes especes ; & ce gazon étoit posé
sur une épaisse couche de terre, qui étoit contenuë dans
une espece de cuve quarrée de maçonnerie, afin que les
insectes qui penetrent en terre, ne pussent pas trouver des
chemins souterrains pour s'échapper de la voliere ; ils
étoient arrêtés par les murs qui contenoient la terre. Dans
de pareilles loges on peut rassembler des insectes de bien

des claſſes differentes, & qui s'y multiplient, ſur-tout ſi on a ſoin d'y jetter ceux qu'on a trouvés accouplés. Ils y font leurs operations comme en pleine campagne. En un mot avec de pareils expedients, & un grand nombre d'autres que, pour ne pas ennuyer, nous differons à décrire juſqu'à ce que nous rapportions les faits qui nous ont obligé d'y avoir recours, avec, dis-je, de pareils expedients, quelques années peuvent fournir plus d'obſervations qu'il ne ſeroit poſſible d'en raſſembler dans les vies conſecutives de pluſieurs obſervateurs, qui attendroient celles que d'heureux hazards leur fourniroient.

Les menageries ordinaires, celles des grands animaux, engagent à des dépenſes que des Rois & des Princes ſont ſeuls en état de faire ; des menageries d'inſectes, dont l'entretien ne ſeroit pas cher aſſûrement, offriroient des ſpectacles plus ſinguliers & plus variés. Il n'eſt pas beſoin d'aller dans le nouveau Monde pour découvrir des animaux de formes nouvelles & ſurprenantes, il ne faut que faire plus d'uſage de nos yeux, pour bien regarder tout ce qui nous environne. Un ſeul chêne peuplé de tous les inſectes qui peuvent s'élever ſur ſes feuilles & ſur ſes branches, fourniroit dans la plûpart des ſaiſons de l'année & dans preſque toutes les heures de leurs jours des nouveautés amuſantes. Les Abeilles qu'on tient dans les ruches vitrées ne ſe font-elles pas regarder par tous ceux qui ne redoutent pas trop leurs aiguillons. Les Gueſpes, que l'on peut tenir dans de pareilles ruches, comme je l'ai rapporté dans les Memoires de l'Academie*, ne font point de mal à qui ſe contente de les obſerver, & lui font voir des manœuvres qu'on ne ſe laſſe point de conſiderer. On peut par-tout avoir des Formica-leo. Enfin on peut avoir des menageries d'inſectes de toutes eſpeces, & ſi elles n'étoient pas les plus utiles de celles d'une maiſon

* Mem. de l'Ac. 1719. p. 250.

de campagne, elles seroient assûrement les plus agreables
pour ceux qui connoîtroient les petits animaux qui y seroient rassemblés.

C'est un avantage bien grand pour un auteur qui en-
treprend un ouvrage de quelque étenduë, que d'être
d'une Compagnie telle que l'Academie des Sciences ; il
est continuellement à portée de profiter des lumieres de
confreres habiles, qui peuvent rectifier ses vûës, lui en
faire naître de nouvelles, lui épargner des méprises, &
lui donner des connoissances qui lui manquoient. Mais
c'est sur-tout pour un ouvrage de la nature de celui-ci
que les secours d'une Compagnie éclairée sont necessaires. Quelque envie qu'on puisse avoir d'observer des
insectes, quoiqu'à force d'en chercher on se soit fait une
espece d'art de les trouver, ce n'est pas un art qui con-
duise sûrement ; c'est une sorte de chasse où on a besoin
d'être favorisé par le hazard, & le hazard en presentera
plus aux yeux de plusieurs hommes qui sçavent voir,
qu'aux yeux d'un seul. Des Academiciens qui ont pour
principal objet l'étude des plantes, qui voudroient, s'il
étoit possible, les connoître, & les voir toutes, ne sçauroient refuser leurs regards à tant d'especes de petits
animaux qu'elles nourrissent. De toutes les sciences,
la Botanique est celle qui fournit plus d'occasions de
rencontrer des insectes. Aussi M. Bernard de Jussieu,
qui est chargé du soin de faire cultiver les plantes du Jardin du Roy, qui veille avec tant d'assiduité à leur conservation, qui travaille avec un zele infatigable à enrichir le
précieux dépôt qui lui a été confié, qui de plus est obligé,
par sa place, de démontrer les plantes des environs de
Paris aux étudiants, & enfin qui a beaucoup de connoissances dans toutes les parties de l'histoire naturelle ; M.
Bernard de Jussieu, dis-je, ayant bien voulu me ramasser,

depuis

depuis quelques années, les insectes qu'il trouvoit, m'en a procuré un grand nombre d'especes differentes, & m'a mis en état de faire des observations sur plusieurs especes que je n'eusse peut-être jamais vûës. M. du Hamel, qui a pour un de ses objets l'étude des plantes, & qui travaille avec ardeur & succès sur differentes parties de la physique, m'a aussi fourni quelques especes d'insectes; de concert même avec M. de Nainvilliers, son frere, il a bien voulu se charger, à ma priere, de faire des observations sur certaines especes qui étoient plus communes à leur terre de Nainvilliers qu'aux environs de Paris.

Des Academiciens que le public connoît principalement par leurs progrès surprenants, & leurs découvertes en Geometrie, qu'il croiroit uniquement occupés des plus sublimes & des plus abstraites speculations de cette science, ne laissent pas d'être sensibles aux admirables productions de la nature, & ne sont pas de ceux qui cherchent le moins à les voir. La sagacité & la facilité avec lesquelles M. de Maupertuis donne les plus courtes & les plus élegantes solutions des problemes les plus compliqués, n'ont en rien affoibli son goût pour les insectes, personne peut-être n'a plus d'amour pour eux. Il m'en a procuré de singuliers, & ç'a toûjours été en me faisant part de remarques curieuses & d'ingenieuses vûës qu'ils lui avoient fournies. L'esprit d'observation qu'on regarde comme le caractere d'esprit essentiel aux naturalistes, que communement même on leur affecte, est également necessaire pour faire des progrès en quelque science que ce soit. C'est l'esprit d'observation qui fait appercevoir ce qui a échappé aux autres, qui fait saisir des rapports qui sont entre des choses qui semblent differentes, ou qui fait trouver les differences qui sont entre celles qui paroissent semblables. On ne résoud les problemes les

Tome I. .G

plus épineux de Geometrie qu'après avoir sçû obferver des rapports qui ne fe découvrent qu'à un efprit pene- trant, & extrêmement attentif. Ce font des obfervations qui mettent en état de réfoudre les problemes de phyfi- que comme ceux d'hiftoire naturelle, car l'hiftoire natu- relle a fes problemes à réfoudre, & elle n'en a même que trop qui ne font pas encore réfolus. Un infecte nous fait voir un ouvrage d'une conftruction finguliere, c'eft quel- quefois un probleme tel que ceux de mecanique, que de trouver comment cet ouvrage a pû être conftruit ; & ce font ordinairement des problemes dont il faut que l'in- fecte lui-même nous donne la folution.

M. Grandjean, quoique dévoué à l'Aftronomie, m'a remis quelques efpeces de Chenilles, & quelques efpeces d'autres infectes que je fouhaitois avoir.

Mais perfonne ne m'a procuré de plus grands fecours que M. d'Onzembray. L'immenfe recueil qu'il s'eft fait des productions de l'art & de la nature eft une preuve éclatante de fon amour pour les progrès des fciences. Il eft heureux pour les gens de Lettres qu'il ait l'Intendance generale des Poftes de France ; il leur facilite un com- merce neceffaire pour étendre & pour perfectionner leurs connoiffances. Il m'eft venu des extremités du royaume quantité d'efpeces de Chenilles, & de divers autres in- fectes qui me font arrivées à Paris très-vivantes. Il n'y a qu'une voye auffi prompte que la pofte pour tranfporter en vie ces petits animaux, quoiqu'on leur faffe faire une longue route fur laquelle on ne les foigne point. D'ail- leurs ceux qui vouloient bien prendre la peine de m'en ramaffer, & de me les envoyer, n'auroient fouvent ofé rifquer de mettre à la Pofte des infectes que je pouvois avoir, ou qui auroient pû perir en chemin, s'ils euffent crû que le port m'en eût coûté cher : ils n'étoient plus

arrêtés par cette crainte, dès que je les avois averti que
de pareils envois m'étoient rendus fans frais, & par l'attention obligeante de M. d'Onzembray, fouvent plûtôt que
les lettres ordinaires. Il m'eft venu par la pofte beaucoup
d'infectes bien fains du fond du Poitou, & en particulier
de Reaumur. Un de mes amis * ayant pris du goût pour
la folitude, & pour étudier nos petits habitants des campagnes, a bien voulu choifir ma Terre pour le lieu de fa
retraite. Là il cherche les infectes avec une attention &
une patience aufquelles ne fçauroient échapper ceux
même qui femblent affés cachés par leur extreme petiteffe.
Il fe plaît à les nourrir, à les élever, & il m'a foigneufe-
ment envoyé ceux qui lui ont paru les plus dignes d'être
fuivis.

M. Baron, qui avant de s'établir Medecin à Luçon,
avoit demeuré chés moi à Paris, & qui y avoit même
eu foin de mes menageries d'infectes, m'en a envoyé
beaucoup de ceux de fon canton, ce qui lui a été d'autant plus facile, que perfonne n'a le coup d'œil meilleur
que lui pour les découvrir. M. de Villars, qui eft auffi
Medecin dans le même pays, & dont la réfidence eft auprès des Effars, a eu auffi le foin de m'en chercher, & de
m'en envoyer. J'en ai eu des environs de Bordeaux, que
j'ai dû aux attentions officieufes de M. Raoul, Confeiller
au Parlement de la même ville. Enfin ceux qui s'inte-
reffent aux progrès de l'hiftoire naturelle, & qui me ju-
geront capable d'y contribuer, me feront des prefents que
je recevrai avec une reconnoiffance que je me ferai plaifir
de rendre publique, quand ils voudront bien m'envoyer
les infectes qui leur auront paru finguliers, & qu'ils fou-
haiteront que j'étudie. Ils n'auront qu'à les renfermer dans
de petites boîtes, avec la provifion d'aliments neceffaires

* M. Bazin, ci-devant Controlleur du Grenier à Sel de Paris.

pour le voyage, & à les adreſſer à M. le Comte d'Onzembray, Intendant general des Poſtes de France; au deſſous de la premiere enveloppe ils en mettront une ſeconde à mon adreſſe : ils peuvent être ſûrs qué l'envoi me ſera fidellement & promptement remis.

Lorſque la nature d'un ouvrage exige qu'on faſſe paſſer dans l'eſprit du lecteur les images de quantité de figures compoſées, on ne peut gueres ſe promettre d'y réuſſir ſans le ſecours des deſſeins. Il eſt difficile de peindre exactement par des deſcriptions les differentes formes, les differents arrangements, & les differentes proportions des parties de certains corps. Mais il eſt encore plus difficile de fixer l'attention à des deſcriptions, qui rarement peuvent être ſuffiſamment exactes ſans être longues. Les deſſeins diſent bien plus vîte ce qu'ils ont à dire ; ils ne peuvent pourtant pas toûjours repreſenter tout ce qu'on voudroit qu'ils repreſentaſſent, mais ils ſoûtiennent toûjours l'imagination, & avec leur ſecours on lit & on entend des deſcriptions qu'autrement on n'entendroit ni ne liroit. C'eſt ſur-tout aux ouvrages dont l'objet eſt de faire connoître les formes du corps & des parties de divers inſectes que les deſſeins ſont neceſſaires ; ils animent, pour ainſi dire, ces ouvrages ; la vie ſemble manquer à ceux à qui ils manquent ; dans ce genre, un ouvrage qui n'eſt preſque que de deſſeins, ſera toûjours mieux reçû qu'un autre qui en feroit totalement privé, quelque exact & quelque détaillé qu'il fût d'ailleurs. Plus de gens apparemment ont parcouru les planches que nous a données M.de Merian, tant des inſectes d'Europe que de ceux de Surinam, qu'il n'y en a qui ont lû l'hiſtoire des inſectes de M. Ray, abſolument dénuée de figures ; cependant quelques lignes, employées par M. Ray à décrire un inſecte, peuvent le faire mieux connoître, mettent ſouvent,

plus en état de le retrouver, de le diſtinguer de ceux à
qui il reſſemble que ne nous y met une figure de cet
inſecte, qui ſera au nombre de celles qui ſont gravées
ou même enluminées dans les planches de M.^{de} Merian :
mais l'imagination travaille pour prendre & pour conſer-
ver l'image qu'une deſcription veut lui donner, & elle
reçoit dans un inſtant & ſans peine celle d'un deſſein.

Les planches ne manquent donc jamais d'égayer les
ouvrages où elles ſe trouvent, mais elles ne leur donnent
pas toûjours tous les avantages qu'elles ſont deſtinées à
leur procurer, ſur-tout lorſqu'elles ont à nous repreſenter
des inſectes de differentes eſpeces entre leſquels il n'y a
que de legeres differences. Ceux dont nous avons le plus
de figures gravées, ſont des Chenilles & des Papillons ;
& je ne craindrai pas de trop dire, quand je dirai qu'elles
ne ſçauroient nous faire retrouver le quart de ceux qu'elles
repreſentent. Les bons Peintres en portrait ſont rares , &
le nombre des bons Peintres ou des bons Deſſinateurs
en portraits d'inſectes eſt incomparablement plus petit ;
peu de Peintres s'exercent à en faire , & il eſt très-diffi-
cile d'y réuſſir ; ſouvent deux hommes different plus à nos
yeux que n'y different deux Chenilles, quoique d'eſpeces
differentes. Je me ſuis ordinairement abſtenu de multiplier les deſſeins de celles qui n'avoient entre elles que
de ces variétés legeres qu'on ne ſçauroit ſe promettre de
faire ſentir avec le noir & le blanc de la gravure.

On peut ſe promettre de faire voir plus de variétés ,
lorſqu'on a recours aux couleurs, lorſqu'on enlumine les
figures ; mais outre que tout ouvrage rempli d'un grand
nombre de planches enluminées devient cher, c'eſt que
ce qu'on retire d'avantage des enluminures n'eſt pas proportionné à leur prix ; il ſeroit exceſſif, ſi les couleurs
étoient appliquées avec toute l'intelligence, tout le ſoin &

G iij

toùt l'art neceſſaires pour nous offrir des portraits où l'on retrouvât la nature. Mais les enluminures qùi ſont faites à la hâte, les ordinaires, nous donnent ſouvent de ſi fauſſes idées des couleurs propres aux inſectes, qu'il vaut mieux n'avoir que de ſimples gravures, qui au moins ne nous trompent point, & qui conſervent des traits de reſſemblance que l'application des couleurs fait ſouvent perdre. Enfin il y a des inſectes, par exemple des Chenilles, dont les diffe-rences ne ſçauroient nous être montrées par les couleurs; pluſieurs ſont toutes brunes, toutes vertes, & les bruns & les verts different plus ſur le même inſecte, conſideré quelques jours plûtôt ou plus tard, que ne different quel-quefois ceux de deux inſectes de differentes eſpeces.

Il conviendroit que tout obſervateur eût lui-même le talent de deſſiner, pourvû qu'il ne s'y livrât pas trop, qu'il n'employât pas à des deſſeins le temps qu'il devroit donner à des recherches. L'avantage de ce talent eſt ſur-tout pour ſaiſir des moments uniques qui ne laiſſent pas le temps d'avoir recours à une main étrangere, qu'on n'eſt pas maître d'avoir toûjours auprès de ſoi. Pour ſuppléer à ce qui me manquoit, j'avois fait inſtruire un jeune homme, qui avoit une grande diſpoſition à copier fidel-lement la nature : il demeuroit chés moi ; je n'ai même oſé raſſembler mes obſervations, & m'engager à en for-mer un corps d'ouvrage que quand je me ſuis crû ſûr de ce ſecours pour faire faire commodément tous les deſſeins dont j'aurois beſoin ; mais la mort me l'a enlevé, lorſque je ne faiſois que commencer à en jouir, c'eſt ce qui a été cauſe en partie que cet ouvrage a plus tardé à paroître.

Je n'aurois pas ſongé à employer un autre Deſſinateur que celui dont je me ſuis le plus ſervi depuis, ſi je l'euſſe ſçû plus maître de ſon temps ; il eſt né avec des talents & du goût pour ſon art, qu'il a cultivés en travaillant,

depuis plus de vingt-cinq ans, sous les yeux de nos plus
sçavants Academiciens. La plûpart des desseins des Memoires de l'Academie sont de lui. D'ailleurs, fils d'un
des premiers Graveurs que nous ayons eû, sur les traces
duquel il s'efforce de marcher, il a lui-même gravé les
desseins qu'il a faits sous mes yeux. Des desseins perdent
souvent beaucoup dans la gravure, personne n'est plus
propre à leur y conserver tout leur esprit que celui qui
les a faits. Les desseins de ce premier volume sont donc
pour la plûpart de M. Simonneau, excepté un petit
nombre qui ont été faits par le jeune homme que la mort
m'a trop tôt enlevé. Il y en aussi quelques-uns, qui par
la verité de leur ressemblance feront souhaiter qu'il y en
eût un plus grand nombre de la même main ; ils sont
d'une personne du même sexe que celle à qui nous devons ceux des insectes de Surinam, mais qui jusqu'ici ne
s'étoit amusée que rarement à de pareils ouvrages, & qui
est si éloignée d'en vouloir tirer quelque gloire, qu'elle
ne me permet pas de la nommer. Le genie & les heu-
reuses dispositions que la nature lui a données pour le
dessein, lui ont fait acquerir en peu une facilité de faire
des portraits ressemblants d'insectes qui ne pouvoit manquer de lui rendre ce travail agreable. Le plaisir qu'elle y
a trouvé me met en état de promettre pour les volumes
suivants un bon nombre de ses desseins, aussi fidelles &
aussi corrects qu'on les peut desirer.

Ceux qui, comme moi, sont incapables de faire eux-
mêmes les desseins dont ils ont besoin, ne doivent pas
au moins se dispenser de les faire faire sous leurs yeux,
quelque temps qu'il leur en doive coûter. Un dessinateur
a beau être intelligent, il lui est impossible d'entrer dans
les vûës d'un auteur, si l'auteur ne conduit, pour ainsi
dire, son pinceau. Le dessinateur sera frappé par certaines

parties d'un objet qu'il cherchera à mettre plus en vûë, & qui feront celles qu'il importe le moins de faire connoître. C'eft à l'auteur à donner les pofitions, les points de vûë de l'objet. Dans divers ouvrages où on a reprefenté un grand nombre de belles efpeces de Papillons, on s'eft plus attaché à donner des figures qui pluffent que des figures qui inftruififfent. La figure d'un Papillon qui vole, qui a toutes fes aîles étalées, & qui montre en entier la varieté de l'arrangement de fes couleurs, eft affûrement plus agreable que celle d'un Papillon en repos, dont les aîles fuperieures couvrent fouvent tout ce que les aîles inferieures ont de beauté, & qui d'ailleurs a alors un air plus lourd, plus raccourci, & plus mal fait. Mais les premieres figures ne nous aident point à reconnoître ce Papillon quand il eft pofé fur des feuilles & fur des fleurs, & quand il vole on ne diftingue point fes belles couleurs. Quelques peintres même, pour nous faire voir tout ce qui peut fe voir de l'arrangement des couleurs des aîles, ont reprefenté les Papillons dans les attitudes de ces oifeaux qui font attachés contre des portes. Je ne defap-prouve pas pourtant ces dernieres attitudes; je trouve qu'il eft très-bien de faire voir la diftribution de toutes les taches qui peuvent nous aider à diftinguer un Papillon des au-tres, quand nous l'avons entre les mains, mais je demande que par préference on le reprefente dans les attitudes fous lefquelles il paroît à nos yeux.

On fouhaiteroit peut-être trouver à la fin de ce pre-mier Memoire un plan détaillé de l'ordre dans lequel nous avons crû devoir placer nos differentes claffes de petits animaux. Mon premier deffein avoit auffi été de tracer ici ce plan, mais j'y ai renoncé, après avoir vû que je ferois obligé de rapporter les raifons des arrangements que j'aurois choifis, de donner des defcriptions des infectes

que

que leurs noms seuls ne feroient pas connoître à ceux qui n'ont point encore étudié l'histoire naturelle ; ç'auroit été se mettre dans la nécessité de décrire deux fois chaque insecte, car on ne peut s'empêcher de décrire celui dont on donne l'histoire, c'en est le vrai temps.

Les anneaux dont le corps d'une infinité de petits animaux est composé, les especes d'incisions qui se trouvent à la jonction de deux anneaux, leur ont apparemment fait donner le nom d'*Insectes*, qui aujourd'hui n'est plus restraint à ceux qui ont de pareilles incisions. On n'hesite pas à mettre une Limace dans la classe des insectes, quoiqu'elle n'ait point d'anneaux distincts. Peut-on donner un autre nom que celui d'insecte à ces animaux de mer, dont la figure est assés bizarre pour ressembler à celle sous laquelle les peintres representent les étoiles * ! D'autres animaux de mer, que les naturalistes ont appellés des *Orties*, ont des formes aussi singulieres ; dans certains temps ils sont concentrés en eux-mêmes, la figure peu agreable qu'ils ont alors, les fait appeller sur diverses côtes des *culs de chevaux* ; dans d'autres temps ils s'épanouissent comme des fleurs, dont ils semblent avoir été ci-devant les boutons *. Quoique les anneaux manquent aux Orties, & aux E'toiles de mer, les unes & les autres n'en seront pas moins regardées comme des insectes. Puisque la Limace est un insecte, le Limaçon en est un aussi, il semble n'être qu'une Limace couverte de coquille. Dès-là l'histoire des Coquillages devient une branche de celle des insectes. Je suis donc bien éloigné de la borner à celle des animaux qui ont des incisions, je ne la bornerois pas même à celle des animaux qui ont une certaine petitesse ; quoique Moufet ait intitulé son ouvrage *le Theatre des Insectes, ou des plus petits Animaux*, ces deux termes ne me semblent point du tout sinonimes. Dès qu'un historien

Tome I. . H

a confacré fa plume à la gloire d'un peuple, il fe paf-
fionne pour lui, il voudroit lui découvrir la plus noble,
& la plus ancienne origine, il voudroit trouver par-tout
des traces de fes conquêtes, & de l'étenduë de fa domi-
nation. Je ne fçais fi des difpofitions pareilles ne me font
point trop reculer les limites de la claffe des infectes; je lui
accorderois volontiers tous les animaux que leurs formes
ne nous permettent pas de placer dans la claffe des quadrupedes ordinaires, dans celle des oifeaux, & dans celle
des poiffons. La grandeur d'un animal ne doit pas fuffire
pour l'ôter du nombre des infectes. Les voyageurs qui nous
parlent d'Araignées auffi groffes que des moineaux, exa-
gerent peut-être, mais nous avons des Papillons dont le
vol, dont l'étenduë des aîles furpaffe l'étenduë des aîles de
certains petits oifeaux. Une Chenille n'en feroit pas moins
Chenille, fi on en trouvoit de plufieurs pieds de longueur.
Un Crocodile feroit un furieux infecte, je n'aurois pourtant aucune peine à lui donner ce nom. Tous les reptiles
appartiennent à la claffe des infectes par les mêmes raifons
que les Vers de terre lui appartiennent. Les Lezards, qui
malgré leurs quatre jambes, s'élevent fouvent fi peu lorfqu'ils marchent, que la plûpart femblent ramper, font
encore une dépendance de la claffe des infectes. Les Gre-
nouilles, & les plus vilains de tous les animaux, les Crapaux,
font de même du reffort de l'hiftoire des infectes, qui, malgré l'averfion qu'on a pour ceux de ces derniers genres,
peut plaire en racontant leurs amours, en apprenant que
le mâle tient fa femelle embraffée & ferrée pendant plufieurs femaines, & jufqu'à quarante jours, fans interrup-
tion. Au refte nous aurons moins à craindre le reproche
d'avoir parlé de tels ou de tels animaux dans nos Memoires, que celui de n'avoir pas affés fçû voir tout ce qu'ils
offrent de fingulier.

SECOND MEMOIRE.

DES CHENILLES
EN GENERAL,

Et de leurs divisions en classes & en genres.

LORSQUE l'hyver a dépouillé les arbres de leurs feuilles, la nature semble avoir perdu ses insectes; il y en a des milliers d'especes, d'aîlées & de non-aîlées, si communes en d'autres temps, qu'on ne retrouve plus alors. Nos campagnes s'en repeuplent dès que les feuilles des arbres commencent à pointer; des chenilles de toutes especes les rongent avant même qu'elles se soient développées. Ces chenilles, que nous voyons alors reparoître, suffisent pour nous donner idée des moyens generaux que la nature employe pour conserver tant d'insectes dans une saison où ils ne sçauroient plus trouver de quoi se nourrir. Les observations qui ont été faites jusqu'ici, ont établi que les chenilles naissent d'œufs de papillons. Nous verrons ailleurs les lieux que les papillons choisissent pour déposer leurs œufs, l'art avec lequel ils les arrangent, & les précautions qu'ils semblent prendre pour les conserver; c'en est assés à present de sçavoir qu'un très-grand nombre d'especes de chenilles ne subsiste plus pendant l'hyver que dans les œufs que les papillons ont pondus dans des temps plus doux. Tout a été combiné par la nature de façon que la chaleur nécessaire pour faire croître les petites chenilles dans leurs œufs, est la même qui est nécessaire pour faire pousser les feuilles des plantes & des

H ij

arbres propres à les nourrir. Quand elles ont acquis la force de brifer leur coque, d'en fortir, elles trouvent les aliments que leurs befoins leur font chercher.

Pour arriver à l'état de papillon, les chenilles paffent par un état moyen, qui eft celui de crifalide. Sous cette forme, l'infecte n'a pas befoin de prendre de nourriture, & n'a pas d'organes capables d'en prendre. Quantité d'efpeces de crifalides vivent pendant l'hyver, les unes renfermées dans des coques qu'elles fe font filées, lorfqu'elles étoient chenilles ; les autres font au deffous de certaines portions d'écorce d'arbres qui fe font un peu détachées : d'autres font dans des crevaffes de murs ; d'autres font cachées fous terre. C'eft de ces crifalides que fortent les differentes efpeces de papillons que nous voyons voler au printemps ; ils font alors des œufs, d'où des chenilles ne font pas long-temps à éclorre. D'autres chenilles paffent l'hyver fous la forme même de chenille, elles fe choififfent & fe font des retraites où elles fe tiennent auffi immobiles que fi elles étoient mortes : leur conftitution eft telle que les aliments leur font alors inutiles ; il ne fe fait pas alors chés elles de diffipations qui demandent à être réparées. Les retraites des unes font fous terre, quelquefois à une profondeur de plufieurs pieds. D'autres reftent au deffus de la furface de la terre, fur des plantes, fur des arbres. Celles-ci font ordinairement raffemblées en grand nombre dans le même endroit fous plufieurs enveloppes de foye qui fervent à les défendre contre les injures de l'air. Il y a même quelques papillons de certaines efpeces, qui paffent l'hyver en vie, fans prendre de nourriture, auffi le paffent-ils fans voler. Ils fe tiennent cachés dans des endroits où on ne les iroit pas chercher. J'ai fouvent fait fendre pendant l'hyver des troncs d'arbres creux ou cariés, pour trouver les infectes qui y étoient

logés, dans lefquels j'ai quelquefois vû des papillons immobiles, mais qui devenoient en état de faire ufage de
leurs jambes & de leurs aîles, dès que je les avois un peu
réchauffés. J'ai trouvé, par exemple, dans des troncs de
chêne des papillons vivants, dont les uns venoient de
chenilles qui fe nourriffent des feuilles de l'orme *, &
dont les autres venoient de chenilles qui fe nourriffent
des feuilles de l'ortie.

* Pl. 23.
Fig. 1. & 2.

C'eft par des moyens à peu-près femblables, que tant
d'autres efpeces d'infeéles fe confervent pendant l'hyver;
il eft vrai pourtant qu'il en fait perir un grand nombre, &
il eft bien important pour nous qu'il en faffe perir beaucoup. Il y a des races fi prodigieufement fécondes, que
pour peu qu'il en refte quelques individus, ils peuvent
encore s'être affés multipliés avant la fin de l'été pour
nous incommoder.

Les chenilles font des premiers infeéles qui reparoif-
fent au printemps, ç'en eft une des plus nombreufes claffes;
quelque part où on fe promene dans les belles faifons de
l'année, on en trouve fur diverfes efpeces d'arbres & de
plantes. Ç'en eût été affés pour me déterminer à commencer ces memoires par les obfervations qui les regardent; une autre raifon m'y a encore déterminé. On fçait
que leur état eft paffager, que toutes doivent par la fuite
devenir des infeéles aîlés; ces changements de forme font
certainement un des plus finguliers fpeélacles que nous
offre l'hiftoire naturelle, & les chenilles nous donnent
plus de commodités qu'aucuns autres infeéles, d'obferver
les voyes que la nature a prifes pour les operer, de nous
inftruire des adreffes qu'elle a enfeignées aux infeéles
pour fe précautionner contre les dangers aufquels ils font
expofés dans ces temps critiques.

Parût-il très-inutile de connoître toutes les chenilles

H iij

qui peuvent être connuës, on ne laiſſera pas de penſer
qu'il convient de les diſtribuer en claſſes, en genres, en eſpeces, auſquels on puiſſe rapporter celles qui ſe preſentent
ſous nos yeux ; & où on puiſſe voir, lorſque quelqu'une
a excité notre curioſité, ſi elle eſt du nombre de celles
dont on a l'hiſtoire. Par ce moyen on apperçoit preſque
d'un coup d'œil les varietés remarquables qui ſe trouvent
entre elles. La commodité, & même la néceſſité de ces
ſortes de diſtributions, eſt generalement reconnuë. Les
varietés conſtantes que nous offrent les chenilles, peuvent
ſuffire à un grand nombre de diviſions & de ſous-diviſions
bien diſtinctes. Il reſte pourtant une difficulté conſiderable par rapport à l'établiſſement des claſſes, des genres,
& des eſpeces de ces inſectes. Ils ne ſont chenilles que
pour un temps, par la ſuite ils doivent prendre des aîles,
ils doivent devenir des papillons. Quand on nous décrit
une chenille, on eſt curieux de ſçavoir en quel papillon
elle ſe transformera ; nous parle-t-on d'un papillon, on
eſt de même impatient de ſçavoir de quelle chenille il
eſt ſorti ; auſſi la methode de Moufet a été generalement
regardée comme vicieuſe, parce qu'il a traité ſéparément
des papillons & des chenilles. On veut voir, autant qu'il
eſt poſſible, chaque chenille accompagnée de ſon papillon.
Mais de-là naît une grande difficulté ſur la diſtribution
des chenilles en claſſes & en genres. Une pareille diſtribution des papillons n'eſt pas moins néceſſaire : or ſi on
prend pour caracteres des differentes claſſes de chenilles,
& pour caracteres des differentes claſſes de papillons, ceux
qui nous frappent le plus, & qui ſemblent les plus natu-
rels à ſaiſir, les chenilles de même claſſe, de même genre,
donneront des papillons de differentes claſſes, & des chenilles de differentes claſſes, donneront des papillons de
même claſſe, & peut-être de même genre. Il en eſt de

même réciproquement de la diftribution des papillons confiderée par rapport à celle des chenilles.

Si chaque papillon fe trouve avec fa chenille (& il faut qu'il s'y trouve) ou les papillons ou les chenilles ne feront pas en ordre. Rien ne fçauroit fauver cet inconvenient, fi on veut, comme je l'ai dit, tirer les caracteres de l'état où font les chenilles & les papillons lorfqu'ils fe prefentent fous nos yeux, & d'où il eft naturel de les tirer. On auroit moins befoin de chercher à apporter remede à cet inconvenient dans une fimple introduction à l'hiftoire des infectes que dans une hiftoire generale ; mais il y en a un qui nous paroît fuffire & pour l'une & pour l'autre, c'eft de donner d'abord les caracteres de toutes les chenilles pour les claffes, pour les genres, pour les efpeces, fans entrer en aucun détail de leurs hiftoires particulieres ; de donner de même les caracteres pour les claffes, les genres, les efpeces des papillons, fans parler de leur hiftoire, fans rien dire, fi l'on veut, des chenilles d'où ils viennent. Les caracteres étant établis, on choifira d'écrire les hiftoires détaillées des papillons de differentes claffes, des genres & des efpeces de ces claffes, d'apprendre leurs origines, ou de donner les hiftoires détaillées des chenilles de differentes claffes & de leurs differents genres, & de faire connoître les papillons dans lefquels elles fe transforment. Le dernier des deux partis eft pourtant celui auquel je me tiendrois dans une hiftoire generale, pour des raifons déja indiquées dans le premier memoire, & pour quelques autres que j'indiquerai bientôt. Ainfi, en fuivant les differentes claffes, les differents genres de chenilles, en faifant leur hiftoire, je parlerois de tous les papillons qui en naiffent, je les décrirois, & je ne manquerois pas de faire remarquer la claffe & le genre à qui ils appartiennent.

Alors on a toûjours la chenille & le papillon enfemble,

& on fçait toûjours de quelle claffe & de quel genre ils font l'un & l'autre. Il eft vrai neantmoins que par-là le papillon fe trouve fouvent déplacé, c'eft-à-dire, qu'il n'eft pas toûjours avec fes femblables. Mais veut-on fuppléer à ce dérangement! il n'y a qu'à dreffer une table de tous les papillons dont il a été fait mention dans l'ouvrage, où ils foient nommés dans leur vrai ordre, & où les planches qui contiennent leurs figures foient citées. Ainfi on reverroit paroître tous les papillons dans l'arrangement qui leur convient, on reverroit en même temps les chenilles d'où ils naiffent, & ce feroit une courte & utile récapitulation de ce qu'on auroit déja lû.

Quoique l'état de papillon foit le terme du développement de l'infecte, & qu'il puiffe être regardé comme l'état de perfection, ce font les claffes des chenilles que j'aime mieux fuivre que celles des papillons, parce qu'il eft plus aifé d'avoir les hiftoires complettes des infectes qui paroiffent fucceffivement fous l'une & l'autre forme, en commençant par obferver les chenilles. Il eft rare que les papillons que l'on prend au hazard à la campagne, faffent des œufs féconds dans les lieux où on les renferme; & plus rare encore, qu'on parvienne à élever les chenilles qui en naiffent; on ignore la nourriture qui leur eft propre, & on connoît celle d'une chenille qu'on a trouvée rongeant une plante. Enfin, l'hiftoire des papillons ne nous donneroit pas l'hiftoire generale des chenilles, au moins fi on continuë d'appeller *chenilles,* tous les infectes à qui les naturaliftes en ont donné le nom; car nous aurons occafion d'en faire connoître plufieurs efpeces qui fe transforment en mouches. Nous allons donc commencer par parcourir les varietés que les chenilles nous offrent, & fur-tout celles qui femblent les plus propres à fournir à l'établiffement des claffes & des genres.

Le

Le corps des chenilles a beaucoup plus de longueur que de diametre: il eſt compoſé d'anneaux, dont la cir-conférence eſt aſſés ſouvent circulaire ou ovale; leur partie inférieure eſt neantmoins, pour l'ordinaire, plus applatie que la ſupérieure: on en comptera conſtament douze à toute chenille, ſi on comprend parmi les anneaux, la partie qui termine leur corps, quoique ſa forme ſoit differente de celle des autres, qu'elle ſoit celle d'un anneau tronqué, d'un onglet. C'eſt dans cette partie qu'eſt l'anus de l'inſecte, ordinairement recouvert d'un petit chaperon charnu: ſi on ne la veut pas mettre au nombre des autres anneaux, on n'en donnera qu'onze à la chenille, comme l'a fait M. Malpighi. L'une & l'autre façon de compter les an-neaux eſt très-arbitraire, il me ſemble pourtant plus com-mode d'en compter douze. Ils ſont tous membraneux, & c'eſt même ce qui diſtingue les chenilles de divers autres inſectes, qui comme elles ont le corps allongé & formé de douze anneaux, mais écailleux. La tête de la chenille eſt attachée au premier anneau; ſon crane, ou plus exacte-ment toute l'enveloppe de la tête, ſemble écailleuſe.

Je ne crois pas qu'il y ait aucun genre d'animal dont les eſpeces ſoient formées ſur autant de modelles & ſi differents que le ſont ceux des diverſes eſpeces de che-nilles. Une des varietés des plus remarquables, c'eſt que parmi des inſectes, à qui on ne peut s'empêcher de donner le même nom, il y en ait qui ont plus de jambes que les autres. Les chenilles en ont de deux eſpeces, ſçavoir, de celles que je nomme *écailleuſes*, parce qu'elles ſont or-dinairement recouvertes d'une ſorte de cartilage luiſant. J'appelle les autres des jambes *membraneuſes*, parce qu'une peau mole & fléxible les enveloppe. Il eſt commun à toutes les chenilles d'avoir ſix jambes écailleuſes, trois de chaque côté, qui partent des trois premiers anneaux*; auſſi les

* Pl. 1.
Fig. 1. 2.
3. &c. *a.*

nommerons-nous quelquefois les *jambes anterieures,* ou les *premieres jambes.* Mais toutes les chenilles n'ont pas de même un égal nombre de jambes membraneufes, il y en a qui n'en ont que deux, d'autres en ont quatre, d'autres en ont fix, d'autres en ont huit, & on a appellé *chenilles* des infectes qui ont jufqu'à feize de ces jambes membraneufes.

Pour que nous puffions être frappés des differences qui font entre les infectes, il falloit qu'elles fuffent beaucoup plus confidérables que celles qui font entre les grands animaux; des mouches, qui ne differeroient que comme le lapin differe du lievre, nous fembleroient feulement des mouches de differente grandeur. L'Auteur de tant de petits êtres animés, femble avoir eu deffein de nous mettre en état de les diftinguer les uns des autres, & de nous exciter à les obferver, en leur donnant des formes fi fingulierement diverfifiées. Les variétés que nous offrent les genres, & même les claffes des grands animaux, font en petit nombre & peu confiderables, fi on les compare avec celles que les infectes nous font voir. Des efpeces d'infectes d'un même genre font fouvent plus differentes entr'elles, que ne le font entr'eux les genres des grands animaux. Parmi ceux-ci, le genre des chiens eft peut-être celui dont les efpeces prefentent plus de variétés, & des variétés plus confiderables; nous n'en connoiffons pourtant point qui approchent de celle d'avoir des jambes en nombre different.

Nous devons neantmoins avouër que les naturaliftes confondent fouvent les infectes d'un genre avec ceux d'un autre genre; ce n'eft pas que les differences propres à les faire diftinguer manquent, c'eft qu'on ne s'eft pas affés embarraffé de déterminer en quoi elles confiftent. D'ailleurs quoique la nature ait mis des variétés très-

confiderables dans ſes productions de toute eſpece, elle a
infiniment nuancé ces varietés, de ſorte que les extrêmes
de deux genres ſe rapprochent quelquefois de façon que
le point de partage eſt difficile, & preſque impoſſible à
faiſir. La claſſe des vers eſt la plus voiſine de celle des
chenilles ; tel naturaliſte appelle *ver* l'inſecte qu'un autre
nomme *chenille*. Le même donne quelquefois ces deux
noms alternativement à un inſecte ; ſans en chercher loin
des exemples, cela m'eſt arrivé en parlant des teignes, &
je pourrois citer des auteurs des plus illuſtres à qui cela
eſt arrivé dans d'autres cas. Je crois pourtant que peu
de caracteres ſuffiſent pour déſigner tous les inſectes qui
peuvent être compris ſous le genre general des chenilles ;
c'eſt de prendre pour chenilles tous les inſectes, & ſeulement les inſectes, compoſés de douze anneaux membraneux, & d'une tête écailleuſe ; qui ont au moins huit
jambes, dont les ſix premieres ſont ordinairement écailleuſes, & qui, quoiqu'elles puiſſent ſe recourber plus ou
moins, ſont incapables d'allongements ou de raccourciſ-
ſements ſenſibles. Au contraire les autres jambes des chenilles s'allongent, ſe raccourciſſent, ſe gonflent, s'appla-
tiſſent au gré de l'inſecte, elles ſont membraneuſes.

Si on me demandoit ſi je penſe que c'eſt en cela que
conſiſte le caractere eſſentiel de la chenille, je répondrois
que non ſeulement par rapport aux chenilles, mais même
par rapport à tous les êtres tant compoſés que ſimples,
nous ignorons ce qui en fait veritablement l'eſſence,
& qu'il faut nous contenter de certains ſignes & de certaines proprietés qui nous les font diſtinguer les uns des
autres, quoiqu'elles ne ſoient pas peut-être ce qui conſ-
tituë leur eſſence. J'avouerai même, & je ſuis forcé de
l'avouer, que ce qui peut nous paroître le plus propre à
caracteriſer un animal, un inſecte, n'eſt pas toûjours ce

qui le caracterife veritablement : d'être aîlé ou de n'être
pas aîlé, font affûrement des caracteres très-differents;
les aîles ne fervent pourtant qu'à diftinguer les fexes de
quelques infectes; il y en a dont les mâles portent des
aîles, quoique les femelles n'en portent point.

Mais les differences prifes du nombre & de l'arrangement des jambes des chenilles m'ont paru être celles à qui
il étoit le plus commode de fe tenir, pour les diftribuer en
differentes claffes. Nous avons déja dit que celles qui en
ont le moins, en ont huit, fix écailleufes & deux membraneufes. Ces deux dernieres font attachées à leur partie
*Pl. 1. pofterieure, au dernier anneau * ; nous les nommerons
Fig. 1. 2. auffi les *jambes pofterieures,* ou les dernieres jambes. Mais
3. &c. p. d'autres chenilles ont des jambes placées entre les écailleufes & les pofterieures, que j'appelle les *jambes interme-*
*Fig. 1. 2. *diaires* *. La figure & la ftructure des pofterieures font
3, &c. iiii. les mêmes dans l'effentiel que celles des intermediaires;
& je ne fçais pas pourquoi Aldrovande, & Jungius après
lui, n'ont pas voulu les mettre au nombre des jambes.
Ce dernier les appelle des *clouds,* comme fi l'infecte ne
s'en fervoit que pour fe fixer : elles reffemblent pourtant
encore aux autres par leurs fonctions, & elles n'en different que parce qu'elles font plus inclinées au corps de la
chenille, & qu'elles font dirigées de maniere que le pied
qui les termine eft fouvent pofé par de-là le bout du
dernier anneau.

I.re C'eft fur-tout par le nombre & par l'arrangement des
CLASSE. jambes intermediaires que nous caracteriferons les claffes
des chenilles. Nous compoferons la premiere de celles qui
Fig. 1. iiii. ont huit jambes intermediaires, quatre de chaque côté,
c'eft-à-dire, feize jambes en tout. Leurs huit jambes intermediaires font attachées à quatre anneaux confecutifs;
quatre autres anneaux en font dépourvûs, fçavoir deux

entre la derniere paire des jambes écailleufes & la premiere paire d'intermediaires, & deux entre la derniere paire des jambes intermediaires, & entre la paire des jambes pofterieures. Les plus grandes efpeces de chenilles, & celles que nous voyons le plus communement, appartiennent à cette premiere claffe ; elle eft, dans ce pays, la plus nombreufe en efpeces differentes ; auffi la diviferons-nous en d'autres claffes fubalternes dans le Memoire fuivant, qui nous fournira les caracteres de ces divifions.

Nous compoferons la feconde & la troifieme claffe des chenilles qui n'ont que trois jambes intermediaires de chaque côté, c'eft-à-dire que quatorze jambes en tout *. Je ne connois encore que peu d'efpeces de ces claffes, mais la plûpart remarquables par leur induftrie. La difference entre ces deux claffes fera prife du different arrangement du même nombre de jambes. La feconde comprendra les chenilles qui n'ont point de jambes au 4.me au 5.me ni au 6.me ni au 10.me ni au 11.me anneau *, & la troifieme comprendra celles qui ont le 4.me & le 5.me anneau dépourvûs de jambes, & qui en ont au 6.me au 7.me & au 8.me mais qui n'en ont point fur le 9.me le 10.me & le 11.me *; ainfi les chenilles de ces deux claffes ont trois anneaux de fuite fans jambes, mais dans la feconde claffe * les trois anneaux qui en font dépourvûs, font entre la derniere paire des écailleufes, & la premiere des membraneufes, & dans la troifiéme claffe *, les trois anneaux confecutifs fans jambes font entre la 3.me paire de jambes pofterieures & la derniere des jambes intermediaires.

Il y a des chenilles à quatorze jambes, qui demandent encore à être rangées dans une claffe particuliere, & que nous mettons dans la quatriéme *: elles ont, à l'ordinaire, les fix jambes écailleufes ; elles en ont huit intermediaires & membraneufes, placées comme celles des chenilles

II.^de & IIIme
CLASSE.
* Fig. 2. &
3. iii.

* Fig. 2.

* Fig. 3.
* Fig. 2.

* Fig. 3.

IVme
CLASSE.

* Fig. 4.

de la premiere classe, sur le 6.me 7.me 8.me & 9.me anneau ; mais les deux jambes posterieures leur manquent. Dans les especes de cette classe le derriere se termine souvent par deux longues cornes *, qui ont de la solidité, qui peuvent s'approcher plus ou moins, s'écarter plus ou moins l'une de l'autre, se diriger en haut ou en bas, à droit ou à gauche, sans pourtant se courber sensiblement. Ces especes de cornes ne sont que les étuis de veritables cornes charnuës, qui ont quelque ressemblance avec celles des limaçons, & que la chenille ne fait sortir de ces étuis que quand il lui plaît. Nous parlerons ailleurs de quelques chenilles de cette classe dont la figure est très-singuliere, & s'éloigne beaucoup de celle des chenilles ordinaires. Mais nous n'en citons actuellement qu'une très-petite pour exemple *, que j'ai euë à Reaumur dans le mois de Septembre, & qui y a été trouvée sur l'osier par M. Bazin.

Nous composons la cinquieme classe des chenilles qui n'ont que quatre jambes intermédiaires *, c'est-à-dire, que douze jambes en tout.

Nous rassemblons dans la sixieme classe celles qui n'en ont que deux intermediaires *, ou qui n'ont en tout que dix jambes.

Les chenilles de la cinquieme classe ont quatre anneaux de suite qui n'ont point de jambes, & celles de la sixieme classe ont cinq anneaux de suite qui n'en ont point. Ces anneaux sont ceux qui sont placés entre les jambes écailleuses & les jambes intermediaires. Enfin les unes & les autres n'ont point encore de jambes sur les deux anneaux qui sont entre les jambes intermediaires & les posterieures.

Les chenilles de ces deux classes ont une démarche très-differente de la démarche ordinaire de celles qui ont huit jambes intermediaires. Ces dernieres portent, pour

* Fig. 4. cc.

* Fig. 4.

V.me Classe.
* Fig. 5. ii.

VI.me Classe.
* Fig. 6. i.

l'ordinaire, leur corps parallelement au plan fur lequel elles
le font avancer, leurs pas font petits. La diftribution des
jambes des autres les oblige à marcher à plus grands pas.
Entre les jambes écailleufes & les jambes intermediaires
de celles de la fixieme claffe, il y a cinq anneaux de fuite
fans jambes, & par confequent une étenduë de cinq anneaux où le corps n'a point d'appui. Si une de ces che-
nilles, tranquille & allongée *, comme elles le font fouvent,   * Pl. 1.
fe détermine à marcher; pour faire le premier pas, elle   Fig. 12.
commence par fe faire une forte de boffe, en courbant
en arc la partie qui n'a point de jambes; elle en éleve le
milieu plus que le refte, elle courbe cette partie de plus
en plus jufqu'à ce qu'elle lui ait fait prendre la figure
d'une efpece de boucle *, c'eft-à-dire; jufqu'à ce qu'elle   * Pl. 1.
ait apporté fes deux jambes intermediaires contre les der-   Fig. 13. &
nieres jambes écailleufes, par confequent jufqu'à ce qu'elle   Fig. 16.
ait porté en avant la partie pofterieure de fon corps fur une
longueur égale à celle des cinq anneaux. Là elle cramponne
fes jambes intermediaires & les pofterieures ; alors elle n'a
qu'à redreffer, qu'à remettre en ligne droite les cinq anneaux, dont elle a ci-devant formé une boucle, pour porter
fa tête en avant à une diftance égale à la longueur de
cinq anneaux. Voilà le premier pas complet; pour en faire
un fecond, elle n'a qu'à répéter la même manœuvre.

   Cette forte d'allure a fait nommer ces chenilles des
geometres ou des *arpenteufes* ; elles femblent mefurer le
chemin qu'elles parcourent. Lorfqu'elles font un pas,
elles appliquent fur le terrein la partie de leur corps qu'elles
avoient courbée pour fe preparer à marcher; elles l'y appliquent, dis-je, comme un arpenteur y appliqueroit fa
chaîne.

   La plûpart des chenilles de ces deux claffes, & fur-
tout celles de la feconde, ne gonflent point & ne con-

tractent point, n'allongent point & ne raccourciffent point leurs anneaux à leur gré, comme le font celles de toutes les autres claffes. Elles ne femblent prefque capables de fe plier, que comme l'eft un rejetton de bois verd; fouvent les prend-on même pour un morceau de bois fec: il y en a auffi plufieurs efpeces que l'on appelle des *arpenteufes en bâton* *. Leur corps long, tout d'une venuë, qui femble roide, & qui, dans plufieurs efpeces, eft de couleur de bois, les fait fouvent prendre pour un petit bâton. Ce qui aide encore à les faire meconnoître, ce font les attitudes dans lefquelles elles fe tiennent immobiles, & qu'on ne croiroit pas les attitudes d'un infecte. Elles fuppofent une étonnante force dans les mufcles de celui qui s'y maintient pendant long temps, comme font nos chenilles. On en voit qui embraffent une petite tige d'arbre, la queuë d'une feuille, avec les deux jambes poftericures & les deux intermediaires qui en font proches, & qui les y cramponnent ; le refte du corps, élevé verticalement, refte roide & immobile pendant des demi-heures & des heures entieres. D'autres foutiennent pendant auffi long temps leurs corps dans une infinité d'autres attitudes, qui demandent incomparablement plus de force; car on en voit qui ont le corps en l'air dans toutes les pofitions qui font entre la verticale, que nous venons de confiderer, & l'horifontale, & dans toutes les pofitions inclinées depuis l'horifontale jufqu'à la verticale en bas*. Si on fait attention combien nous fommes éloignés d'avoir dans les mufcles de nos bras, une force capable de nous foutenir dans de pareilles attitudes, on reconnoîtra que la force des mufcles de ces infectes eft prodigieufe.

Enfin, non-feulement elles foutiennent immobile leur corps étendu, dans ces differentes pofitions, elles l'y foutiennent

tiennent aussi après lui avoir fait prendre diverses courbures tout-à-fait bisarres, dont une est representée dans
la figure 11.me planche 1.re

Elles se soutiennent également, soit que le ventre
soit en bas, soit qu'il soit en haut. Les muscles qui ont
soutenu les chenilles vivantes dans ces attitudes singulieres, les y maintiennent après leur mort: on en trouve
de mortes dans toutes les positions dont nous venons de
parler.

La sixiéme classe, ou la seconde des arpenteuses, contient un très-grand nombre d'especes très-petites, & d'especes de moyenne grandeur, mais elle en contient peu
de grandes, & sur-tout peu de grosses. Les especes que
j'ai trouvées jusques ici de la cinquiéme classe, ou de la
premiere des arpenteuses, sont de grandeur mediocre, &
je n'en ai encore vû qu'un petit nombre. Elles n'approchent pas autant de la forme de bâton, que la plûpart de
celles de l'autre classe; leurs anneaux sont plus capables de
gonflement & de contraction.

Pour conserver, autant qu'il est possible, au genre des
chenilles, les insectes qui se metamorphosent en papillons,
nous composerons la septiéme classe de celles à qui toutes
les jambes intermediaires manquent, qui n'ont que huit
jambes en tout, les six écailleuses & les deux posterieures *.
Nous verrons par la suite, que le genre des vers, ou que
le genre des insectes que les naturalistes n'ont point
désignés par d'autres noms, est bien plus nombreux
encore que celui des chenilles : entre les vers, il y en
a quantité d'especes qui paroissent avoir huit jambes ;
mais les deux posterieures ne sont que des sortes de mamelons formés par l'anus prolongé, & ils ne sont point
terminés par des pieds armés d'une grande quantité
d'ongles ou de crochets, comme nous verrons que le

VII.me
CLASSE.

* Pl. 1.
Fig. 7.

Tome I. K

font ceux des jambes poſterieures & des jambes intermediaires des chenilles des claſſes précedentes. La plûpart de
ces inſectes appellés *teignes,* ſi dignes de notre attention
par l'art qu'ils ont de ſe vêtir, ſemblent ſe ranger ſous
cette ſeptiéme claſſe. On ne leur voit bien que les ſix
jambes écailleuſes, & les deux poſterieures : il y en a
pourtant qui en ont huit intermediaires, mais qui ſont ſi
courtes, que ce n'eſt qu'avec le ſecours de la loupe qu'on
les peut découvrir, & reconnoître que ces petites chenilles
appartiennent à la premiere claſſe.

　　Je penſe donc qu'il convient d'ôter du genre des chenilles tous les inſectes qui ont moins de huit jambes; mais
convient-il de lui en laiſſer de ceux qui en ont plus de
ſeize *! On ne pourroit s'en diſpenſer, ſi on veut parler
comme Ray, Jungius, & comme quantité d'autres naturaliſtes, & même ſi on veut accorder au genre des chenilles, ce que le premier coup-d'œil ſemble demander
que l'on lui accorde; & dans ces ſortes de diſtributions,
je crois qu'il faut avoir beaucoup d'égard à ce premier
coup d'œil. La forme du corps, allongée & arrondie, la
tête écailleuſe, & une certaine diſpoſition & proportion
de parties qui nous déterminent à nommer *chenilles* celles
que nous voyons pour la premiere fois, nous fera nommer *chenilles,* des inſectes qui ont plus de ſeize jambes *.
Mais d'un autre côté nous ſommes accoûtumés à voir les
chenilles ſe transformer en papillons : or quantité d'eſpeces
de ces inſectes à plus de ſeize jambes * que j'ai nourries,
ſe ſont toutes transformées en mouches. J'ai lieu même
d'établir en regle generale la transformation de ces inſectes en mouches, juſqu'à ce qu'on ait trouvé aſſés
d'exceptions pour en détruire la generalité. Un parti
moyen me paroît tout concilier ici ſuffiſamment; j'expri-
merai en même-tems que ces inſectes ne ſont point

des chenilles, & qu'ils leur reſſemblent, en les appellant
des *fauſſes chenilles*.

Tous les inſectes qui, par la forme de leur corps, ont
une grande reſſemblance avec les chenilles, mais qui ont
un plus grand nombre de jambes que les chenilles dont
nous avons compoſé nos ſept claſſes, ou qui ont des
jambes diſtribuées differemment, & d'une ſtructure differente, ſeront donc appellés dans la ſuite de cet ouvrage, des *fauſſes chenilles*. Nous trouverons auſſi pluſieurs claſſes de ces fauſſes chenilles, qui toutes donnent
des mouches. Mais nous ne caracteriſerons ces claſſes, &
nous ne donnerons les hiſtoires de leurs inſectes, qu'après
que nous aurons donné celles des vraies chenilles, & celles
des papillons.

Sous chacune des claſſes que nous avons établies, ſe
rangent quantité de chenilles qui ont entr'elles des differences ſenſibles, & qui y doivent être diſtribuées en differents genres, compoſés eux-mêmes de bien des eſpeces.
Parcourons à preſent les principales varietés que nous
offrent ces chenilles de differentes claſſes, & ſur-tout les
varietés les plus aiſées à appercevoir, les plus capables de
nous frapper, & par là, les plus propres à fournir des
genres. Toutes ces varietés peuvent être rapportées à
deux eſpeces principales, à celles que l'exterieur de ces
inſectes nous preſente, & à celles qui dépendent pour
ainſi dire de leur genie, & qui regardent leurs differentes
façons de vivre. Dans chaque claſſe il y a des chenilles
de bien des degrés differents de grandeur; nous nous contenterons pourtant de réduire ces degrés à trois. Les chenilles du degré moyen ou de grandeur moyenne, ont
environ douze à treize lignes de longueur, lorſqu'elles
ne s'étendent que médiocrement, & le diametre de leur
corps a un peu moins de trois lignes. Celles qui ſont

fenfiblement plus grandes, font de la premiere grandeur; & celles qui font fenfiblement plus petites, font du dernier degré de grandeur, ou des petites.

Les chenilles dont l'exterieur eft le plus fimple, font celles dont la peau n'eft point couverte par des poils ou par des corps analogues aux poils, & qui peuvent être appellées des *chenilles rafes*.

Il y en a dont la peau eft mince & fi tranfparente, qu'elle laiffe appercevoir partie de l'interieur de l'animal*. D'autres ont une peau plus épaiffe & très-opaque. Entre celles-ci, quelques-unes l'ont liffe, luifante, comme fi elle étoit vernie; d'autres l'ont matte. Les chenilles dont la peau eft tendre, tranfparente & d'une couleur blancheâtre ou rougeâtre, qui tire fur la couleur de chair, font celles qu'on a le plus fouvent confonduës avec les vers. On donne ce dernier nom à tous les infectes qui fe trouvent dans les fruits, quoique ceux de plufieurs, entr'autres ceux des pommes, ceux des poires & ceux des prunes, foient fouvent de veritables chenilles. Mais on n'a pas pris la peine d'obferver que leur tête eft écailleufe, & qu'ils ont feize jambes diftribuées comme celles des chenilles de la premiere claffe. Les vers de la viande font blancheâtres, ou rougeâtres, & tous les infectes qu'on a vûs de même couleur ont été nommés des vers. Au contraire, des infectes qui ont la peau plus opaque & jaune, ou verte, ou brune, ou rayée de ces differentes couleurs, ont été nommés des chenilles, quoiqu'ils n'ayent ni tête écailleufe, ni jambes, quoiqu'ils ayent tous les caracteres des vers de la viande, & que ce ne foit que par leur couleur qu'ils reffemblent à quelques chenilles.

Ce font auffi les couleurs des differentes chenilles qui les font le plus remarquer. On voit fur leur corps toutes celles qui nous font connuës, & une infinité de nuances dont il seroit difficile de trouver ailleurs des exemples. Les unes ne sont que d'une seule couleur; plusieurs couleurs differentes très-vives, très-tranchées en parent d'autres; tantôt elles y sont distribuées par rayes, par bandes qui suivent la longueur du corps *, tantôt par rayes ou bandes qui suivent le contour des anneaux *; tantôt elles sont par ondes, par taches, soit de figure réguliere, soit de figure irréguliere *; tantôt par points, & cela avec des varietés qu'il n'est pas possible de décrire en general, on le peut à peine pour les cas particuliers.

Les differences des couleurs & leur arrangement nous feront distinguer les especes, mais ils ne nous y serviront pas encore autant qu'il seroit à souhaiter, au moins par rapport à celles qui n'ont qu'une seule couleur : il y en a sur-tout beaucoup d'especes d'entierement vertes, d'entierement brunes, qu'on ne sçauroit bien caracterifer sans avoir recours aux endroits où elles vivent, & à leur façon de vivre.

Entre les rases, les unes le sont plus que les autres, car nous ne donnons pas ce nom uniquement à celles qui sont entierement dépourvuës de poils; celles dont les poils sont en petit nombre ou peu sensibles, qu'on ne voit que quand on cherche à les voir, sont pour nous des chenilles rases : elles peuvent pourtant être distinguées en parfaitement rases & en imparfaitement rases.

La peau de la plûpart des chenilles rases est douce au toucher; mais il y en a qui composent un genre aisé à caracterifer, parce que leur peau est herissée d'une infinité de petits grains durs, qui font sur le doigt qu'on passe dessus, une impression semblable à celle qu'y feroit du chagrin sur lequel on le passeroit *. Leur peau peut être comparée à celle du chien de mer; & le nom qui semble le mieux leur convenir est celui de *chenilles chagrinées.*

* Pl. 5.
Fig. 7.
* Pl. 16.
Fig. 1. & 2.

* Pl. 1.
Fig. 6. 11.
12. &c.

* Pl. 2.
Fig. 1.

K iij

Quand on obſerve attentivement ces petites éminences, on voit qu'elles ſont rangées avec ordre; ainſi la chenille de la planche 2, figure 1, qui eſt d'un beau verd naiſſant, a divers compartiments marqués par des traits d'un verd jaune; elle paroît picquée par des points dont la ſuite forme ces traits. Ces points ſont nos petits grains rudes au toucher, & qui ſemblent être d'une matiere oſſeuſe, ou de corne. Si on les obſerve à la loupe, ils paroiſſent de petits mamelons qui partent d'une baſe circulaire *.

* Pl. 2.
Fig. 2.

Pluſieurs chenilles chagrinées ſont encore plus remarquables par une corne qu'elles portent ſur l'11.me anneau, qui fournit le caractere d'un nouveau genre *; elle eſt ordinairement dirigée vers le derriere, & un peu courbée en arc. J'ignore de quel uſage elle leur eſt; ſa figure & ſa dureté ont fait imaginer qu'elle étoit pour elles une arme offenſive ou défenſive; mais je n'ai jamais vû aucune chenille s'en ſervir ſoit pour attaquer, ſoit pour ſe défendre. Le ver à ſoye * eſt lui-même diſtingué des autres chenilles raſes par une eſpece de corne qu'il porte auſſi ſur l'11.me anneau, ſi pourtant on peut donner ce nom à une partie qui n'a de commun avec les autres cornes, que ſa figure & ſa poſition; car elle eſt de ſubſtance charnuë & aſſés molle, pour empêcher même de ſoupçonner qu'elle lui puiſſe ſervir d'arme. Mais la ſuite de cet ouvrage ne fera que trop voir que nous ſommes extrêmement ſujets à nous tromper ſur les uſages les plus vrai-ſemblables que nous attribuons aux parties des animaux.

* Fig. 1. c.

* Pl. 4.
Fig. 14. c.

* Pl. 2.
Fig. 1.

Les cornes * de nos chenilles, ſemblent être de vraye matiere de corne; on pourroit pourtant les croire de matiere oſſeuſe. Il y en a de plus ou moins recourbées, toutes le ſont un peu vers le derriere de l'inſecte, qui les tient tantôt plus droites & tantôt plus inclinées. La loupe y fait appercevoir un travail que la vûë ſimple n'y

découvre point *. Elles ont une infinité de petites éminences épineufes, arrangées à la maniere des écailles, dont
elles ont quelquefois la forme ; on croit même y appercevoir des articulations, mais s'il y en a, ce n'eft pas pour
fervir aux flexions de ces cornes qui ne fe plient en aucun
endroit. Au refte, toutes les chenilles chagrinées n'ont
pas une corne, & elles ne font pas les feules qui l'ayent,
d'autres chenilles rafes & non chagrinées en portent une
femblable *. Communément les chenilles à corne ont le
corps ferme, il paroît dur fous les doigts.

Nous confidererons encore comme des chenilles rafes,
celles qui compofent un autre genre remarquable par
des tubercules arrondis, ordinairement en portions de
fphere, & diftribués régulierement fur chaque anneau,
les uns au-deffus des autres, & où ceux des differents anneaux font difpofés en differents rangs, fur des lignes
paralleles à la longueur du corps *. Plufieurs des plus
groffes efpeces de chenilles, & de celles qui donnent les
plus beaux papillons, appartiennent à ce genre. Ce grand
papillon fur les aîles duquel font peints des yeux femblables à ceux de la queuë du paon, vient d'une de
ces chenilles. Elles font veritablement ornées par ces
mêmes tubercules qui fervent à les caracterifer *; ceux de
l'efpece de chenilles que nous venons de citer, font d'un
très-beau bleu, & femblent autant de turquoifes, qui font
un bel effet, fur-tout fur celles dont la peau eft d'un brun
clair. Il y a auffi des chenilles d'un verd un peu jauneâtre,
qui ont de ces tubercules de couleur de turquoife ; d'autres chenilles vertes, plus petites que les précedentes,
mais qui font pourtant au deffus de celles de moyenne
grandeur, ont de ces tubercules d'une couleur de chair
vive qui fait merveille fur le verd tendre de leur peau *.

Des poils partent de chacun de ces tubercules, mais

* Pl. 2.
Fig. 3.

* Pl. 13.
Fig. 1.

* Pl. 2.
Fig. 11.

* Pl. 2.
Fig. 12. &
13.

* Pl. 2.
Fig. 11.

comme ils font en petit nombre, gros & affés courts*, ils ne doivent pas nous engager à feparer ce genre de ceux des chenilles imparfaitement rafes.

Une remarque qui ne doit pas être oubliée, & qui aidera à caracterifer non feulement des genres de chenilles rafes, mais même des genres de chenilles de quelques autres claffes, c'eft que quoique communement leurs anneaux ayent des contours circulaires, ou ovals, il y a des chenilles dont le contour de la partie fuperieure de chaque anneau a des courbures moins fimples. Il y a des chenilles dont le milieu du deffus de chaque anneau forme une efpece de languette qui va recouvrir l'anneau qui le précede*; d'autres font comme entaillés dans cet endroit. Enfin le contour fuperieur de l'anneau dans plufieurs efpeces a differentes inflexions. Nous ferons des genres particuliers des chenilles dont les anneaux n'ont pas un contour circulaire ou oval.

Un caractere encore qui fera utilement employé pour diftinguer quelques genres, c'eft qu'il y a des chenilles qui portent fur la partie anterieure de la tête même deux petites cornes ou antennes*.

Des chenilles rafes nous paffons à celles qui font herif-fées de poils fi gros, & fi durs, que le nom d'*épines* femble être celui qui leur convient le mieux, & que les chenilles elles-mêmes ne peuvent être mieux défignées que par celui de *chenilles épineufes* *. Ces gros poils, qui font affés durs pour être picquants, reffemblent encore aux épines des plantes par leur forme. Les unes font des épines fimples, depuis leur bafe jufqu'à leur fommet, elles vont en dimi-nuant pour fe terminer en pointe; fouvent cette épine eft une tige d'où partent divers poils longs & très-fins*; d'autres épines font compofées ou branchuës*. La tige principale jette en divers fens plufieurs épines, qui ne

font

ont pas moins confiderables que celle par laquelle elle
fe termine elle-même. Il y a des chenilles dont les épines
ne font qu'une feule tige qui s'éleve, en diminuant de
groffeur, & qui fe divife enfuite pour former une fourche.

Le microfcope fait voir que toutes les pointes des épines
branchuës ont chacune leur bafe engagée dans une partie
qui forme autour d'elle une efpece de bourlet *. Les ouvriers de differents arts engagent des poinçons, des efpeces
d'aiguilles d'acier dans le bout d'un manche ou d'une
poignée de bois, c'eft ainfi que toutes les épines femblent
emmanchées.

* Pl. 2.
Fig. 10. m.
Pl. 23.
Fig. 11.

Les figures, les couleurs, les grandeurs, la quantité des
épines peuvent fervir à diftinguer les differentes efpeces
de chenilles épineufes. Il y a des épines brunes, noires,
jaunâtres, violettes, & peut-être de bien d'autres couleurs.
Quoiqu'une chenille en foit quelquefois très-chargée, il
eft aifé de reconnoître qu'elles font arrangées avec ordre,
tant felon la longueur du corps que felon fon contour.
Il y a des chenilles qui n'en ont que quatre, d'autres en
ont cinq, d'autres en ont fix fur chaque anneau *; d'autres
en ont fept *, d'autres en ont huit. Tous les anneaux d'une
chenille n'ont pourtant pas le même nombre d'épines :
les plus proches de la tête & les derniers en ont quelquefois plus & quelquefois moins que les autres; de forte que
c'eft fur les anneaux qui viennent après ceux des jambes
écailleufes, & fur les premiers des jambes intermediaires
qu'on comptera les épines. Sur chacun de ceux-ci, une
chenille d'un noir velouté de l'ortie *, a fix épines, quoiqu'elle n'en ait aucune fur le premier anneau, & deux
feulement fur le fuivant. Ce que je dis de la façon de
compter les épines, fera pris auffi pour règle, lorfqu'il
s'agira de compter les tubercules & les houppes des poils.

* Fig. 6. &
7.
* Fig. 4.
& 5.

* Fig. 6.

Les épines n'empêchent point de voir la couleur de la

peau de ces chenilles, ainſi on peut encore caracteriſer ces eſpeces comme celles des chenilles raſes par les couleurs de leur peau, ſur-tout quand elles ſont remarquables. Une des chenilles épineuſes de l'orme eſt très-aiſée à déſigner, & elle m'a paru devoir être appellée la *bedaude*, parce que ſon habit eſt de deux couleurs ; ſa partie anterieure eſt d'un canelle clair, & le reſte du deſſus de ſon corps eſt d'un blanc jaunâtre *. Une autre chenille épineuſe de l'orme a des rayes violettes tout du long du corps, mêlées avec des rayes feüille morte *.

* Pl. 27.
Fig. 1.

* Pl. 23.
Fig. 8.

Enfin les chenilles dont on voit le plus, & qui ſont ou les plus belles ou les plus hideuſes, ſelon qu'on eſt diſpoſé pour elles, ſont les veluës. Elles peuvent être rangées ſous bien des genres, & ont beſoin de l'être. Les deſcriptions & les figures qu'on a données d'un grand nombre de ces chenilles, laiſſent preſque toûjours incertain, lorſqu'on en trouve quelqu'une, ſi elle eſt ou n'eſt pas une de celles qu'on a voulu nous faire connoître. On les a placées pêle-mêle, ſans s'embarraſſer de les mettre dans l'ordre que la quantité, la longueur & la diſpoſition de leurs poils ſembloient demander, & ſans chercher à faire uſage des caracteres que nous fourniſſent les arrangements de leurs poils, pour aider à les diſtinguer les unes des autres.

Il y en a que je n'appelle que des *demi-veluës;* elles ont quelques parties de leur corps aſſés chargées de poils même longs, pendant que d'autres parties en ſont dénuées, que leur peau eſt preſque par-tout ailleurs à découvert *.

* Pl. 5.
Fig. 7.

Entre celles qui ſont entierement veluës, c'eſt-à-dire, qui ont au moins quelques touffes de poils ſur chacun de leurs anneaux, il y en a de veluës à poils courts ou à poils ras. Des chenilles qui par leur ſeule figure & par la façon ſinguliere dont les anneaux ſont entaillés, meritent

d'être mises dans un genre particulier, nous fourniront
le premier exemple des poils ras; celles dont je veux parler
ont le corps plus court par rapport à son diametre, &
plus applati en dessous que ne l'est ordinairement celui
des chenilles; leur forme approche assés de celle des cloportes, pour qu'on les puisse nommer des *chenilles clo-*
portes : leurs poils sont courts, durs, rangés près les uns
des autres *.

    * Pl. 28.
    Fig. 1. & 2.

    D'autres chenilles ont les poils plus doux & encore
plus pressés les uns contre les autres, comme le font ceux
d'un velours bien fourni & bien coupé: ce sont des chenilles veloutées.

    On nommera *veloutées à poils longs,* celles dont la peau
est entierement cachée par les poils, quoiqu'ils soient de
longueur inégale, pourvû qu'ils paroissent partir également de tous les endroits de la peau.

    Sur quantité d'autres chenilles, les poils ou le gros des
poils paroît disposé par bouquets, par houppes, par aigrettes, & il l'est même réellement ainsi sur bien d'autres
où cet arrangement ne se fait pas remarquer d'abord. C'est
sur-tout pour distinguer les especes de ces chenilles dont
le nombre est très-grand, qu'il faut chercher des caracteres.
Pour peu qu'on les considere, on remarque sur la plûpart, que les touffes de poils partent de tubercules arrondis *, semblables à ceux où nous n'avons vû que peu
de poils, dans un genre de chenilles rases dont il a été
fait mention ci-devant. Ceux que nous considerons actuellement sont encore hemispheriques. Le nombre de
ces tubercules décide de celui des houppes de poils dont
nos chenilles veluës sont couvertes. Chacun de ces tubercules semble percé comme un arrosoir, pour laisser passer
les poils *. Sur les endroits où il n'y en a point, on voit
comme les trous ou les places où il devroit y en avoir.

    * Pl. 2.
    Fig. 18.
    Pl. 6. Fig. 1.
    3. 4. & 6.

    * Pl. 6.
    Fig. 6.

L ij

Ces tubercules, qui servent de bases aux poils, sont
allignés tant suivant la longueur du corps * que suivant la
courbure de la partie superieure de chaque anneau *, c'est-
à-dire, de cette partie d'anneau qui se termine de part &
d'autre à la hauteur de l'origine des jambes. Il y a des
chenilles qui, sur chacun de leurs anneaux, ont douze de
ces tubercules, ou douze touffes de poils; d'autres n'en
ont que dix *, que huit ou que sept, d'autres n'en ont que
six, d'autres n'en ont que quatre; ces differents nombres
de touffes ou de tubercules d'un même anneau, peuvent
caracteriser des genres. Comme il est pourtant difficile de
compter le nombre des touffes des anneaux de quelques
chenilles, on aimera peut-être mieux tirer les caracteres
des genres de la maniere dont les poils sont implantés sur
ces tubercules; ce qui est plus aisé à appercevoir que le
nombre des houppes.

Sur certaines chenilles les poils de chaque touffe sont
à peu-près également longs, & sont comme autant de
rayons qui se dirigent vers le centre de la sphere, dont le
tubercule est une partie, c'est-à-dire, que chaque poil est
perpendiculaire à la surface du tubercule; ils forment des
especes d'aigrettes plus ou moins fournies dans differentes
chenilles, mais de figures assés regulieres *.

D'autres chenilles n'ont pas les poils qui forment leurs
touffes perpendiculaires à la surface du tubercule, ou l'axe
du tubercule est incliné au corps de la chenille. Aussi
dans quelques-unes les poils qui forment les houppes se
dirigent tous vers la queuë, c'est de quoi la chenille, que
je nomme l'*herissone*, ou la *marte* *, donne un exemple
suffisant.

Les poils des houppes ou des tubercules anterieurs,
c'est-à-dire, de ceux des premiers anneaux, se dirigent du
côté de la tête dans quelques chenilles, & ceux des autres
anneaux s'inclinent vers le derriere *.

Mais ce qui eſt le plus à remarquer dans la direction des poils, c'eſt que dans certaines chenilles une moitié ou plus de ceux d'un même tubercule tend en bas, & l'autre moitié tend en haut. Cette direction de poils ſert à bien caractériſer certaines chenilles dont on trouve une groſſe eſpece ſur le gazon *, & une autre ſur l'orme *. La moitié des poils du tubercule ſuperieur de chaque anneau ſe dirige en bas, & l'autre moitié en haut, mais avec cette circonſtance que partie de ceux qui montent, s'appliquent ſur le corps de la chenille, le ceignent, & que les autres s'élevent & tendent à paſſer par de-là le milieu du dos, où ceux d'un côté ſont rencontrés par ceux qui viennent du côté oppoſé *.

* Pl. 2. Fig. 19. & 20.
* Pl. 35. Fig. 1.

Un autre caractere d'un genre de chenille veluë, c'eſt que les poils de la moitié d'un des tubercules ſont longs, & même très-longs, & tendent en bas, & les poils de l'autre moitié du même tubercule ſont ſi courts, qu'ils n'ont pas la 7.ᵐᵉ ou 8.ᵐᵉ partie de la longueur des autres, & ſont même d'une autre couleur. La chenille la plus commune de toutes dans ce pays *, & que nous nommerons auſſi la *commune*, nous en fournira un exemple : elle a quatre tubercules ſur chaque moitié d'anneau *; le troiſieme ou le plus proche du ſuperieur jette de longs poils roux qui ſe dirigent en bas, & l'autre moitié n'en donne que de très-blancs, courts, qui s'ajuſtent les uns contre les autres de maniere qu'ils forment des eſpeces de petites écailles *.

* Pl. 2. Fig. 20. *a a*. Pl. 35. Fig. 2. *q q q*.

* Pl. 6. Fig. 2. & 10.

* Fig. 3.

* Pl. 6. Fig. 3. & 5. *d d d*.

Enfin il y a des chenilles dont les poils ſe dirigent preſque tous en bas, & qui par-là ſont très-veluës autour des jambes, & qui ne le ſont point ſur le dos *.

Une autre diſpoſition de poils qui forme le caractere d'un autre genre, c'eſt celle que nous voyons dans une chenille qui mange volontiers le maronier ; elle a des

* Pl. 34. Fig. 1.

touffes de poils qui ne partent pas de tubercules fenfibles, ils tirent leur origine d'endroits auffi peu élevés que le refte de la peau. Mais ce qui rend ces houppes remarquables, c'eft qu'au lieu que les autres s'épanouiffent en s'éloignant de leur bafe, celles-ci au contraire diminuent de groffeur, à mefure qu'elles s'élevent. Les poils qui partent d'une bafe affés large, montent en cherchant à fe réunir *; les maffes de poils forment des pinceaux.

* Pl. 34. Fig. 7. & 8.

Si le genre précedent manque de tubercule, la forme de ceux d'où partent les poils de certaines chenilles en doit faire un genre particulier : les tubercules dont nous avons parlé jufqu'ici, font arrondis en portion de fphere, mais il y a des chenilles qui en ont de charnus, faits en pyramide conique, qui s'éleve davantage. Des poils partent de toute la furface du cone.

Une feule pyramide charnuë que portent fur le dos certaines chenilles, eft propre à les caracterifer ; telle eft celle d'une chenille * qui vit volontiers fur l'abricotier, le prunier, le poirier, & fur quelques autres arbres ; cette chenille n'eft que demi-veluë, elle eft reconnoiffable par une raye d'un beau jaune citron qui regne tout du long de fon dos, mais elle l'eft bien davantage par l'efpece de pyramide qu'elle porte fur fon 4.me anneau. Cette pyramide eft chargée de poils, quoiqu'elle paroiffe de fubftance charnuë, elle conferve toûjours fa forme, fa grandeur & fa pofition*.

* Pl. 42. Fig. 5. & 6.

* Pl. 42. Fig. 7. & 8.

L'arrangement des poils met encore d'autres diftinctions très-fenfibles entre les chenilles veluës. Il y en a qui ont fur leur dos des houppes de poils qui reffemblent parfaitement à des broffes, & à qui nous en laifferons le nom ; les unes ont trois, les autres ont quatre, d'autres ont cinq de ces broffes, placées fur differents anneaux*.

* Pl. 2. Fig. 21. & Pl. 33. Fig. 8. & 9.

Enfin, parmi les chenilles à broffes, il y en a qui portent fur le premier anneau, & qui femblent porter fur

leur tête, deux aigrettes dirigées comme les antennes de
tant d'infectes *. Ce ne font pas de fimples poils qui for-   * Pl. 19.
ment ces aigrettes *, ce font de vraies plumes. Des barbes   Fig. 4. & 5.
                                                              * Fig. 7.
font attachées, les unes au-deffus des autres, aux côtés
oppofés d'une tige commune *. Sur la plus grande partie   * Fig. 8.
de la tige, les barbes font égales, mais celles qui approchent du bout fuperieur croiffent & décroiffent enfuite,
de maniere que ce bout a la forme d'un écran. Les barbes,
au refte, font de veritables barbes, je veux dire, que comme
celles des plumes ordinaires, elles font chacune une plume
en petit. Le microfcope fait voir à chacune une petite tige,
commune à d'autres petites barbes qui lui font attachées
de part & d'autre. L'aigrette * eft un faifceau de pareilles   * Fig. 7.
plumes de differentes longueurs. Les mêmes chenilles qui
portent deux de ces aigrettes en devant de leur tête, en
ont une pofée fur l'onziéme anneau *, & dirigée comme   * Fig. 4. &
les cornes de quelques autres chenilles dont nous avons   5. c.
eû occafion de parler. Il y a encore de ces chenilles qui
ont deux autres aigrettes femblables, qui tirent leur origine des anneaux anterieurs, & difpofées comme les bras
d'une croix, dont le corps de la chenille feroit la tige *.   * Pl. 19.
Il y en a même d'autres qui de chaque côté ont deux de   Fig. 5. b b.
ces aigrettes. J'ai pourtant lieu de douter que les aigrettes
des côtés faffent une diftinction d'efpeces; je foupçonne
qu'elles ne diftinguent que les fexes.

Les differentes couleurs des poils peuvent aider à diftinguer les efpeces. Ceux de quelques-unes font tous de
la même couleur ; ceux des autres font de couleurs très-
variées, & mêlées agreablement : il y a des poils blancs,
il y en a de noirs, de bruns, de jaunes, de bleus, de verds,
de rouges, en un mot, il y en a de toutes les couleurs,
& de toutes les nuances de couleurs. Quelques-unes des
chenilles à broffes dont nous venons de parler, ont leurs

broffes du plus beau jaune, d'autres les ont blanches, d'autres les ont de couleur de rofe, pendant que leurs autres poils font de differentes autres couleurs. Les bouquets de poils font difpofés fur le corps des chenilles, comme les arbres le font dans nos bofquets plantés en quinconce; fouvent la peau qui eft entre ces rangées de poils n'eft pas cachée, elle a elle-même fes couleurs propres, & quelquefois belles & diverfifiées. Alors la varieté des couleurs des poils, jointe à celle des couleurs de la peau, forme un tout de couleurs fi fingulierement mêlées, qu'on ne fçauroit s'empêcher d'admirer la beauté de certaines chenilles, pour peu qu'on s'arrête à les confiderer.

Ce n'eft pourtant que pour diftinguer les efpeces, que l'on peut avoir recours aux couleurs; fi on ne le fait même avec certaines attentions, on les multipliera bien au-delà de ce qu'elles le doivent être. Toutes les chenilles changent de peau, & même plufieurs fois dans leur vie, comme nous le verrons ailleurs. Leurs couleurs s'affoibliffent, s'effacent même, quand ces changements font prochains. Enfin il y en a dont la feconde peau eft tout-à-fait differente de la premiere, & dont les couleurs de la troifiéme ne font plus auffi celles de la feconde. Quoiqu'il y ait des chenilles qui font toûjours brunes, d'autres qui font toûjours vertes; en general, celles de même efpece mais de differents âges font de differentes couleurs. La chenille du marronier* qui grande, eft jaune & rougeâtre, quand elle eft jeune, eft noire & blanche. Une chenille à broffes fur le dos, déja citée* pour exemple de celles de ce genre, nous en donnera encore un des varietés de couleurs que plufieurs nous font voir après avoir changé de peau. J'ai trouvé celle dont je veux parler fur le gramen, & je l'ai nourrie de feuilles d'orme; elle eft extrêmement veluë. Outre fes aigrettes qui font très-fournies de poils, elle a fur le dos cinq

broffes,

*PI. 34. Fig. 7. & 8.

*PI. 2. Fig. 21.

broffes, & une fur le penultiéme anneau, qui eft faite en pinceau; dans certains temps le milieu des deux premieres broffes eft compofé de poils noirs, & les côtés des mêmes broffes, pris parallelement à ceux de la chenille, font formés d'une couche mince de poils blancs. Les trois broffes fui-vantes font entierement blanches, & la broffe en pinceau, ou celle du penultiéme anneau, eft toute de poils noirs. Les poils du refte du corps font d'un beau jaune qui tire fur le citron; quelques poils pourtant plus grands que les autres, font noirs. J'ai vû changer de peau, chés moi, plu-fieurs de ces chenilles; le nouvel habit qui les couvroit étoit tout autrement coloré que celui que nous venons de décrire, il n'avoit pas un feul poil jaune. Tous ceux qui étoient jaunes fur le vieil habit, étoient fur celui-ci d'un joli gris, plus clair que le gris de fouris; les cinq broffes étoient prefqu'entierement noires, leurs côtés étoient feu-lement bordés de poils d'un gris moins foncé que celui des poils du refte du corps. Le premier & le fecond habit de cette chenillé differoient donc entr'eux autant & plus que ceux de deux chenilles de differentes efpeces; le der-nier pourtant, en vieilliffant, fe rapproche de la couleur du premier, les poils gris jauniffent peu à peu.

Pour déterminer les couleurs, & prendre celles qui font les plus fixes, il faut donc s'arrêter à celles des chenilles parvenuës à leur dernier accroiffement, ou qui en font proches. Alors même il y a encore un cas où la couleur en impoferoit, c'eft ce que quelques chenilles qui portent des cornes fur la queuë, m'ont bien fait voir. J'en nour-riffois quelques-unes de caille-lait *, fur lequel elles avoient été trouvées, dont la couleur dominante étoit un verd clair tirant fur le celadon : ce fond verd étoit picqué par-tout de points blancs ; elles avoient de plus de chaque côté, deux rayes blanches l'une au-deffus de l'autre, qui

*Pl. 12.
Fig. 1.

Tome I. M

ne suivoient pas en lignes droites la longueur du corps;
depuis la tête jusques vers les anneaux du milieu, elles
alloient en descendant insensiblement, de-là, elles remon-
toient de même, l'une pour aller se rendre à la base de
la corne, l'autre pour aller se rendre au chaperon qui
couvre l'anus. Après les avoir nourries pendant plusieurs
jours, & les avoir vûës chaque jour du même verd & du
même blanc, je les trouvai un matin d'un très-beau brun
vineux; les points étoient restés blancheâtres, & les rayes
étoient devenuës d'un jaune rougeâtre. Ce changement
si considerable s'étoit fait en moins de vingt-quatre heures;
& ce qui le rendoit plus remarquable, c'est qu'il s'étoit
fait sans qu'elles eussent changé de peau. J'ai eû de même
des chenilles à corne du tilleul qui étoient entierement
d'un très-beau verd, & qui sans changer de peau, en moins
de douze heures sont devenuës d'un brun couleur de soye.
Qui auroit désigné ces chenilles par leur couleur, les eût
données pour une espece de chenille brune, s'il les eût
trouvées ce jour-là, & pour une espece de chenille verte,
s'il les eût trouvées le jour précedent. Mais j'ai toûjours
observé que lorsque ce changement est arrivé, celui de
forme étoit prochain, que ces chenilles devoient se mettre en crisalides en peu de jours. La regle qu'on doit
tirer de ces observations, est donc de ne pas déterminer
pour la couleur d'une chenille, celle qu'on ne lui a vûë
que peu de jours avant qu'elle se metamorphosât en
crisalide.

Les poils même peuvent quelquefois nous en imposer,
ils peuvent nous faire prendre pour des chenilles de genres
differents, la même chenille qui a été observée dans differents âges. Nous avons mis au nombre de celles qui sont
presque rases, une chenille d'un beau verd, qui a seulement quelques taches noires sur chaque anneau, mais qui

eſt caracteriſée par les tubercules jaunes qui ſont ſur ces mêmes anneaux, & de chacun deſquels il ne s'éleve que quelques poils aſſés courts *. J'ai eû de ces chenilles encore très-jeunes & très-petites, qui étoient entierement noires & très-veluës *; des poils ſerrés les uns auprès des autres partoient de tous les endroits de leur peau, ils couvroient les tubercules ſur leſquels des poils plus courts étoient implantés. J'ai nourri de ces chenilles noires & veluës avec des feuilles de prunier, qui étoient fort de leur goût; quand elles furent parvenuës à une grandeur peu au deſſous de celle que nous avons fixée pour la grandeur mediocre des chenilles *, il parut tout du long de leurs côtes une raye jaune: en continuant de croître, ce ne fut plus ce jaune qui ſe fit remarquer. Au milieu du noir qui dominoit, parurent de petites taches du plus beau verd d'émeraude, diſtribuées ſur tout leur corps. Elles changerent de peau. Les taches vertes n'en furent pas moins belles, mais elles furent plus grandes. Elles eurent beaucoup moins de poils, il y en avoit peu ſur tout ce qui étoit en verd. Enfin, ſoit à meſure qu'elles croiſſoient, ſoit après des changements de peau, le nombre des poils diminua de plus en plus, & le noir continua de diſparoître. Elles devinrent preſque entierement vertes, n'ayant qu'une tache noire au bord poſterieur de chaque anneau, & elles n'eurent plus de poils ſenſibles que ſur leurs tubercules, qui d'abord furent jaunes, & enſuite rougeâtres. Il reſulte de cette obſervation que ce n'eſt qu'après avoir ſuivi une chenille juſqu'à ſa transformation qu'on peut la mettre dans le genre des veluës, ou des raſes, & qu'il y en a qui vûës dans differents âges, ſeroient diſtribuées en des genres differents.

Sur le corps de diverſes chenilles veluës, on peut obſerver quelques mamelons qui meritent peut-être d'être

* Pl. 2.
Fig. 14.

* Fig. 12.

* Pl. 2.
Fig. 15.

M ij

* Pl. 6.
Fig. 1.
M, M.

remarqués *, quoique je ne fçache pas qu'on y ait fait attention. La plus commune des chenilles de ce pays est une de celles où ils font le plus aifés à voir quand on les cherche, car quand on ne les cherche pas, on les prend pour deux petites touffes de poils ; ils font rouges, & font tout ce que cette chenille rouffe a de rouge. Ils font cependant charnus, dépourvûs de poils, ils font pofés fur le 9.me & fur le 10.me anneau. Leur ufage m'eft inconnu, mais ce qui prouve qu'ils en ont un, & qui meriteroit d'être cherché, c'eft que tantôt ils s'élevent plus, tantôt ils s'élevent moins, fur le corps de l'infecte ; fouvent ils font de petits cones. Quand la chenille veut les racourcir, elle retire leur fommet en dedans, & alors on voit un entonnoir où on voyoit auparavant une pyramide conique. Il s'en faut bien qu'on ne les trouve aux chenilles de toutes efpeces. Ils font placés differemment fur celles de differentes efpeces, ainfi on pourroit très-bien les employer à caracterifer des genres.

On remarque fur le dos de diverfes autres chenilles des mamelons charnus qui ont une forme fixe, qui ne rentrent point en eux-mêmes comme les précedents, & qui peuvent encore fournir des caracteres de genre. Nous avons déja parlé d'une chenille qui a fur le 4.me anneau une pyramide charnuë qui porte des poils *, mais il y en a qui fur le même anneau, ou fur d'autres anneaux, ont des mamelons plus courts, ou plus longs : quelques-unes les ont velus, & d'autres les ont ras ; ceux de quelques-unes ont la figure d'une vraye corne ; enfin il y en a qui ont plufieurs de ces mamelons. Entre celles qui en ont deux, ceux de quelques-unes font placés fur la ligne du milieu du dos qui va de la tête à la queuë, & ceux de quelques autres font pofés à côté l'un de l'autre fur le même arc du même anneau. Enfin ils font difpofés fur differents anneaux de differentes chenilles.

* Pl. 42.
Fig. 5. & 6.

Une belle chenille rafe qui vit fur le fenouil *, & qui aime affés la plûpart des plantes umbeliferes, a une efpece de corne charnuë plus finguliere; elle la fait fortir de la jonction du premier anneau avec le col *; elle a la forme d'un Y, deux branches partent d'une tige commune; ces branches & la tige même, comme les cornes du limaçon, rentrent de maniere, quand la chenille le veut, qu'on ne voit aucun veftige de corne *. Elle ne montre cette corne finguliere que quand il lui plaît; elle paffe des journées entieres fans la faire voir, lorfque le temps de fa meta-morphofe approche.

* Pl. 30.
Fig. 2.

* Fig. 3.
& 4.

* Fig. 2.

Les formes des corps des chenilles nous fourniffent encore de quoi les diftinguer. Les unes ont la partie anterieure plus déliée que la pofterieure *. D'autres ont la partie anterieure beaucoup plus groffe que la pofterieure *, la figure de leur corps approche de celle du corps d'un poiffon. Le derriere de quelques-unes fe termine par une efpece de fourche. Le corps de diverfes autres, plus communes, a un diametre à peu près égal dans toute fon étenduë.

* Pl. 15.
Fig. 1. &. 2.
* Pl. 1.
Fig. 4.
* Pl. 40.
Fig. 7.

Voilà, ce femble, affés de caracteres pour défigner bien des genres & des efpeces de chenilles. Si cependant on fe plaît à obferver toutes celles qui fe prefenteront, à voir combien l'auteur de la nature les a variées, on trouvera peut-être que nous avons eû tort de craindre d'entrer dans de plus grands détails, & que ce que nous allons ajoûter de leur genie, de leur façon de vivre, fera au moins très neceffaire par rapport à celles qui, quoiqu'elles ayent des exterieurs affés femblables, ont des façons d'agir qui font voir qu'elles font differentes.

Il y en a qui font folitaires pendant tout le cours de leur vie, qui ne femblent avoir aucun commerce les unes avec les autres. D'autres paffent la plus grande partie de leur vie en focieté; elles ne fe feparent que quand elles font devenuës grandes , & que quand le temps de leur premiere transformation n'eſt pas bien éloigné. Enfin, d'autres ne ſe quittent point tant qu'elles ſont chenilles; elles reſtent même les unes auprès des autres, lorſqu'elles ſe transforment en criſalides, & ces inſectes ne ſe ſeparent qu'après avoir pris la forme de papillons. Ce ſont des points de vûë ſous leſquels nous les ſuivrons dans differents memoires.

L'ortie nourrit pluſieurs eſpeces de chenilles épineuſes, entr'autres deux eſpeces, dont l'une eſt d'un très-beau noir velouté picqué de poils blancs *; l'autre eſt d'un brun preſque noir, picqué auſſi de blanc, quoiqu'un peu differemment *. Au premier coup d'œil, on les croiroit les mêmes, ou qu'elles ne different que parce que les dernieres ont changé de peau; mais ſi on les regarde de plus près, on les reconnoîtra pourtant pour être de different genre. La chenille d'un beau noir n'a que ſix épines ſur chaque anneau, & la chenille brune en a ſept. Mais avant que d'avoir fait cet éxamen, on ſçaura que la chenille brune eſt differente de la noire, ſi on ſçait que les chenilles noires vivent en ſocieté ſur l'ortie, qu'on les trouve raſſemblées en grand nombre ſur les mêmes feuilles; aulieu que la chenille brune qu'on aura trouvée ſur cette plante, aura été trouvée ſeule ſur une feuille. Enfin cette même chenille brune de l'ortie eſt encore aiſée à diſtinguer de la noire, par une autre particularité qui peut de même aider à en diſtinguer d'autres qui ſe reſſembleroient; la feuille qu'elle ronge eſt pliée en goutiere fermée, ou preſque fermée*; elle couvre la chenille, qui commence à la ronger par le bout, & qui continuë à s'en nourrir, juſqu'à ce qu'elle l'ait mangée plus d'à moitié. Les chenilles noires ne prennent point cette précaution, elles ſont poſées ſur des feuilles étenduës.

Un langage affés ordinaire, eft que chaque plante a
fon efpece de chenille particuliere; je ne fçais neantmoins
s'il y a réellement même une efpece de chenille à qui la
nature n'ait affigné pour tout aliment qu'une feule efpece
de plante, ou au moins, au défaut de cette plante, d'autres qui nous fembleroient analogues. Une chenille veluë
& rouffe, qui mange affés communément les feuilles de
la vigne pour être appellée *chenille de la vigne* *, mange
encore plus avidement les feuilles du coq des jardins. Elle
tire fa nourriture & de feuilles qui nous femblent très-
infipides, & de feuilles aromatiques. Nous en verrons
des efpeces qui rongent indifferemment les feuilles du
chêne, celles de l'orme, celles de l'épine, celles des poi-
riers, des pruniers, des pêchers, &c. Il eft pourtant vrai
qu'il n'y a qu'un certain nombre de plantes & d'arbres
qui conviennent à chaque efpece de chenilles. Que de-
viendrions-nous fi celles qui font de fi grands ravages dans
les bois, pouvoient fe nourrir de nos bleds verds! Les
plantes fur lefquelles les chenilles vivent peuvent donc
nous aider à les diftinguer. Si on en trouve une verte fur
un chêne, & une verte fur le chou, quoiqu'elles femblent
de même forme, on pourra prefque décider que ce font
deux efpeces differentes; ou au moins on feroit en état
de le décider, en donnant du chou à la chenille du chêne,
& du chêne à la chenille du chou.

   Que quelques-unes vivent de plantes dont l'amertume
nous paroît infupportable, il n'y a pas là de quoi nous
étonner; mais on peut trouver étrange que la nature ait
affigné pour aliment à d'autres chenilles, des plantes remplies d'une liqueur acre & cauftique. Qu'il y ait des chenilles qui vivent des feuilles de certains titimales, malgré
la qualité corrofive du lait dont elles font remplies. Les
conduits par où l'infecte fait paffer ce fuc, tout petits

* Pl. 2.
Fig. 16.

qu'ils font, & quelque délicats qu'ils femblent être, ne font aucunement alterés par une liqueur qui agiroit trop contre notre langue, fi elle étoit épanchée deffus. Une très-belle chenille à corne aime fur-tout les feuilles du titimale à feuilles de cyprès *. Le vrai eft que j'ai mis fur ma langue un peu du fuc de ce titimale, & qu'il n'y a pas fait d'impreffion bien fenfible ; mais ayant porté un bon nombre de ces chenilles dans un pays où il ne me fut pas poffible de trouver cette plante, je leur offris plufieurs autres plantes laiteufes aufquelles elles ne voulurent pas toucher : leur lait étoit apparemment trop infipide pour être au goût de nos chenilles. Mais je leur préfentai diverfes autres efpeces de titimales dont elles s'accommoderent à merveille , & dont elles fe nourrirent jufqu'à leur transformation. Une de ces efpeces étoit ce titimale connu dans les campagnes fous le nom d'*épurge*, cultivé affés fouvent par les payfans, & dont la graine eft un violent purgatif. Je voulus auffi éprouver fur ma langue le lait de ce titimale, fur le champ il n'y fit point d'impreffion fenfible ; mais au bout de quelques quarts d'heure, je me trouvai la bouche en feu, & ce fut une chaleur que les gargarifmes d'eau, réïterés pendant plufieurs heures de fuite, ne purent éteindre. Elle me dura jufqu'au lendemain. La chaleur paffoit fucceffivement d'un endroit de la bouche à un autre, elle gagna les levres. J'ai pourtant vû plufieurs de mes chenilles qui buvoient avidement les groffes goutes de lait qui fe trouvoient au bout de la tige rompuë que je leur avois donnée. J'ai même préfenté fucceffivement plufieurs goutes de ce lait cauftique à une chenille, elles les a bû, & ne s'en eft pas trouvée plus mal.

Il doit paroître auffi extraordinaire qu'il y ait des chenilles qui vivent fur l'ortie. Plufieurs efpeces, qu'on trouve fur cette plante, font à la verité armées de longues épines qui

qui pourroient sembler necessaires pour tenir celles des
feuilles éloignées de leur peau ; mais j'ai trouvé sur l'ortie
plusieurs especes de chenilles rases, & dont la peau paroissoit même plus tendre que celle de quantité de
chenilles qui se tiennent sur des plantes dont les feuilles
sont très-douces au toucher. Enfin ces chenilles de l'ortie
mangent des feuilles armées de picquants, qui, dès qu'ils
ont atteint notre peau, y causent des demangeaisons cui-
santes. Le palais & l'œsophage de ces chenilles, que nous
devons pourtant juger très-délicats, sont donc à l'épreuve
de ces picquants d'ortie, comme le palais des ânes est à
l'épreuve de ceux des chardons. Peut-être que quand ces
chenilles font entrer les picquants des orties dans leur
bouche, elles les y font toûjours entrer dans un sens où
ils ne sçauroient les picquer, qu'elles les font entrer par
leurs bases.

Pour n'avoir pas été assés en garde contre le préjugé
qui donne à chaque chenille une plante particuliere, on
a multiplié dans quelques ouvrages, le nombre des chenilles & des papillons au-delà de ce qu'il auroit dû l'être.
Il y a telle chenille avec son papillon, qui y paroît jusqu'à
trois fois parce que l'auteur l'a trouvée sur trois plantes
differentes ; de petites variétés de couleur & de grosseur
auront encore aidé à le tromper.

Le temps où elles prennent leurs aliments peut encore
aider à en distinguer qui sont d'ailleurs très-semblables
à d'autres. J'ai eû, par exemple, sur la bistorte, des arpenteuses * qui ne differoient pas sensiblement de bien d'autres chenilles de la même classe, qui ne mangeoient jamais
que la nuit. Il y en a qui mangent à toutes les heures du
jour ; il y en a qui ne mangent que le soir & le matin ,
& qui se tiennent tranquilles pendant la grande chaleur.
Les chenilles rases sont celles qui donnent le moins de

* Pl. 15.
Fig. 10. &
11.

Tome I.   . N

prise à qui veut les désigner, sans en faire des descriptions bien détaillées. Le chou en a de brunes, qui sont extreme- ment semblables à des chenilles brunes de plusieurs autres plantes *; il en a aussi des vertes de differentes especes entre lesquelles on ne trouve pas des differences bien sensibles: mais il y a de ces chenilles vertes * & des brunes du chou, qui ont une façon de vivre qui leur est parti- culiere, & qu'il est bon d'apprendre à ceux qui veulent conserver leurs choux. J'en avois fait planter de petits dans des vases, que je fis mettre dans une chambre: je les destinois à nourrir des chenilles sous mes yeux; je leur en donnai à chacun un bon nombre. Je fus étonné le lendemain, de ne plus trouver de chenilles sur des plan- tes où elles avoient dû se trouver fort à leur aise. Le même jour je remis d'autres chenilles sur ces choux, & je n'y en trouvai point le lendemain: mais une remarque qu'on me fit faire, me mit au fait de la conduite de mes chenilles; les feuilles avoient été très-maltraitées, elles étoient très-rongées; la nuit entiere sembloit leur avoir suffi à peine pour manger tant. J'en conclus, qu'elles n'avoient abandonné les choux que le matin, & cela apparemment pour se cacher en terre, & y rester pendant le jour. Ayant un peu découvert la terre, j'y en trouvai effective- ment une, & je ne doutai pas que les autres n'y fussent aussi. Elles sortirent le soir de terre comme je m'y étois attendu. Lorsque je visitai les choux à la lumiere, je trouvai mes chenilles occupées à ronger leurs feuilles. On rencontre pourtant quelques-unes de ces chenilles en plein jour sur les choux des jardins; c'est même le temps où j'avois pris celles dont j'avois peuplé ceux de mes vases; mais on y en rencontre peu, elles sont souvent cachées dans la pomme du chou; en un mot, il m'avoit fallu éplucher bien des choux pour en faire ma petite provision. Je retournai le

* Pl. 42.
Fig. 1. & 2.

* Pl. 41.
Fig. 1.

même soir visiter à la lumiere ces mêmes choux du jardin où elles m'avoient paru si rares, je leur en trouvai plus que je n'en voulus, tant dessus que dessous les feuilles.

Si les jardiniers pensoient ordinairement, ils auroient dû être souvent surpris, & peut-être l'ont-ils été, de voir leurs choux tout mangés, & d'y trouver cependant peu de chenilles; ils auront attribué aux limaçons un désordre dont elles étoient la cause. Ce n'est pas une chose indifferente, & sur-tout dans certaines campagnes, de songer à conserver les choux. Le moyen sûr est donc d'aller le soir les écheniller à la chandelle.

L'observation que je viens de rapporter, ne doit pas même être indifferente aux Naturalistes, elle peut leur faire voir de nouvelles especes de chenilles, leur faire trouver aisément certaines especes qui paroissent rares. Ce n'a pas été inutilement que j'en ai cherché le soir à la lumiere sur des plantes, après avoir remarqué pendant le jour que leurs feuilles avoient été rongées. Il n'étoit pas à présumer que les chenilles des choux fussent les seules qui aimassent à rentrer en terre pendant le jour, & à qui cela fût absolument necessaire.

Bien des especes de chenilles sont peries chés moi, quoiqu'on eût grand soin de les fournir de nourriture, parce que j'ignorois qu'il falloit qu'il y eût de la terre dans le fond des vases où je les tenois renfermées, où elles pussent entrer, sinon tous les jours, au moins dans certains temps. On sçavoit déja qu'il y en a qui vont se cacher sous terre lorsqu'elles veulent se mettre en crisalides; mais je ne crois pas qu'on sçût qu'il y en a, qui pour l'ordinaire y vont passer le jour. Il y en a, & le fait est moins singulier, qui se tiennent constamment sous terre, elles aiment les racines des plantes. Les jardiniers connoissent fort l'espece qui mange les racines des laituës.

N ij

La maniere dont agissent differentes chenilles lorsqu'on veut les prendre, peut encore nous aider à en distinguer plusieurs especes. Les unes se roulent en anneaux dès qu'on les touche *; ce sont celles qui, selon Goedaert, font alors les mortes; celles qui sont veluës *, & qui se contournent ainsi, prennent alors la forme d'un herisson; d'autres se laissent tomber à terre dès qu'on touche les feuilles sur lesquelles elles sont posées; d'autres cherchent à se sauver par la fuite. Il y en a de celles-ci de remarquables par la vîtesse avec laquelle elles marchent. La chenille rousse * & veluë dont nous avons parlé, qui mange les feuilles de vigne, peut être distinguée de beaucoup d'autres qui pourroient lui ressembler : elle est un lievre parmi les chenilles par la vîtesse de sa course; on peut fort bien l'appeller *le lievre*. D'autres plus courageuses, semblent vouloir se défendre; elles fixent la moitié de leur corps, & agitent l'autre en des sens contraires, comme pour frapper celui qui les inquiette: c'est la partie anterieure de leur corps, que les unes mettent alors en mouvement, & les autres y mettent la partie posterieure. Enfin, il y en a qui, quand on les touche, font prendre à leur corps des inflexions semblables à celles des serpents, qui les changent avec vîtesse, & un grand nombre de fois en des sens opposés; & cela, non pour marcher, mais comme pour marquer l'impatience avec laquelle elles souffrent qu'on les touche.

Outre les caracteres que nous venons d'expliquer, on en trouvera beaucoup d'autres qui pourront être pris, soit des figures des differentes parties des chenilles, soit de leurs differentes façons d'agir, dont nous ferons mention dans la suite de cet ouvrage. Voilà déja plus de caracteres que nous ne pouvons en employer en quelques-unes de nos classes, & même en toutes nos autres classes, excepté dans celle des chenilles à seize jambes. Jusqu'ici les varietés prises des arrangements des poils, me sont par exemple très-inutiles pour fixer les genres des arpenteuses de la sixiéme classe, car je ne connois encore aucune de ces chenilles qui soient veritablement veluës. Mais nous parlerons dans un Memoire particulier des chenilles de cette classe, & des caracteres qu'on peut employer pour les distinguer en genres & en especes. Après tout, ce que nous avons donné, ne doit être regardé que comme un canevas qu'on remplira à mesure que les observations se multiplieront, ou qu'on changera même pour un autre, si les observations semblent le demander. Mais toûjours voit-on d'un coup d'œil, un ordre dans lequel les chenilles peuvent être rangées, qui nous donne une idée de leurs differentes classes, des genres qui peuvent être mis sous ces classes, & de la nombreuse suite des genres & des especes déja connuës. Cet ordre seroit peut-être celui qui devroit être suivi, si on entreprenoit une histoire generale de ces insectes, mais ce n'est pas celui auquel nous nous attacherons dans cet ouvrage, où nous avons principalement en vûë ce que les chenilles nous offrent de plus remarquable; nous y ferons pourtant souvent usage des differents caracteres que nous avons indiqués pour aider à faire connoître chacune de celles dont nous parlerons.

EXPLICATION DES FIGURES DU SECOND MEMOIRE.

PLANCHE I.

LEs sept premieres Figures donnent des exemples de chenilles de sept differentes classes. Six de ces Figures les représentent renversées sur le dos, afin que le nombre &

la difpofition de leurs jambes foient plus aifés à voir. La claffe eft caracterifée par le nombre & l'arrangement des jambes.

La Figure 1, eft celle d'une chenille à feize jambes, ou de la premiere claffe. *a*, font les trois paires de jambes anterieures ou écailleufes, qui partent des trois premiers anneaux. Les deux anneaux fuivants n'ont point de jambes. *iiii*, font les quatre paires de jambes intermediaires & membraneufes. Les deux anneaux qui fuivent n'ont point de jambes. *p*, eft la paire de jambes pofterieures qui part du douzieme ou dernier anneau.

La Figure 2, eft celle d'une chenille de la feconde claffe, ou à quatorze jambes. *a*, les trois paires de jambes anterieures ou écailleufes, après lefquelles il y a trois anneaux fans jambes, *iii*, les trois paires de jambes intermediaires, fuivies de deux anneaux fans jambes. *p*, la paire de jambes pofterieures.

La Figure 3, eft encore celle d'une chenille à quatorze jambes, mais diftribuées autrement que celles de la Fig. 2. auffi la chenille de la Fig. 3. eft-elle de la troifiéme claffe. *a*, les trois paires de jambes anterieures, après lefquelles il n'y a que deux anneaux fans jambes. *iii*, les trois paires de jambes intermediaires, qui font fuivies de trois anneaux fans jambes. *p*, la paire de jambes pofterieures.

La Figure 4. eft celle d'une chenille de la quatrieme claffe ; elle a quatorze jambes, fçavoir, fix écailleufes, *a*. huit membraneufes, diftribuées en quatre paires, *i,i,i,i*, comme le font les jambes intermediaires des chenilles de la premiere claffe. Mais les chenilles de cette quatriéme claffe n'ont point de jambes membraneufes en *p*, comme en ont celles des trois premieres claffes. *c c*, queuë fourchuë de cette chenille, ou les tuyaux qui fervent d'étuis à deux cornes charnuës.

La Figure 5, est celle d'une chenille arpenteuse à douze jambes, ou de la cinquiéme classe. *a*, sont les trois paires de jambes écailleuses. *i i*, deux paires de jambes intermediaires. *p*, la paire de jambes posterieures. Les chenilles de cette classe, & celles de la classe suivante, ont souvent les séparations des anneaux mal marquées; il y a pourtant une maniere de distinguer leurs anneaux, dont il n'est pas temps de parler.

La Figure 6, est celle d'une chenille arpenteuse à dix jambes , ou de la sixiéme classe. *a*, ses trois paires de jambes anterieures. *i*, une seule paire de jambes intermediaires. *p*, la paire de jambes posterieures.

La Figure 7, est celle d'une chenille à huit jambes, ou de la septiéme classe. *a*, les trois paires de jambes anterieures. Elle n'a aucune paire de jambes intermediaires. *p*, la paire de jambes posterieures.

Les Figures 8, 9, 10, 11, 12, 13, 14, 15, & 16, sont celles de diverses chenilles arpenteuses à dix jambes, ou de la sixiéme classe, & font voir quelques-unes des attitudes dans lesquelles elles se soutiennent, & comment elles marchent.

La Figure 8, est celle d'une petite arpenteuse en bâton , du jasmin, d'une couleur de bois brune, qui a sur le corps des taches de figures de lozanges, & de couleur un peu plus claire que celle du reste; elle est dans une position inclinée à l'horison.

La Figure 9, est celle d'une chenille arpenteuse en bâton, du lizeron, dessinée pendant qu'elle étoit encore petite; sa couleur tiroit sur le canelle, elle est comme la précedente, dans une position inclinée à l'horison.

La Figure 10, est celle de la même arpenteuse du lizeron, qui est parvenuë à son dernier terme d'accroissement; elle est ici posée verticalement la tête en bas.

La Figure 11, est celle d'une arpenteuse qui vit sur le chêne & sur la charmille ; le fond de sa couleur est un canelle rougeâtre. Des taches jaunes, dans lesquelles il y a quelques points noirs, se joignent, & forment de chaque côté une raye jaune. L'attitude où est cette chenille, est une de ces attitudes bizares où elles se mettent souvent. On remarquera que les jambes écailleuses sont dirigées vers la tête ; ce qui leur est assés ordinaire.

La Figure 12, est celle de la même chenille allongée, & qui se prépare à marcher.

La Figure 13, est celle de la même chenille, qui est contournée en boucle, ou qui a fait un demi-pas, en apportant ses jambes intermediaires contre la derniere paire des jambes écailleuses. Le pas sera complet, & elle sera en état d'en faire un second, lorsqu'elle se sera étenduë comme elle l'est dans la Fig. 12.

Les Figures 14, 15 & 16, sont celles d'une arpenteuse en bâton qui vit sur le gramen ; elle est d'un gris-blanc, qui tire sur la couleur de la cendre.

La Figure 14, est celle de la position qui lui est la plus ordinaire, lorsqu'elle se prépare à marcher.

Dans la Figure 15, elle est un peu courbée en arc, & elle cramponne ses jambes anterieures, pour être en état de porter en avant la partie posterieure de son corps.

Dans la Figure 16, l'arpenteuse a ramené ses jambes posterieures tout auprès des écailleuses ; elle les y cramponne. La boucle que forme alors le milieu de son corps, est differente de celle de la Fig. 12 ; cette boucle est ordinairement inclinée vers la tête.

La Figure 17, est celle d'un de ces insectes qui au premier coup d'œil semblent des chenilles, mais qui se metamorphosent en mouches. Nous les nommons des *fausses chenilles*. Quand on les examine, on trouve aussi qu'ils

ont

ont plus de jambes que les chenilles, & même des jambes de differentes formes, comme on le verra dans le
Memoire fuivant. Celle qui eft ici renverfée fur le dos,
a fix jambes écailleufes *a*, fix paires de membraneufes ou
intermediaires *i, i, i, i, i, i,* & une paire de jambes pofterieures *p*.

La Figure 18, fait voir le deffus du corps d'une fauffe
chenille qui vit de feuilles de faule. La couleur de la plus
longue partie de fon corps eft un bleu-verdâtre, ou , fi
l'on veut, un celadon bleuâtre. La partie anterieure ou
les trois premiers anneaux font d'un jaunâtre tané; la
partie pofterieure eft de la même couleur. Elle a fur tout
le corps differentes lignes longitudinales formées par des
points noirs. Sur les endroits d'un brun tané les points
noirs ne font pas arrangés comme fur la partie bleuâtre.
Cette fauffe chenille a vingt jambes en tout, fix jambes
écailleufes, douze jambes intermediaires, & deux pofterieures.

La Figure 19, eft celle de la tête de cette chenille reprefentée en grand, & vûë par devant.

La Figure 20, eft celle d'une fauffe chenille qui vit fur
le chevrefeuil. Elle eft d'une grandeur peu au deffous de
la moyenne. Tout du long du deffus du corps elle a
une raye d'un brun feuille-morte, fur laquelle font diftribuées de petites taches noires. A chaque côté de cette
raye il y en a une plus brune, dans laquelle il y a des
taches noires; ce qui confine ces rayes, & le deffous du
ventre, eft d'un blanc fale & cendré. Quand on la touche,
elle fe roule affés ordinairement comme elle eft roulée
dans cette Figure ; on la trouve fouvent dans cette attitude fur une feuille, ou fous une feuille. Mais ce qu'elle
a de plus fingulier, c'eft que lorfqu'on la touche, il tranf-
pire de l'eau de differents endroits de fa peau; elle s'y

raſſemble en gouttelettes. Cet eau eſt claire, mais elle à une odeur penetrante, & aſſés mauvaiſe. Cette fauſſe chenille a vingt-deux jambes ; le 4.me anneau, celui qui eſt après la derniere paire des jambes écailleuſes, eſt le ſeul qui n'en a point.

PLANCHE II.

La Figure 1, eſt celle d'une chenille verte, à peau chagrinée, qui porte une corne *c* ſur le 11.me anneau. Cette chenille eſt d'une des eſpeces qui vivent ſur le tilleul. Le devant de ſa tête eſt plat & triangulaire.

La Figure 2, eſt une portion d'un anneau de cette chenille deſſinée à la loupe, pour faire voir l'arrangement des petits grains durs, & comme oſſeux, qui rendent ſa peau chagrinée.

La Figure 3, eſt le bout d'une corne vû au microſcope.

La Figure 4, eſt celle d'une chenille brune, épineuſe, qui vit ſolitaire ſur l'ortie, dans une feuille roulée. On donnera ailleurs ſon hiſtoire. Elle n'eſt actuellement placée ici que pour ſervir d'exemple des chenilles que nous nommons *épineuſes*.

La Figure 5, eſt une coupe geometrale d'un des anneaux de cette chenille, deſſinée au microſcope. *i, i,* la coupe de deux jambes intermediaires. *e e,* &c. les ſept épines que porte cet anneau.

La Figure 6, eſt celle d'une autre chenille de l'ortie, qui eſt d'un noir velouté, & piquée de très-petits points blancs. Elle vit en ſocieté ſur cette plante.

La Figure 7, eſt la coupe d'un des anneaux de cette chenille. *i i,* la paire de jambes membraneuſes de cet anneau. Cet anneau ne porte que ſix épines *e,* &c. au lieu qu'un anneau ſemblable de la chenille de la Fig. 4, en porte ſept. Les épines des Fig. 4 & 5, ſont plus branchuës que celles de cette Fig. 7.

Les Figures 8 & 9, font celles de differentes autres épines prifes fur une autre chenille de l'ortie.

La Figure 10, eft celle d'une épine branchuë reprefentée encore plus en grand que dans les Figures précedentes, pour y faire voir que les pointes des épines ont vers leur bafe *m*, une efpece de bourlet, qu'elles femblent fortir d'une efpece de manche.

La Figure 11, eft celle d'une chenille, dont on aura ailleurs l'hiftoire, qui donne un exemple des chenilles qui ont fur le corps des tubercules, d'où partent quelques poils courts, & fi durs, qu'ils font des efpeces d'épines fimples. Cette chenille vit fur la charmille. Elle eft d'un beau verd tendre. Ses tubercules font couleur de rofe ; elle en a fix fur chaque anneau.

Les Figures 12 & 13, font celles de deux tubercules de cette chenille reprefentés en grand avec leurs poils.

La Figure 14, eft celle d'une chenille noire qui eft extrêmement chargée de poils qui partent de tous les endroits de fa peau. Elle n'a qu'une petite raye jaune un peu au deffus des jambes. Elle fert d'exemple de celles qui jeunes font très-veluës, & qui devenuës grandes, font prefque rafes, & des chenilles à tubercules telles que celles de la Fig. 11.

La Figure 15, eft celle de la chenille de la Fig. 14, devenuë plus grande, & moins veluë. Des endroits d'un très-beau verd paroiffent entourés de noir.

La Figure 16, eft celle d'une chenille que nous avons nommée le *lievre,* qui vit fur le coq des jardins, & fur la vigne : on en donnera l'hiftoire dans la fuite. Ses poils font roux ; ils font arrangés par aigrettes.

La Figure 17, eft la coupe d'un des anneaux de cette chenille, qui paffe par deux jambes intermediaires. *i, i,* les jambes. Sur la circonference de cet anneau sont arrangées dix aigrettes de poils.

La Figure 18, est, en grand, celle d'un des tubercules d'où partent les poils qui composent les aigrettes de l'anneau de la Figure 17, & de toutes les autres

La Figure 19, est celle d'une chenille veluë qui vit sur le gazon, & qui mange bien les feuilles de la ronce, celles de l'orme & de la charmille. Ses poils sont couleur de chamois, & comme ils couvrent la chenille, elle paroît de cette couleur. Elle ne montre du noir qu'à la jonction des anneaux, & cela, lorsqu'elle s'étend. Elle nous donne un exemple des poils qui se couchent sur le corps pour l'embraffer, & dont les uns montent en haut, & dont les autres descendent en bas.

La Figure 20, est celle d'un des anneaux de cette chenille représenté en grand pour faire mieux voir la disposition des poils. On y voit qu'il y en a une partie qui se couchent pour suivre le contour de l'anneau; que d'autres s'élevent au-dessus; que ceux des côtés opposés se rencontrent en *a a*. Enfin on en voit qui descendent en bas vers *b b*.

La Figure 21, est celle d'une chenille à brosses, qui vit sur le gazon. Elle est actuellement vêtuë de gris, de blanc & de noir. Il y a des temps où elle est presque jaune. Elle a sur le dos cinq houppes en brosses, & une en pinceau près du derriere. On aura dans la suite son papillon.

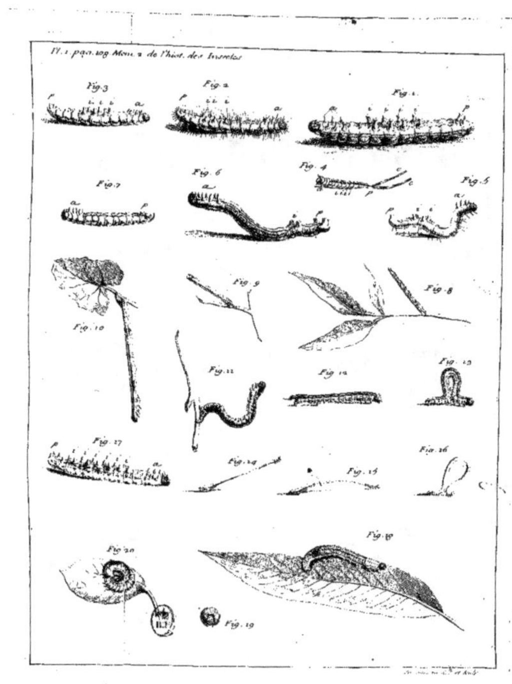

Pl. 1 pag. 109 Mem. 2 de l'hist. des Insectes
Fig. 3
Fig. 2
Fig. 1
Fig. 7
Fig. 6
Fig. 4
Fig. 5
Fig. 9
Fig. 8
Fig. 10
Fig. 11
Fig. 12
Fig. 13
Fig. 17
Fig. 14
Fig. 15
Fig. 16
Fig. 18
Fig. 20
Fig. 19

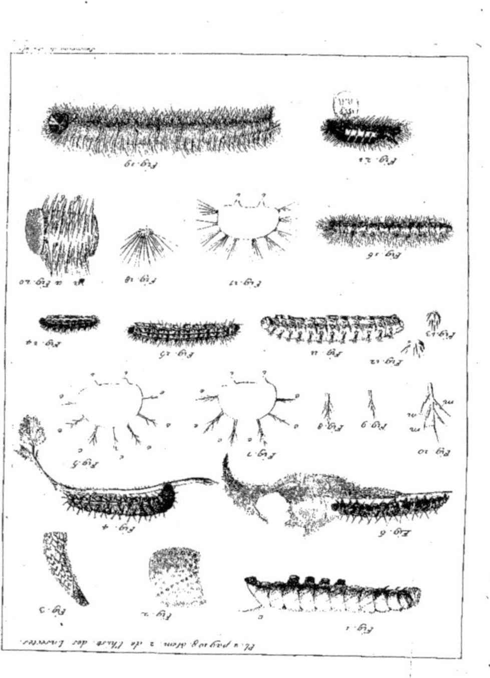

TROISIEME MEMOIRE.

DES DIFFERENTES PARTIES DES CHENILLES.

NOus n'avons encore vû dans nos chenilles, que ce que le premier coup d'œil y fait voir. Les parties dont elles font compofées meritent d'être regardées de plus près, & chacune feparement. Nous avons fimplement donné le nom de jambes à celles qui fervent à leur mouvement progreffif, quoique dans ces parties, comme dans celles des grands animaux, deftinées aux mêmes ufages, on puiffe diftinguer des cuiffes, des jambes & des pieds; mais il nous a parû plus commode de comprendre ces trois parties fous un même nom, & nous continuerons de le faire, excepté dans les cas qui exigeront que nous en défignions quelqu'une en particulier.

Des matieres, qui par leur dureté font analogues à la corne & à l'écaille, qui font plus que cartilagineufes, tiennent lieu d'os aux infectes. Il n'entre rien, ou prefque rien d'écailleux dans la ftructure du corps des chenilles, mais leur tête eft toute couverte d'écaille. On a affés vû dans le Memoire precedent, qu'elles ont des jambes de deux efpeces, que les fix premieres font écailleufes, comme le font auffi celles de tant d'autres infectes. Cette ftructure, pour être commune, n'en merite pas moins d'être remarquée. Les os de nos cuiffes, de nos jambes, de nos pieds, font recouverts par des chairs, par des mufcles, qui fervent à les mouvoir: ce que les jambes des infectes ont d'analogue aux os, font au contraire des efpeces de boîtes,

O iij

d'étuis écailleux qui renferment tous les muscles qui servent à les mettre en mouvement. Leurs chairs, plus tendres & plus molles, ont besoin d'être mieux défenduës.

Au reste, la forme des jambes écailleuses de nos chenilles n'offre rien de singulier ; on a besoin du secours de la loupe pour bien voir leur structure. Elles sont composées de quatre parties, ou de quatre tuyaux differents, disposés les uns au bout des autres *. Le premier est celui de tous qui a le plus de diametre * ; sa circonference est formée de quatre pieces. Le second tuyau * est plus long & moins gros que le premier, on peut le regarder comme la cuisse, à qui le tuyau qui précede sert de base. Celui qui suit * peut être pris pour la jambe ; enfin le dernier * est, à proprement parler, le pied : il se termine dans la plûpart des chenilles, par une espece d'ongle ou de crochet * ; c'est ce crochet qui a apparemment déterminé M.^de Merian à appeller ces jambes mêmes des crochets: le pied, dans quelques especes de chenilles, se termine par deux crochets *.

Chacun des tuyaux écailleux est uni & articulé avec celui qui le suit, par une bande circulaire & membraneuse que l'insecte étend ou plie à son gré, & c'est de-là que dépendent les allongements & les raccourcissements que les chenilles peuvent donner à ces sortes de jambes ; ils sont si peu considerables, sur-tout si on les compare à ceux dont sont capables les jambes membraneuses, que nous avons crû ci-devant n'en devoir tenir aucun compte, & que nous regardons ces jambes, comme si elles ne se raccourcissoient ni ne s'allongeoient, comme étant simplement capables de se courber, & de se redresser.

Il y a des chenilles qui ont des jambes écailleuses plus grandes que celles des autres, proportionnellement à la grandeur de leur corps. Toutes vont en diminuant de groſſeur depuis leur origine juſqu'au crochet qui les termine. Il y en a dont la figure eſt preſque conique, ce ſont les plus courtes & les plus droites ; mais les plus longues ſont plus courbées vers le deſſous du ventre. Celles dont la couleur eſt brune, qui ſont luiſantes & opaques, ſont aiſément regardées comme écailleuſes ; mais on a plus de peine à prendre pour telles, celles qui étant blanches & tranſparentes, comme quelques-unes le ſont, ne ſemblent avoir qu'une conſiſtance propre à des chairs ; on ne balancera pas pourtant à les regarder comme écail-leuſes, ou comme cartilagineuſes au moins, ſi on fait attention que les tuyaux qui les compoſent ſont comme ceux des autres, incapables de s'allonger, de ſe raccourcir & de ſe plier.

Les jambes membraneuſes ſont encore plus differentes *Pl. 3. par leur ſtructure, de celles des grands animaux, que les jam-Fig. 8. &c. bes écailleuſes : il n'entre rien d'oſſeux & de dur dans leur conſtruction; l'inſecte les allonge & les raccourcit à ſon gré. Il y a des chenilles qui, dans certains temps de repos, les raccourciſſent ſi fort, qu'elles les font entierement diſpa-roître; il ſemble qu'elles les font entierement rentrer dans leur corps. On ne peut preſqu'alors diſtinguer les anneaux qui ont des jambes, de ceux qui n'en ont point. En ge-neral, leur figure approche de celle d'un cone tronqué; les differents genres de chenilles nous en font pourtant voir de trois formes differentes, que nous conſidererons ſeparement. Au bout du cone, qui fait le corps des jambes membraneuſes de la forme la plus commune *, eſt un pied *Pl. 3. charnu qui prend ſucceſſivement tant de figures diffe-Fig. 3. 4. 6. rentes, qu'il ſeroit impoſſible de décrire toutes celles ſous & 7. leſquelles il ſe montre. Nous nous bornerons à le conſi-derer ſous quelques-unes de celles qui different le plus entr'elles; elles ſuffiront pour donner idée de toutes les autres figures moyennes.

Souvent il prend une forme qui approche plus de celle d'une main que de celle d'un pied *, je veux dire qu'il prend celle d'une espece de palette triangulaire, dont les côtés font curvilignes. La jambe est comme le manche de cette palette. Le bout du pied * est alors l'endroit où il est le plus large; là est le grand côté de la palette triangulaire; il est convexe, & il a seulement une petite inflexion à son milieu *; les deux autres côtés, ceux qui viennent se rendre à la jambe, tournent leur concavité vers le dehors *.

Cette forme du pied est la plus propre de toutes pour faire voir les ongles, ou les crochets dont il est armé, qui ne font pas ce qu'il nous offre de moins curieux, & que nous aurons besoin de bien connoître, pour expliquer quantité de manœuvres affés difficiles que les chenilles executent par leur moyen. Ces ongles * font de vrais crochets de confistance de corne ou d'écaille, & de couleur brune. Le pied en est bien pourvû; M. de Malpighi en a compté plus de quarante à celui du ver à foye, & j'en ai, je crois, compté près de foixante à chaque pied de quelques-autres chenilles. Ils font arrangés avec ordre, & font même une espece d'ornement, & comme une petite palissade qui borde tout le bout du pied, ou tout le long côté de notre palette *.

Pour bien voir leur arrangement, on observera avec la loupe, la face interieure de ce pied applati, c'est-à-dire, celle qui est la plus proche du pied correspondant; on y distinguera un petit cordon charnu, placé à peu de distance du bord du pied, & qui lui est parallele *. Ce cordon est une espece de tablette dans laquelle les bouts des tiges de tous les petits crochets font implantés. On apperçoit deux rangs differents de ces tiges, qui forment des crochets de deux differentes grandeurs. Toutes ces tiges se

dirigent

* Pl. 3.
Fig. 3. & 4.
c c, d d.

* d d.

* e.

* c, d.

* Fig. 5.

* Fig. 3.
& 4. d d.

* Fig. 3.
d d.

dirigent parallelement les unes aux autres, & en ligne droite;
celles qui forment les plus grands crochets ne se recourbent qu'après avoir passé par delà le bord du pied. Les
sommités des petits crochets sont presque de niveau avec
ce même bord; la disposition de ceux-ci est telle, qu'il
y en a toûjours un placé vis-à-vis le milieu de l'intervalle,
qui est entre deux grands crochets. Mais ce qu'il faut sur-
tout remarquer, c'est que la concavité des crochets est
tournée vers le ventre de la chenille; je veux dire que les
crochets d'une jambe semblent tendre vers la jambe opposée *. La face interieure du pied, celle que nous ve-   * Fig. 6.
nons de considerer, est alors assés plane, excepté à l'endroit du cordon charnu. La face opposée *, l'exterieure   * Fig. 4.
n'est pas absolument si plane; il y a des circonstances où
l'on y remarque très-bien une cavité triangulaire *, dont   * Fig. 4. *f.*
le contour est semblable au contour exterieur du pied.

   Quoique la chenille donne souvent à ses pieds la forme
applatie sous laquelle nous venons de les considerer, ou
des formes approchantes, ce n'est gueres que dans des
temps d'inaction; les crochets peuvent seulement servir
alors à la tenir contre les corps où ils se sont cramponnés.
Mais elle peut à volonté gonfler une des deux faces qui
étoient plates ci-devant, & leur donner des courbures &
des positions tout-à-fait differentes; & cela lui est necessaire, non-seulement selon la grosseur & la figure du corps
qu'elle veut saisir, mais sur-tout pour marcher. Le côté interieur du pied * est celui qu'elle applique sur la surface du   * Fig. 3.
corps sur lequel elle marche; ainsi ce côté doit être regardé   *cc, dd.*
comme le dessous, comme la plante du pied; & le côté
opposé *, doit être regardé comme le dessus du pied.   * Fig. 4.
Il arrive neantmoins si souvent à l'une & à l'autre de   *cc, dd, f.*
ces parties d'être alternativement au-dessus & au-dessous
de l'autre, que si on n'apportoit quelque soin à demêler

Tome I.   P

leurs fonctions, on prendroit même plûtôt pour le deſſous du pied, celle que nous avons dite en être le deſſus. Nous nous arrêterons volontiers à conſiderer celle de toutes les formes du pied, qui eſt la plus propre à induire dans cette erreur, parce qu'elle eſt auſſi une des plus propres à nous apprendre comment ſe font les mouvements du pied. Si on tient une chenille renverſée, & qu'avec deux doigts on preſſe une jambe vers ſon origine, elle en devient plus tenduë ; on voit qu'à une certaine diſtance de ſa baſe, elle ſe recourbe comme pour aller à la rencontre de la jambe qui lui correſpond, & qu'à meſure qu'elle s'éloigne de ſa baſe, elle diminuë de groſſeur juſqu'auprès de l'endroit où elle ſe termine, où tout d'un coup elle ſemble prendre un diametre plus conſiderable, *Fig. 6. pour former une eſpece d'empattement, qui eſt le pied *. *cc, dd.* Le pied alors eſt une eſpece de diſque, auquel le bout de la jambe eſt peu incliné, ou qui paroît fait par l'évaſement du bout de la jambe. Plus de la moitié de la circonference de ce diſque, l'interieure, eſt armée de crochets ; celle-ci ſaille beaucoup par de-là le côté interieur de la jambe, aulieu que le côté exterieur de la jambe n'eſt point, ou peu excedé par le diſque. On obſerve une cavité, un enfoncement dans ce diſque, qui répond au milieu ou à l'axe de la jambe, & qui par conſequent n'eſt pas au centre de l'empattement.

De toutes les formes que prend le pied, il n'en a aucune qui approche plus de celle d'un pied que la précedente, où il fait un large empattement au bout de la jambe. Dans l'attitude renverſée où nous avons mis la chenille, le deſſous de l'empattement eſt en haut, & ſemble être le deſſous ou la plante du pied ; la ſurface qui eſt ici en vûë eſt pourtant réellement celle du deſſus du pied qui marche, ou qui s'eſt cramponné contre quelque corps. Si pendant que la chenille marche, son pied avoit cette forme, les crochets dont il est pourvû ne lui serviroient de rien, ils ne saisiroient point les corps sur lesquels ce pied s'appliqueroit, puisque leur convexité seroit toûjours tournée vers la surface de ce corps; aulieu que la concavité des crochets doit être tournée vers la surface des corps sur lesquels la chenille avance: si on en fait marcher une sur la main, on sent l'impression des pointes de ces crochets, elles y causent un petit chatouillement.

Nous avons fait remarquer un enfoncement dans l'espece de disque, dans l'empattement que le pied forme au bout de la jambe; quand la chenille veut, elle fait entrer dans cette cavité, ou plûtôt dans celle de la jambe, toutes les chairs qui sont en vûë dans notre figure, & alors elle ramene le bord où sont les crochets, ou ce qui est la même chose, les crochets eux-mêmes sur cette cavité; ils se trouvent couchés dessus par rapport à nos yeux & à la position de la figure *. Les crochets ont alors leur concavité ou leurs pointes tournées en haut, & les auroient tournées en bas, si la chenille étoit dans sa situation naturelle, posée sur un plan horisontal. Quelquefois la chenille fait rentrer ses crochets encore plus avant; les chairs de la jambe s'élevent pardessus, & forment une espece de bourlet qui les cache presqu'entierement, alors on ne voit que la jambe, qui a une figure conique; ainsi le pied peut rentrer dans la jambe, comme la jambe elle-même peut rentrer dans le corps.

Mais lorsque la chenille fait usage de son pied pour marcher, elle n'a garde de renfermer ainsi ses crochets; elle ne les ramene pas même jusques sur la cavité, mais elle gonfle cette partie que nous avons nommée la *plante du pied*, & qui est sur le côté interieur, par de-là les crochets *. C'est cette partie qu'elle applique contre le plan

* Fig. 7.

* Fig. 8. h.

P ij

fur lequel elle marche; les crochets aident à affermir le pas.
Pour bien voir cette manœuvre, il faut pofer une chenille
fur un carreau de verre, & fuivre au travers du carreau tous
fes mouvements; on remarquera alors que dans le pas qui
porte la chenille en avant, la jambe fait un angle obtus
avec la partie anterieure du corps, & que le pied eft contourné de façon qu'il déborde la partie pofterieure de la
jambe; & il déborde la partie exterieure de la même jambe,
lorfque l'infecte ne s'en fert que pour fe cramponner *.

*Fig. 9.

Si, après avoir ouvert une chenille pardeffus le dos, on
emporte toutes les parties interieures qui couvrent les endroits où les jambes membraneufes font placées, on n'eft
plus fi furpris qu'elles, & les pieds qui les terminent, foient
capables de tant de mouvemens differents : on voit quantité de beaux mufcles, au moyen defquels ils peuvent être
executés *. Il paroît que chaque jambe eft une efpece de
tuyau creux; on apperçoit un trou vis-à-vis le milieu de
fa bafe, dans lequel plufieurs mufcles fe plongent.

*Pl. 5.
Fig. 8. a a b.

Le plus grand nombre des efpeces de chenilles, au
moins des efpeces les plus groffes, & les plus connuës,
ont des jambes membraneufes, & des pieds tels que nous
venons de les décrire; mais quantité d'efpeces de chenilles
de grandeur médiocre, & de grandeur au-deffous de la médiocre, & quelques très-grandes efpeces, ont une autre
conftruction de jambes membraneufes & de pieds. Leurs
jambes, comme les précedentes, ont une figure qui tient
de celle du cone tronqué; mais au lieu que les pieds des
premieres chenilles font entourés d'une demi-couronne
de crochets, c'eft à proprement parler, le bout des jambes
des fecondes qui eft entouré de crochets, & il eft entouré
par une couronne de crochets complette, ou prefque
complette *; elles n'ont point un pied capable des gonflemens, des contractions, des changements de figures

*Pl. 3.
Fig. 10. &
11.

que les autres font voir. Un mamelon charnu, qui, quand
la chenille veut, rentre entierement dans la jambe, & qui
en fort quand elle marche, eft ce pied. Ce pied ne s'allonge pas beaucoup, & n'eft jamais bien gros. Il a toûjours moins de diametre que la couronne de crochets; les
crochets de cette couronne fe courbent tous vers le dehors
de la jambe.

Les jambes * de la plûpart de ces dernieres chenilles
font courtes, la plûpart de celles qui en ont de telles fe
tiennent dans des feuilles roulées, dans les tiges mêmes des
plantes, dans les fruits; elles ont des toiles autour d'elles
dans lefquelles les crochets des jambes fe peuvent cramponner aifement. Ces jambes font fouvent moins longues
que les premieres dont nous avons parlé; mais d'autres
chenilles qui ont auffi leurs jambes entourées par le bout
d'une couronne de crochets, les ont plus longues par
rapport à la grandeur de leur corps, que celles des deux
efpeces précedentes, & differemment conformées. Les
jambes dont nous venons de parler, lors même qu'elles
fervent au mouvement progreffif de l'infecte, font ridées,
elles femblent affés mal façonnées, & elles font groffes par
rapport à leur longueur. Les jambes de la troifiéme efpece * font plus longues, & plus délieés; elles font toûjours
bien tenduës; malgré leur flexibilité, elles reffemblent à de
vrayes jambes de bois; leur partie fuperieure * a la forme
d'une cuiffe, ou plûtôt de la partie de la jambe de bois qui
embraffe la cuiffe. La jambe * qui y tient eft affés exactement cylindrique; elle eft terminée par un empattement *
dont le contour eft circulaire, & armé de crochets; & c'eft
du milieu de cet empattement * que fort le petit mamelon
qui tient lieu de pied.

La premiere claffe des chenilles, la claffe de celles à
feize jambes, ou à huit jambes intermediaires, eft extrê-

* Fig. 10,
& 11.

* Fig. 12.

* Fig. 12.
a a.

* b.

* c c.

* Fig. 13.

mement nombreuse, elle l'eft même trop. Les remarques que nous venons de faire fur les ftructures des jambes membraneufes, nous mettent en état de la fous-divifer en trois claffes fubordonnées; la premiere, eft celle des che-nilles dont les jambes intermediaires font pliffées, & n'ont *Fig. 6.* qu'une demi-couronne de crochets *. La feconde com-prendra les chenilles dont les jambes font encore affés mal façonnées, mais entourées d'une couronne complette, ou *Fig. 10.* prefque complette de crochets *. Enfin, on mettra dans *& 11.* la troifiéme claffe fubordonnée, les chenilles, qui comme celles de la feconde, ont leurs jambes intermediaires en-tourées d'une couronne complette de crochets; mais qui *Fig. 12.* lorfqu'elles marchent ont leurs jambes bien tenduës *, fans *& 13.* plis, & affés fouvent femblables à une jambe de bois. Dans la fuite, lorfque nous ferons mention d'une che-nille, nous dirons ordinairement fi elle appartient à la fe-conde ou à la troifiéme de ces claffes; mais nous néglige-rons d'avertir fi elle appartient à la premiere.

Les crochets des jambes membraneufes font extrê-mement commodes pour aider à diftinguer les vraies che-nilles des fauffes chenilles. Nous avons dit dans le Me-moire précedent que les fauffes chenilles que nous con-noiffons actuellement ont plus de feize jambes. Mais fi on en trouvoit qui n'euffent que feize jambes, & même moins, on les reconnoîtroit pour fauffes chenilles dès qu'on verroit que leurs jambes membraneufes n'ont ni *Fig. 14.* couronne complette, ni demi-couronne de crochets *, qu'elles n'en ont point du tout.

Des jambes remontons à la tête des chenilles, pour en confiderer la conformation exterieure; elle femble tenir au premier anneau; dans le vrai pourtant, entre la tête & cet anneau il y a un col, ordinairement fi court & fi replié, qu'il n'eft pas vifible; il n'y a que quelques circonftances

rares dont j'aurai occasion de parler, où on le voye distinctement. La tête est principalement composée de deux grandes pieces écailleuses égales & semblables *; chacune d'elles
a une forme approchante de celle d'une espece de calotte
qui auroit été un peu pliée, comme pour ramener une
moitié de sa circonference sur l'autre *, plus pliée pourtant,
plus applatie à un bout de son diametre qu'à l'autre. Les
deux moitiés superieures de ces deux calottes forment le
dessus de la tête ou le crane *, & les deux moitiés inferieures
en forment le dessous *; ces deux calottes ne se touchent,
& ne font unies l'une à l'autre que par leur partie la moins
applatie; c'est par ces mêmes portions des calottes qu'est
formée la partie posterieure de la tête. Leurs parties plus
comprimées forment le devant de la tête, & ne se touchent point, elles laissent même entr'elles un espace triangulaire assés considerable *; une petite piece écailleuse le
remplit : ce triangle est aisé à voir sur le devant de la
tête de toute chenille.

   Le contour de chacune de nos deux pieces principales,
de nos especes de calottes est aisé à suivre, il a une sorte
de rebord plus épais que le reste, & qui fait une espece de
cordon; aussi à l'endroit de la partie superieure de la tête
où ces deux pieces font réunies, y a-t-il un sillon formé
par la rencontre des deux cordons.

   L'ouverture qui reste entre ces deux pieces en dessous
& en devant de la tête * est la cavité où est la bouche de
la chenille. L'idée que nous prendrons de sa structure,
nous aidera à nous en faire une de la structure de la bouche d'une infinité d'autres insectes, & nous fera voir
combien leur conformation differe de celle des bouches
des grands animaux. Le bout superieur de la tête, ou pour
ainsi parler, le museau, est terminé par une partie charnuë
échancrée par le milieu, que l'insecte peut porter un peu

* Fig. 3. ff,
& Fig. 4. f.
plus ou peu moins en avant *. Sa situation veut que nous lui donnions le nom de *levre superieure* ; elle part de def-fous un bourlet charnu fous lequel elle peut rentrer plus ou moins : ce bourlet lui-même peut être porté plus ou moins en avant.

* Fig. 4.
& 5. ihi.

* h.
Nous croyons devoir donner le nom de *levre inferieure* à une partie compofée pourtant de trois parties differen-tes, qui ne font réunies que par leur bafe *, parce qu'elles font toutes trois oppofées à la levre superieure ; que toutes trois font les fonctions de levre inferieure. La partie du milieu * eft la plus confiderable ; en dehors de la bouche, elle a la forme de mamelon, ou une figure pyramidale ; les deux parties entre lefquelles elle eft ont auffi la forme de mamelon. Si on ne vouloit donner le nom de levre qu'à la partie du milieu, & regarder celles des côtés comme fes appendices, je n'y trouverois pas grand inconvenient ; mais j'aime mieux regarder les trois parties enfemble, com-me une même levre refenduë jufqu'auprès de fa bafe.

Dans les grands animaux, les machoires font paralleles aux levres, chaque levre recouvre la fienne ; l'ouverture de la bouche y peut être fermée par la rencontre feule des levres. Dans nos chenilles il n'y a ni machoire inferieure ni machoire fuperieure, elles font toutes deux placées à une même hauteur, elles font toutes deux femblables, elles vont toutes deux mutuellement à leur rencontre,
* Fig. 4.
& 5. d, d.
elles ne font chacune munies que d'une dent *, mais d'une dent fi large & fi épaiffe, que, vû la petiteffe de l'infecte, elle équivaut à toutes les dents dont font armées les ma-choires des grands animaux. Enfin, lors même que la bouche de l'infecte eft fermée, les dents font à décou-
* Fig. 5.
vert * ; les levres ne rempliffent que la partie fuperieure & la partie inferieure de fon ouverture ; le milieu de l'ouver-ture & les côtés font alors bouchés par les dents qui fe

rencontrent

rencontrent l'une & l'autre par leurs extremités. Quand la bouche s'ouvre, quand les dents s'écartent l'une de l'autre *, leurs extremités tendent à se rapprocher du der-rere de la tête.　　　　　　　　　　　　　　* Fig. 4.

C'est par le mouvement alternatif des dents, qui toutes deux s'écartent l'une de l'autre, & qui toutes deux vien-nent ensuite se rencontrer, que les chenilles hachent par petits morceaux les feuilles qui leur doivent servir de nourriture. Il y en a des especes, qui pendant toute leur vie, & d'autres seulement, qui, quand elles sont jeunes, ne font que détacher le parenchime des feuilles, qui en épargnent toutes les fibres; mais le plus grand nombre des especes de chenilles attaque toute l'épaisseur de la feuille. On peut s'amuser quelques quarts-d'heures à voir l'avidité & l'adresse avec laquelle elles mangent, & nous devons nous arrêter à present à le décrire. Elles ont, pour ainsi dire, les heures de leurs repas. Nous avons déja vû qu'il y en a qui ne les prennent que la nuit, d'autres les prennent à certains temps du soir, d'autres passent le jour & la nuit à manger; celles-ci dans une heure mangent & cessent de manger à plusieurs reprises. Une chenille qui veut com-mencer à ronger le bord d'une feuille, se contourne le corps de façon, qu'au moins une portion du bord de cette feuille est passée entre les jambes écailleuses *, & quel-　* Fig. 10. quefois entre quelques-unes, ou entre toutes les jambes membraneuses; ces jambes tiennent assujettie la portion de feuille que les dents vont couper. Pour en donner le premier coup, la chenille allonge son corps, porte sa tête le plus loin qu'elle peut. La portion de la feuille qui se trouve entre les dents écartées, est coupée dans l'instant qu'elles viennent se rencontrer; les coups de dents se suc-cedent vîte; il n'en est point, ou il n'en est gueres, qui ne détache un morceau; & chaque morceau est presque

Tome I.　　　　　　　　　　　　　　　　　Q

auſſi-tôt avalé que coupé. A chaque nouveau coup de
dents la tête ſe rapproche des jambes ; de ſorte que pendant la ſuite des coups de dents elle décrit un arc, elle
creuſe la portion de feuille en ſegment de cercle, & c'eſt
toûjours dans cet ordre qu'elle la ronge; je veux dire que
quand ſa tête s'eſt rapprochée juſqu'à un certain point de
ſes jambes, & qu'elle a en même temps raccourci ſon corps
juſqu'à un certain point, qu'alors elle s'allonge, qu'elle
reporte ſes premieres jambes plus haut, & qu'elle ſaiſit
avec ſes dents la partie contiguë à celle qui a été emportée
pour la premiere bouchée; la tête continuë donc à ſe
rapprocher de la queuë à meſure que la chenille ronge.
Elle ne donneroit pas les coups de dents à beaucoup près
ſi vîte ni ſi ſûrement, ſi elle les donnoit dans un ordre
contraire. Pour en voir la raiſon, nous rappellerons une
particularité de la ſtructure de la levre ſuperieure, dont
nous n'avons parlé qu'en paſſant, & à laquelle nous devons faire plus d'attention actuellement. Nous avons dit
qu'elle eſt échancrée au milieu *; cette échancrure eſt d'un
grand uſage, c'eſt une eſpece d'entaille ou de couliſſe qui
maintient la feuille, & qui donne la facilité aux dents
d'appliquer leurs coups ſûrement & ſans avoir à chercher.
Si la feuille n'étoit ſaiſie que par les jambes écailleuſes, la
portion de la feuille qui eſt par de-là ces jambes auroit du
jeu, après que les dents en auroient emporté un morceau,
la feuille ſe déplaceroit ſouvent, elle ne ſe trouveroit plus
dans la ligne qui eſt au milieu des deux dents, les dents ſeroient obligées de chercher, de tâtonner, elles courroient
riſque de ſe preſſer à faux; au lieu qu'une portion de la
feuille étant aſſujettie d'un côté entre les jambes écailleuſes,
& poſée de l'autre côté dans la couliſſe de la levre ſuperieure, elle ſe trouve toûjours en ligne droite au milieu
des deux dents. J'ai obſervé auſſi que la chenille a grand

foin, en ramenant fa tête vers les jambes, de fuivre le contour de la feuille, de maintenir la tranche de cette feuille dans la couliffe de la levre; & ceci, qui lui eft aifé pendant qu'elle conduit fa tête vers fes jambes, lui feroit difficile fi elle la portoit vers le côté oppofé; le premier mouvement tend à l'approcher de la feuille, & le fecond tendroit à l'en éloigner.

Quelques chenilles fe nourriffent de feuilles fi étroites, qu'elles ne font pas trop larges pour leur bouche; telles font les feuilles du titimale à feuilles de cyprès. C'eft un plaifir de voir comment la grande & belle chenille de cette plante * ne manque jamais de prendre une de fes feuilles par la pointe, & qu'elle la mange auffi vîte jufqu'à la tige, & de la même maniere que nous mangeons une rave. J'ai pourtant obfervé que la couliffe aide fouvent ces chenilles, comme les autres, à tenir la feuille. Je ferai encore, par rapport à ces chenilles, une autre remarque : elles font groffes, & la plante où elles vivent, quoique touffuë, ne fçauroit les bien cacher; afin qu'elle les cache au moins autant qu'il eft poffible, les feuilles les plus proches du bas de la tige font toûjours celles qu'elles rongent les premieres.

* Pl. 13. Fig. 1.

Les dernieres chenilles dont nous venons de parler, pourroient fervir d'exemple de celles qui font extrêmement voraces; la préfence du fpectateur ne les arrête point; on leur voit quelquefois manger huit à dix feuilles de fuite, après quoi elles fe repofent, quelquefois pendant moins d'un quart-d'heure, pour recommencer enfuite à manger. M. Malpighi a obfervé qu'un ver à foye mange fouvent dans une journée auffi pefant de feuilles de meurier qu'il pefe lui-même. Comment fournirions-nous les chevaux, & les bœufs de pâture, s'il leur falloit chaque jour une quantité de foin ou d'herbes dont le poids fût égal à celui de leur corps! La terre ne suffiroit pas, à beaucoup près, à nourrir les hommes qui l'habitent s'ils étoient voraces jusqu'à ce point. Il y a pourtant des chenilles qui le font encore plus. J'en ai pesé plusieurs de la plus belle espece de celles qui vivent sur le chou *, de celles qui ont trois larges rayes d'un jaune citron, & entre celles-ci deux rayes dont le fond est bleu, & qui sont marquées de taches ou de tubercules noirs, de chacun desquels part un poil fort court; j'ai, dis-je, pesé plusieurs de ces chenilles qui étoient proche de leur terme d'accroissement: je leur ai donné à chacune, ou à deux mises ensemble, des morceaux de feuilles de chou qui pesoient un peu plus du double du poids de leur corps; en vingt-quatre heures elles ont consumé cette quantité d'aliments, il y en a eû même qui en sont venuës à bout en moins de vingt heures. Il y a donc des chenilles à qui il faut par jour en aliments plus du double de leur poids. J'ai pesé les chenilles elles-mêmes après qu'elles ont eû mangé la provision de chou que je leur avois donnée, j'ai trouvé leur poids augmenté d'un peu plus d'un dixiéme. C'est d'un jour à l'autre un accroissement considerable; il ne m'a pourtant pas paru trop grand à moi qui avois été surpris de la vîtesse avec laquelle elles étoient crües sous mes yeux ; à peine y avoit-il quinze à dix-huit jours que je les avois vû naître, qu'elles étoient à peu près aussi grandes qu'elles le pouvoient devenir. Il s'en faut bien que les chenilles de la plûpart des autres especes croissent si vîte.

Les mouvements de la levre superieure, & sur-tout ceux de la levre inferieure, aident à faire entrer dans la bouche, à pousser plus avant le morceau que les dents viennent de couper ; aussi M. Malpighi a pensé que la levre superieure du ver à soye pouvoit être regardée comme sa langue; sa principale fonction est pourtant celle de retenir

* Pl. 28. Fig. 8.

les feuilles; & si le nom de langue convenoit à une des deux levres, ce seroit plûtôt à l'inferieure à qui il faudroit le donner. Mais il m'a paru que les chenilles ont une partie qui n'est pas si aisée à voir, qui est plus interieure, & qui est veritablement leur langue, puisque c'est elle qui conduit les morceaux dans l'œsophage. Si on observe bien une grosse chenille qui vient de donner un coup de dents, & dont les dents se sont écartées pour en donner un second, on apperçoit dans l'interieur de la bouche une convexité charnuë & rougeâtre qui s'éleve du bas de la bouche jusqu'à la hauteur du milieu des dents. Je n'ai pas pû voir distinctement la forme entiere de cette partie, je ne sçais si elle n'est point une portion de la levre inferieure qui s'étend dans la bouche, ou si elle part elle-même du fond de la bouche; mais quoique sa conformation ne me soit pas connuë en entier, ce qu'on en peut voir suffit pour faire connoître quelles sont ses fonctions : il est clair qu'une partie charnuë qui a de la convexité, & qui s'éleve de l'interieur & du devant de la bouche, doit servir à conduire les morceaux de feuilles vers l'œsophage.

Nous ne quitterons pas la levre inferieure sans parler d'une de ses parties extrêmement remarquable. Je ne connois point de chenille qui ne file dans quelque temps de sa vie; c'est près de la sommité de la pyramide charnuë qui occupe le milieu de cette levre *, qu'est la filiere * où se moule la liqueur, qui, après en être sortie, est un fil de soye. Cette filiere est percée dans un petit mamelon charnu *, lui-même de figure pyramidale, & dont la base circulaire est appliquée sur la plus grande pyramide charnuë dont nous venons de parler : elle lui forme une espece de bec, une espece de trompe du bout de laquelle le fil sort *. Il nous suffit actuellement d'avoir connu la

* Pl. 4.
Fig. 4. & 5.
* Fig. 9.

* O, P.

* Fig. 5.
& 9. K, O.

Q iij

figure & la pofition de cette filiere ; nous examinerons ailleurs les ufages que la chenille en fait, & comment la liqueur à foye y eft portée.

On trouve encore fur la tête, près de l'origine des dents, deux mamelons charnus, deux efpeces de petites cornes capables de divers mouvements, mais dont j'ignore l'ufage *; j'ai pourtant vû quelquefois des chenilles qui fembloient s'en fervir à tâter les feuilles & à pouffer ou à appuyer celles qu'elles mangeoient.

* Pl. 4. Fig. 4. & 5. *e e.*

Il nous refte à parler de fix petits grains noirs, prefqu'arrangés fur la circonference d'un cercle *, pofés fur le devant & un peu fur le côté de la tête; les plus avancés ne font pas fort éloignés des derniers mamelons dont nous venons de parler. Il y en a ordinairement trois plus gros que les autres, & qui quelquefois font feuls bien vifibles; ils font convexes, & prefque chacun une demi-fphere; ils font de plus tranfparents, ce qui les a fait regarder comme les yeux de la chenille. M. Valifnieri n'a pas voulu les reconnoître pour tels, fur des raifons qui ne me paroiffent pas affés décifives ; mais on n'en a pas auffi qui prouvent fuffifamment que ce font de veritables yeux. Il eft vrai, & c'eft une de fes raifons, que les chenilles ne femblent pas faire ufage de leurs yeux, mais nous ignorons fi réellement elles ne s'en fervent pas. Il cite une obfervation de Goedaert, qui n'a pû appercevoir d'yeux à une chenille à corne qui vit fur le faule; mais Goedaert ne nous dit point qu'il les y ait cherchés avec la loupe, & je les ai vûs avec la loupe à la belle chenille du titimale à feuilles de cyprès, après les avoir cherchés inutilement avec mes feuls yeux. Une troifiéme raifon de M. Valifnieri, c'eft qu'on trouve de ces petits tubercules convexes & tranfparents à des vers qui n'ont pas befoin de voir, à ceux des galles, à ceux qui habitent dans le centre

* Fig. 3. & 11. *g.*

des troncs d'arbres. Nous ignorons encore si dans les routes étroites & obscures que ces vers se creusent, l'usage des yeux leur est inutile. Les taupes ont des yeux extrêmement petits par rapport à la grosseur de leur corps, & il n'est pas sûr qu'ils ne leur servent que quand elles viennent sur terre. Les canaux tortueux que les vers se sont faits dans le bois aboutissent, au moins par un petit trou, à la surface exterieure de l'écorce. Il faut avoüer qu'il ne sçauroit arriver que bien peu de lumiere, par une si petite ouverture, dans des tuyaux recourbés en differents sens, & remplis en partie de sciure; mais la structure des yeux de ces insectes peut être telle, que les endroits où regneroient pour les nôtres les plus épaisses tenebres, seroient suffisamment éclairés pour eux.

Enfin, j'ai fait des observations qui semblent bien prouver que les vers qui habitent dans l'interieur du bois, voyent, ou peuvent voir. On n'a point encore observé, que je sçache, comment ces vers creusent le bois, comment ils vivent dans son interieur. J'ai été curieux de suivre leurs procedés; un expedient simple, dont il sera parlé plusieurs fois dans la suite de cet ouvrage, m'en a mis à portée. Après avoir tiré des vers des cavernes qu'ils s'étoient faites dans le bois, j'ai creusé des cavités capables de les recevoir dans d'autres morceaux de bois, de l'espece de celui qu'ils habitoient ci-devant. Ces cavités alloient jusqu'à la surface du bois; c'étoit même l'endroit où elles avoient plus de diametre. Après avoir mis un ver dans une de ces especes de cellules, je la fermois avec un morceau de verre mince & transparent, dont le contour étoit mastiqué sur le bois. Ces vers craignent les impressions de l'air, contre lesquelles le verre les défendoit aussi-bien qu'auroit pû faire le bois; mais le verre me permettoit de les voir agir, de voir comment ils perçoient le bois pour étendre leur logement, pour le difposer plus à leur goût. Ce n'eft pas le temps de décrire tout ce que ces vers ont fait dans le bois fous mes yeux. Tout ce que nous avons à prouver actuellement, c'eft qu'ils voyent. J'ai fouvent approché une bougie d'un ver ainfi logé dans du noifetier, & dès que j'en approchois la bougie, il fe donnoit des mouvements; il alloit en avant, ou il alloit en arriere; il étoit donc fenfible à l'impreffion de la lumiere. La lumiere le déterminoit à fuir, à chercher à fe cacher. Or, dès qu'il étoit fenfible aux impreffions de la lumiere, il y a grande apparence qu'il avoit des yeux capables de voir.

Au refte, les formes des têtes different beaucoup dans differents genres de chenilles; les unes font plus arrondies, plus approchantes de la forme fpherique; les autres font plus allongées & plus applaties. Lorfque plufieurs efpeces de chenilles marchent, le deffus de la tête, cette partie où eft le triangle, eft dans un plan à peu-près parallele à celui du deffus du corps, & dans d'autres, cette même partie eft, alors, le devant de la tête; elle eft dans un plan perpendiculaire à la longueur du corps *; le devant de la tête eft plat.

* Pl. 4.
Fig. 11. &
12.

Les fauffes chenilles different plus des vraies par la ftructure même que par la forme de la tête; leur tête eft de celles qui font le plus arrondies: on n'y trouve point les deux calottes écailleufes qui font les principales parties de celle des autres; une grande portion, tant du deffus que du deffous, eft formée par une efpece de zone ou couronne fpherique, qui eft d'une feule piece *. On ne voit pas dans cette couronne la canelure, l'efpece de féparation qui eft entre les deux calottes.

* Fig. 13.
a c a.

Ces chenilles n'ont point, comme les autres, ces petits points noirs aufquels M. Valifnieri refufe le nom d'yeux; elles femblent n'avoir que deux yeux, chacun plus grand que les fix autres enfemble. De chaque côté de la tête elles

elles ont une tache d'un noir luifant qui paroît tranfparente, fon contour eft circulaire, fa convexité s'éleve plus
que le refte de la tête; à fon centre, elle a un petit grain
noir hemifpherique, dont la partie inferieure eft comme
enchaffée dans la grande portion de fphere.

Sur neuf anneaux des chenilles, c'eft-à-dire, fur chaque
anneau, excepté fur le dernier, fur le troifiéme & fur le
fecond, on peut appercevoir deux taches ovales *, une de
chaque côté, placées plus proche du ventre que du dos,
& de façon que le grand diametre de l'oval va de bas en
haut. Pour peu qu'on les obferve, on reconnoît que ces
figures ovales * font imprimées en creux dans la peau de
la chenille, qu'elles font bordées d'un petit cordon qui
fouvent eft noir : il y en a pourtant qui font jaunes, il y
en a qui font blanches, & qui quelquefois ont un rebord
blanc ou jaune. Par leur forme, & par ce qui paroît de
leur ftructure, elles ne s'attireroient pas grande attention ;
mais M. Malpighi nous a appris combien elles en meritent : il les a nommées quelquefois des *ftigmates,* nom qui
nous paroît commode, & dont nous nous fervirons. Ce
celebre auteur a fait reconnoître ces ftigmates pour des
parties bien importantes dans le Traité qu'il a donné fur
le ver à foye, traité qui n'eft qu'un tiffu de découvertes,
traité où l'on peut prendre plus de connoiffances fur l'admirable compofition de l'interieur des infectes, que dans
tous les ouvrages enfemble qui l'avoient précedé. C'eft
dans cet excellent ouvrage qu'il nous a developpé les
ufages des ftigmates, qu'il a prouvé que ce font autant
d'ouvertures, autant de bouches par où l'air eft introduit
dans les poulmons des chenilles. Au lieu que nous n'avons
qu'une ouverture qui donne paffage à l'air qui entre dans
les nôtres, elles en ont dix-huit qui le conduifent dans
les leurs ; auffi ont-elles neuf poulmons de chaque côté,

* Pl. 4.
Fig. 14. *ffff*
ffff.

* Fig. 15.
16. & 17.

Tome I. . R

ou fi on l'aime mieux, elles ont de chaque côté un poulmon, compofé de neuf differents paquets de trachées, qui regne tout du long de leur corps.

Il n'eft pas befoin de s'être acquis une grande dexterité à diffequer pour trouver ces trachées, fur-tout dans les groffes chenilles ; quelque peu même qu'on foit verfé en anatomie, pourvû qu'on fçache feulement que les trachées font des vaiffeaux où il ne paffe que de l'air, qui, lorfqu'on les coupe, ne laiffent épancher aucun liquide, qui coupés, confervent leur diametre, & laiffent voir une ouverture bien terminée, enfin qui femblent cartilagineux pourvû, dis-je, qu'on ait ces notions groffieres, fi on ouvre une chenille, on ne manquera pas d'appercevoir ces fortes de vaiffeaux. Leur couleur, qui tantôt tire fur celle du plomb, tantôt & plus fouvent fur celle d'une efpece de blanc argenté, ou fur la couleur de nacre, les fera d'abord reconnoître ; on en verra même un fi grand nombre qu'on en fera étonné, & qu'on fera tenté de croire que ce font les feuls vaiffeaux du corps de l'infecte. Mais fi on ouvre une chenille avec un peu plus de foin, foit tout du long du ventre, foit tout du long du dos *, dans la vûë de reconnoître les origines de tous ces vaiffeaux, on trouvera qu'il y en a un paquet confiderable qui part interieurement de l'endroit qui eft marqué fur la furface exterieure du corps par un ftigmate *. Plus d'une douzaine, & quelquefois d'une vingtaine de troncs principaux femblent s'éloigner d'un même centre pour fe diriger, en fe ramifiant, vers differents côtés. Ce paquet de trachées fe divife pourtant en quelque forte en trois Celles d'un de ces paquets fe dirigent vers l'eftomac & les inteftins. Celles d'un autre tendent vers la peau : & celles d'un autre femblent prefque toutes prendre leur route vers le milieu du dos, & aller s'y inferer. Il n'eft point de

* Pl. 5.
Fig. 1.

* Fig. 1.
c, c, &c.

chenille où cette diftribution m'ait paru auffi diftincte que dans celle à corne du titimale à feuilles de cyprès ; mais lorfque j'ai eu quantité de ces chenilles, je n'ai point eu de deffinateur. Le plus confiderable des paquets de trachées fe rend aux inteftins; chacune de celles de ce paquet fe partage en deux branches affés près de l'endroit d'où elle part ; celles des autres paquets ne fe divifent que proche des endroits où elles s'inferent, telles font celles du paquet qui en fournit pour la peau. C'eft fur-tout dans cette chenille qu'on peut remarquer que celles du troifiéme paquet fe portent toutes vers le milieu du dos.

Le fpectacle que fourniffent toutes ces trachées, leurs ramifications, leurs entrelacements, pouffés plus loin qu'on ne le fçauroit dire, eft admirable ; on ne s'en laffe point. Il y a pourtant des infectes où l'on voit encore mieux les trachées, où on les voit plus groffes & en plus grand nombre que dans les chenilles ; tel eft, par exemple, le Profcarabé de la plus groffe efpece, dont nous parlerons ailleurs. Outre toutes les trachées qui femblent partir de chaque ftigmate comme d'un centre commun, il y en a une confiderable, & plus confiderable qu'aucune des autres, qui couchée fur le côté de l'infecte, va en ligne droite d'un ftigmate à l'autre. Toutes ces portions de trachées, pofées en ligne droite les unes au bout des autres, ne paroiffent faire qu'un canal continu qui, vis-à-vis chaque ftigmate, femble le tronc d'où partent les branches qui compofent nos paquets : mais il n'eft ni fûr que ces groffes trachées des côtés foient un feul canal continu, ni que ce foit d'elles que partent toutes les autres branches. Par un bout elles femblent fe rendre dans l'inteftin auprès de l'anus ; mais ce que j'ai mieux vû, c'eft que par l'autre bout, vers la tête, celles des deux côtés fe réuniffent, pour ne compofer après leur réunion qu'un

R ij

feul canal * affés court, qui fe dirige vers la bouche, & qui peut-être s'infere dans l'œfophage. Sans beaucoup de dexterité, de travail & de patience on ne fçauroit venir à bout de bien démêler où s'inferent, où fe terminent tant de bronches, & peut-être ne font-ce pas des connoiffances bien neceffaires, au moins n'en avons-nous aucun befoin pour voir quelles font leurs fonctions.

M. Malpighi a cherché à s'affûrer par des experiences fi ces vaiffeaux étoient deftinés aux ufages que leur ftructure, leur figure & leur arrangement l'avoient conduit à leur attribuer. On fçavoit depuis long-temps que l'huile eft funefte aux infectes, mais il a penfé que fi ceux qui en font enduits, periffent fi vîte, c'eft parce qu'ils font étouffés; & que fi les ftigmates étoient les ouvertures par où l'air entre dans leurs poulmons, & par où il en fort, il fuffifoit d'appliquer l'huile deffus les ftigmates pour faire perir l'infecte. Il en a mis avec un pinceau fur tous ceux d'un ver à foye; il eft tombé en convulfion fur le champ d'autres fois il n'a huilé que les ftigmates de la partie anterieure, & d'autres fois que celles de la partie pofterieure. Dans le premier cas, la partie anterieure du corps eft devenuë paralytique, & c'eft la partie pofterieure qui l'eft devenuë dans le fecond cas. Il eft arrivé quelque chofe d'analogue, lorfqu'il n'a appliqué l'huile que fur les ftigmates d'un feul côté, la paralyfie n'a pas pourtant été toûjours mortelle, ni même incurable. Mais lorfqu'il a couvert les ftigmates de beurre, de fuif, de lard, les vers font toûjours morts fur le champ. Toutes ces experiences prouvent bien que ces ftigmates font réellement les ouvertures des trachées; & ce font des experiences qui auront un pareil fuccès fur quelque efpece de chenille qu'on les tente.

Il eft fingulier que les vers à foye que M. Malpighi

tenus des heures entieres sous l'eau, n'y soient point peris,
que mis à l'air & exposés au soleil, ils ayent repris leurs
mouvements & leurs forces. Il conjecture que les liquides
qui peuvent être aisément ôtés des ouvertures des trachées,
comme l'eau, ne sont pas mortels à ces insectes, ainsi que
le sont ceux qui étant plus visqueux, bouchent les trachées
si exactement & si solidement, qu'on ne peut les en ôter. Il
paroîtra pourtant toûjours difficile à concevoir que l'huile,
le suif, le beurre, étouffent presque sur le champ des chenilles, & que l'eau ne les étouffe pas dans une heure. Ce
n'est pas assés de supposer qu'il est plus aisé de faire sortir
l'eau des ouvertures des trachées, je crois qu'il faut supposer de plus, que l'eau n'y entre point du tout, qu'elle
ne pénetre pas même dans le stigmate, que la peau qui
le forme, & sur-tout celle qui forme le rebord élevé de
son contour, est comme celle de ces corps gras sur lesquels l'eau ne peut s'appliquer ; & il suit de cette suppo-
sition, que quoique l'insecte soit dans l'eau, il y a toûjours dans le creux de chaque stigmate une certaine quantité d'air qui s'y conserve. Après tout, ce qui est le plus
difficile à concevoir, n'est peut-être pas qu'une chenille
reste un temps considerable sous l'eau sans y perir, au
moins si l'on sçait qu'une chenille qu'on a ouverte tout du
long du ventre, donne encore des signes de vie pendant
du temps : il est plus difficile de concevoir que l'effet de
l'huile, du suif appliqué sur les stigmates, soit si prompt.

Toûjours reste-t-il clair & bien prouvé que ces vaisseaux des chenilles, que nous avons nommé des *trachées,*
en sont effectivement ; que ce sont les vaisseaux à air, &
que les stigmates donnent au moins passage à l'air. C'est
à M. Malpighi à qui nous devons ces belles connoissances sur la structure du corps des insectes : mais il est rare
que ceux qui font les premieres découvertes voyent tout

R iij

ce qui en depend; souvent il nous est aisé d'aller plus loin qu'eux, en suivant la route dans laquelle ils nous ont mis, & qu'ils nous ont applanie ; aussi est-ce réellement à eux à qui nous sommes redevables de ce que nous voyons de plus que ce qu'ils nous ont fait voir. Malgré ce grand appareil de trachées qui est dans le corps des chenilles, malgré les stigmates qui ne semblent faits que pour donner entrée & sortie à l'air, quoiqu'il soit prouvé qu'on étouffe les chenilles en enduisant les trachées d'huile ou de suif, il n'est peut-être pas encore assés prouvé que la respiration des chenilles, & celle des autres insectes se fasse comme celle des grands animaux; que l'air entre & sorte alternativement par leurs stigmates, comme il entre & sort alternativement par notre bouche ou par notre nez. La plus simple des experiences, pour s'en éclaircir, & celle qui se presentoit d'elle-même, étoit de mettre une chenille dans l'eau, dans l'esprit de vin, ou dans quelqu'autre liqueur transparente, de façon qu'elle en fût couverte; si elle n'y perit pas dans l'instant même où elle y est plongée, & si elle y vit du temps, on doit esperer qu'elle fera voir quels sont les endroits par où l'air est chassé de son corps. L'air qu'elle expirera doit sortir & s'élever en bulles. M. Malpighi n'a eu garde de negliger de faire ces experiences, mais il avouë qu'elles ne lui ont pas fourni tous les éclaircissements qu'il en attendoit. Ce grand anatomiste, ayant découvert dans les insectes plus d'organes propres à la respiration que n'en ont les grands animaux, a pensé que la respiration s'accomplissoit de la même maniere dans les uns & dans les autres ; c'est ce qu'il cherchoit à voir dans ces experiences, & c'est ce qu'elles ne lui ont pas montré autant qu'il l'auroit voulu. Trop plein peut-être de cette idée, il semble ne s'être pas assés prêté à celle que les experiences demandoient qu'il prît ; je les ai faites

& repetées un grand nombre de fois ces experiences; j'ai fait perir un grand nombre de chenilles de plufieurs efpeces differentes, & fur-tout de celles qui font des plus rafes, foit dans l'eau, foit dans l'efprit de vin; je n'ai pas épargné les vers à foye. Dès que la chenille étoit plongée dans la liqueur, j'étois attentif à obferver par où l'air s'en échapperoit; on n'eft pas long-temps à voir des bulles d'air s'élever de divers endroits de fon corps; outre celles qui montent dans la liqueur, on voit que le corps s'en couvre de toutes parts, & qu'elles y reftent adherentes, les unes pendant plus, & les autres pendant moins de temps; elles l'ornent même; il femble chargé d'une infinité de grains de perles de differentes groffeurs; on n'a nullement befoin de la loupe pour les appercevoir, quoiqu'elle en faffe voir une grande quantité qui échappent à la vûë fimple. Mais à quoi j'ai été plus attentif, ç'a été à obferver les ftigmates. On auroit dû s'attendre qu'ils auroient fourni chacun des jets de bulles d'air, que ces jets ceffés, les plus groffes bulles au moins auroient dû être fur les ftigmates; mais je n'ai jamais vû de jets d'air fortir d'aucun ftigmate; ce n'eft que rarement que j'ai vû quelque bulle fenfible fur un ftigmate: ce font peut-être de toutes les parties du corps celles où j'en ai moins obfervé, quoique ce fuffent celles où je cherchois le plus à les voir, & où on dût s'attendre à en voir incomparablement plus qu'ailleurs.

S'il eft bien prouvé par les experiences de l'huile appliquée fur les ftigmates, que ces ftigmates donnent paffage à l'air, il ne femble pas moins bien prouvé par les dernieres obfervations que nous venons de rapporter, que ce n'eft pas par les ftigmates que l'air eft chaffé du corps des chenilles; c'eft donc l'entrée qu'elles lui donnent, mais elles ne lui donnent pas la fortie, elles paroiffent même la lui refufer. Nous fommes donc conduits par les experiences, à reconnoître que la respiration complette, je veux dire l'inspiration & l'expiration, se fait dans les chenilles, & par consequent dans un grand nombre d'insectes, d'une maniere singuliere & tout-à-fait differente de celle dont elle se fait dans les grands animaux. Les dix-huit stigmates sont dix-huit bouches qui donnent entrée à l'air dans les principaux canaux, dans les plus gros troncs des trachées, d'où il est conduit dans leurs differentes ramifications; il enfile des canaux de plus étroits en plus étroits, & c'est par les dernieres extremités de ces canaux qu'il s'échappe; elles ont des ouvertures qui lui permettent la sortie.

Si on observe une chenille dans le premier instant qu'elle a été plongée dans la liqueur, on voit ordinairement sortir quelques jets de bulles tant de sa bouche que de son anus : nous avons aussi fait remarquer ci-devant, que des ramifications de trachées, sans nombre, se trouvent sur l'estomach, sur les intestins, en un mot, sur tout le canal des aliments. Nous avons encore fait remarquer qu'il y a de plus des troncs considerables, dont les uns semblent s'introduire dans l'œsophage, & les autres dans le rectum. C'est sur-tout sur la peau qu'on voit des lacis admirables de ramifications de trachées ; apparemment que la peau est criblée en une infinité d'endroits pour laisser sortir l'air qui a été conduit jusqu'aux extremités de ces petits vaisseaux. J'ai enlevé des fragments de peau à des chenilles qui avoient trempé pendant long-temps dans de l'esprit de vin ; regardés vis-à-vis le grand jour, ils étoient transparents, mais ils paroissoient picqués d'une infinité de points qu'on peut soupçonner être les petites ouvertures destinées à laisser échapper l'air.

Le respect que j'ai pour M. Malpighi m'a engagé à observer avec d'autant plus d'attention par où l'air sortoit
du

du corps des chenilles plongées dans l'esprit de vin, ou
dans quelqu'autre liqueur, qu'il a assûré que la plus grande
partie des bulles qui sortent du dos du ver à soye, sortent
des stigmates. Mais le témoignage que nous devons toûjours rendre à la verité, exige que je dise que je n'ai
point vû ce que je cherchois à voir après lui, pas même
sur le ver à soye; quand j'ai vû des bulles s'élever des environs des stigmates, & qu'on pouvoit soupçonner en être
sorties, ce n'étoit pas la centiéme ni même la milliéme
partie de ce qui en sortoit des autres parties du corps.
Les anneaux du ver à soye forment quantité de plis, de
rides que M. Malpighi a décrites parfaitement; peut-être
aura-t-il donné aux stigmates l'air qui sortoit de ces plis,
de ces rides, parce qu'il croyoit que c'étoit des stigmates
que l'air devoit sortir. Mais j'ai fait ces observations sur
des chenilles dont les anneaux restent tendus, même dans
l'esprit de vin, comme sur la chenille du titimale à feuille
de cyprès; sur des arpenteuses, & ce n'a jamais été des
stigmates que j'ai vû s'échapper une quantité d'air sensible;
c'est une experience bien simple, & que l'on peut repeter
quand on voudra sur des chenilles rases de toutes especes,
on n'y verra assûrement que ce que j'ai vû.

Enfin, si on étoit encore tenté de croire que les bulles
d'air qui paroissent sur la peau d'un ver à soye plongé
dans l'eau, ne sont point formées par l'air qui s'échappe des trachées qui ont leurs ouvertures sur la peau,
une observation faite par M. Malpighi même, déter-
mineroit à abandonner cette idée. Il a remarqué que
si le ver à soye qu'on plonge dans l'eau est mort, il
ne s'éleve point, ou peu de bulles d'air de sa peau. Le
vrai est qu'il m'a paru s'élever beaucoup moins de bulles
de dessus le corps des vers à soye morts, que de dessus
le corps de ceux qui sont vivants; probablement, parce

Tome I. . S

que les trachées qui s'en déchargent par la peau du ver à foye vivant, n'en envoyent point fur la peau de celui qui eft mort: car on ne voit point pourquoi l'air exterieur ne s'attacheroit pas, ou ne refteroit pas attaché à la peau du ver à foye mort, comme il refte attaché à celle du ver à foye vivant.

Je ne puis m'empêcher encore de parler d'une autre experience qui ne m'a pas réuffi comme à M. Malpighi. Après avoir huilé les trachées des vers à foye, & s'être affûré que cette operation leur étoit fatale, il leur a huilé le ventre, la tête, la bouche, le dos, fans les avoir fait perir, & même fans que de cruels fimptomes s'en foient fuivis, parce qu'il avoit épargné les ftigmates. M. Malpighi vouloit confirmer par cette experience, que les ftigmates font les feules ouvertures par où les vers à foye refpirent; elle prouveroit inconteftablement que non feulement l'air n'entre que par les ftigmates, mais que c'eft feulement par eux qu'il fort, & non par la bouche, par l'anus & par toute l'habitude du corps, comme les experiences rapportées ci-deffus ont paru le démontrer: mais il y a plufieurs remarques à faire fur celle de M. Malpighi. Dès que l'air a des iffuës par prefque toutes les parties affignables du corps, il eft bien difficile de lui boucher toute fortie, lorfqu'on veut épargner les ftigmates, au lieu que lorfqu'on n'a qu'à huiler dix-huit ftigmates pour lui fermer toute entrée, la chofe eft facile. En huilant la bouche & l'anus, on ne ferme l'un & l'autre paffage à l'air que pendant un inftant; la chenille a affés de moyens de fe débarraffer de cette huile, & même d'agrandir les ouvertures qu'on avoit prétendu boucher. Enfin les plis, les inégalités de la peau, ont une humidité qui s'en échappe, & qui peut empêcher que l'huile ne s'applique fur tous les endroits de celle d'une chenille. Je crains encore que M. Malpighi, pour menager

plus sûrement les stigmates, n'ait pas enduit assés exactement tous les endroits du corps. Ce qui est de certain,
c'est que j'ai huilé les corps de plusieurs vers à soye, ceux
de plusieurs chenilles rases, ceux de plusieurs chenilles
veluës, aisées à épiler, & que j'avois très-bien épilées auparavant, entre autres les corps de plusieurs chenilles du
maronier; je faisois ensorte de ne point mettre d'huile sur
les stigmates, mais j'huilois bien toutes les autres parties
du corps sans épargner les jambes : la plûpart de ces chenilles ont peri, les unes plûtôt, les autres plus tard, mais
ordinairement en moins d'une demie heure. Le peu d'air
qu'elles pouvoient rejetter par l'anus & par la bouche ne
suffisoit pas pour leur conserver la vie , mais il suffisoit
pour les empêcher de perir aussi vîte que perissent celles
dont tous les stigmates sont huilés. Dans ce dernier cas,
toute entrée est bouchée à l'air, & dans le premier, toute
sortie ne lui est pas interdite. Il est pourtant vrai que lorsqu'on huile à fond le corps d'une chenille, il peut arriver
que l'huile passe, malgré qu'on en ait, sur quelques stigmates, mais il n'y a pas apparence qu'elle aille en couvrir
le plus grand nombre, & cela d'autant que chaque stigmate
est entouré d'un rebord sur lequel il faut que la liqueur
monte pour descendre ensuite dans la petite cavité du
stigmate; il semble même que la nature les ait entourés
de ce rebord pour empêcher que l'eau n'eût trop de facilité, en bien des circonstances, à aller les couvrir.

Quelques experiences que j'ai faites dans la machine
pneumatique, me paroissent très-propres à prouver que
l'air que les chenilles ont respiré, peut s'échapper par
toute l'habitude de leur corps. On sçait que les animaux
qui ont été renfermés dans cette machine, se gonflent dès
qu'on a donné quelques coups de pistons; qu'à mesure
que les coups de pistons se multiplient, ils se gonflent

de plus en plus; que la veſſie d'air des carpes, & celle de diverſes autres eſpeces de poiſſons, ſe creve lorſque le récipient où elles ſont a été vuidé d'air juſqu'à un certain point. Il en arrive tout autrement à nos chenilles; on a eu beau épuiſer d'air le petit récipient où elles étoient, leur volume n'a pas augmenté ſenſiblement, ſans doute parce que l'air de leur corps trouve par-tout des paſſages pour s'échapper. Nous prouverons ailleurs que la reſpiration & l'expiration de l'air ne ſe font pas dans les papillons comme dans les chenilles; auſſi les corps des papillons, comme ceux de la plûpart des autres animaux, ſe gonflent lorſqu'on pompe l'air du récipient où on les a renfermés.

Les chenilles ſoûtiennent auſſi les operations de la machine du vuide tout autrement que ne font les autres animaux. Les premiers coups de piſton leur ſont ſenſibles, elles ſe tourmentent; après des coups de piſton redoublés, elles paroiſſent languiſſantes; mais on a beau vuider l'air de leur récipient, on ne les fait point perir; elles reſtent deux ou trois jours comme mortes, dans le vuide le plus parfait qu'on puiſſe faire, ſans y mourir; elles y ſont à la verité ſans mouvement, mais dès qu'on les met dans l'air ordinaire, elles reprennent leur premiere vigueur. La facilité que l'air a à s'échapper de leur corps, empêche qu'il n'y produiſe des dérangements lorſqu'il ſe rarefie. Il reſte pourtant ſingulier que les chenilles puiſſent vivre ſi long-temps dans un air rare, & qu'elles periſſent preſque ſur le champ lorſqu'on huile leurs ſtigmates; mais cette ſingularité revient à celle que nous avons déja remarquée; à celle de vivre des heures entieres ſous l'eau.

Nous n'avons pas encore aſſés décrit la ſtructure de ces ſtigmates. Dans le milieu de l'eſpace oval, renfermé par le rebord, eſt une ligne à peu-près droite qui en

femble être le grand diametre *; cette ligne marque la fé- * Pl. 4.
Fig. 15. r r.
paration des deux plans qui le rempliffent: chacun de ces
plans ou demi-ovals eft compofé de fibres, qui toutes partent de la circonférence du ftigmate, & qui toutes paralleles les unes aux autres, font perpendiculaires à l'efpece
de diametre dont nous venons de parler. Cette ftructure eft fenfible, même à la vuë fimple, dans les grandes
chenilles; mais ce que la vuë fimple, & même ce que la
vûë armée d'une forte loupe, ne peut appercevoir dans le
ver à foye vivant; c'eft que le diametre dont nous venons
de parler eft une fente qui fépare réellement les deux
plans de fibres; mais on voit très-bien cette fente, cette
féparation des deux demi-cercles dans les groffes chenilles
à tubercules*. Quand les fibres fe contractent, elles agran- * Pl. 4.
Fig. 16. r r.
diffent cette fente, elles font difpofées & agiffent comme
les fibres de l'iris; elles n'ont pas befoin apparemment de
fe contracter beaucoup pour que la fente foit affés large
pour laiffer paffer la petite quantité d'air qui doit entrer
dans le corps d'une chenille à chaque infpiration; les fibres s'allongeant, la fente fe bouche, ou au moins s'étrecit: je dis qu'elle s'étrecit, parce qu'elle paroît toûjours
ouverte dans les derniers ftigmates dont nous venons de
parler. Malgré l'ouverture apparente, les deux membranes
peuvent fe toucher, s'appliquer l'une contre l'autre par
leur bord interieur, & faire la fonction de foupapes, pour
empêcher, pendant l'expiration, l'air de fortir, & afin qu'il
foit forcé de paffer par tous les petits conduits qui lui font
préparés. D'autres infectes nous donneront occafion de
mieux établir tout ce que nous avons avancé jufqu'ici fur
la route de l'air dans les chenilles. Les chenilles elles-
mêmes nous mettront en état de mieux développer la
ftructure de leurs ftigmates, ou des parties qui en dépendent, que nous ne l'avons fait; mais je ne fçaurois

S iij

rapporter les observations qu'elles m'ont fournies sans avoir expliqué d'autres faits dont ce n'est pas ici la place, & qui font d'un assés long détail. Pour concevoir que les stigmates ont l'usage que nous leur avons attribué, qu'ils laissent entrer l'air, il suffit de sçavoir qu'ils ont réellement une fente entre leurs deux plans musculeux, les deux especes de valvules.

On peut s'assurer que cette fente separe réellement les deux plans musculeux dans toute leur épaisseur, si on observe, comme l'a fait M. Malpighi, des chenilles mortes qu'on a laissé un peu dessecher. J'ai encore mieux vû cette fente, pour ainsi dire, par les effets dans de grosses chenilles que j'avois tenuës pendant long-temps dans de l'esprit de vin. J'ai plié une de ces chenilles de façon qu'un des stigmates se trouvoit au haut de la convexité de la courbure : je pressois alors la chenille assés près du stigmate; les membranes étoient alors obligées de se soulever, de prendre de la convexité; la pression forçoit de la liqueur à s'échapper, il en venoit une goutte sur les membranes ou valvules. Dès que je cessois de presser, la goutte de liqueur rentroit; elle étoit reprise, elle disparoissoit : chaque nouvelle pression la faisoit reparoître, pour disparoître encore chaque fois que la pression cessoit. L'esprit de vin avoit apparemment penetré dans les trachées au-dessous des stigmates; la pression, qui, en même-temps qu'elle forçoit trop les valvules, poussoit cette liqueur en haut, la conduisoit sur les valvules: les trachées se rétablissoient, lorsque je cessois de les presser, elles sucçoient la goutte de liqueur. La circonstance dont je viens de parler, est bien celle où l'existence de la fente est le mieux prouvée par les effets, mais ce n'est pas celle où on la voit le mieux elle-même; car une partie, qui se trouve au-dessous des valvules, vient alors se loger dans cette fente, au-dessus de laquelle elle s'éleve même quelquefois en maniere de toit.

Mais pour n'avoir aucun doute sur l'exiftence de cette fente, on obfervera, tant du côté interieur que du côté exterieur, des dépouilles qui ont été quittées par de groffes chenilles; on les obfervera, dis-je, à la loupe, dans les endroits où font les ftigmates; alors la fente, le vuide qui eft tout du long de leur grand diametre fera très-vifible.

Les trachées font encore les feules parties interieures que nous ayons examinées: nous ne pouvons nous difpenfer de donner des idées de quelques-unes des autres qui fe font le plus remarquer, foit par leur grandeur, foit par leur figure, foit par leurs ufages. Le canal qui reçoit les aliments, & où ils fe digerent, c'eft-à-dire, ce canal continu où fe trouvent les differentes capacités analogues à l'œfophage, à l'eftomac & aux inteftins, va en ligne droite de la bouche à l'anus * : à une affés petite diftance   * Pl. 5. de la bouche, où l'on peut mettre la fin de l'œfophage,   Fig. 1. *d, e.* il s'élargit confidérablement; il conferve cette grande capacité dans près des trois quarts de la longueur du corps, après quoi il fe rétrecit fubitement & confiderablement * :   * Fig. 1. *f.* il fe renfle enfuite un peu; ce renflement eft fuivi d'un fecond étranglement, après lequel vient un renflement, auquel fuccede un troifiéme étranglement: enfin, le canal s'élargit encore un peu pour former le rectum, & aller fe terminer à l'anus. L'ouverture de l'anus * eft comme com-   * Pl. 1. *f,* pofée, dans plufieurs efpeces de chenilles, de fix parties char- *g, h, e.* nuës qui font comme fix fillons féparés par des canelures; auffi les excrements de ces efpeces de chenilles font de petits prifmes à fix faces canelées *. Dans toutes les chenilles la   * Fig. 9.* forme du canal qui fait les fonctions de l'eftomac & des inteftins eft à peu près la même, & il y eft compofé de la même maniere. M. Malpighi nous a donné la ftructure

de ceux de toutes les chenilles, en décrivant très-bien celle
de ce canal du ver à foye. Il eft dans toute fa longueur, compofé de deux efpeces de facs mis l'un dans l'autre, qui ne
femblent qu'appliqués l'un contre l'autre. Le fac interieur
eft fait d'une membrane mince & fi tranfparente, qu'on ne
voit point l'arrangement de fes fibres; dans quelques circonftances, on la prendroit pour une efpece de gelée. Le
fac exterieur, celui qui enveloppe le précedent, eft d'une
fubftance beaucoup plus ferme, bien charnuë; on y diftingue très-bien des fibres longitudinales qui ont leur
direction de l'œfophage vers l'anus; elles font déliées &
rondes; on y en diftingue d'autres tranfverfales, qui, comme des ceintures ou des cerceaux, embraffent & ferrent
le ventricule *. Ces fibres font très-bien repréfentées dans
la figure groffie au microfcope qu'en a donnée M. Malpighi. Il y a des infectes où elles font bien plus fenfibles que dans les chenilles. Tout du long de l'eftomac,
en deux endroits diametralement oppofés, c'eft-à-dire, au
milieu du deffous & au milieu du deffus, il y a une efpece
de corde charnuë dirigée felon la longueur du canal.

M. Malpighi a très-bien obfervé que la partie exterieure
du canal peut être enlevée, féparée du fac membraneux &
tranfparent, dans lequel les aliments font contenus immédiatement. Il eft bon de fçavoir & de fe fouvenir que ces
deux parties tiennent très-peu l'une à l'autre; on en reconnoîtra plus aifément que des portions d'une membrane
tranfparente & vifqueufe que les chenilles rejettent dans
certains temps avec leurs excrements, font des portions
de la partie interieure de leur eftomac; & on les verra avec
moins de furprife fe défaire de cette partie de l'eftomac
qui tient fi peu à l'autre.

Soit qu'on ouvre une chenille le long du dos, foit qu'on
l'ouvre le long du ventre, le corps qu'on apperçoit le
premier

* Pl. 5.
Fig. 5.

premier qui occupe une plus grande partie de la capacité
interieure, & peut-être plus que toutes les autres parties
enfemble, eft celui dont les ufages font le moins connus;
fa fubftance eft tendre, molle, on a peine à reconnoître
fa conformation *; fa couleur eft ordinairement blanche;
auffi le nommerai-je volontiers le *corps graiffeux;* & d'autant plus volontiers que M. Malpighi, qui a beaucoup
travaillé pour en découvrir la nature, la ftruĉture & les
ufages, a éprouvé que fa fubftance approchée du feu, fe
fond en huile & s'enflame. Il a pourtant peine à ne regarder ce corps que comme les réfervoirs de la graiffe. Ce
corps graiffeux remplit tous les vuides que les autres parties laiffent dans la capacité du ventre. On ne penferoit pas
neantmoins comme on le doit de l'autheur de la nature, fi
on croyoit qu'il n'a formé une fi grande quantité de matiere que pour remplir des vuides; nous lui foupçonnons
un ufage d'une autre importance pour les temps de ces
transformations, qui arrivent lorfque l'accroiffement des
chenilles eft complet, & pour la réuffite defquelles tout
eft préparé de longue-main; mais nous ne parlerons de
cet ufage que lorfque nous parlerons des transformations.

Nous dirons feulement que tout ce corps graiffeux ne
paroît ordinairement que comme une maffe d'un muci-
lage un peu épais, d'un blanc qui tire fur la couleur lai-
teufe, divifée pourtant en quelque forte par des ondes &
des grumeaux. Mais fi on l'obferve dans des chenilles de
grandeur moyenne, ou encore mieux dans les plus grandes, lorfqu'elles font près de fe transformer en crifalides,
on voit alors que ce corps eft un affemblage d'efpeces de
vaiffeaux, que leur entrelacement & leur moleffe rend
pourtant difficiles à fuivre chacun en particulier. Quoique
fa matiere foit communement blanche, je l'ai vuë très

Tome I.   . T

* Pl. 5.
Fig. 2. g, g,
&c.

verte dans plusieurs chenilles du maronnier qui étoient prêtes à se métamorphoser. L'estomach & les intestins des chenilles, remplis d'aliments paroissent verds, parce qu'on voit au travers de leurs parois la couleur des matieres qu'ils renferment : il vient un temps où un suc verd est porté dans le corps graisseux de certaines chenilles, & le fait alors paroître verd ; mais pour l'ordinaire, lorsque le temps de la métamorphose approche, cette matiere graisseuse perd sa grande blancheur, & prend une couleur jaunâtre.

De toutes les actions des chenilles, & même de toutes celles des autres insectes, la plus utile pour nous est celle de filer. On doit être curieux de connoître les vaisseaux dans lesquels se prépare la liqueur qui devient cette soye qui fournit tant à nos besoins & à notre luxe, lorsqu'elle est sortie par cette filiere dont nous avons ci-devant déterminé la position & décrit la figure. Ces vaisseaux sont très-sensibles dans la plûpart des especes de chenilles, ils occupent une bonne partie de la capacité du ventre ; dans quelques especes ils ont plus de volume que l'estomach & les intestins ensemble. Il y a deux vaisseaux parfaitement semblables destinés à contenir la liqueur à soye ; tous deux vont se terminer à la filiere* ; avant que d'y arriver ils deviennent si déliés, que ce ne sont que deux filets parallèles l'un à l'autre. Une précaution bien nécessaire pour les suivre commodement dans leur route, c'est de faire périr une chenille dans l'esprit de vin, & de l'y laisser pendant deux ou trois jours ; il y a apparence que M. Malpighi ne l'a pas prise, car il se plaint avec raison de la difficulté qu'il y a à suivre dans toutes leurs inflexions des vaisseaux aussi mols que le sont ceux-ci. Cette difficulté est levée lorsque la chenille a trempé quelque temps dans l'esprit de vin ; les vaisseaux à soye y deviennent très-fermes ; la

* Pl. 5.
Fig. 2. & 4.
f, V V, &c.

liqueur qu'ils contiennent s'y durcit au point d'être caſ-
ſante ; il eſt alors aiſé d'ôter ſain & entier, & tout d'une
piece chaque vaiſſeau à ſoye. Auſſi ce petit expédient
nous a-t'il mis en état de donner des figures plus exactes
des contours de chacun de ces vaiſſeaux, que ne le ſont
celles de M. Malpighi ; quoique la dexterité ne puiſſe aller
plus loin qu'a été la ſienne, pour montrer la route de vaiſſeaux pris en un état ſi tendre. Les figures qu'a données
Leeuwenhoek de ces mêmes vaiſſeaux *, nous inſtruiſent
encore moins de leurs contours.

    * *Tom. 3.*
epiſ. 146.

  Si on ouvre tout du long du ventre, juſqu'à la tête, une
chenille qui a ſéjourné dans l'eſprit de vin, on trouve
auprès de la tête les deux filets dont nous avons parlé *,
ils s'en éloignent en reſtant toûjours à peu-près paralleles
l'un à l'autre, & deviennent toûjours de plus gros en plus
gros ; ils ſe rendent, en ſuivant l'eſtomach, ſur lequel ils
ſont appliqués, juſques vers la derniere paire de jambes
membraneuſes *. Là ils ſe replient chacun de leur côté ;
la partie qui eſt parde-là ce coude, retourne en ligne droite
vers la tête en ſuivant, & couvrant même en partie, la
portion que nous avons conſiderée la premiere. Chaque
vaiſſeau arrivé * environ vis-à-vis les premieres jambes écailleuſes, ſe courbe une ſeconde fois pour reprendre ſa route
vers le derriere : la partie compriſe entre ces deux coudes, eſt à peu-près par-tout d'un égal diametre, & eſt celle
qui en a le plus. La partie qui retourne après le ſecond
coude va un peu en diminuant de groſſeur juſques vers
le milieu de la portion compriſe entre le premier & le
ſecond coude * ; là le vaiſſeau ſe recourbe une troiſiéme
fois, & remonte vers la tête en prenant un peu ſa route
du côté du dos, & toûjours en diminuant de groſſeur *.
Enfin il ſe recourbe une quatriéme fois, après quoi le
vaiſſeau conſervant une égale groſſeur, ne va plus en

    * *Pl. 5.*
Fig. 2. ſ.

    * *Fig. 4.*
ſs, ſs.

    * *Fig. 2. &*
4. V V.

    * *Fig. 4.*
Y Y.

    * *Fig. 4. Z.*

T ij

* Fig. 4. *K.* ligne droite, ce ne font que plis & replis * qui s'entre-lacent même en quelque forte, & qui couvrent une gran-de étenduë de la partie fuperieure de l'eftomach & des inteftins; ainfi pour voir en place la partie des vaiffeaux à foye qui forme toutes ces efpeces de las & d'entrelas, eft-ce tout du long du dos qu'il faut ouvrir la chenille. Enfin chaque vaiffeau fe termine en une efpece de cœcum, com-me M. Malpighi l'a très-bien obfervé. Il a négligé d'avertir que dans la Fig. 2. de la Pl. 5. il a fait graver les deux vaiffeaux à la foye, l'un avec fes coudes & fes entrelace-ments, & l'autre développé; la jonction de ces deux vaiffeaux les y peut faire prendre pour un même, par ceux qui ne liront pas ce célebre auteur avec affez d'attention, & d'ailleurs leurs directions & leurs contours ne font pas affez femblables à ceux que la nature leur a donnés.

Chacun de ces vaiffeaux eft rempli d'une liqueur épaiffe & gluante, elle eft de differente couleur felon celle de la foye que la chenille file. Dans les unes elle eft d'un jaune d'or; dans les autres elle eft d'un jaune plus pâle; dans d'au-tres elle eft prefque blanche. Le même vaiffeau contient quelquefois dans une de fes moitiés une liqueur differem-ment colorée de celle qui eft dans fon autre moitié. La premiere, celle qui fe termine à la filiere, eft quelquefois remplie d'une liqueur très-jaune, pendant que la liqueur contenuë dans l'autre eft pâle: ou tout au contraire celle-ci eft remplie de la liqueur la plus jaune, & l'autre de la plus pâle; & c'eft de-là qu'il arrive que partie de la foye d'une coque eft d'un beau jaune, pendant que le refte eft d'une foye prefque blanche. La qualité des feuilles dont fe nourrit une chenille, & la difpofition interieure où elle eft elle-même, font apparemment caufes des differentes couleurs que prend la liqueur à foye.

Dans tous les pays la foye des vers n'eft pas d'une égale

beauté; celle de la Chine est renommée par sa finesse; il y a des pays où la soye est très-grossiere, ce qui dépend sans doute de la differente qualité des aliments que differents pays fournissent aux vers. On sçait combien la qualité des pâturages influë sur celle des beurres. On a remarqué que dans un même endroit, les vers qui sont nourris de feuilles de meurier blanc, filent une soye plus fine que celle des vers qui sont nourris de feuilles de meurier noir. Entre les chenilles qui filent inutilement pour nous, il y en a des especes qui vivent sur beaucoup de differentes especes d'arbres; j'ai observé que quoique communement les coques qu'elles font, soient d'une soye trop foible pour être employée à nos tissus, on trouvoit des coques de ces mêmes chenilles, composées d'une soye propre à se laisser mettre en œuvre. Cette difference entre la qualité des soyes de chenilles de même espece, qui vivoient de differentes sortes de feuilles, venoit sans doute de la differente qualité des feuilles dont elles s'étoient nourries; elle devroit nous engager à éprouver si nous ne mettrions pas ces chenilles en état de travailler utilement pour nous, en ne les nourrissant que de certaines feuilles.

La chenille que nous avons nommée *la commune* *, & celle que les jardiniers appellent *la livrée* *, sont celles qui m'ont fourni la remarque dont je viens de parler, & celles sur lesquelles il seroit très-aisé de faire des épreuves.

* Pl. 6.
Fig. 2. & 10.
* Pl. 5.
Fig. 7.

L'éxamen de la liqueur à soye auroit dû, ce semble, beaucoup plus exercer ceux qui aiment la physique, & ceux qui aiment les arts, qu'il ne l'a fait jusqu'ici; la nature de cette liqueur ne sçauroit que paroître très-admirable aux uns & aux autres; elle a des qualités qui invitent à des recherches également curieuses & utiles. Les circonstances qui m'ont engagé à d'autres travaux, m'ont empêché de suivre cette matiere autant qu'elle m'a paru

T iij

digne de l'être depuis plus de vingt ans ; peut-être me trouverai-je en des circonstances qui me le permettront; mais j'exhorte ceux qui, maîtres de leur temps, l'employent volontiers à des experiences, d'en faire sur les vûës que cette liqueur leur peut faire naître.

Quoique nous lui donnions le nom de liqueur, celui d'une *gomme ramollie* à la consistance d'un sirop épaissi, ou d'une pâte molle, lui conviendroit mieux. Elle est sur-tout remarquable par trois qualités, par celle de se secher presque dans un instant; par celle de ne se plus laisser ramollir par l'eau, ni par d'autres dissolvants, lorsqu'elle est une fois dessechée; enfin par celle qu'elle a encore, lorsqu'elle est seche, de ne se point laisser ramollir par la chaleur. Ce sont ces trois qualités qui rendent cette liqueur gommeuse si utile pour nous. Si la premiere qualité lui manquoit, les fils se romproient peu après être sortis de la filiere, ou ces fils gluans, devidés les uns sur les autres, se colleroient au point de composer une seule masse dont nous ne pourrions faire aucun usage. Enfin, de quelle utilité nous seroient ces fils, s'ils n'avoient pas les deux autres qualités, si l'eau pouvoit les ramollir comme elle ramollit tant de gommes seches, ou si la chaleur les ramolliffoit comme elle ramollit tant de resines? nous ne ferions assûrement ni habits ni meubles d'étoffes de soye.

Les vernis de la Chine ont une beauté à laquelle on est generalement sensible, ils ont aussi leurs utilités. Un grand nombre de sçavants & d'artistes curieux ont travaillé en Europe à composer de ces vernis, ou au moins à les imiter, & à en faire d'équivalents : tous ceux que ces vernis ont exercés, sçavent combien il s'en faut qu'ils ayent trouvé des dissolutions de gommes & de resines qui, malgré tous les ingredients qu'ils ont pû y faire entrer, sechent aussi promptement que la liqueur gommeuse dont la soye est faite.

Ce qui doit encore plus les étonner, & leur donner en même-temps de nouvelles vûës, c'est ceci; si on jette dans l'esprit de vin, dans differentes huiles, les vaisseaux des insectes où est contenuë la liqueur à soye, cette liqueur s'y durcit, soit qu'on la laisse dans ses vaisseaux propres, soit qu'on les brise pour l'en faire sortir. Cette liqueur au contraire mise dans l'eau, semble s'y laisser dissoudre; si on manie au milieu de l'eau les vaisseaux dans lesquels elle est contenuë, si on les frotte entre les doigts pour l'en retirer, l'eau devient jaune, épaisse, mais à la verité peu transparente, ce qui marque que la dissolution n'est pas bien parfaite. Toûjours paroît-il que cette liqueur est plus gommeuse que resineuse. Ce qu'on cherche surtout dans les vernis, c'est que l'eau ne puisse y faire aucune impression, ne puisse aucunement les ramollir; c'est pour cela qu'on les fait de resines ou de gommes resineuses. Mais la nature nous apprend ici, qu'avec des gommes qui peuvent être ramollies par l'eau, on peut faire des vernis capables de resister à l'humidité. Nous ne devons pourtant pas être si surpris que des corps que l'eau a penetrés, lui deviennent ensuite impenetrables, lorsqu'elle s'en est échappée; nous en avons quantité d'exemples dans des matieres d'un genre different de celle que nous examinons. Un grand nombre d'especes de pierres sont molles lorsqu'on les tire de leurs lits, quelques-unes le sont au point de se laisser pétrir, comme une terre abreuvée d'eau. Quand ces mêmes pierres se sont sechées à fond, à peine l'humidité peut-elle penetrer leurs premieres couches. Les ardoises nouvellement tirées de la carriere, se laissent fendre en feuilles quelquefois aussi minces que celles qu'on tire des troncs de bois, & qu'on appelle des *lattes*. Manque-t-on ces premiers temps pour fendre l'ardoise, laisse-t-on à l'eau, qui

y étoit contenuë, le loifir de fe diffiper, il n'y a plus moyen
de fendre ces pierres, on ne peut plus les faire penetrer
par l'eau qui doit empêcher une union trop parfaite entre
leurs parties, lorfqu'il faut qu'elles cedent aux coings &
aux cifeaux.

Si on pouvoit parvenir à rendre impenetrables à l'eau
des vernis gommeux, ou gommeux en grande partie, ils
auroient un avantage confiderable fur les vernis refineux;
un degré de chaleur capable de ramollir ces derniers, ne
les ramolliroit pas.

Dans le fond, la liqueur à foye n'eft donc qu'une efpece de vernis; fi la chenille, à mefure qu'elle la fait fortir
de fa filiere, pendant qu'elle eft encore gluante, aulieu
de la tirer en longs fils, en enduifoit quelque furface polie,
cette furface fe trouveroit vernie; la couche gommeufe
n'étant pas compofée de fils feparés les uns des autres,
auroit ce poli & cet éclat qui nous plaît dans les vernis;
c'eft de quoi les qualités de cette liqueur foyeufe ne nous
permettent pas de douter. Mais fi on veut encore des
preuves plus pofitives, je dirai que j'ai vû plufieurs fois,
quoiqu'en petit volume, de ce vernis de foye. Des chenilles
du chêne & des chenilles du marronier ont filé dans les
poudriers où je les avois élevées, des coques, & quelquefois elles en ont appliqué un des côtés immediatement
contre la furface interieure du vafe; lorfque j'ai détaché
ces coques, j'ai vû que la partie qui avoit été appliquée
contre le verre étoit auffi unie, & peut-être plus brillante
que le verre même; là il ne paroiffoit aucuns veftiges des fils
qu'on voyoit par-tout ailleurs; cette partie de la coque
qui en étoit une portion affés confiderable, n'étoit qu'une
feuille de vernis de l'épaiffeur d'une feuille de papier. Une
efpece de chenille épineufe de l'orme qui ne fe fait point
de coque, mais qui tapiffe de fils la furface fur laquelle
elle

elle doit perdre fa forme, a encore, dans quelques circonftances, enduit du plus beau vernis, le poudrier où elle étoit
renfermée. Si nous pouvions tirer la liqueur foyeufe des
vaiffeaux où elle eft contenuë, fi nous avions l'art de l'employer, on en feroit les plus beaux & les meilleurs vernis,
les plus flexibles, les plus durs, les moins alterables par la
chaleur & par l'humidité. Dès qu'une efpece de chenille
nous fournit feule une fi prodigieufe quantité de foye, il
paroît que s'il y avoit des gens occupés à tirer du corps de
quantité d'autres efpeces de chenilles, la liqueur foyeufe
qui y eft, on en pourroit faire des amas confiderables,
fur-tout dans les années où certaines efpeces de chenilles
font fi communes: ce feroit d'ailleurs le meilleur de tous
les moyens de les détruire dans ces mêmes années, où
elles font tant de défordre dans nos campagnes & dans
nos jardins.

L'idée même de tirer des vernis du corps des infectes,
n'eft pas nouvelle, comme je l'avois crû; un article des
Memoires de Trevoux du mois d'Octobre 1704. page
1818. daté de Madrid, nous affûre que dans le Mexique,
dans la Province d'Yucatan on employe un fort beau
& fort bon vernis, qui eft fourni par certains vers. L'article merite d'être tranfcrit ici. *Dans la Province d'Yucatan,
le vernis le plus ordinaire eft une huile faite avec certains vers
qui viennent fur les arbres du pays. Ils font de couleur rougeâtre, & prefque de la grandeur des vers à foye. Les Indiens
les prennent, les font bouillir dans un chaudron plein d'eau,
& amaffent dans un autre pot la graiffe qui monte au-deffus
de l'eau: cette graiffe eft le vernis même; il devient extrêmement dur en fe figeant, mais pour l'employer, il n'y a qu'à
le faire chauffer, &c.* Ces vers, prefque de la grandeur des
vers à foye, ont bien l'air d'être, comme les vers à foye,
des efpeces de chenilles, & la graiffe qu'on ramaffe fur

<table>
<tr><td>*Tome I.*</td><td align="right">V</td></tr>
</table>

l'eau dans laquelle on les a fait bouillir, semble devoir être la liqueur destinée à former la soye. Au reste, on prétend dans le même article, que les Indiens du Mexique s'en servent pour vernir divers ustensiles, & des cabinets que nous connoissons en Europe sous le nom de cabinets de la Chine. On ne veut pas apparemment nous faire entendre que les cabinets que nous appellons de la Chine, parce que nous les en croyons, viennent du Mexique, mais seulement que les vernis du Mexique sont aussi beaux que ceux de la Chine.

Mais une autre vûë peut-être plus grande & plus utile que la nature semble nous donner ici, c'est que la soye n'étant qu'une gomme liquide qui se desseche, ne pourrions-nous pas nous-mêmes faire de la soye avec nos gommes & nos resines, ou avec des préparations de nos gommes & de nos resines! Cette idée qui pourroit d'abord paroître chimerique, ne semblera pas telle lorsqu'on viendra à l'approfondir. Nous sommes déja parvenus à faire des vernis qui ont les qualités essentielles de la soye : les vernis de la Chine, & ceux qui les imitent bien, ne craignent aucuns dissolvants, l'eau n'a aucune prise sur eux ; des degrés de chaleur, plus grands que ceux auxquels nos étoffes sont exposées, ne sçauroient les alterer. Si nous avions des fils de vernis, nous en pourrions donc faire des tissus qui, par leur éclat & leur solidité, imiteroient ceux de soye ; qui n'auroient pas plus d'odeur, car les bons vernis bien secs ne sentent rien. Mais comment tirer ces vernis en fils! Nous devons peut-être desesperer de les tirer en fils aussi fins que le font ceux des vers à soye, mais ce degré de finesse ne leur est pas nécessaire, & il ne doit paroître impossible ni de les filer, ni de les filer en fils assés fins, quand on pense jusqu'où l'art peut aller. Nous avons rapporté ailleurs * les

* Mem. de
l'Academie
1713. pag.
208.

procedés fimples, au moyen defquels on parvient à faire
des échevaux de fils de verre, la plus roide , & la plus
caffante de toutes les matieres que nous connoiffons.
Après y avoir admiré la flexibilité de ces fils, nous avons
fait remarquer, qu'on pouvoit avoir des fils de verre beaucoup plus flexibles encore, parce qu'on en pouvoit avoir
de beaucoup plus fins. Nous avons été conduits à avancer, & peut-être à prouver, une propofition affés hardie;
c'eft que fi on étoit parvenu à avoir des fils de verre auffi
fins que le font les fils de foye des araignées, on auroit
des fils de verre dont on pourroit faire des tiffus; de forte
que s'il eft vraï de dire, que le verre n'eft pas malleable,
il n'eft pas vrai de dire, qu'il ne foit pas textible. Je prie
qu'on remarque que j'ai dit pofitivement, & nettement,
que le verre n'étoit pas malleable. J'ai auffi expliqué au
long dans le même memoire, dans quel genre de matieres
ductiles on pouvoit mettre le verre; fçavoir, dans celui
des matieres qui ne font ductiles que lorfque le feu les a
ramollies. Si je fais faire ces dernieres remarques, c'eft
pour faire fentir la fingularité d'un fait d'une nature fort
differente de celle des faits que nous avons examinés
jufqu'ici. On a imprimé dans les Memoires de Trevoux *,
une Differtation fur la Verrerie, où l'on me fait la grace
de me donner au public pour un défenfeur de la malléa-
bilité du verre, & où l'on veut lui faire croire que j'ai
penfé que le verre étoit ductile à froid, comme le font
l'or & l'argent. Quelque puiffe être l'envie de critiquer,
il n'eft pas poffible qu'elle puiffe donner affés de mauvaife
foy, ou de mal-adreffe, pour déterminer à rapporter,
comme les fentiments d'un autheur, ceux même qu'on
fçait qu'il a rejettés formellement & précifement; mais il
eft bien fingulier, que l'envie de critiquer détermine à
combatre un ouvrage qu'on n'a pas lû, ou qu'elle empêche

* Mem. de
Trevoux
1733. mois
d'Octobre, p.
1689. &c.

V ij

d'entendre ce qui y eſt le plus clairement établi. Je n'ai
pas trouvé, par exemple, bien étrange que l'autheur de la
Diſſertation que je viens de citer, ait voulu plaiſanter ſur
ce que j'ai dit dans un autre memoire, que les turquoiſes
du Royaume ſont des os pétrifiés, & teints par une matiere minerale. Il n'a jamais vû apparemment, & peut
n'avoir pas été à portée de voir de ces os pétrifiés, ſi
connus des naturaliſtes, & aſſés communs; mais il avoit
pû, & dû lire, que je dis que le verre n'eſt pas malleable,
& qu'on ne le tire en fils que quand il eſt ramolli par la
chaleur du feu.

Mais pour revenir à nos vernis, dès qu'on eſt parvenu
à faire des échevaux de fils de verre, doit-on croire qu'il
ſoit impoſſible de parvenir à faire des pelotons de fils de
gommes! Pendant que je tenois ſur le feu certaines compo-
ſitions de gommes reſineuſes, je me ſuis diverti quelquefois
à en tirer des fils qui étoient auſſi longs que je les voulois.
Les gommes ſe tirent aiſement en fils. Mais nous avons in-
ſiſté ſur une qualité de la liqueur ſoyeuſe qui manque aux
vernis que nous ſçavons faire, celle de ſecher aſſés vîte;
ſi on les tiroit en fils, & qu'on devidât ces fils ſur un peloton, ils ſe colleroient les uns ſur les autres: il faudroit
donc les devider, ſans qu'ils ſe touchaſſent, ſur des eſpeces
de devidoirs faits comme les ourdiſſoirs ſur leſquels tant
d'ouvriers en tiſſus devident les chaînes de leurs pieces
d'étoffes; on leur donneroit le temps d'y ſecher.

Une autre idée qui paroîtra peut-être plus ſinguliere
que les précedentes, & qui ſeroit peut-être plus prati-
quable, ce ſeroit de faire avec nos vernis des étoffes qui
ne fuſſent nullement tiſſuës, des étoffes qui ne fuſſent
point compoſées de fils entrelacés les uns avec les autres.
Imaginons une table bien unie, une glace qui eſt enduite
de vernis ſoyeux; imaginons que nous avons en grand ſur

cette glace, ce que nous avons en petit dans des coques
de foye appliquées contre le poudrier de verre, c'eft-à-
dire, que nous avons une grande feuille, une piece de
notre vernis foyeux. Ce feroit une piece d'étoffe de foye
d'une efpece bien particuliere ; elle feroit de la même
matiere que nos tiffus foyeux, & ne feroit point tiffuë ;
elle auroit des qualités qu'ils ne fçauroient avoir ; elle
feroit impenetrable à l'eau & à toute humidité ; elle feroit
legere & forte. Quoique nous ayons élevé les vernis à foye
au-deffus de nos plus beaux vernis, nous en fçavons pourtant faire qui font durs, brillants, flexibles, qui fecs, n'ont
point d'odeur, qui font à l'épreuve de toute humidité, qui
ne font aucunement ramollis par des degrés de chaleur
plus grands que ceux que nos habits & nos meubles ont à
foûtenir. Si nous avions l'art d'enlever des couches minces
de ces vernis de deffus de grandes glaces, où nous les
aurions étenduës, nous aurions donc de ces pieces d'étoffes non tiffuës, affés femblables à celles que nous avons
défiré avoir de liqueur foyeufe ; elles auroient un très-
grand éclat, on pourroit les embellir & les enrichir de
toutes les dorures & de toutes les peintures dont on fçait
orner les vernis.

Pour fe procurer de pareilles étoffes, tout femble donc
fe réduire à avoir le fecret d'enlever de grandes pieces,
de grandes feuilles de vernis de deffus les corps fur lefquels
on les auroit appliqués, & c'eft à quoi il ne paroît pas
impoffible de parvenir. Au lieu d'une table, qu'on n'ait
verni qu'une grande feuille de papier très-liffe, ou que
plufieurs feuilles de papier collées bout à bout & à côté
les unes des autres ; quand le vernis qui enduit ce papier
fera fec, qu'on mette le tout dans l'eau ; avec le temps elle
amollira le papier, elle donnera la facilité de détacher le
vernis qui a été appliqué fur le papier. Qu'on verniffe

même avec un vernis huileux & gras nos feuilles de papier après les avoir humectées d'eau, le vernis qu'on aura étendu dessus ne s'y attachera pas. Qu'on ait de même enduit de quelque colle très-dissoluble à l'eau, la surface qu'on veut vernir; cette colle qu'on dissoudra, lorsque le vernis sera sec, donnera le moyen de l'enlever en feuille. J'ai fait très en petit, & assés grossierement ces experiences, & elles ont eû un succès qui me persuade que si on travailloit avec assés de soins & de patience, à lever les difficultés qui se présenteront, on parviendroit à tirer des avantages des vuës ausquelles nous venons de nous prêter.

Pour retourner encore à considerer nos vaisseaux à soye dans le corps de la chenille, nous les avons décrits l'un & l'autre comme deux canaux tortueux, ouverts seulement par le bout qui va se rendre à la filiere, & bouchés par l'autre. Ce sont les réservoirs où la liqueur à soye se rassemble, & où apparemment elle se perfectionne: mais par où y arrive-t-elle! c'est ce qu'on ne sçauroit bien voir. On trouve pourtant quelques filets blancs qui s'attachent à la partie la plus tortueuse de chacun de ces canaux, & qui sont apparemment les conduits qui apportent la liqueur dont ils doivent être remplis. Il y a quelque varieté dans les formes de ceux de chenilles de differentes especes, mais elles ne sont pas considerables; les inflexions, les coudes reviennent à peu-près à ceux que nous avons décrits.

Il nous reste encore à parler d'une autre espece de vaisseaux que leur couleur pourroit faire confondre avec ceux de la soye; ils sont ordinairement remplis d'une liqueur jaune, souvent très-épaisse, c'est sur-tout vers la partie posterieure & inferieure des intestins qu'ils sont le plus sensibles *. Non-seulement ils font une infinité d'inflexions, de détours; leur conformation est telle, qu'ils

* Pl. 5.
Fig. 5. x x.

font tortueux dans chacune de leurs portions. Chaque
petite partie forme un coude d'un côté, & celle qui la
fuit en forme un du côté oppofé *. M. Malpighi leur
donne tantôt les noms de *vaiffeaux variqueux*, tantôt il les
compare à des *grappes de petites boules* ou de *glandes*; ils
font continus à des vaiffeaux plus droits, cylindriques,
remplis d'une liqueur plus tranfparente, qui vont jufques
vers la moitié du corps de la chenille. Il y a quatre branches de ces derniers vaiffeaux *, dont on ne voit pas trop
bien l'origine, mais les vaiffeaux tortueux & comme variqueux en font une continuation. M. Malpighi n'a rien pû
décider fur les ufages de ces derniers vaiffeaux; il croit qu'on
peut foupçonner qu'ils reçoivent la partie la plus tenuë
du fuc qui a été maceré & digeré dans l'eftomach, & que
ce fuc, après avoir fuivi tous leurs détours, & s'y être
affiné, en peut être porté au cœur, à la peau, & à d'autres
parties du corps. J'avois grande envie de leur trouver
quelque communication avec les vaiffeaux à la foye; il
fembloit que la nature auroit bien pû donner, pour ainfi
dire, aux chenilles, de feconds inteftins, des inteftins particuliers pour digerer, pour préparer la matiere qui fournit
cette liqueur, qui doit devenir foye, pour l'extraire, &
que ces vaiffeaux tortueux étoient ces efpeces de labora-
toires: mais je n'ai pû leur trouver la communication que
j'ai cherchée, avec les vaiffeaux à foye. Il faudroit que la
liqueur digerée retournât encore à l'eftomach, pour être
enfuite portée à ces refervoirs. Ce que je fçais, c'eft que
les bouts de ces vaiffeaux s'ouvrent dans le rectum, qu'ils
y portent une matiere jaune, plus épaiffe qu'une bouillie.
Ceft fur la chenille appellée la *livrée* *, que cette obfervation eft plus aifée à faire, & c'eft cette chenille, ouverte
par deffous le ventre, que nous avons fait deffiner, pour
faire voir la pofition & les contours de ces vaiffeaux *.

* Fig. 6.

* Fig. 5.
L, L, L, L.

* Pl. 5.
Fig. 7.

* Fig. 5.

Cette chenille nous donnera même occasion dans la suite, de parler d'un usage certain & singulier qu'elle fait de la matiere contenuë dans ses vaisseaux variqueux. Ce qui me disposeroit encore à la regarder comme le sediment de la matiere qui fournit la soye, c'est que la couleur de cette matiere tient de la couleur de celle qui remplit les vaisseaux à soye, mais elle est pourtant plus haute. Dans des chenilles dont la soye est d'un jaune très-pâle, la matiere qui remplit ces vaisseaux est d'une plus forte nuance de jaune; la nuance de jaune de cette matiere est encore plus haute dans les chenilles qui donnent une soye jaune.

Inutilement chercheroit-on dans le corps des chenilles, un cœur de la figure de tous ceux que nous connoissions, c'est-à-dire, une masse charnuë & pyramidale d'où partent les vaisseaux qui vont distribuer le sang à toutes les parties, & où il est ensuite reporté par d'autres vaisseaux. Le sang de nos insectes est une liqueur transparente, sans couleur, ou au plus d'une couleur un peu jaunâtre; la circulation de cette espece de sang, n'est pas moins necessaire pour entretenir leur vie, que l'est la circulation du nôtre. Mais le cœur qui la fait circuler est d'une forme très-differente de celle des cœurs ordinaires, & placé bien differemment. Un long vaisseau, appliqué tout du long du milieu du dos, depuis la tête jusqu'au derriere, est la seule partie à qui M. Malpighi ait crû qu'on peut donner ce nom, & elle est aussi la seule qui en paroisse faire les fonctions. Sa sistole & sa diastole, ses mouvements alternatifs de contraction & de dilatation sont aisés à voir dans plusieurs especes de chenilles rases, & sur-tout dans celles dont la peau est transparente.

Non-seulement M. Malpighi a crû qu'on devoit regarder ce vaisseau comme un cœur, il l'a regardé même comme une suite de cœurs, dont il a soupçonné le nombre égal

bre égal à celui des anneaux. Il lui a parû que la forme
de ces vaisseaux étoit semblable à celle de ces chapelets
à grains ovals, c'est-à-dire, que d'anneau en anneau ce
vaisseau avoit des étranglements, & que chaque portion
comprise entre deux étranglements, chaque espece de
grain creux étoit un cœur. Le corps graisseux, ce corps
qui occupe une si grande partie de la capacité du ventre
des chenilles, suit de chaque côté ce long cœur ; il lui
est attaché. Les mouvements de contraction & de dilatation du cœur sont souvent plus sensibles par ceux qu'ils
produisent dans le corps graisseux, que par eux-mêmes,
le corps graisseux étant opaque, au lieu que les membranes
du cœur sont transparentes. Ce qui se fait voir d'abord,
& le plus distinctement, c'est que deux portions du corps
graisseux sont alternativement rapprochées de la ligne du
milieu du dos, & qu'elles en sont alternativement écartées.
J'ai tout lieu de croire que c'est ce même corps graisseux
qui a fait prendre à M. Malpighi l'idée qu'il nous a donnée de la forme de ce cœur, ou qui le lui a fait regarder
comme une suite de cœurs, & cela, parce qu'il y a des
endroits où le corps graisseux recouvre un peu plus le
vaisseau que dans d'autres. Il semble que ce vaisseau, ou ce
cœur, a là une espece d'étranglement.

Mais je dois dire que ce cœur, cette suite de cœurs
ne m'a parû qu'une espece d'artere, qu'un vaisseau à peu-
près d'égal diametre dans tout son cours, à qui pourtant
je ne crois pas qu'on doive refuser le nom de *cœur,* parce
que cette artere est destinée à en faire toutes les fonctions.
Je l'ai fait souffler, & je l'ai fait injecter, soit dans le ver à
soye, soit dans d'autres chenilles ; si ce vaisseau avoit des
étranglements réels, ils eussent parû alors, & c'est alors
que je lui ai vû, dans tout son cours, un diametre à peu-
près égal.

Tome I. . X

Des contractions & des dilatations qui se font successivement dans differentes parties de ce vaisseau, peuvent
même avoir fait croire qu'il s'y trouvoit des étranglements
réels; mais pour s'assûrer encore par une autre voye que
celles dont je viens de parler, qu'ils ne sont qu'apparents,
après avoir ouvert un ver à soye, ou une grosse chenille
tout du long du ventre, on ôtera les parties qui le rempli-
soient, l'estomach, les intestins, & tout le corps graisseux;
alors le cœur sera à découvert. Son mouvement continuë pendant du temps, malgré le pitoyable état où l'insecte est reduit, mais il devient plus lent. D'ailleurs, la
liqueur qui lui devoit être apportée, s'épanchant de toutes
parts, bientôt il est affaissé d'un bout à l'autre. C'est pourtant alors qu'on voit le mieux en quel sens la liqueur
coule dans ce vaisseau, & comment elle y est poussée;
on voit bientôt distinctement que la route de la liqueur
est du derriere vers la tête. D'instant en instant il se rend
une goutte de liqueur dans la partie posterieure de ce
vaisseau, & cette goutte est bientôt poussée jusqu'auprès
de la tête; le canal n'est dilaté que dans les endroits où
elle passe. Il semble que chacun des endroits où elle arrive,
& qu'elle ouvre, la presse, la chasse en avant; mais le canal
ne paroît renflé que dans l'endroit où elle est actuellement.

Dans des corps composés de parties aussi petites & aussi
transparentes que le sont celles du corps de nos chenilles,
il n'est pas étonnant qu'il y en ait des milliers qui nous
échappent. Le cœur ou la grosse artere est pourtant assez
considerable pour qu'on eût dû esperer d'appercevoir quelques-uns des vaisseaux dans lesquels elle pousse la liqueur;
je n'en ai pû découvrir aucun, & je ne sçais pas que d'autres les ayent vûs: on y parviendroit apparemment si on
tentoit les injections colorées, qui ont été portées si loin
dans les plus petits vaisseaux du corps humain. On ne voit

pas même bien diſtinctement où finit & où commence
préciſement ce vaiſſeau ; on ne découvre aucun endroit
où il ait ſenſiblement plus de capacité qu'ailleurs ; s'il en
avoit quelqu'un de tel, cet endroit ſeroit à proprement
parler, le cœur. Il m'a pourtant parû dans la belle chenille à corne du titimale à feuille de cyprès, que l'origine
du battement étoit à la baſe de ſa corne ; le vaiſſeau m'y a
parû plus dilaté qu'ailleurs.

Enfin, ſi on ne voit pas les arteres de nos chenilles, que
leur mouvement pourroit rendre ſenſibles, on doit encore
moins eſperer d'y voir les veines. Je ne ſçais neantmoins
ſi on ne doit pas prendre pour le principal tronc des veines,
un vaiſſeau conſiderable qui eſt en deſſous, & tout du long
de l'eſtomach & des inteſtins.

Dans la chenille à qui on a ôté toutes les parties qui
rempliſſent la cavité du ventre, on voit la ſurface interieure des anneaux qui nous offre des objets qui meritent
que nous nous y arrêtions un inſtant avant que de finir ce
Memoire ; c'eſt la diſpoſition des fibres employées pour
faire prendre à chacun de ces anneaux tant de formes differentes, ſous leſquelles ils peuvent paroître ſucceſſivement. Ce grand appareil de fibres eſt aiſé à reconnoître dans
une chenille qui a été tenuë quelque temps dans l'eſprit
de vin. Des paquets de fibres longitudinales ſe font remarquer les premiers *. On en comptera ſix ou ſept ſur   * Pl. 5.
la circonference de chaque anneau, car un de ces paquets, Fig. 8. *e, f,*
beaucoup plus large que les autres, a quelquefois une   *g, h, i, k.*
petite ſéparation qui peut le faire compter pour deux *.   * Fig. 8. *h.*
Chacun de ces paquets ſont autant de muſcles qui, lorſ-
qu'ils ſe raccourciſſent, obligent l'anneau à ſe plier, ils
ſont chacun attachés à deux termes communs, à deux
anneaux, c'eſt-à-dire, d'un côté à la jonction d'un anneau
avec celui qui le précede *, & de l'autre à la jonction du   * Fig. 8. *B.*

X ij

* Fig. 8. C. même anneau avec celui qui le suit *. Dans tout le reste de leur étenduë, ils ne font qu'appliqués comme des cordes fur l'anneau, fans lui être aucunement adherants. On auroit peine à décider fi les mufcles droits correfpondants de differents anneaux font faits de differentes fibres, ou fi ces mêmes fibres continuent d'un bout à l'autre de l'infecte. Toûjours font-elles en état d'agir comme le feroient des fibres differentes, puifqu'elles font coupées, en quelque forte, par leurs attaches.

* Fig. 8. Sous ces mufcles droits, qui ne font adherants à la peau *y, x, z.* que par leurs extremités, on trouve dans la peau des affemblages de fibres obliques dirigées en des fens oppo- fés, & que nous avons fait reprefenter *. Sans que nous entrions dans un plus grand détail du nombre de ces pa- quets de fibres, on voit affés qu'ils peuvent fervir a faire prendre diverfes inflexions aux anneaux, à les contourner en differents fens.

EXPLICATION DES FIGURES
DU TROISIEME MEMOIRE.

PLANCHE III.

LEs Figures de cette planche reprefentent differentes jambes de chenilles, & differentes attitudes de la même jambe, vûës au microfcope. Toutes les jambes y font mifes dans une fituation renverfée; les pieds y font en haut, afin qu'on les puiffe mieux voir.

La Figure 1, eft une jambe écailleufe de la chenille à oreilles, du chêne & de l'orme.

La Figure 2, eft une paire de jambes écailleufe d'une chenille à tubercules. Elles font plus courtes que celles de la figure précedente, quoique la chenille à qui elles appartiennent soit plus grande que celle de l'autre figure.

a, le premier tuyau ou la base de la jambe, qui est composée de quatre pieces, comme il paroît dans la Fig. 1.

c, le second tuyau qui peut être pris pour la cuisse.

d, le troisiéme tuyau analogue à la jambe des grands animaux.

e, le 4.ᵉ tuyau qui peut être regardé comme le pied.

f, l'ongle ou le crochet qui est au bout du pied.

g, Fig. 1, une pointe écailleuse, plus courte que le crochet. Le pied a souvent deux de ces pointes.

La Figure 3, est celle d'une jambe membraneuse & intermediaire, de la chenille à oreilles du chêne, vûë du côté interieur, du côté le plus proche de l'autre jambe, & dessinée dans l'instant où le pied a la forme d'une palette triangulaire.

La Figure 4, est celle de la même jambe de la Fig. 3, vûë dans le même temps du côté opposé, ou exterieur.

a a, la base de la jambe.

b b, plis de la jambe.

c c, la jonction, ou l'espece d'articulation de la jambe avec le pied.

d d, e e, le pied.

d d, Fig. 3, cordon charnu, espece de tablette dans laquelle les tiges des crochets sont implantées.

e, les crochets.

h, Fig. 3, la face où est la plante, le dessous du pied.

f, Fig. 4, cavité triangulaire qui paroît alors sur cette face du pied. Dans l'une & l'autre figure on peut voir des poils dont sont garnies les jambes des chenilles mêmes qui ne sont pas veluës.

X iij

La Figure 5, fait voir un grand & un petit croch[et]
détachés du pied.

La Figure 6, est celle des deux jambes d'une mêm[e]
paire du ver à soye, sous une forme qui leur est assés or[di]-
naire, & qu'on leur fait prendre quand on les presse ve[rs]
leur origine.

a a, la base de la jambe.

bb, bb, differents plis de la jambe.

cc, l'endroit où la jambe, après avoir été en diminua[nt]
    semble s'évaser pour former l'empattement [qui]
    fait le pied.

dd, cc, contour du disque, qui alors forme le pied.

f, cavité qui est à peu-près au milieu de cet emp[at]-
    tement. La surface qui est actuellement en [bas]
    & qui sembleroit être le dessous, la plant[e du]
    pied, est le dessus du pied qui marche.

La Figure 7, est celle d'une des jambes de la fig[ure]
précedente, que le ver à soye ou la chenille a racc[our]-
cie, & au pied de laquelle il a fait prendre une au[tre]
forme.

a a, base de la jambe.

ff, cavité qui a été allongée, & qui est marquée [de]
    les mêmes lettres, Fig. 4. & 6.

dd, les crochets renversés, & ramenés jusques au b[ord]
    de cette cavité.

h, les chairs qui sont au-dessous des crochets, [&]
    paroissent peu, & qui excederont lorsqu'elles f[or]-
    meront la plante du pied marchant.

La Figure 8, est celle d'un pied en état de marche[r].

a a, base de la jambe.

ff, la cavité sur laquelle les crochets sont ramenés.

h, les chairs qui débordent par de-là les croch[ets.]

au-deſſous deſquelles ils ſont; ce ſont les chairs
qui forment la plante du pied.

La Figure 9, eſt celle de deux jambes d'une groſſe
chenille à tubercules, dont les crochets des pieds ſont
cramponnés ſur une petite tige de plante.

dd, les crochets.

cc, jonction du pied avec la jambe, de laquelle, dans
    pluſieurs eſpeces de chenilles, il part, comme dans
    cette figure, une grande quantité de poils, qui
    font une eſpece de manchette au pied.

La Figure 10, eſt celle d'une jambe membraneuſe, de
celles qui ſont entourées d'une couronne complette de
crochets, & qui ſont courtes & pliſſées. *a a,* la baſe de la
jambe. *o,* eſpece de cavité qui eſt au centre de la jambe,
& de laquelle le pied ſort lorſque la chenille marche.

La Figure 11, eſt celle d'une autre eſpece de jambe
membraneuſe à couronne de crochets complette. Celles-
ci ſont bien tenduës, & ont la figure d'un cone tronqué
lorſque la chenille marche.

a a, baſe de la jambe.

b b, couronne de crochets.

La Figure 12, eſt celle d'une de ces eſpeces de jambes
à couronne complette de crochets, qui reſſemblent à des
jambes de bois.

a a, la baſe de la jambe qui reſſemble à la cuiſſe de la
    jambe de bois.

b, la jambe.

cc, empattement qui termine la jambe, & qui eſt en-
    touré de la couronne de crochets.

La Figure 13, eſt partie de la Fig. 12. mais au lieu que

dans la Fig. 12, il y a une cavité au milieu du difque &
ici du milieu de ce difque s'éleve un mamelon, qui eſt le
vrai pied de la chenille lorſqu'elle marche. Lorſque les
jambes des Fig. 10 & 11 marchent, il s'éleve de même
de leur milieu une partie charnuë, qui eſt le vrai pied.

La Figure 14, eſt la jambe d'une fauſſe chenille du
rofier. On doit remarquer que les crochets qui ſe trouvent aux jambes membraneufes de toutes les vrayes chenilles, manquent aux jambes des fauſſes chenilles.

PLANCHE IV.

La Figure 1, eſt celle d'une chenille veluë de la premiere claſſe, que j'appelle *la chenille à oreilles*, du chêne &
de l'orme, parce qu'elle vit principalement des feuilles de
ces arbres.

a a, deux eſpeces de tubercules qui partent du premier
anneau, & qui ſe dirigent vers la tête; ils font
chargés de poils, qui forment deux eſpeces d'o-
reilles à cette chenille.

m m, marquent le 9.ᵉ & 10.ᵉ anneau, ſur le milieu de
chacun deſquels cette chenille a un mamelon
charnu, à qui elle donne tantôt la forme d'un
cone, & tantôt celle d'un entonnoir.

Elle a ſix tubercules par anneau; les deux qui ſont ſur
le dos ſont proches l'un de l'autre: il y a des temps où
ceux-ci ſont ſans poils, & alors la chenille n'a que quatre
aigrettes de poils par anneau. Ses poils ſont d'un brun un
peu roux. Sa peau a une couleur compoſée de bien des
couleurs differentes, & qui varient ſelon l'âge de la chenille. Elle a du jaune, du violet, du rougeâtre, du brun
mêlés enſemble; les unes ou les autres de ces couleurs
dominent en differents temps; quand elle eſt près de ſe
metamorphoſer,

metamorphofer, c'eft le temps où elle eft le plus brune,
& elle eft alors plus grande que dans la figure.

La Figure 2, eft celle d'une de ces efpeces de calottes
pliées, qui font prefqu'une des moitiés du crane de la chenille. *a,* en eft la partie anterieure, & fuperieure. *p,* la partie
inferieure de la tête. Cette calotte eft vûë par-deffus, il
paroît ici très-peu du deffous.

La Figure 3, eft celle de la tête de la chenille de la Fig. 1.
groffie au microfcope, vûë pardevant.

A A, les deux calottes qui compofent le crane.

a a, les deux tubercules, qui, avec les poils dont ils font
chargés, forment les oreilles de la chenille. Ces tubercules femblent percés comme des arrofoirs.

b b, aigrettes de poils qui partent du premier anneau.

c, piece triangulaire qui remplit l'efpace que laiffent
entre elles les deux calottes qui compofent le
crane. Cette piece eft ce que l'on nomme *le triangle de la tête de la chenille.*

e e, deux corps en forme de mamelons, qui tirent leur
origine d'auprès de celle des dents.

d d, les deux dents.

f f, la levre fuperieure qui eft entaillée, ou comme
refenduë dans fon milieu; il y a une efpece de
bourlet au-deffus de cette levre. La fente de la
levre *f f,* fert à maintenir la feuille, pendant que
les dents la coupent.

g g, marquent l'endroit où font fix à fept grains noirs
& luifants, arrangés fur un arc de cercle, qu'on
croit être les yeux de la chenille.

La Fig. 4, eft celle de la tête de la Fig. 3. vûë par-deffous.

La Figure 5, eft celle de la tête du ver à foye, vûë auffi
par-deffous.

Tome I.   Y

Les lettres font communes à l'une & à l'autre figure.

A A, le deffous des deux calottes qui compofent le crane.

d d, les deux dents.

e e, les deux corps en forme de mamelons, qui ont leur origine près de celle des dents.

f, Fig. 4. la levre fuperieure vûë par-deffous, ce que permet l'écartement des dents.

h, i, i, trois corps, qui enfemble compofent la levre inferieure, & qui enfemble fervent à retenir la portion de feuille que les dents ont coupée, & à la pouffer vers le fond de la bouche. Les parties coniques *i, i,* font mobiles, & font comme de petits doigts, qui peuvent avoir d'autres ufages que de contribuer à fermer la bouche, & à pouffer les aliments; ils peuvent auffi avoir des ufages par rapport à la filiere.

k, Fig. 5. un fil qui vient de la filiere, & qui marque fa place.

Vers le bout du milieu de la machoire, *h,* eft une petite partie charnuë qui forme une efpece de petit bec, c'eft la filiere.

Les Figures 6 & 7, font celles des dents de la Fig. 1. vûës féparement. Dans la Fig. 6, on voit le gros bout d'une dent, celui qui rencontre le bout correfpondant de l'autre dent. Son milieu eft un peu plus creux que fon bord.

Dans la Figure 7, la dent eft vûë par l'autre bout, & *m,* marque les attaches de la dent, & les mufcles qui la font agir.

La Figure 8, eft celle d'une dent vûë plus en grand, par-deffus, & dont les dentellures font mieux marquées.

La Figure 9, est celle de la partie de la levre *h*, Fig. 5. qui forme la filiere, extrêmement grossie, & vûë séparement.

p, le corps de la filiere.

o, son ouverture, qui est au bout d'une espece de bec.

k, fil qui sort de cette filiere.

La Figure 10, est celle d'une chenille de la sixiéme classe, une arpenteuse à dix jambes, qui est occupée à manger de petites feuilles d'abricotier. On y voit, que la feuille, que les dents coupent, est logée dans l'entaille de la levre superieure, & qu'elle est de plus entre les six jambes écailleuses.

Les Figures 11 & 12, sont des têtes dont les formes sont très-differentes de celles des têtes des Fig. 3, 4, & 5; elles sont plates par-devant. Ce sont des têtes de chenilles qui portent une corne sur le onziéme anneau.

gg, Fig. 12, marquent les grains noirs & luisants, arrangés circulairement, qu'on prend pour les yeux.

La Figure 12, est celle de la tête d'une chenille verte du tilleul, & chagrinée. Cette tête est refenduë par en haut, & se termine par deux pointes.

La Figure 13, est une tête de fausse chenille, dont le contour *a, c, a*, est formé d'une seule piece, qui est une espece de couronne spherique; elle n'est pas composée de deux calottes, comme le sont les têtes des vrayes chenilles.

La Figure 14, est celle d'un ver à soye. *c*, corne charnuë qu'il porte sur le onziéme anneau.

s, s, s, s, &c. marquent les neuf stigmates.

La Figure 15, est un stigmate du ver à soye, vû au microscope.

f, r, r, f, le cordon qui borde le contour du ſtigmate.

On voit dans l'interieur de ce rebord, les deux plans de fibres droites, entre leſquelles il y a une ſéparation.

La Figure 16, eſt celle d'un autre ſtigmate en grand, deſſinée ſur une grande chenille à tubercules.

ſr, rſ, le cordon qui entoure le ſtigmate. Dans le milieu de ce ſtigmate il y a une ouverture ſenſible, comme une longue ouverture de prunelle. On a pourtant fait ici cette ouverture plus conſiderable qu'elle ne l'eſt dans la nature. Les deux plans compoſés de fibres bien droites, & bien paralleles, qui ſe dirigent vers l'ouverture; ces deux plans, dis-je, s'élevent un peu en toit, en s'approchant de cette ouverture.

La Figure 17, eſt celle d'un ſtigmate, d'une chenille qui vit dans des troncs d'arbres. Ces ſtigmates ſont creux, ce ſont des portions d'entonnoir, ou de cone tronqué.

PLANCHE V.

La Figure 1, eſt celle d'un ver à ſoye, qui a été ouvert tout du long du milieu du ventre, & dont la peau a été rejettée de chaque côté, pour faire voir les paquets de trachées & de bronches qui appartiennent à chaque ſtigmate. On a enlevé les parties qui cachoient celles qu'on vouloit qui fuſſent en vûë. Les parties qui ont été enlevées paroiſſent dans la Fig. 2.

a, b, groſſes trachées qui vont en ligne droite d'un ſtigmate à l'autre, & qui ſemblent faire de chaque côté un vaiſſeau continu.

b, l'endroit où ces deux bronches ſe réuniſſent en un tronc qui ſe rend vers la tête *T.*

c, c, paquets de trachées dont les unes vont aux inteſtins,

les autres à la peau, & les autres à d'autres parties
interieures.

d, œsophage du ver à soye coupé en *d.*

e, est l'anus.

e d, est le canal entier qui forme l'estomach & les intestins; tout du long du milieu duquel est un
vaisseau qui fait probablement la fonction de veine
ou d'artere.

f, marque un étranglement de ce canal.

g, marque un second étranglement. La portion comprise entre *g f,* est arrondie.

h, est encore un étranglement précedé par une partie
renflée.

La Figure 2, est encore celle d'un ver à soye ouvert
tout du long du ventre. Les parties contenuës dans sa
capacité, paroissent dans leurs veritables places. Les grands
reservoirs de la matiere à soye, ou les vaisseaux à soye,
sont ce qui frappe le plus.

V S, V S, ces reservoirs ou vaisseaux qui sont differents contours; ils sont representés dans la Fig. 4.

f, la partie deliée de chacun de ces vaisseaux, qui tous
deux paralleles, & presque contigus, vont se rendre à la filiere qui est attachée à la tête, *T.*

Tout ce qu'on voit ici sans forme bien distincte, entre
les vaisseaux à soye & la peau, est ce que nous avons appellé *le corps graisseux,* & est marqué en quelques endroits
par des *g.*

La Figure 3, est le ver à soye ouvert tout le long du
dos. On ne voit ici que deux portions des grands reservoirs de la soye. Mais on y voit mieux que dans l'autre
Figure, les lacis par lesquels ils se terminent.

d, l'estomach.

V S, portions des grands reſervoirs de la ſoye.

S S, lacis que forment ces vaiſſeaux du côté de l'anus.

S X, dans cette Fig. & dans la Fig. 2, marquent encore un lacis formé par des vaiſſeaux differents des vaiſſeaux à ſoye, & remplis ſouvent d'une liqueur épaiſſe, & jaune. J'ai pourtant obſervé que cette liqueur étoit rougeâtre, dans des chenilles qui donnent de la ſoye d'un brun rougeâtre.

La Figure 4. repreſente les deux vaiſſeaux à ſoye du ver à ſoye vûs ſeparement.

T, la tête où ils vont ſe rendre dans la filiere.

S, premier coude que fait chacun de ces vaiſſeaux aprés s'être dirigé preſque parallelement à la longueur du corps.

V, ſecond coude que fait la partie *S V,* après être retournée juſqu'en *V.*

Y, marque, par une ligne ponctuée, le coude fait en *Y* par la partie qui a deſcendu d'*V* en *Y.*

Z, eſt l'endroit où le vaiſſeau, après être retourné vers la tête, prend une infinité de contours, qui forment une eſpece de lacis, depuis *Z,* juſqu'en *K.*

La Figure 5, eſt celle d'une chenille appellée *la livrée* par les jardiniers, ouverte tout du long du ventre, & groſſie.

T, la tête.

f V, f V, portions des vaiſſeaux à ſoye qui paroiſſent alors; ils ne ſont pas ſi conſiderables que ceux du ver à ſoye. Ils n'y ſont pas diſpoſés préciſement de la même maniere; leur diſpoſition a d'ailleurs été un peu alterée ici, parce que la chenille qui a été ouverte étoit vivante.

d, h, l'eſtomach.

L, L, L, L, les troncs droits des vaiſſeaux à liqueur ou
poudre jaune, qui ſe contournent, & qui font
près de l'ânus, vers *x,* un lacis conſiderable en
pluſieurs eſpeces de chenilles, & en celle-ci plus
qu'en toute autre.

La Figure 6, eſt une portion d'un vaiſſeau à liqueur,
ou à poudre jaune, repreſentée en grand.

La Figure 7, eſt celle de la chenille appellée *la livrée,*
parce que tout du long du corps elle a differentes rayes
paralleles, les unes bleuës, les autres d'un brun jaunâtre,
ou rougeâtre, qui imitent en quelque ſorte les rubans
dont on fait les livrées. Sa tête eſt d'un bleu pâle, & aſſés
ronde.

La Fig. 8, fait voir trois anneaux d'une chenille du maronier, ouverte le long du dos. On a enlevé tout ce qui
pouvoit cacher les muſcles, & les fibres qui ſervent aux
mouvements des anneaux, parce que ce ſont ces muſcles
& ces fibres qu'on s'eſt propoſé de mettre ici en vûë.

A B, B C, C D, ſont trois anneaux de la chenille, vûs
du côté interieur.

L L, eſt la grande artere, ou le cœur.

e, f, g, h, i, k, ſont les muſcles droits, ou les paquets
de fibres droites. Ce ſont des bandelettes charnuës
qui s'attachent d'anneau en anneau, & qui ailleurs
ne tiennent aucunement aux parties qu'elles touchent. Elles ſont préciſement comme de petits
rubans tendus.

On voit que les muſcles *e, f, g,* s'attachent ſur les jonc-
tions *B B, C C,* des anneaux. *h,* eſt le muſcle, qui eſt
quelquefois diviſé en deux muſcles très-diſtincts.

Les muſcles *h, i, k,* n'ont été repreſentés que juſqu'à

leur attache *BB*. On n'a pas voulu mettre les portions de ces muscles droits qui passent sur les muscles obliques de l'anneau suivant.

 m, n, o, sont trois muscles, ou trois paquets de fibres droites, détachés, pour faire voir que leurs fibres sont continuës par de-là les endroits où sont leurs points d'attache, comme en *p, q*. Elles étoient de même continuës avec les fibres, ou portions de fibres qui font les muscles, ou paquets *v, ʃ, t*.

 x y, x y, muscles obliques qui forment un triangle.

 z, z, autres muscles obliques qui croisent les précédents.

 a a, l'endroit où une jambe membraneuse est posée.

 b, fibres musculeuses qui entrent dans la jambe.

La Figure 9, est celle d'un grain d'excrement d'une grosse chenille qui a six pans canellés.

QUATRIEME

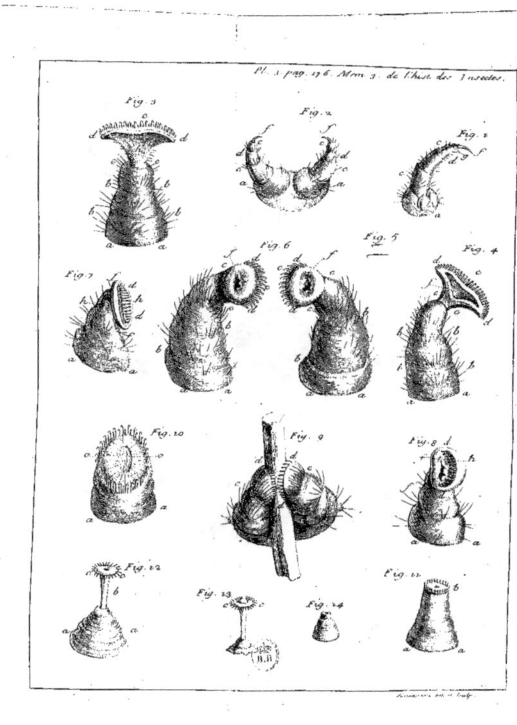

Pl. 1. pag. 176. Mem. 3. de l'hist. des Insectes.
Fig. 3
Fig. 2
Fig. 1
Fig. 6
Fig. 5
Fig. 4
Fig. 7
Fig. 10
Fig. 9
Fig. 8
Fig. 12
Fig. 13
Fig. 14
Fig. 11

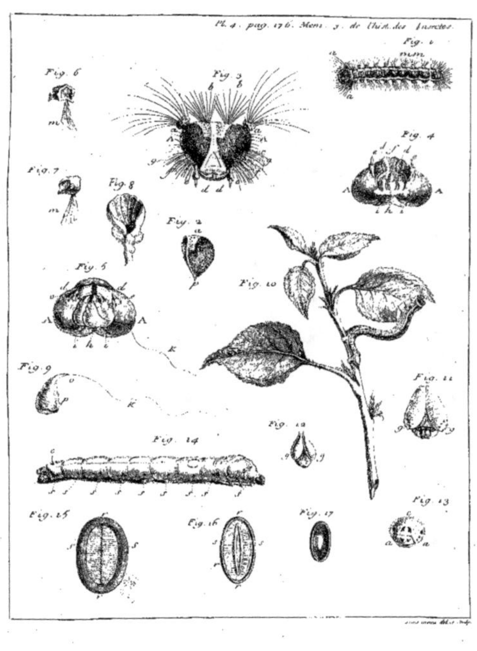

Pl. 4. pag. 176. Mem. 3. de l'hist. des Insectes.
Fig. 1
Fig. 6
Fig. 3
Fig. 4
Fig. 7
Fig. 8
Fig. 2
Fig. 5
Fig. 10
Fig. 9
Fig. 11
Fig. 12
Fig. 14
Fig. 13
Fig. 15
Fig. 16
Fig. 17

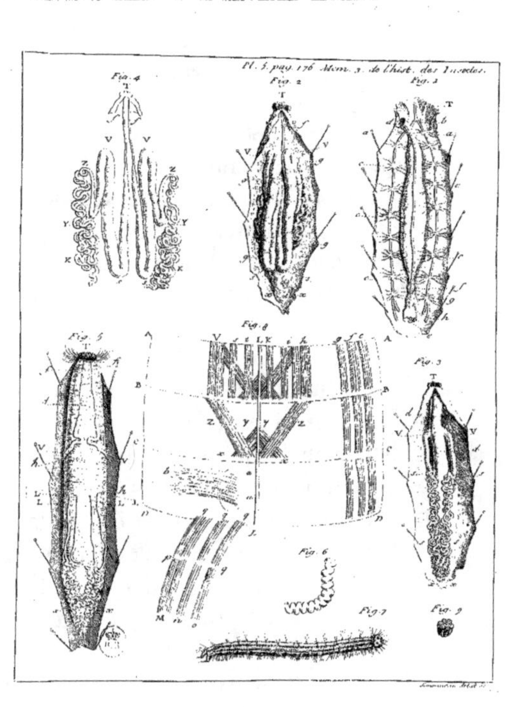

Pl. 5. pag. 176 Mem. 3 de l'hist. des Insectes.
Fig. 4
Fig. 2
Fig. 1
Fig. 8
Fig. 5
Fig. 3
Fig. 6
Fig. 7
Fig. 9

QUATRIEME MEMOIRE.
SUR LES CHANGEMENTS DE PEAU
DES CHENILLES.

PARMI les faits que les chenilles nous font voir dans le cours de leur vie, il n'en est gueres qui meritent plus d'être bien examinés que leurs changements de peau. Ils ne font simples qu'en apparence; ils nous mettent à portée de mieux entendre ce qui se passe dans ces changements plus frappants, après lesquels l'insecte paroît sous une nouvelle forme. Toutes changent de peau, & même en changent plusieurs fois dans leur vie. M. Malpighi a observé que le ver à soye se défait quatre fois de la sienne. Il a 10. 11. ou 12. jours, selon la saison, la premiere fois qu'il quitte une peau; il en quitte une seconde environ au bout de cinq jours & demi, ou de six autres jours. Il se défait encore d'une troisieme au bout d'environ cinq jours & demi, ou six jours & demi. Enfin, six jours & demi ou sept jours & demi après, il se dépouille pour la quatrieme fois. On ne s'est pas donné la peine de suivre assés les autres especes de chenilles depuis leur naissance jusqu'à leur transformation, pour sçavoir si elles se dépouillent précisement autant de fois que le ver à soye; mais le nombre des fois qu'une chenille se trouve couverte d'une nouvelle peau, n'est pas ce qu'il y a ici d'important; ce qui l'est, c'est ce qui précede, ce qui accompagne, & ce qui suit ce changement, ne se fît-il qu'une fois.

Au reste, le changement de peau n'est pas seulement commun à toutes les chenilles, il l'est à tous les insectes.

Tome I.   Z

Je n'en connois point qui, avant de parvenir à leur dernier terme d'accroissement, ne se dépouillent une ou plusieurs fois. Ce que nous avons observé, & ce qui sera expliqué ici par rapport aux chenilles, nous exemptera donc
ailleurs de parler avec étenduë de la même operation, lorsqu'il s'agira d'autres insectes; nous n'aurons au plus qu'à en
faire remarquer les circonstances particulieres.

Ce n'est pas assés de dire que les chenilles changent de
peau, les dépouilles qu'elles laissent sont si complettes,
qu'on les prend quelquefois pour des chenilles; elles ont
tout ce que nous fait voir l'exterieur de l'insecte. La dépouille d'une chenille veluë est toute hérissée de poils,
les fourreaux des jambes, tant écailleuses que membraneuses, y restent attachés ; on y voit tous les ongles de
leurs pieds; les parties qui ne sont même visibles qu'au
microscope, s'y retrouvent. Il est peut-être encore plus
singulier d'y voir toutes les parties dures & solides qui enveloppent la tête, en un mot, pour parler comme M. Malpighi, le crane; les dents s'y trouvent aussi attachées.

C'est assûrement une grande operation pour un animal,
que celle de quitter une dépouille si complette, de tirer
tant de parties des fourreaux où elles étoient contenuës;
d'avoir à se défaire de son ancien crane, pour paroître
avec un crane nouveau. Un jour ou deux avant que ce
moment critique arrive, les chenilles cessent de manger;
elles perdent leur activité ordinaire, elles ne marchent
point, ou marchent peu; elles choisissent quelqu'endroit
où elles se fixent, la plûpart y restent, quoiqu'on les touche ; elles sont alors devenuës paresseuses ou languissantes;
elles se donnent pourtant divers mouvements, mais sans
sortir de leur place. De fois à autre elles se recourbent,
* Pl. 6. elles rendent leur dos convexe*; peu après elles s'étendent;
Fig. 10. quelquefois elles élevent leur tête au-dessus du plan sur

lequel elles se sont posées, pour la laisser ensuite retomber brusquement sur ce même plan. Dans d'autres moments, la moitié anterieure de leur corps fait deux ou trois vibrations consecutives, extremement promptes, tant à droit qu'à gauche, & revient ensuite à sa premiere situation. Des mouvements moins sensibles que les précedents, sont ceux qui se passent successivement dans differents anneaux; quelques-uns se gonflent considerablement, pendant que les autres se contractent. L'effet de ces gonflements & de ces contractions alternatives est aisé à appercevoir, la peau est distenduë par l'anneau gonflé, & le même anneau se resserrant ensuite, se desengraine, au moins en quelques endroits, de cette peau. C'est donc par de pareils mouvements & par la diette que les chenilles se préparent à quitter leur dépouille.

Celles qui vivent en societé ont des logements de soye, des especes de nids où elles se retirent en certains temps, elles ne manquent pas de s'y rendre pour se dépouiller; elles accrochent les ongles de leurs pieds dans les toiles des nids. Celles qui vivent solitaires filent aussi pour la plûpart, des toiles legeres, lorsque le temps où elles doivent quitter leur peau approche. La chenille *, par exemple, du prunier & de l'abricotier, &c. qui porte sur le dos une espece de pyramide charnuë, tapisse alors une feuille d'une toile, même assés forte, dans laquelle elle cramponne ensuite ses pieds. Il est plus aisé aux chenilles de se tirer de leur vêtement quand elles l'ont ainsi arrêté, il ne suit pas le corps dans les mouvements qu'il se donne pour s'en dégager.

A mesure que le temps où une chenille va se dépouiller approche, ses couleurs s'affoiblissent, les plus vives & les plus brillantes deviennent foncées & ternes, ou presqu'effacées. Leur peau alors se desseche en quelque sorte; elle ne

* Pl. 42,
Fig. 5. & 6.

Z ij

reçoit plus les fucs qui la nourriffoient ci-devant; il doit lui arriver ce qui arrivé à une feuille d'arbre à qui la feve ceffe d'être apportée. Enfin, quand cette peau s'eft deffechée jufqu'à un certain point, fi la chenille continuë à recourber fon dos, & fur-tout fi elle gonfle quelques-uns de fes anneaux plus que les autres, la peau ne refiftera pas à de pareils tiraillements; elle fe fendra quelque part fur l'anneau qui aura le plus agi contr'elle. Le moment arrive auffi où elle commence à fe fendre; c'eft au-deffus du dos, fur le fecond ou le troifieme anneau, que la fente s'ouvre. Elle laiffe entrevoir une petite portion de la nouvelle peau, très-reconnoiffable par la fraîcheur & la vivacité de fes couleurs. Dès que la fente eft commencée, il eft facile à l'infecte de l'étendre; il continuë de gonfler la partie de fon corps qui eft vis-à-vis la fente, bientôt cette partie s'éleve au-deffus des bords de la fente; elle fait l'office d'un coin qui l'oblige à s'allonger: auffi la fente parvient-elle dans un inftant à s'étendre depuis la fin, où le commencement du premier anneau, jufques parde-là la fin du quatrieme. La portion fuperieure du corps qui repond à ces quatre anneaux, eft alors à découvert, & alors la chenille a une ouverture fuffifante pour fe tirer entierement de fon ancien fourreau. Elle recourbe fa partie anterieure, elle la retire du côté du derriere; par ce mouvement, elle dégage fa tête de deffous l'ancienne enveloppe, & elle l'amene au commencement de la fente; auffi-tôt elle l'éleve, elle la fait fortir par cette fente. L'inftant d'après elle étend fa partie anterieure, & laiffe retomber fa tête *, qui fe trouve pofée, comme fur une efpece de couffin, fur la partie de cet étuy où elle étoit renfermée ci-devant; la tête avec fon nouveau crane fe pofe fur l'ancien *. Il ne refte plus alors à la chenille qu'à tirer du fourreau fa partie pofterieure, ce qu'elle execute encore

* Pl. 6.
Fig. 8.

* c.

en recourbant ses anneaux posterieurs, & en les retirant vers la tête, jusqu'à ce que le dernier de tous soit parvenu à l'endroit où la fente lui permet de s'élever. La partie posterieure étant ainsi degagée, la chenille l'allonge, & la laisse retomber à son tour sur la dépouille.

Toute laborieuse qu'est cette operation, elle est finie en moins d'une minute. Pour la bien voir, il faut s'attacher aux chenilles qui vivent en nombreuses societés, dont il y a quantité d'especes tant dans les jardins que dans les bois. Comme des centaines de ces chenilles changent de peau dans le même jour, il est aisé à l'observateur d'en saisir dans l'instant où le changement se fait ; les dépouilles qui ont été quittées par quelques-unes, l'avertissent que d'autres se disposent à quitter les leurs.

Celles qui sont couvertes d'une nouvelle peau sont très-reconnoissables ; leurs couleurs sont plus fraîches & plus belles. Quelquefois ce n'est pas seulement par la vivacité & le degré de nuance que les couleurs, qu'elles ont sur leur nouvelle peau, different de celles qu'elles avoient sur l'ancienne ; ç'en sont de tout-à-fait differentes. Celles qui sont d'especes à être veluës, sont alors chargées de poils, comme elles l'étoient auparavant, quoiqu'il ne paroisse pas en manquer un à la dépouille. Où étoient logés les poils dont une chenille est herissée, avant qu'elle se dépouillât! Ceux de la dépouille ne sont-ils que des tuyaux creux dans lesquels les autres étoient contenus! ce seroient des étuis bien délicats. Mais la nature travaille aussi en petit qu'elle le veut, ou qu'elle en a besoin : il y a des parties aussi deliées que des poils dans divers insectes, & dans les chenilles même qui se dépouillent ; les ongles de leurs pieds sont aussi déliés que des cheveux, les fourreaux dans lesquels ils étoient contenus restent cependant sur la dépouille. J'ai neantmoins douté si les poils qui paroissent fur les chenilles qui viennent de fe dépouiller, avoient été logés dans ceux qui reftent fur les dépouilles: mon doute a augmenté, lorfque j'ai eu remarqué qu'une chenille, qui venoit de changer de peau, étoit quelquefois couverte de poils confiderablement plus grands que ceux qui étoient reftés attachés à fa vieille peau. L'éclairciffement de ce fait m'a paru curieux, & même important, parce qu'il pourroit nous fournir des lumieres pour expliquer comment il fe peut faire qu'une chenille laiffe une dépouille complette, comment cette dépouille peut être détachée de toutes les parties aufquelles elle étoit adherente.

Rien n'étoit plus facile que de s'affûrer fi les poils dont la nouvelle peau de la chenille eft chargée, étoient ci-devant contenus dans ceux de la peau qu'elle a quittée; nous avons des fignes, dont nous avons parlé, qui apprennent le temps où une chenille eft près de fe défaire de fon ancienne peau. Un jour, & quelquefois deux jours avant que des chenilles quittaffent la leur, je leur coupois une partie de leurs plus grands poils. Je coupois aux unes ceux qui étoient proche de la tête, aux autres ceux qui étoient proche du derriere; aux unes je les coupois d'un côté, aux autres de l'autre côté; à d'autres je les coupois des deux côtés, & toûjours avois-je attention de les couper très-près de la peau. Les chenilles que j'ai ainfi tonduës, en entier ou en partie, fe font dépouillées comme les autres, & dans le même temps; & ce qui donne l'éclairciffement que nous cherchons, elles ont été couvertes d'autant de poils, & de poils auffi longs. Les endroits qui répondoient à ceux où j'en avois coupé, n'en avoient ni moins, ni de moins longs, que ceux qui répondoient aux endroits où je n'avois pas porté les cizeaux.

Les poils qui paroiffent fur une chenille qui s'eft

nouvellement dépouillée, n'étoient donc pas logés dans les poils de la dépouille qu'elle a laissée: d'où il suit, qu'ils étoient apparemment placés, & couchés entre la vieille & la nouvelle peau. Le changement de peau, au moins celui des chenilles veluës, qui sembloit le plus difficile à concevoir, devient alors aisé à expliquer; il n'est pas plus difficile à imaginer que le changement de dents qui se fait dans les enfants. Une dent plus petite, & plus enfoncée dans l'alveole, croît au-dessous de celle qui occupe la partie superieure de leur alveole commun; elle la pousse en haut; en tâchant de s'étendre, elle la force à lui ceder la place. Les oiseaux muent, ils changent de plumes tous les ans, parce que de jeunes plumes croissent au-dessous des anciennes. Concevons de même, qu'au-dessous de la peau d'une chenille, qu'au-dessous de la nouvelle peau qui vient de paroître au jour, il y en a une autre plus tendre, mais semblablement organisée, dans laquelle les embrions, les germes d'une infinité de poils sont implantés. Concevons, que cette seconde membrane, ou cet amas de membranes, va s'épaissir, & se fortifier; que les germes des poils qu'elle renferme, vont se développer, croître, tendre à sortir hors de cette membrane : ils agiront contre la membrane superieure, ils tendront à l'écarter, à se faire une place entr'elle, & celle d'où ils tirent leur origine. L'obstacle qui s'oppose à leur élevation perpendiculaire, les contraindra à se coucher; c'est entre les deux peaux qu'ils croîtront, & ils ne sçauroient ni grossir ni s'étendre, sans les écarter de plus en plus l'une de l'autre; insensiblement elles seront séparées par une espece de petit matelas de poils. Les vaisseaux par lesquels ces deux membranes se communiquoient, seront tiraillés, peut-être même rompus; enfin ils ne porteront plus à la peau superieure les sucs nécessaires pour la nourrir, & dès-là elle doit se deſſecher, au moins à ſa partie exterieure; je dis, à ſa partie exterieure, parce qu'il s'épanche une liqueur entre la ſurface interieure de l'ancienne peau, & la ſurface ſuperieure de la nouvelle, qui aide encore à les ſéparer; ſoit que cette liqueur ſoit fournie par des vaiſſeaux briſés, ſoit qu'elle le ſoit par ce qui auroit dû s'échaper par une tranſpiration que la peau exterieure ne permet plus; ſoit enfin qu'elle ſoit fournie par l'une & par l'autre voye, car dans l'inſtant où les chenilles paroiſſent avec une nouvelle peau, cette peau eſt ordinairement toute humide, & comme mouillée.

Dans ces premiers inſtants, les poils qui ſeront droits par la ſuite ſont ſouvent recourbés en arc ou en crochets, ce ſont encore des reſtes du pli qu'ils ont pris dans la ſituation forcée où ils ont crû.

Les poils des quadrupedes ſe renouvellent au moins une fois chaque année; les vieux poils tombent, de nouveaux reprennent leur place; il en arrive de même aux plumes des oiſeaux. Mais c'eſt peu à peu que les oiſeaux perdent toutes leurs vieilles plumes, & que les quadrupedes quittent leurs anciens poils, au lieu que nos inſectes quittent tous les vieux poils dans un inſtant, parce qu'ils ſe défont en même-temps de toutes les parties d'où ils tirent leur origine. Les nouveaux poils des quadrupedes, & les plumes des oiſeaux, percent l'épiderme, après avoir commencé à paroître au jour, ils croiſſent inſenſiblement, peu à peu ils s'élevent au-deſſus de la peau. L'accroiſſement des poils de nos inſectes ſe fait au contraire tout entier entre deux membranes; quand ils paroiſſent au jour, ils ont acquis toute leur grandeur, & dès-lors ils ceſſent de croître. Si on veut comparer l'accroiſſement des poils qui s'élevent ſur la peau des plus grands animaux, à celui des plantes qui s'élevent au-deſſus de la ſurface de la terre, il faudra comparer les poils de nos chenilles à ces plantes,

qui

qui prennent leur entier accroiſſement au milieu de la terre
même, comme ſont les truffes, & comme ſont ces ſingulieres plantes tubereuſes, qui, ſelon les curieuſes obſervations de M. Duhamel, font périr les oignons de ſafran,
& ceux de quelques autres plantes.

Nous devons donc concevoir qu'une chenille, qui a à
changer de dépouille quatre ou cinq fois dans ſa vie, a
quatre à cinq peaux les unes au-deſſus des autres, dans
chacune deſquelles des germes de poils ſont pour ainſi
dire ſemés; que les peaux les plus interieures ſont les plus
éloignées de leur terme d'accroiſſement, & qu'elles contiennent des poils dont le développement eſt moins avancé;
que chacune de ces peaux, à meſure qu'elle ſe fortifie, &
qu'elle s'épaiſſit, doit, avec le ſecours des poils qu'elle
nourrit, ſe détacher de la peau qui la couvre.

Le changement de peau ne paroîtra ni auſſi aiſé à faire,
ni auſſi aiſé à expliquer dans les chenilles raſes; il y a pourtant grande apparence que c'eſt par la même mécanique
que ſe détachent les dépouilles de toutes les chenilles, &
même celles de tous les autres inſectes. Pluſieurs eſpeces
de chenilles, qui à la vûë ſimple paroiſſent ſans poils, en
font voir lorſqu'on les obſerve à la loupe; d'autres n'ont
qu'un duvet que le microſcope ſeul peut découvrir; les
yeux, ſoit ſeuls, ſoit aidés d'un verre convenable, en ap-
perçoivent ſur les parties écailleuſes, ſur les jambes, ſur le
crane, en un mot ſur des parties où on n'en ſoupçonneroit
pas. Nous avons parlé de chenilles dont la peau eſt comme
chagrinée par une infinité de petites éminences qui ont la
dureté des os. La peau de toutes eſt remplie de mamelons,
& des mamelons charnus peuvent produire dans les unes
l'effet que produiſent les poils, ou de petits grains durs dans
d'autres. Differentes peaux arrangées par lits, comme le
ſont les pierres feuilletées dans les carrieres, peuvent être

Tome I.   . A a

unies les unes aux autres, s'entrecommuniquer en divers
endroits, quoiqu'il y en ait beaucoup plus d'autres où elles
ne font que se toucher; je veux dire qu'il y a un grand
nombre d'endroits où des vaisseaux passent de la membrane inferieure à la superieure, qui en font la liaison; mais
qu'entre ces endroits où il y a des liaisons, il peut y avoir sur
chacune des membranes une infinité de petits mamelons
qui touchent ceux de l'autre, sans avoir de communication
avec eux. Faisons croître considerablement les mamelons
de la surface superieure de la seconde membrane, l'accroi-
sement de ces mamelons produira un effet pareil à celui
que nous avons vû produit par l'accroissement des poils;
il gênera les vaisseaux qui portent le suc nourricier à la
peau superieure, elle se dessechera, & peu à peu elle se
détachera de l'autre. D'ailleurs il y a des chenilles entre
les peaux desquelles il se fait de plus grands épanchements
de liqueur qu'entre celles des autres, & ces épanchements
de liqueur n'aident pas peu à séparer l'ancienne peau de
celle qui doit paroître en sa place.

Il a été suffisamment prouvé, que les poils qui doivent
paroître avec la nouvelle peau, croissent entr'elle & l'ancienne; mais il reste à sçavoir comment ils y sont arrangés.
Il est assés difficile de concevoir comment ceux des chenilles extrêmement veluës, peuvent trouver place entre
deux peaux minces, sans qu'elles nous paroissent sensiblement séparées l'une de l'autre. Nous avons parlé dans
le Memoire précedent de ces chenilles * qui portent sur
les côtés & près de la tête de jolies aigrettes, longues & assés
touffuës, composées de poils faits en véritables plumes.
J'ai coupé les aigrettes de la tête à plusieurs de ces chenilles qui vivent sur le prunier-sauvage; elles se sont dépouillées, & ont paru avec de nouvelles aigrettes, très-
belles & très-complettes. En emportant les anciennes, je

* Pl. 19.
Fig. 4. & 5.

n'avois rien emporté à celles-ci; les nouvelles, avant de paroître au jour, étoient donc posées & pliées entre l'ancien crane & celui qui en a pris la place, ou aux environs: avec quelqu'art qu'elles y fuffent arrangées, elles devoient faire des paquets confiderables par rapport à la grandeur des parties entre lefquelles elles étoient contenuës. Les paquets de poils de quantité d'autres chenilles qui font entre les deux peaux & entre les deux cranes, font auffi très-confiderables; on réuffit mieux à voir tous ces paquets de poils, & leur arrangement, qu'on ne l'efpereroit. Pour y parvenir, je remis à un jeune Medecin *, dont la dexterité à diffequer furpaffe la mienne, quantité de chenilles que j'avois jugées prêtes à quitter leur dépouille, pour qu'il la leur enlevât avant qu'elles-mêmes fuffent parvenuës à la forcer de s'entrouvrir. Les chenilles que je lui remis, étoient de grandeur médiocre, fçavoir, de cette efpece qui fait tant de ravages, foit dans les jardins, foit dans les campagnes, & que nous avons nommée la *commune* *. Avec un peu de patience il réuffiffoit à en dépouiller autant que je voulois. La vieille peau étant ainfi emportée fans que l'infecte fe donnât les mouvements qu'il a coûtume de fe donner lorfqu'il s'en défait, & avant que la nouvelle peau fût pour ainfi dire à terme, les poils paroiffoient arrangés fur celle-ci précifement comme ils le font lorfqu'elle eft recouverte par l'autre.

* Pl. 6.
Fig. 2. & 10.

Pour bien faire entendre quel eft leur arrangement entre les deux peaux de cette efpece de chenille, & faire concevoir en même-temps quel il eft entre les peaux de celles de toutes les autres efpeces, nous fommes obligés de rappeller la maniere dont les poils font difpofés fur le corps de la chenille à laquelle nous nous fommes fixés; c'eft même pour en donner une idée plus nette,

* M. Baron à prefent Medecin à Luçon.

A a ij

* Pl. 6.
Fig. 1.

* Fig. 3.

* e.

* a.

* Fig. 4.
& 6.

* Fig. 9.

* Fig. 9.
a, b, g.

* Fig. 9.
e, c, h.

* Fig. 9.
m, n, k, l.

que nous avons fait repréfenter fa figure très en grand *.
Chacun de fes anneaux eft chargé de huit touffes de poils,
de quatre de chaque côté *, difpofées les unes au-deffus
des autres, de façon que la plus élevée * eft un peu au-
deffous du milieu du dos, & que la plus baffe eft au-deffus
de l'origine des jambes *. Les poils des houppes les plus
proches de la tête, & ceux des houppes les plus proches
du derriere, font communement les plus grands de tous.
Tous ceux d'une même houppe partent d'une efpece de
tubercule *, & s'élevent, ou defcendent fuivant differentes
directions qu'il ne nous importe pas de confiderer actuellement. Ce que nous avons à obferver, ce font celles felon
lefquelles ils font couchés avant que de paroître au jour.
Tous ceux d'un même tubercule, d'une même aigrette,
font réunis dans un même paquet, qui, à fon origine, a
pour largeur le diametre du tubercule, & qui allant toujours en diminuant, fe termine en pointe *: mais celui-ci
ne fait que la moitié d'un autre paquet : les paquets qui partent de deux houppes pofées l'une au-deffus de l'autre, fe
réuniffent pour n'en compofer qu'un ; c'eft-à-dire, que le
paquet de poils du fecond tubercule d'un anneau, fe
réunit avec le paquet de poils du premier tubercule, ou
du tubercule inferieur du même anneau *; & le paquet
du troifieme tubercule fe réunit avec celui du quatrieme,
ou du fuperieur. Ces doubles paquets ont differentes directions ; les inferieurs prennent leur route en bas, vers
le ventre, & les autres vers le deffus du dos *!

Il y a encore d'autres differences de direction à obferver dans ces paquets compofés ; ceux qui montent,
montent obliquement, & c'eft obliquement que les autres
defcendent. Ceux qui font fur les trois premiers anneaux,
foit en montant, foit en defcendant, fe dirigent vers la
tête *, & ceux de tous les autres anneaux fe dirigent vers
le derriere. Deux, qui partent du haut du premier anneau,

prennent leur route fur le crane, ils fe rendent en partie
dans cette efpece de goutiere qui femble partager la tête en
deux hemifpheres, & vers le milieu du devant de la tête;
les fils d'un paquet compofé croifent là ceux de l'autre
paquet, ils font là une efpece d'X *, ils vont jufqu'à fon   * Fig. 9. X.
bord inferieur, & même fe replient au-deffous de la tête,
fi leur longueur le demande. Les paquets compofés qui
partent du rang inferieur du même premier anneau, prennent leur route de façon, qu'ils entourent le contour du
devant de la tête *.   * Fig. 9. Y,
                                                              Y, Y.
Les paquets compofés, qui ont leur origine fur le dernier
des anneaux, fe rendent tous deux fur le derriere, comme
ceux dont nous venons de parler fe rendent fur la tête; là
ils fe croifent auffi, ils fe replient vers le deffous du ventre,
& chacun va s'appliquer contre la partie interieure d'une
des dernieres jambes, fçavoir, de celle qui eft du côté oppofé
à celui d'où il tire fon origine *. Ainfi la tête, le derriere, &   * Fig. 9.
le refte du corps de la chenille, font comme enveloppés en   Z, Z, V.
grande partie par differentes bandelettes de foye, qui feparent l'ancien crane du nouveau, & l'ancienne peau de la
nouvelle.

Une obfervation qui ne doit pas être oubliée fur l'état
d'une chenille qui vient elle-même de fe dépouiller, c'eft
qu'il femble s'y être fait un accroiffement bien confiderable & bien fubit, & cela, après la circonftance finguliere
d'une affés longue diette. Qu'on confidere des chenilles
de même efpece, qui fe difpofent à muer, qu'on compare enfuite celles qui ont mué avec celles qui ont encore
leur vieille peau, celles qui ont mué paroîtront confiderablement plus grandes que les autres. Il eft vrai que les
chenilles veluës ont fouvent, après cette operation, un
vêtement plus fourni de poils, & de plus grands poils;
mais fi on compare la longueur de leur corps & fa veri-

table groffeur avec la groffeur & la longueur de celui des
autres, on ne craindra pas que les poils en ayent impofé.
Mais ce qui eft le moins équivoque alors, c'eft l'augmentation de la groffeur de la tête ou du crane. M. Malpighi affûre que le vieux crane qu'un ver à foye a laiffé,
n'eft quelquefois que le tiers ou le quart de fon nouveau
crane. Le même M. Malpighi, ayant ouvert un ver à foye
prêt à muer, a trouvé fon nouveau crane vers le premier
anneau, c'eft-à-dire, affés éloigné de l'ancien. Je ne crois
pas pourtant qu'on doive conclure de cette obfervation
que ce crane a crû, ou, comme parle ce célebre auteur,
qu'il a été formé à quelque diftance de l'autre. Tout ce
qu'on en pourroit conclure, c'eft que le nouveau crane
qui ne pouvoit pas être contenu en entier fous l'ancien,
qui lui formoit une boîte trop étroite, s'eft allongé, qu'il a
pris une figure oblongue, & qu'il s'eft étendu au-deffous
du premier anneau de la vieille peau. Ce que dit auffi cet
illuftre auteur de la formation du nouveau crane, ne doit
fans doute être entendu que d'un accroiffement pendant
lequel des parties molles & tendres font parvenues à acquerir une confiftence femblable à celle de la corne ou
de l'écaille. Dans les autres chenilles, comme dans le ver
à foye, qu'on diffeque feulement quelques heures avant
qu'elles doivent fe dépouiller, on trouve, à la verité, le nouveau crane logé vers le premier anneau, mais on ne trouve
pas là ce crane, fi on diffeque la chenille un peu plûtôt.
On n'imaginera pas que, dans quelques heures il ait pû
s'y former avec toutes les parties qu'il contient; il fe forme,
ou plûtôt il croît veritablement fous l'ancien, & fi on
s'y prend à propos pour enlever celui-ci, on parvient à
trouver l'autre au-deffous. Il eft vrai que fi on tente cette
operation un peu trop tôt, le jeune crane eft fi mol &
fi tendre, qu'il eft impoffible de le découvrir fans altérer

fa forme, fans le percer ou brifer quelque part. Mais il
eft à remarquer que fi on commence à diffequer le vieux
crane vers fa pointe, c'eft-à-dire, peu au-deffus de la
bouche, & que fi on fait un peu penetrer l'inftrument,
foit à deffein, foit faute d'adreffe, auffi-tôt on occafionne
un épanchement de liqueur, & cela, dans la circonftance
même où le nouveau crane fe trouve déja avancé fous
le premier anneau. Dans ce temps, une partie de la tête
s'étend donc encore jufqu'au bout de l'ancien crane. Que
faut-il conclure de là! c'eft, comme nous l'avons dit ci-
deffus, que le nouveau crane, à caufe de fon grand accroiffement, prend une forme oblongue, & s'étend jufques fous cette partie de la vieille peau qui recouvre la
premiere articulation.

Ce que j'ai foupçonné ailleurs par rapport aux écre-
viffes *, pourroit bien être vrai dans tous les animaux qui
quittent des dépouilles complettes; peut-être eft-il vrai
generalement que leur accroiffement, ou au moins leur
plus confiderable accroiffement, ne fe fait que dans le
temps qu'ils muent, ou pendant un temps affés court
après la mue. Ils ne font obligés de quitter leur enveloppe, que parce qu'elle ne prend pas un accroiffement
proportionné à celui que prennent les parties qu'elle
couvre. Il y a apparence que peu après que ces enveloppes
paffageres ont été expofées à l'air, elles ceffent de s'é-
tendre. Les parties qui croiffent deffous fe trouvent trop
comprimées, leur effort pour s'étendre peut même être
une des caufes qui empêche cette enveloppe de fe nourrir;
quand enfin il s'y eft fait un certain dérangement, quand
elle s'eft deffechée, & que l'infecte eft parvenu à s'en
défaire, il eft permis aux parties qu'elle gênoit de paroître
avec le volume que leur reffort tend à leur faire occuper.
C'eft ce qui eft remarquable dans le nouveau crane d'une

chenille qui eſt très-ſenſiblement plus gros que celui ſous lequel il a crû.

Les chenilles continuent encore de faire diette environ un jour entier après avoir mué; leurs parties nouvelle- ment expoſées à l'air, ont beſoin de quelque repos pour s'affermir: ſoit que les dents qu'elles ont alors ſoient réel- lement de nouvelles dents, ſoit qu'elles ſoient ſeulement ſorties des anciens fourreaux, elles ſeroient encore trop molles dans les premieres heures qui ſuivent la mue, pour hacher des feuilles.

Les poils des chenilles n'ont pas toûjours des formes auſſi ſimples que celles ſous leſquelles ils paroiſſent à nos yeux; ils nous ſemblent des corps unis, & liſſes, tels que des cheveux courts & fins. Si on les obſerve avec un mi- croſcope qui groſſiſſe beaucoup, on a pourtant peine à trouver de ces poils liſſes. Ceux qui le ſont ſe terminent * Pl. 6. comme une épingle, par une eſpece de pointe *. Les Fig. 11. autres paroiſſent une tige arrondie & applatie, je veux dire, qui a plus de diametre dans un ſens que dans l'autre. De differents endroits de cette tige ſortent de petits corps qui la font reſſembler à une tige d'arbre ou de plante. Ces petits corps, qui ſe trouvent ſur la tige des poils des che- nilles de differentes eſpeces, different ſur-tout par les proportions de leur longueur à leur groſſeur, & par la maniere dont ils ſont diſtribués. Quelques-uns ſont ſi fins, que le microſcope ne les fait paroître eux-mêmes que comme des poils; & entre ceux qui partent de diffe- rentes tiges, il y en a de differentes groſſeurs. D'autres plus * Pl. 6. gros * paroiſſent de veritables épines, dont la pointe ſe Fig. 12, 13, dirige du même côté que celle de la tige. Il y a telle tige 14, 15, & de chaque côté de laquelle il part à même hauteur une 16. épine, comme partent les feuilles qui ſont rangées par * Fig. 13. épine, comme partent les feuilles qui ſont rangées par * Fig. 12. paires ſur les tiges de certaines plantes. Sur d'autres tiges les

les épines, les picquants font diftribués alternativement fur differents endroits des deux côtés, c'eft-à-dire, que l'origine d'un de ces picquants n'eft pas vis-à-vis celle de l'autre. Il y a des poils où ces picquants font affés éloignés les uns des autres. Il y en a où ils font très-proches les uns des autres. Ces picquants fur d'autres poils, ne paroif-fent que comme les boutons, les yeux des branches des arbres à fruits. Enfin il y a des poils extremement barbus, qui font chacun une tige chargée de poils déliés, & auffi preffés les uns contre les autres, que le font les barbes d'une tige de plume.

Quelques chenilles portent en certains temps des poils d'une figure très-differente de celles de tous les poils dont nous venons de parler. C'eft une tige de groffeur à peu-près égale dans toute fa longueur, qui fe termine par une tête, une efpece de bouton, qui a la figure d'une olive *. Mais nous ne nous arrêterons pas davantage à faire con-noître les poils des chenilles; lorfque nous en trouverons d'une ftructure particuliere, nous les ferons reprefenter avec la chenille à qui ils font propres.

* Pl. 6.
Fig. 18.

EXPLICATION DES FIGURES
DU QUATRIEME MEMOIRE.

PLANCHE VI.

LA Figure 1, reprefente en grand la chenille qui eft de grandeur naturelle dans les Fig. 2 & 10. & cela pour faire mieux voir l'arrangement de fes aigrettes, ou houpes de poils, & pour rendre plus fenfibles deux mamelons char-nus *M, M,* qui n'ont point de poils, & qui, au lieu qu'ils ont ici une figure pyramidale, font quelquefois faits en petits entonnoirs.

Tome I.

Bb

La Figure 2, est celle de la chenille que nous avons nommée la *commune*.

La Figure 3, est celle de la moitié d'un des anneaux de la chenille des Fig. 1. & 2. encore plus grossi que ceux de la Fig. 1.

p, le pied, armé de ses crochets.

i, la jambe.

a, la premiere des aigrettes, ou houpes de poils.

b, la seconde aigrette.

c, d, la troisiéme aigrette, dont la partie *d*, est composée de poils courts couchés sur la peau, à la maniere des écailles.

La Figure 4, est celle de l'aigrette marquée *e*, Fig. 3.

La Figure 5, est celle de l'aigrette *c, d*, de la Fig. 3. dont une partie de la base est chargée de longs poils, *c c*. L'autre partie de cette base a des especes de touffes plattes, *d, d, d*, formées par des poils blancs fort courts. Ce sont comme autant de petites écailles ou feuilles de poils.

La Figure 6, est celle de l'aigrette *a*, de la Fig. 3. Sur le tubercule qui sert de base à cette aigrette, & à toutes les autres, on peut voir dans les intervalles qui sont entre les poils, des points qui semblent de petits trous d'où des poils ont été arrachés. Le tubercule semble percé comme un arrosoir.

La Figure 7, est une jambe vûë de face. *i*, la jambe. *p*, le pied.

La Figure 8, represente une chenille qui s'est déja tirée en grande partie de sa dépouille. La partie *t f*, du corps est découverte. La tête *t*, est posée sur le vieux crane d'où elle vient de sortir. La partie *q*, de la dépouille est vuidé, la chenille n'a plus qu'à achever de tirer sa partie posterieure du fourreau, pour la faire sortir par la fente poussée jusqu'en *f*.

La Figure 9, est celle de la chenille de la Figure 1.ʳᵉ à qui on a enlevé la peau qu'elle devoit bientôt quitter, & cela, pour faire voir comment les poils, qui devoient paroître dans la suite, étoient arrangés sous cette peau.

a, b, montrent deux aigrettes, telles que celles qui ont les mêmes lettres, Figure 3. Les poils de chacune sont réunis dans un paquet, & ces deux paquets se réunissent en un autre paquet dont le bout est en *g.*

c, c, h, font voir l'arrangement des poils des deux autres aigrettes du demi-anneau, marquées aussi par les lettres *c, e,* Figure 3. Les poils des aigrettes qui sont depuis *a, c,* jusqu'au derriere *V,* se dirigent tous vers le derriere.

k l, m n, aigrettes dont les poils se dirigent vers la tête.

X, l'endroit de la tête où les poils de deux aigrettes viennent se croiser en forme d'*X.*

Y, Y, Y, touffes de poils qui suivent le contour du crane, & qui s'appliquent dessus.

Z Z, touffes de poils qui viennent se croiser sur le derriere, & qui vont joindre le côté interieur des jambes posterieures.

La Figure 10, represente la chenille de la Fig. 2. dans une attitude qui lui est ordinaire quand elle est près de changer de peau.

La Figure 11, est celle d'un poil uni, representé en grand.

La Figure 12, est celle d'un autre poil vû au microscope, qui paroît celle d'une branche d'arbre ou de plante. Sur la tige du poil on voit des picquants placés alternativement sur l'un & sur l'autre côté de cette tige, comme le sont les feuilles de certaines plantes.

La Figure 13, est celle d'un autre poil, où les especes

de picquants, ou d'épines, partent des côtés oppofés vis-à-vis l'un de l'autre, comme il arrive aux feuilles de plufieurs plantes. Les poils des Figures 12 & 13, font ceux d'une chenille *lievre*, qui eft très-noire, & qui a la tête rouge.

Les Figures 14, 15 & 16, font celles de poils où les picquants font plus proches les uns des autres que ceux des figures précedentes. Ceux des Figures 15 & 16, ont été pris à la chenille veluë du marronier, & ceux de la Figure 14, à une chenille *lievre* rouffe.

La Figure 17, eft celle d'un poil, chargé lui-même de tant de poils, qu'il reffemble à une plume.

La Figure 18, eft celle d'un genre de poils, que quelques chenilles à tubercules ont en certains temps. Ils fe terminent par une efpece de tête ou de bouton, qui a la figure d'une olive.

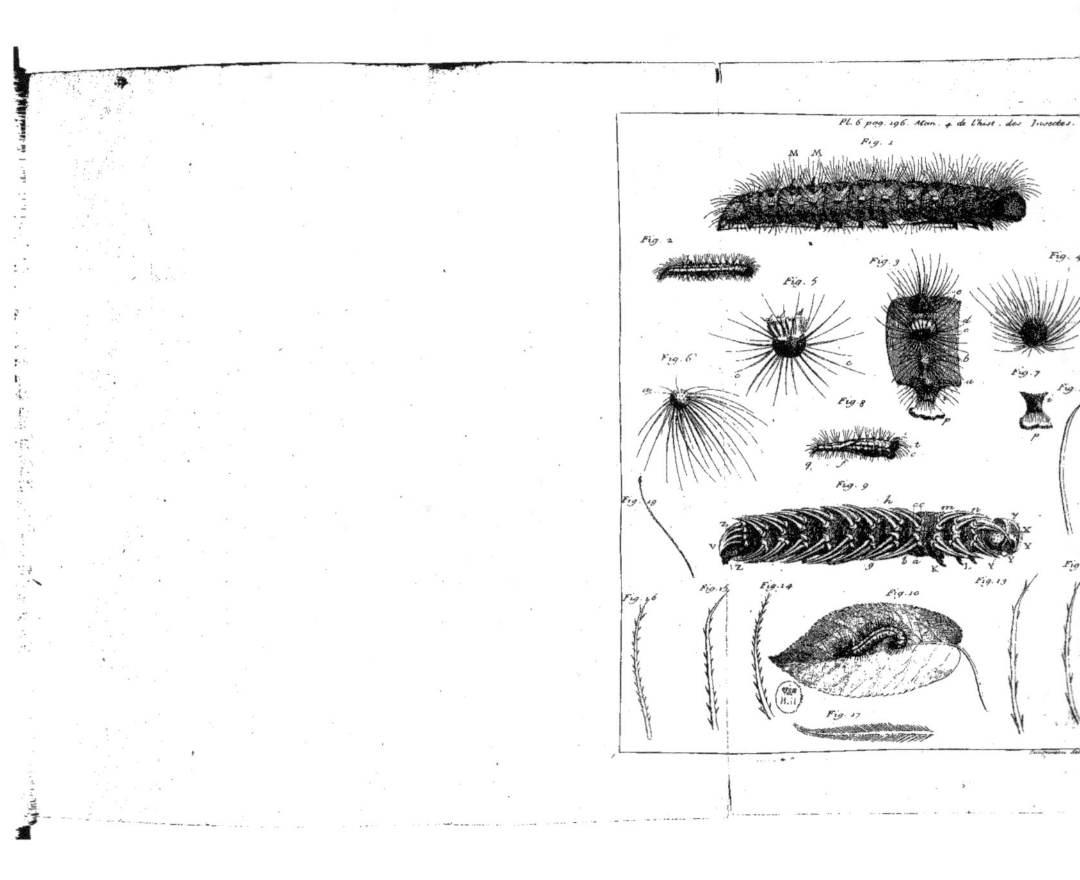

Pl. 6 pag. 196. Mem. 4 de l'hist. des Insectes.
Fig. 1
M M
Fig. 2
Fig. 3
Fig. 4
Fig. 5
Fig. 6
Fig. 7
Fig. 8
Fig. 9
Fig. 10
Fig. 13
Fig. 14
Fig. 15
Fig. 16
Fig. 17
Fig. 18

CINQUIE'ME MEMOIRE.

DES PARTIES EXTERIEURES
DES PAPILLONS,

*Et principalement des aîles, des yeux, des antennes
& des trompes.*

TOus les infectes que nous avons vûs fous la forme
de chenilles qui avoient au plus feize jambes, ou de
chenilles qui en avoient du moins huit, & qui ont été
comprifes dans fept differentes claffes, doivent devenir des
papillons. Sous cette derniere forme ils nous prefentent un
fpectacle plus agreable que fous celle de chenille; pour fe
prêter à confiderer, à manier des papillons, le commun des
hommes n'a pas à vaincre une répugnance qu'il fent à l'af-
pect des chenilles. La vivacité, le grand éclat, & la furpre-
nante varieté de leurs couleurs leur ont fait bien des admi-
rateurs; on veut même que quelques-uns en ayent été touchés au point de fe procurer des aîles de certains papillons,
au moyen de fommes qui auroient été le jufte prix d'affés
beaux diamants. Les diamants, à la verité, n'ont peut-être
pas de beauté plus réelle que celle des aîles d'un papillon,
mais ils en ont une dont on eft plus convenu, & qui eft
plus reçûë dans le commerce. L'admirable mêlange de
tant de belles couleurs n'eft pas pourtant ce qui nous arrêtera le plus dans ce Memoire, nous y examinerons des
beautés d'un autre genre, celles que nous offrent la figure
& la ftructure des parties exterieures qui font propres à
tous les papillons, & de celles qui font particulieres à
quelques-uns.

B b iij

Nous avertirons cependant qu'on feroit fouvent trompé fi on nourriffoit de belles chenilles dans la feule efperance d'en avoir de beaux papillons, car il n'y a rien à conclure des couleurs des chenilles, pour celles des papillons qui en doivent fortir. Celles où le bleu, le jaune, le verd & où d'autres couleurs font agréablement mêlées, donnent fouvent des papillons tout blancs ou tout bruns; des chenilles toutes vertes, & des chenilles toutes brunes, donneront également des papillons bruns ou gris. Il y a au contraire des chenilles brunes qui donnent des papillons parés de très-belles couleurs.

De cent exemples que j'en pourrois rapporter, je me bornerai à un feul. Vers la fin de Septembre, j'ai trouvé fur la ronce des chenilles de la premiere claffe, que j'ai nourries de fes feuilles *. Leur couleur eft un brun de differentes nuances, en quelques endroits de couleur de fuye, car fur le corps de la chenille il y a des taches plus brunes encore que ce qui les environne, qui eft quelquefois jaunâtre; fa peau a un œil velouté. Cette chenille eft de celles qui font remarquables par la conftruction de leurs anneaux. Les fiens ne font pas fimplement des portions de fphere ou de fpheroïde; elle en a cinq, fçavoir, les quatre des jambes intermediaires, & un des premiers dont la partie fuperieure s'éleve au-deffus du dos, en s'inclinant vers la tête, & qui forment chacun une efpece de pyramide à quatre faces, dont celles des côtés font étroites en comparaison des autres *. La premiere de ces pyramides eft fourchue à fon fommet *; fes deux pointes donnent à la chenille deux efpeces de cornes un peu éloignées de la tête. Les premiers jours d'Octobre, chacune de ces chenilles fe fit une legere coque de foye d'un jaune-brun. L'infecte après avoir paffé l'hyver dans cette coque, fous la forme de chrifalide, parut vers le commencement de Juin, fous celle d'un très-joli papillon *, de la claffe de ceux qui volent la nuit. Nous avons dit que cette chenille de la ronce, eft d'un brun couleur de fuye; le fond de la couleur du deffus des aîles de fon papillon eft auffi un brun, mais plus clair, & dans lequel il entre une teinte de vert. Mais ce qui pare ces mêmes aîles, ce font cinq taches, dont les unes font en entier d'un très-beau couleur de rofe nué, & dont les autres n'ont qu'une bordure couleur de rofe qui entoure une tache brune. Ce beau couleur de rofe ainfi diftribué fur un fond d'un brun - verdâtre, produit un très-agréable effet. Ce font les couleurs des aîles qui nous frappent dans les papillons, & les couleurs de leurs aîles ne paroiffent point tant qu'ils font cachés fous la forme de chenille.

* Pl. 7. Fig. 2.

Le caractere generique des papillons eft très-fimple & très-commode pour les faire reconnoître; tous ont quatre aîles, qui different de celles des mouches, & de celles de tous les autres infectes aîlés, en ce qu'elles font couvertes d'une efpece de pouffiere ou de farine, qui s'attache aux doigts qui les touchent. Cette pouffiere les a fait nommer par les naturaliftes des *aîles farineufes*. Les aîles des mouches, & celles de divers autres infectes, font tranfparentes, & femblent une efpece de gaze, au lieu que les aîles des papillons font opaques; mais elles ne doivent leur opacité qu'à la pouffiere qui les couvre; c'eft à cette même pouffiere qu'elles doivent leurs belles couleurs.

Depuis qu'on a fçû faire ufage du microfcope, on fçait que ces pouffieres font dignes de l'attention des Phyficiens, par leurs figures & par leur arrangement; qu'elles ne doivent pas être regardées comme les fragments irréguliers de corps pilés ou broyés: elles font un affemblage de grains de figures régulieres & remarquables. Des aîles de papillons de differentes efpeces, & differents endroits

de la même aîle, ont de ces grains de differentes formes.
On trouve leurs principales varietés representées dans la
plûpart des autheurs qui ont publié des observations faites
au microscope, mais personne n'en a fait graver un aussi
grand nombre de figures, & si en grand, que le P. Bonnani, elles remplissent bien quatre pages de sa Micrographie.

Après avoir vû ces petits grains au microscope, on les
a regardés comme autant de petites plumes, & on leur
en a donné le nom, mais elles ne me paroissent le devoir
qu'aux places qu'elles occupent; celui d'écailles me semble leur être beaucoup plus propre, comme je l'ai dit
ailleurs *, & ce sera aussi celui dont je me servirai le plus
volontiers. Leur structure n'a rien de commun avec celle
des plumes; ce sont de petites lames, de petites palettes,
plus ou moins allongées, qui ont un court pedicule, qui
s'engage dans la substance de l'aîle *. Le bout d'où part le
pedicule est ordinairement arrondi; dans quelques-unes,
le côté qui lui est opposé, celui qui termine l'écaille est
aussi arrondi, & celles-là sont des especes de palettes ovales *. D'autres ont une petite entaille, une petite échancrure, comme celle d'un cœur directement opposée au
pedicule *. Les figures du plus grand nombre de ces écailles
sont plus évasées, quelques-unes ressemblent à la projection
d'une tulipe, à la coupe qui passe tout du long de son
pistile, ou à la coupe, par l'axe, de quelque vase, c'est-à-
dire, que le côté qui les termine est souvent l'endroit où
elles ont plus de largeur. Dans les unes, ce côté est presqu'une ligne droite, dans les autres il est ondé; dans d'autres ce même côté a des dentelures, des découpures,
dans les unes plus, & dans les autres moins profondes.
Le nombre des dentelures varie dans differentes écailles,
plusieurs de celles qui sont profondement découpées

ressemblent

* *Memoires de l'Acad. 1716. pag. 243.*

* Pl. 7. chif. 1, 2, 3, 4, 5, 6, 7, 8, &c.

* 4.

* 5.

reſſemblent en quelque ſorte à une main ouverte *. Les
dents qui occupent les places des doigts finiſſent par des
pointes aiguës; telle écaille en a deux ou trois, d'autres
en ont juſqu'à ſept ou huit. Quelques-unes ſont des lames
triangulaires, dont la baſe, petite par rapport à la longueur
des côtés, eſt découpée avec toutes les variétés dont nous
venons de parler *. Dans pluſieurs, les dents ſemblent ſe
prolonger ſur l'écaille, par-de-là les endroits où elles ſont
ſeparées les unes des autres par des vuides; elles forment
chacune un relief ſur le plein de l'écaille, qui la fait paroître
joliment canelée. Celles qui n'ont pas ces canelures, ont
preſque toutes une arrête qui les partage en deux parties
égales; le pedicule eſt le prolongement de cette arrête.

Il y en a, dont on ne trouve point les figures parmi
celles que le P. Bonnani a fait graver, à qui le nom d'*écailles*
ne convient pas auſſi-bien qu'à toutes celles dont nous
venons de parler. Elles ont une tige ſi longue & ſi deliée,
qu'on les appelleroit des *poils*, ſi on étoit accoutumé à
voir des poils ſe terminer par une lame platte, refenduë,
en un mot, aſſés ſemblable aux écailles que nous avons
décrites ci-deſſus *. Les productions de tout genre ſe rapprochent par nuances inſenſibles, ainſi on ceſſera au moins
de donner le nom d'*écailles* à ceux de ces petits corps
longs dont le bout ne paroît être que la tige refenduë en
deux ou trois parties *.

La ſubſtance des poils, celle des cornes, celle des écailles, celle des plumes ſont aſſés analogues, & ne paroiſſent
pas differer eſſentiellement. La matiere que nous appellons *corne*, eſt peut-être la même qui porte le nom de
plumes ou de *poils*, ſelon qu'elle a été moulée. Nous ne
reconnoiſſons pour plumes que des eſpeces de tuyaux
creux qui ſe terminent par une tige pleine, à qui des filets
barbus, ou des barbes, ſont attachés de part & d'autre.

Tome I.   Cc

* 15, 16, 17, 18.

* 21, 22.

* Pl. 7. chif. 30, 31, 32, &c.

* 33, 34, 35.

Ces barbes manquent aux picquants du porc-épic, à ceux de l'heriffon, & nous ne les appellons pas des *plumes*, c'eſt auſſi ce qui nous doit empêcher d'appeller *plumes*, les lames qui couvrent les aîles des papillons. Cette diſtinction de noms eſt ici d'autant plus neceſſaire, que certaines parties des papillons ſe trouvent couvertes de veritables plumes, d'autres de poils, d'autres de nos écailles, & d'autres d'eſpeces de picquants; & quelquefois les plumes, les écailles, les poils ſimples, les poils refendus & les picquants concourent enſemble à couvrir la même partie.

Si on ſe contente de conſiderer une aîle de papillon avec une loupe foible, ſon tiſſu paroît aſſés ſemblable à celui d'un camelot *; mais ſi on l'obſerve avec une loupe forte, ou encore mieux, avec un microſcope, c'eſt alors qu'on voit avec plaiſir l'arrangement de nos petites écailles, combien les rangs en ſont exactement allignés, qu'ils le ſont comme ceux des écailles des poiſſons, comme ceux des ardoiſes ou des tuiles des toits *. Celles d'un rang ſont un peu en recouvrement ſur celles du rang qui ſuit. L'arrangement de tant de petites écailles, ſi joliment façonnées, eſt aſſûrement un coup d'œil agreable; le deſſus & le deſſous de l'aîle en ſont également remplis. Il n'y a point d'aîles où on ne découvre de ces pouſſieres de pluſieurs figures, mais la plus grande partie de la ſurface, un peu éloignée des bords, n'en a pour l'ordinaire que d'une ſeule eſpece: là on ne voit dans quelques-unes que des écailles, ou palettes ovales; ſur d'autres, on ne voit que de celles qui ſont échancrées en cœur; ſur d'autres, que de celles qui reſſemblent à une main ouverte; enfin ſur d'autres, ce ne ſont que de nos longues lames triangulaires dentelées. D'autres aîles encore plus fournies d'écailles n'en ſont pas plus agreables à voir, les couches

d'écailles, semblables à celles dont nous venons de parler,
sont presque cachées par une forêt d'écailles que nous
pouvons nommer en *poils* *, c'est-à-dire, de celles qui ont   * 33, 34,
une tige longue & déliée, dont le bout porte une petite   35.
palette refenduë, ou qui est elle-même simplement refen-
duë: ces sortes d'aîles semblent veluës *.   * Fig. 11,
                                                                & 12.
Le bout de la plûpart des aîles paroît, même à la vûë
simple, bordé d'une espece de frange; & le microscope
fait voir que cette frange est composée d'écailles qui sont
des lames triangulaires dont la base est fort petite, & qui
a tantôt plus & tantôt moins de dentelures, & refenduës
plus ou moins avant; il y en a même qui ne le sont point
du tout *.   * Fig. 10.
L'aîle elle-même merite bien que nous en disions quel-   *f, f.*
que chose. Pour voir sa structure, il faut la dépouiller des
petites écailles dont elle est couverte. Plusieurs grosses
nervures en font la charpente *; toutes tirent leur origine   * Fig. 9.
de l'endroit où elle est assujettie contre le corps. La plus   *A, O.*
grosse & la plus large suit son bord exterieur, & le fortifie.
Une autre suit le bord interieur. Les autres se dirigent
vers le milieu de l'aîle, elles s'y divisent & s'y ramifient,
comme les fibres des feuilles des plantes, en plusieurs
branches. La substance qui remplit les espaces que les
fibres laissent entr'elles, est d'un genre particulier, du
moins ne sçais-je aucun nom propre à la designer parmi
ceux qui ont été donnés aux substances differentes qui
entrent dans la composition des grands animaux. Elle est
blanche, transparente & friable: elle ne differe peut-être
de celle des grosses nervures, que parce qu'elle est étenduë
en feuille mince, mais la nature des grosses nervures ne
paroît pas elle-même aisée à déterminer. M. Malpighi
semble regarder cette derniere comme osseuse: les nervures de l'aîle font veritablement la fonction d'os, pour

lui donner de la folidité fans la rendre pefante. Si on le coupe tranfverfalement, on voit que ce font des tuyaux creux; mais fi on laiffe les yeux juges de la nature de la fubftance dont ils font faits, on la trouvera moins femblable à une matiere offeufe, qu'à une efpece d'écaille, ou à cette écaille imparfaite dont font faites differentes parties de ces infectes, qu'on nomme *cruftacées*.

Quoi qu'il en foit, les aîles des papillons font par leur conftruction folides & legeres; les milliers, ou plûtôt les millions d'écailles qui les couvrent ne les appefantiffent pas beaucoup, & elles défendent cette matiere, étendue en feuilles minces, qui remplit les efpaces qui font entre les fibres. Dans ces efpaces, ou ces aires renfermées par des fibres, on diftingue très-bien, avec le fecours d'une forte loupe, de petites rides, des efpeces de petits fillons paralleles entr'eux, & qui vont d'une fibre à celle qui lui eft oppofée *. Je ne puis les comparer à rien de plus ref-femblant qu'à ces plis des papiers dans lefquels les épingles font picquées. Dans chacun de ces fillons, on apperçoit de même une fuite de petits points plus obfcurs que le refte, qui font chacun le trou dans lequel le pedicule d'une écaille étoit picqué ou planté avant qu'on l'enlevât de deffus l'aîle. On a beau tâcher de dépouiller entierement l'aîle de fes écailles, il en refte toûjours quelques-unes en place, & celles qui reftent alors ifolées, montrent très-bien comment les autres étoient engagées dans la file des trous vuides.

Avec de grandes aîles & legeres, il eft aifé aux papillons de fe foûtenir pendant long-temps en l'air; ils volent pourtant, pour la plûpart, de mauvaife grace. Leur vol ne fe fait point felon une ligne droite. Quand ils ont à faire en l'air un chemin de quelque longueur, ils montent & defcendent alternativement; & la ligne de leur route eft composée d'une infinité de ziczacs de haut en bas, & de droite à gauche. Sçuſſent-ils mieux voler, arriver à leur terme par un chemin plus court, ils devroient voler comme ils ſont pour courir moins de riſque. Les oiſeaux les cher-chent pour s'en nourrir, ils fondent volontiers ſur ceux qu'ils voyent en l'air. L'irregularité du vol du papillon l'empêche ſouvent d'être la proye de l'oiſeau ; celui-ci dirige ſon vol ſelon une ligne au-deſſus, ou au-deſſous de laquelle ſe trouve le papillon avant que l'oiſeau l'ait atteint. Je vis un jour avec plaiſir un moineau qui pour-ſuivit, en l'air, un papillon pendant plus d'un démi-quart d'heure, ſans venir à bout de le prendre. Le vol de l'oiſeau étoit pourtant conſiderablement plus rapide que celui du papillon, mais le papillon ſe trouvoit ou plus haut, ou plus bas que l'endroit où l'oiſeau arrivoit, & où il avoit crû le joindre.

Nous avons déja dit que toutes ces couleurs ſi vives & ſi variées, qui rendent admirables les aîles de certains papillons, ſont dûës aux pouſſieres, ou petites écailles. Le corps de l'aîle, dans lequel elles ſont implantées, eſt tranſparent, preſque ſans aucune couleur, ou par tout de même couleur ; il eſt comme la terre d'une prairie qui ſe trouve tapiſſée au printemps de tant de differentes fleurs : certains endroits de l'aîle ne ſont remplis que d'écailles du plus beau bleu, d'autres places le ſont d'écailles rouges, d'autres d'écailles jaunes, d'autres d'écailles noires, d'au-tres d'écailles d'un blanc ordinaire, d'autres d'écailles de ce blanc plus beau que celui de l'argent, & qu'on appelle *nacré,* parce qu'il a l'éclat de la nacre de perle, &c. C'eſt aſ-ſûrement une belle parure que le mêlange de tant de vives couleurs, mais la nature apparemment ne cherche pas à parer un papillon préciſement pour le parer, ni préciſe-ment pour le faire briller à nos yeux. Pourquoi des écailles, quoique plantées sur le même terrein, sont-elles de couleurs si differentes? La raison qui nous satisfait en quelque sorte, lorsqu'il s'agit de la varieté des couleurs des fleurs d'une prairie, ne sçauroit nous contenter ici, à moins que nous ne voulussions regarder chaque écaille differemment colorée, comme specifiquement differente des autres. Il est plus vrai-semblable que le suc qui nourrit les écailles qui sont sur certaines portions de l'aîle, n'est pas précisément le même que celui qui nourrit celles qui sont sur d'autres portions; que la constitution intime du papillon exige ces differentes qualités dans les liqueurs qui circulent en certains endroits; elles y sont differemment alterées, ou il s'y fait des secretions differentes. Nous en devons au moins entrevoir l'immensité de ce que nous ignorons dans la composition des machines animales. Ce que nous venons de dire des écailles des aîles, peut être dit également des plumes des oiseaux, & des poils des quadrupedes.

Mais, quittons les aîles, pour passer aux autres parties du papillon; il en a trois principales qui portent & renferment toutes les autres. La tête est la premiere *. Ce que les anatomistes appellent le *tronc* dans les grands animaux, & qui en est, à proprement parler, le corps, nous fournit dans les papillons & dans les insectes aîlés, deux parties distinctes. Il nous a paru commode de nommer l'anterieure, le *corcelet,* c'est celle qui tient à la tête, & que l'analogie pourroit faire regarder comme la poitrine *. Nous laissons simplement le nom de *corps* à la posterieure, qui est la plus longue, & celle dans laquelle les intestins, & les parties de la generation sont contenuës *.

Le corps est composé d'anneaux, dont la partie superieure, au moins, est visiblement écailleuse, ou cartilagineuse. La forme qui naît de l'assemblage de ces anneaux,

* Pl. 8.
Fig. 1. *t, b b.*

* Fig. 1.
d, d, c, c.

* Fig. 1.
c, c, c, &c.

est celle d'une espece d'olive plus ou moins allongée dans differents papillons. Souvent les anneaux sont cachés sous les grands poils, & sous les plumes qu'ils portent ; mais outre tant de poils & tant de plumes, ils sont recouverts d'écailles semblables à celles des aîles. Le contour superieur du bord de chaque anneau , celui sous lequel s'emboîte le bord de l'anneau suivant, est de plus fraisé d'écailles pointuës *, je veux dire, d'écailles differentes de celles que nous avons vûës, en ce que l'endroit où elles sont le plus larges est immediatement audessus de leur pedicule, & que de là elles vont toûjours en diminuant de grosseur, pour se terminer en pointe *. Celles-ci sont analogues aux picquants du porc-epic, mais leur direction est differente, car elles sont paralleles à la longueur du corps.

* Pl. 7.
Fig. 13. *i i i.*

* Pl. 7.
Fig. 37.

Le corcelet * est la partie qui est le plus solidement construite, & celle à qui plus de solidité est necessaire ; elle porte les quatre aîles. Il a à soutenir tous leurs mouvemens, aussi sa charpente est-elle forte; elle est composée de pieces écailleuses, épaisses, & si-bien liées ensemble, qu'elles n'ont aucun jeu.

* Pl. 8.
Fig. *d d, c c.*

C'est aussi le corcelet qui est chargé des jambes du papillon. Ceux de toutes les especes n'en ont que six ; il y en a même qui n'en employent jamais que quatre, soit pour marcher, soit pour se fixer. Les deux premieres de ceux-ci ne sont pas faites pour servir à ces usages; au lieu que les quatre autres * ont un pied qui se termine par des crochets, le pied de celles-ci est couvert de poils qui le rendent assés semblable au bout d'un cordon de palatine de peau *. Ils tiennent souvent ces deux premieres jambes * si appliquées contre leur corps, où de longs poils aident à les cacher, qu'on a peine à s'assûrer qu'ils les ont, jusqu'à ce qu'on leur ait arraché les quatre autres.

* Fig. 4.

* Pl. 7.
Fig. 6. *m,*
* Fig. 3.
g, g.

La tête nous offre des parties que nous ne devons, ni ne pouvons nous dispenser de considerer avec quelque attention. Elle en a deux formées en portions de sphere, qui sortent des deux côtés diametralement opposés *. Leur position, leur forme, le luisant & la consistence de leur enveloppe leur donnent une ressemblance avec les yeux des grands animaux, qui détermine sur le champ à les prendre pour de pareils organes. Les insectes n'ont peut-être aucune partie aussi propre à nous faire voir avec quel prodigieux appareil la nature les a formés, & à nous montrer en general, combien elle a produit de merveilles qui nous échappent. Aussi ceux qui ont employé le plus de temps à étudier les insectes au microscope, comme le P. Bonnani, Hook, Leuwenhoek, Puget, n'ont pas manqué d'observer ces yeux ; ils en ont fait graver de fort belles figures. Ceux des mouches, des scarabés, & de divers autres insectes, ne different en rien d'essentiel de ceux des papillons. Ce que nous dirons des yeux des papillons, sera donc dit pour ceux de presque tous les insectes ; si nous commençons à en parler par ceux des papillons, c'est qu'ils se présentent les premiers dans l'ordre que nous avons choisi.

Ceux des papillons n'ont pas tous précisément la même forme exterieure, tous pourtant sont à peu près une portion de sphere, mais, qui dans quelques-uns, n'en est que la moitié, ou même moins, & qui dans d'autres en est une partie plus considerable. Les uns les ont plus gros, les autres les ont plus petits, par rapport à la grosseur de leur tête. L'enveloppe exterieure des yeux, qui, par sa position & sa consistence, peut être regardée comme la cornée, a une sorte de luisant, qui fait voir souvent des couleurs aussi variées que celles de l'arc-en-ciel. Mais la couleur qui leur sert de base à toutes, est noire dans quelques

papillons,

papillons, brune dans d'autres, grife dans d'autres; dans d'autres ce font diverfes couleurs d'or ou de bronze très-éclatantes, & qui tirent tantôt fur le rouge, tantôt fur le jaune, tantôt fur le verd. Nos yeux feuls reconnoiffent que ces cornées, malgré leur brillant, ne font pas abfolument unies, qu'elles font comme pointillées; mais c'eft lorfqu'on les obferve au microfcope, qu'on découvre leur vraye compofition, & qu'on l'admire. Toute la furface paroît un refeau à mailles régulierement fimetrifées *. Nous ne voulons pourtant pas laiffer imaginer que le milieu de chaque maille eft vuide; tout eft plein; le milieu eft plus relevé que le refte, il paroît avoir de la rondeur; en un mot, le milieu de chaque maille, femble une petite lentille. De forte que la cornée, l'exterieur de l'œil, ne paroît autre chofe qu'un affemblage d'un nombre prodigieux de petites lentilles encadrées dans une matiere pareille à la leur; mais le cadre, ou la maille du refeau, où eft la lentille, eft une figure rectiligne à quatre côtés dans quelques yeux, & à fix dans d'autres. On peut comparer la cornée entiere, à un verre taillé à facettes convexes, & à un prodigieux nombre de facettes; ou enfin, la cornée peut être regardée comme un affemblage d'un nombre étonnant de criftallins. M. Leuwenhoek a calculé qu'il y en avoit environ 3181. fur une cornée d'un fcarabé; qu'il y en a plus de 8000. fur celle d'une mouche; & M. Puget en a compté 17325. fur chaque cornée d'un papillon. M. Malpighi, qui avoit obfervé les differents fegments, qui partagent la cornée des infectes, a regardé chacun de ces petits fegments, comme autant d'yeux; de forte qu'aulieu de deux yeux, que quelques fçavants ont eû peine à accorder aux papillons, nous devons peut-être leur en reconnoître 34650. felon le calcul de M. Puget; car les curieufes obfervations qu'il a faites, jointes à celles de

* Pl. 8.
Fig. 3.

M. Leuwenhoek, confirment tout-à-fait l'idée qu'avoit euë M. Malpighi: elles prouvent incontestablement que les petites éminences dont les cornées sont remplies, sont de vrayes lentilles, de vrais cristallins; & elles semblent montrer de plus, que chacun de ces cristallins est accompagné de tout ce que demande un œil complet.

Leuwenhoek, M. Puget après lui, & l'Abbé Catelan avant l'un & l'autre, ont détaché les cornées de divers insectes, de mouches, de papillons, de scarabés, de sauterelles: ils en ont tiré avec adresse toute la matiere qui y étoit renfermée; ils se sont servi pour cela d'un pinceau fin qu'ils faisoient entrer mouillé dans la cornée. Quand ils en avoient ôté tout ce qui y étoit contenu de plus grossier, ils balayoient sa surface interieure avec le même pinceau mouillé; ainsi peu à peu ils parvenoient à rendre la cornée bien nette; alors elle étoit extrêmement transparente. Ils ont mis & tenu cette cornée au foyer d'un microscope, qu'ils ont dirigé ensuite vers quelqu'objet, de maniere que les rayons qu'il envoyoit à leurs yeux, passoient par cette cornée, & par la lentille du microscope. Il faut lire dans M. Puget même la description du spectacle qu'il se donnoit, & qu'il donnoit à tous ceux qui vouloient avec lui admirer la nature. La cornée pointée vis-à-vis un seul soldat, faisoit voir une armée de Pigmées: pointée vers les arches d'un pont, elle montroit une quantité de rangs d'arches les unes au-dessus des autres, qui surpassoit de beaucoup tout ce qui a jamais été entrepris de plus grand pour la conduite des eaux. La lumiere d'une bougie se multiplioit prodigieusement. Jamais on n'aura de verres à facettes qui multiplient autant les objets, que ces cornées les multiplient; elles les font paroître extrêmement diminués de grandeur, comme il arrive à ceux, qui vûs au travers de verres convexes, se trouvent beaucoup au-delà du foyer de celui qui en eſt le plus proche.

L'exiſtence des lentilles ou criſtallins, dont l'aſſemblage forme la cornée de chaque inſecte, eſt donc bien ſûre. Leuwenhoek croit avoir obſervé ſous chacune de ces cornées un amas de petits corps oblongs, tous ſemblables, chacun deſquels aboutit à un des criſtallins; il les a fait repreſenter ſeparement & en maſſe, tels qu'ils lui ont paru; il les regarde comme autant de nerfs optiques. Il eſt probable qu'ils ne ſont pas ſimplement des nerfs, mais qu'ils contiennent tout ce qui eſt néceſſaire à la compoſition d'un œil. On ne peut pas exiger raiſonnablement, qu'on mette en évidence chacune de ces parties ſi petites, mais il eſt à préſumer qu'elles exiſtent dès que nous trouvons d'autres parties qui le demandent. Il y a par exemple lieu de croire que c'eſt parce que la corroïde ou la membrane qui en tient lieu, eſt de differentes couleurs dans les yeux de differents inſectes, que ces yeux nous paroiſſent differemment colorés.

Quoique nous voyons les objets avec deux yeux, nous ne laiſſons pas de les voir ſimples; & de-là il eſt aiſé de concevoir qu'ils pourroient de même paroître ſimples à des inſectes qui les verroient avec des milliers d'yeux. Il s'en faut pourtant bien qu'ils les voyent à la fois avec tous leurs yeux, la figure convexe de leur cornée ne permet aux rayons, renvoyés par certains objets, de tomber que ſur un petit nombre de leurs criſtallins. Mais à quoi ſervent tant d'yeux aux inſectes! c'eſt, ſans doute, pour les mettre en état de ſe procurer leurs beſoins, & de ſe deffendre contre une partie des dangers auſquels ils ſont expoſés. La rondeur, & l'extrême petiteſſe de ces criſtallins ou lentilles, a fait croire à pluſieurs Phyſiciens, que leurs yeux groſſiſſoient exceſſivement les objets, & qu'ils ne leur repreſentoient diſtinctement que ceux dont ils étoient très-proches; alors ils ne ſembleroient pas leur devoir être d'un grand uſage, ils n'aideroient pas aſſûrément à une abeille à retrouver le chemin de ſa ruche, lorſqu'elle s'en eſt éloignée d'un quart de lieuë, ou d'une demi-lieuë. Mais nous ne connoiſſons pas aſſés la compoſition entiere de chacun de leurs yeux, pour décider s'ils ne leur font pas voir diſtinctement des objets très éloignés, & s'ils ne les leur repreſentent pas même en petit. Au travers d'une cornée d'inſecte placée au foyer d'un microſcope, M. Puget a vû une porte cochere dont il étoit éloigné de plus de trois cens pas, il la voyoit très-nettement. Si on diſpoſe deux loupes ou deux lentilles, de maniere que les foyers ſe rencontrent, on verra des objets éloignés au travers de ces deux lentilles; on les verra très-nets, mais conſiderablement diminués de grandeur, & leur grandeur ſera d'autant plus diminuée, que ces lentilles ſeront des ſpheres, ou des portions de ſpheres d'un plus petit diametre. Nous pouvons imaginer une diſpoſition équivalente dans les liqueurs des yeux des inſectes, ſi elle leur eſt néceſſaire pour voir les objets éloignés.

Il n'eſt point de Phyſiciens qui puiſſent refuſer leur admiration à des corps ſi prodigieuſement organiſés, mais il y en a eu qui ont douté, & même nié, qu'on les dût prendre pour des yeux. Une ſtructure ſi compoſée, ne nous force-t-elle pas cependant à les regarder comme l'organe de quelque ſenſation? Et à quelle ſenſation, dont nous ayons quelqu'idée, ſont néceſſaires des lentilles tranſparentes, des criſtallins, qu'à celle de la vûë! Ce qui a fait naître des doutes, c'eſt que pluſieurs inſectes n'ont pas ſeulement, comme nos papillons, deux de ces demi-globes tranſparents, & taillés à facettes. La nature ne nous

à accordé que deux yeux, on n'a pas crû qu'elle en eût
accordé davantage à de vils animaux, on a pensé que le
surplus eût été inutile, parce que nous avons en tout été
traités au mieux. D'ailleurs ces petits globes sont souvent
placés dans les endroits que nous ne jugerions pas les plus
convenables. Il doit, par exemple, paroître fort étrange,
qu'un insecte porte deux yeux sur le dos: si cependant
ce que nous appellons les *yeux* des papillons, des mouches, des araignées, en sont, le faucheur, qui est un genre d'insectes, qui a beaucoup de rapport avec celui des
araignées, a deux yeux placés comme le seroient ceux
qu'un chameau auroit sur chaque côté de sa bosse; cette
position peut paroître des plus bizares. On demandera à
quoi des yeux sur le dos peuvent être bons au faucheur.
Sommes nous en droit de nier que ce sont des yeux, parce
que nous ne sçavons pas combien ils sont peut-être utiles
à ce petit animal, soit pour n'être pas la proye de ses
ennemis, soit pour se rendre maître des insectes dont il
peut se nourrir.

M. de la Hire a été un de ceux qui n'a pas voulu reconnoître pour des yeux nos masses de cristallins; ayant observé qu'entr'elles deux il y avoit sur la tête des mouches
trois petits corps spheriques, brillants & transparents, disposés en triangle; il crut que c'étoient-là les vrais yeux des
mouches, & qu'elles n'en avoient point d'autres: il s'ima-
gina leur avoir trouvé tous les caracteres des yeux, jusqu'aux
paupieres. M. Puget * a eu raison de penser que quelques
poils singulierement placés par le hazard, pendant une observation que M. de la Hire n'avoit pas repetée, lui en
avoient imposé; en un mot, il lui a nié avec raison, l'éxisten-
ce de ces prétenduës paupieres, on ne connoît point d'yeux
d'insectes aîlés qui en soient pourvûs. Il n'a pas osé nier de
même à M. de la Hire, que les petits corps spheriques

* *Pag. 50.
de son ouvrage
qui a pour
titre,* Obser-
vations sur les
yeux des In-
sectes.

fussent réellement trois yeux; mais il a très-bien remarqué
qu'on en trouve un plus grand nombre sur la tête des
mouches, que celui que M. de la Hire a déterminé; qu'on
ne trouve pas ces petits corps à tous les insectes, comme
M. de la Hire l'a prétendu, que les papillons ne les ont
point. Il a montré pourtant un éloignement à les prendre
pour des yeux, que je n'aurois pas. Il est vrai qu'alors une
mouche s'en trouve furieusement fournie; elle en a deux
gros, dont chacun en contient plusieurs milliers de petits,
& outre cela, elle en a peut-être douze ou quinze médio-
cres, distribués en differents endroits de la tête. La nature
a tant prodigué le travail dans la construction des insectes,
qu'il n'y a pas de quoi nous étonner de cette multiplicité
d'yeux: les araignées en ont autant à peu-près que nous en
voulons faire reconnoître aux mouches; elles en ont de
differentes grosseurs. Il est vrai que les differences entre leurs
yeux ne font pas si considerables qu'elles le seroient entre
les yeux des mêmes mouches, mais le plus ou le moins ne
doit pas ici nous arrêter. Les differentes grosseurs des yeux
dans le même insecte, les differentes places accordées aux
uns & aux autres, ne nous conduisent-elles pas à soupçonner avec quelque vrai-semblance, que la nature a favorisé les insectes d'yeux differemment conformés, d'yeux
propres à differents usages! Qu'elle leur en a donné pour
voir les objets éloignés, & d'autres pour voir les objets
qui sont près d'eux; qu'elle les a pour ainsi dire pourvûs
de telescopes & de microscopes! Quand le même insecte
a des jambes de differentes longueurs, ou des jambes differemment conformées, avant même de l'avoir vû s'en
servir, on peut décider qu'elles ont des fonctions differentes. Dès qu'on voit combien les deux dernieres jambes des sauterelles surpassent les autres en longueur, on
peut hardiment décider qu'elles servent à executer des

mouvements differents de ceux qu'executent les autres ;
aussi font-ce celles dont les sauterelles se servent pour sauter.
Quelques insectes ont les jambes anterieures courtes, &
conformées d'ailleurs autrement que les posterieures, elles
ne sont pas même terminées par un pied ; les papillons
nous ont déja donné occasion de parler de ces especes de
jambes. Leur structure seule nous met en état de juger
qu'elles sont plus propres à agir comme bras que comme
jambes ; & c'est aussi comme bras qu'elles agissent. Nous
voyons à un animal des dents aiguës & tranchantes, & nous
lui en voyons d'autres épaisses & plates, & nous décidons
très-bien que les unes coupent les aliments par morceaux,
& que les autres les broyent. Enfin nous voyons aux mêmes insectes plusieurs globes d'yeux, qui different entr'eux
considerablement en grosseur, & même en figure : n'en
devons-nous pas conclurre que ces globes renferment des
yeux dont les fonctions sont differentes ! Et en quoi peuvent differer celles des yeux, qu'en faisant voir des objets
proches, ou des objets éloignés ; en representant leur
grandeur dans la proportion qu'elle a avec le corps de
l'insecte, ou en representant leur grandeur augmentée ou
diminuée ! L'existence des yeux mêmes est peut-être ce
qui reste ici de moins établi ; cependant, dès que sur quelques endroits de l'enveloppe dure & opaque d'une tête,
on trouve des globes luisants & transparents, n'y a-t-il pas
grande apparence que ce sont des yeux ! Sur-tout quand
on a reconnu que ces globes sont composés de lentilles :
ce ne sont là à la verité que des vrai-semblances, mais ce
sont de grandes vrai-semblances.

Dans quelques insectes, & sur-tout dans quelques especes de papillons, chacun des gros globes, de ceux qui
sont un assemblage de tant de milliers de cristallins, sont

extrêmement chargés de poils * : des poils semblent
placés sur une cornée ; ceux qui ont eu peine à regarder
ces globes comme les organes de la vision, en ont fait
une objection assés forte. Il est vrai aussi que tant de poils
troubleroient absolument la vision, si chaque globe n'étoit
qu'un seul œil ; mais dès que le globe est un paquet d'yeux
posés les uns auprès des autres, alors les poils tiennent
peut-être lieu de paupieres à chaque œil ; ces poils qui
s'élevent perpendiculairement sur le globe, n'empêchent
pas des rayons d'arriver à chaque petit œil ; à chaque cris-
tallin : ils arrêtent pourtant un grand nombre de ceux qui
y arriveroient, mais la constitution foible de ces yeux
exige peut-être que cela soit ainsi.

Au reste, nous parlerons dans la suite de chacun de ces
globes *, comme s'il n'étoit qu'un seul œil ; & quand nous
parlerons des yeux de quelqu'insecte, sans déterminer rien
de plus particulier, ce seront toûjours les gros yeux ou les
gros globes que nous voudrons désigner.

Tous les papillons, & la plûpart des autres insectes ailés
portent sur leur tête deux especes de cornes * differentes
par leur structure de celles des grands animaux ; on leur
a aussi donné un nom particulier, on les a nommées des
antennes. Il y a entr'elles des varietés de forme & de construction que nous nous arrêterons d'autant plus volontiers
à décrire, qu'elles fournissent une partie des caracteres les
plus commodes & les plus sûrs, pour distinguer les principales classes des papillons. En general, les antennes different des cornes, en ce qu'elles sont mobiles sur leur
base, & en ce qu'elles ont d'ailleurs un grand nombre
d'articulations qui leur permettent de se courber, de se
contourner en differents sens, & de s'incliner de differents
côtés. Celles des papillons sont implantées sur le dessus

de la tête, affés proche du bord exterieur de chaque œil; on les peut diviſer en ſix genres notablement differents par leurs formes.

Celles du premier genre, depuis leur origine juſques proche de leur extremité, ont un diametre aſſés égal *, elles y ſont preſque cylindriques; mais elles ſe terminent par une groſſe tête aſſés ſemblable à celles des maſſes d'armes *. Cette tête qui les termine, quoiqu'elle n'ait pas autrement de reſſemblance avec celle d'un clou, a été nommée en latin par les naturaliſtes, *clavus;* & ces ſortes d'antennes ont été appellées *antennæ clavatæ:* je les appellerois plus volontiers des *antennes à maſſes,* ou des *antennes à boutons;* les formes des boutons ſont moins limitées que celles des têtes de clou. Il y a des boutons de figure d'olive, qui eſt auſſi la plus commune des bouts de nos antennes de cette claſſe. Il y en a pourtant dont la tête n'a preſque que la moitié de la longueur de l'olive, je veux dire, qu'elle eſt une olive tronquée, ou qu'elle finit par une ſurface plane & circulaire *.

Il ne faut qu'obſerver la tige & la tête de ces antennes avec une loupe, pour reconnoître qu'elles ſont compo-ſées de parties articulées les unes au bout des autres. On en peut compter communement 11, ou 12, & quelque-fois 14, ou 15. ſur chaque maſſe ou bouton *; & on n'en compte gueres qu'une vingtaine, ou au plus une trentaine ſur la tige *: celles du bouton ne ſont auſſi que des anneaux, au lieu que les differentes parties de la tige ſont aſſés lon-gues pour que le nom de cylindre leur convienne mieux.

Il y a des antennes de ce genre qui, vûës au microſ-cope, paroiſſent chargées de poils, mais il y en a d'autres qui paroiſſent liſſes. Un grand nombre de papillons qu'on voit pendant le jour ſe poſer ſur les fleurs, portent des antennes de ce premier genre.

Tome I. . E e

* Pl. 8.
Fig. 5 & 6.
b, c.
* *a, c.*

* Fig. 6. *a.*

* *a c.*

* *b c.*

* Pl. 8.
Fig. 7 & 8.

* b.

* Fig. 7 &
8. a.

* Pl. 12.
Fig. 5 & 6.

* Pl. 8.
Fig. 9 & 10.

* Pl. 12.
Fig. 15, 16
& 17.
* Fig. 11
& 12.

Les antennes du second genre * font communément plus courtes par rapport à la longueur du corps du papillon, que celles du genre précedent ; mais ce qui fait leur vrai caractere, c'est que depuis leur origine * jusque tout auprès de leur extremité, elles augmentent insensiblement de diametre ; là elles diminuent tout à coup de grosseur, pour se terminer par une pointe qui se trouve à leur partie inferieure, & d'où sort une espece de petite houppe composée de quelques filets *. Le nom d'antennes en *massue* me paroît propre à donner idée de la forme de celles-ci, qui ressemble assés à celle sous laquelle on nous represente la massue d'Hercule.

Si on considere à la loupe une de ces antennes sur la tête du papillon, sa partie superieure paroîtra arrondie en portion de cylindre, mais la partie inferieure paroîtra plus comprimée. On trouve des antennes du genre de celles dont nous voulons donner idée, à des papillons * qui soûtiennent en volant au-dessus des fleurs, qu'on ne voit jamais s'appuyer dessus, & dont les aîles, muës avec vîtesse, font un bourdonnement continuel.

Je mets dans le 3.me genre *, des antennes qui different de celles du genre précedent, en ce qu'elles sont plus larges qu'épaisses, au lieu que les autres sont plus épaisses que larges. Comme les autres, elles augmentent de diametre à mesure qu'elles s'éloignent de leur origine, mais elles cessent plûtôt d'en augmenter ; leur diametre diminue ensuite insensiblement jusqu'à leur extremité qui est une pointe ovale, qui n'a point le bouquet de poils qu'a celle des autres. Ces antennes d'ailleurs sont plus contournées, elles ressemblent assés aux cornes de belier : il y a des papillons * communs dans les prairies, qui portent de ces sortes d'antennes.

Je rassemble dans le quatrieme genre *, des antennes

qui fe terminent par une pointe aiguë *, affés femblable   * *a.*
à celle qui termine les antennes du fecond genre ; mais
elles en different, & de celles des autres genres, en ce
que peu au-deffus de leur origine *, elles prennent fubi-   * *b.*
tement une augmentation de groffeur qu'elles confervent
dans la plus grande partie de l'étenduë, c'eft-à-dire, jufques affés près de leur bout, où elles fe contournent un
peu pour fe terminer par une pointe, qui quelquefois
porte elle-même une autre pointe compofée de plufieurs
filets ou poils extremement déliés. Elles ont d'ailleurs
une ftructure remarquable, leur furface fuperieure eft arrondie, mais le refte de leur contour eft formé par deux
plans femblables & égaux *, qui fe rencontrent immediate-   * Fig. 13.
ment au-deffous de l'antenne. Il entre dans leur compofition, & dans celles des deux genres précedents, un plus
grand nombre de parties articulées les unes au bout des autres, que dans celles du premier genre. Sur les deux furfaces
planes, ou les moins arrondies, de chacun des efpeces d'anneaux de celles du quatrieme genre, le microfcope fait appercevoir deux rangs de poils *; ceux d'un rang partent   * *pr, pr.*
d'auprès d'un des bords de l'anneau, d'un des côtés du plan,
& ceux de l'autre rang partent de l'autre côté; ils fe dirigent
vers le milieu de ce plan, au-deffus duquel ceux des côtés
oppofés fe rencontrent; ils y forment une efpece d'allée couverte, une efpece de berceau pareil à ceux qui font formés
par la rencontre des arbres plantés aux deux côtés d'une
allée. Plufieurs efpeces de très-gros papillons ont de ces
fortes d'antennes; elles font elles-mêmes groffes, mais elles
font courtes par rapport à la longueur du corps: je les ap-
pellerai des *antennes prifmatiques*, parce que la plus grande
partie de leur étenduë eft une efpece de prifme qui a pour
bafe un fecteur de courbe. J'en ai pourtant trouvé qui,   * Fig. 12.
fur une de leurs faces, avoient une canelure *.   *d.*

E e ij

Nous ferons entrer dans le cinquieme genre, toutes les antennes * qui font auffi groffes, ou plus groffes à leur origine * qu'en aucun autre endroit, & qui de là, jufqu'à leur extremité *, vont en diminuant de diametre pour fe terminer en pointe, & même generalement toutes celles qui, près de leur extremité, ne font pas plus groffes qu'ailleurs; nous les appellerons des *antennes à filets coniques & grainés*, parce qu'il eft communement aifé de voir qu'elles font formées d'une fuite de grains difpofés les uns au bout des autres, comme ceux d'un chapelet *. Il y a de ces grains plus ronds, il y en a de plus applatis, il y en a qui reffemblent en quelque forte à des vertebres *. Les antennes de ce genre font celles qu'on trouve à un plus grand nombre d'efpeces de papillons; il y en a de courtes, il y en a de très-longues, par rapport à la longueur du corps.

Mais de toutes les antennes, celles dont la ftructure paroît plus finguliere, ce font celles dont nous formons la fixiéme claffe *; on les nomme affés fouvent, & nous les nommerons toûjours des *antennes en plumes*. Ce nom donne une idée de la difpofition & de l'arrangement de leurs parties; à la vûë fimple, chacune de ces antennes eft compofée d'une tige *, qui depuis fon origine jufqu'à fon extremité, va en diminuant de groffeur; des deux côtés oppofez de cette tige, partent des filets difpofés comme les barbes des plumes, mais moins preffés les uns auprès des autres. Ceux qui font proche de la bafe de la tige *, font courts, ceux qui les fuivent deviennent infenfiblement de plus longs en plus longs; après quoi viennent des filets de plus courts en plus courts, & les plus courts de tous font ceux qui font au bout de la tige *; tous ont un peu d'inclinaifon vers la pointe.

Il faut avoir recours au microfcope pour bien voir la ftructure de ces antennes, il met d'abord en état d'obferver

que la tige eſt compoſée d'un grand nombre de parties articulées les unes auprès des autres *. Il apprend enſuite que   * Fig. 18.
les filets * qui partent de cette tige ſont de vrayes barbes,   g, g.
ſemblables à celles des plumes ; je veux dire qu'il fait voir   * g, c, g, d.
que chacun de ces filets eſt lui même compoſé d'une tige
des deux côtés oppoſés, ou au moins d'un des côtés, de laquelle partent des filets extremement déliés. Dans les differents genres de papillons qui portent de ces ſortes d'antennes, elles ſervent à faire diſtinguer les ſexes, celles des mâles
ſont bien plus belles que celles des femelles ; elles ſont plus
fournies de barbes, & de barbes plus longues, & qui ſe
ſoûtiennent mieux. Le grand & beau papillon paon *, qui   * Pl. 48.
vient d'une groſſe chenille à tubercules du poirier, nous   Fig. 3.
donnera un exemple de cette difference ; de chacune des
parties de la tige de l'antenne de la femelle *, qui eſt renfer-   * Pl. 8.
mée entre deux articulations, il ne part qu'une barbe de   Fig. 17.
chaque côté, au lieu qu'il en part deux du côté de chaque
pareille partie de la tige du papillon mâle * ; de-là il arrive   * Fig. 16.
que les barbes des antennes des papillons femelles ne s'entrelacent pas enſemble, & que ces antennes n'imitent pas
auſſi-bien que les autres la ſtructure des plumes. Les filets
qui partent de la tige des barbes font de part & d'autre un
angle avec cette tige, de façon que chaque barbe a la forme
d'une goutiere renverſée. Les filets d'un des côtés des barbes viennent, dans le papillon mâle, ſe joindre à ceux de la
barbe qui ſuit *, & ceux de l'autre côté ſe joignent avec   * Fig. 18.
ceux de la barbe qui précede. Cette jolie diſpoſition des   f, h.
barbes ne s'obſerve point dans celles du papillon femelle.
Une des barbes du papillon mâle eſt ici alternativement un
peu plus longue que l'autre * ; ſon bout ſemble ſe recour-   * Fig. 16.
ber ſur celui de la plus courte, au moins les filets du bout   k, k.
de la plus longue en viennent-ils mieux s'entrelacer dans
ceux du bout de la plus courte. Les filets de certaines antennes, ou qui paroiſſent tels à la vûë ſimple, obſervés avec

un fort microscope, se trouvent être des touffes de poil.

* Pl. 35.
Fig. 1.

Le papillon mâle d'une grosse chenille veluë *, à poil couchés sur le corps, qui vit sur l'orme & sur la charmille, &c. nous offre encore une singularité dans ses antennes

* Fig. 20.

que nous devons faire remarquer *. Le bout de la tige de

* Fig. 22
& 23.

chaque barbe se termine par une tête arrondie *, de laquelle part un court filet, roide comme une espece d'épine, qui se dirige vers le bout de l'antenne. Les articulations de la tige de cette antenne ne paroissent pas comme celles des autres des cercles paralleles à la base, elles y forment des canelures

* Fig. 20.

obliques, la tige ressemble à une corde *.

Au reste, les antennes de cette sixiéme classe, & celles des cinq autres, sont mobiles sur leur base; les papillons les inclinent & les redressent à leur gré; les uns les tiennent souvent couchées sur leur corps, d'autres les portent souvent élevées & droites, & d'autres les portent tantôt droites

* Pl. 50.
Fig. 10 &
11.

& tantôt couchées. Nous avons des papillons * qui portent leurs antennes à plumes comme les lievres portent leurs oreilles; il semble aussi que ces papillons ayent des oreilles. Outre que l'antenne est mobile sur sa base, sa tige peut se courber plus ou moins, & se contourner en differents sens; le grand nombre d'articulations qui s'y trouvent sont destinées à servir à toutes ces flexions.

Mais nos antennes à plumes sont encore capables d'un mouvement plus remarquable, parce qu'il nous y fait voir bien d'autres organisations que celles des plumes ausquelles nous les avons comparées. Dans ces antennes, toutes les barbes elles-mêmes sont mobiles sur leur base; celles qui sont de part & d'autre, se trouvent quelquefois toutes dans un même plan avec la tige; elles se touchent; plus souvent elles forment avec cette tige une espece de goutiere, & il est libre au papillon de tenir cette goutiere plus ouverte ou plus fermée. Mais il m'a paru que toutes les barbes sont forcées à se mouvoir à la fois, que celles des deux côtés

font obligées en même-temps de s'incliner, ou de se redreſſer par rapport à la tige.

De tout ce que nous venons de voir des principaux
genres d'antennes des papillons, il en réſulte, que ce ſont
des parties compoſées avec art, & très-organiſées. Mais à
quoi ſert tout cet appareil, qui eſt l'ouvrage d'une main
qui ne fait rien d'inutile! Il faut avouer que nous l'ignorons,
car les uſages qu'on a attribués aux antennes, ne répondent
pas aſſûrement au travail qui entre dans leur compoſition.
Quelques-uns ont dit qu'elles étoient faites pour mettre les
yeux à couvert. Des antennes, qui n'ont que la groſſeur
d'un filet à leur origine, c'eſt-à-dire, auprès de l'œil, &
qui vont aſſés loin ſe terminer par une groſſe tête, ne ſont
pas faites pour deffendre l'œil. D'autres les ont employées
à nétoyer, à balayer, pour ainſi dire, les yeux; c'eſt un
uſage bien peu important, & auquel la forme des antennes
les rend peu propres. Les papillons peuvent, quand il
leur plaît, paſſer ſur leurs yeux leurs jambes anterieures,
ou leurs pieds, qui, au moyen des poils dont ils ſont couverts, nétoyent mieux une ſurface dans laquelle il y a une
infinité d'inégalités, que ne le peut un cordon de grains,
qui d'ailleurs eſt dans une place où il eſt difficile de le
faire agir. Ceux qui ont crû que les papillons ſe ſervoient
de leurs antennes, comme l'aveugle ſe ſert d'un bâton;
qu'elles leur annonçoient les corps contre leſquels leur
tête pourroit ſe heurter, ne me paroiſſent pas avoir mieux
imaginé leur véritable uſage, quoiqu'ils en ayent imaginé
un plus utile que les précedents. Il ne faut qu'avoir obſervé un papillon pendant qu'il marche, pour avoir vû
que ſa tête ſeroit ſouvent mal garantie par l'avertiſſement
que donneroient les antennes; ſouvent elle les précede.
Quantité de papillons tiennent alors leurs antennes droites,
il y en a qui les tiennent, même alors, inclinées vers le dos,

elles ne leur ferviroient guéres davantage pendant qu'elles volent; & d'ailleurs, pour un pareil ufage, toutes les varietés de formes que nous avons obfervées ne leur feroient pas fort néceffaires; apparemment pourtant qu'elles leur font utiles. Il n'entre, peut-être, pas plus d'artifice dans la compofition de plufieurs des organes de nos fenfations qu'il en entre dans la compofition de ces antennes. Seroient-elles auffi l'organe de quelque fens à nous connu comme de l'odorat? Plufieurs infectes femblent l'avoir exquis, & on ne fçait pas où en eft l'organe chés eux; mais c'eft fur quoi nous n'oferions même hazarder des conjectures. Si elles étoient les organes de quelque fens qui nous a été refufé, il nous feroit abfolument impoffible de nous faire aucune idée des avantages que les infectes en tirent. Des hommes nés fourds, ne devinent pas que les oreilles font les organes d'un fens dont ils ne fe fçavent pas privés. Après tout, les corps des infectes ne font pas faits fur le modele du nôtre, leurs fenfations auffi pourroient bien n'avoir pas été prifes d'après les nôtres.

Au refte, les tiges des antennes de plufieurs efpeces m'ont paru des tuyaux creux. Il y en a dont l'exterieur femble de la nature de la corne, qui eft même luifant; telles font la plûpart des tiges des antennes à plumes. Il y en a de celles-ci qui font brunes, d'autres qui font noires, d'autres qui font jaunâtres.

J'ai tenu fous l'eau des papillons dont les antennes étoient terminées par des maffes; il eft forti des bulles d'air affés groffes de plufieurs de leurs jointures; peut-être que cette experience nous donnera dans la fuite des vûës fur un des ufages de ces parties. Les boutons de ces efpeces d'antennes font charnus interieurement. Si on comprime ceux de divers papillons, tel qu'eft le papillon blanc d'une chenille du chou, on en fait fortir plufieurs liqueurs, une blanche & tranſparente, enſuite une plus épaiſſe & blancheâtre, & enfin une jaunâtre ; j'ignore pourtant ſi elles ont là une iſſuë naturelle.

Une partie, dont l'uſage nous eſt mieux connu que celui des antennes, c'eſt la trompe avec laquelle pluſieurs eſpeces de papillons ſuccent le ſuc des fleurs : je dis plu-ſieurs eſpeces, parce que tous les papillons n'ont pas une trompe ſenſible ; elle manque, par exemple, à celui du ver à ſoye, & nous devons en avoir regret : s'il en étoit pourvû, nous aurions des obſervations de M. Malpighi ſur les fonctions & la ſtructure d'une partie qui meritoit d'être examinée par des yeux tels que les ſiens. On a dû avoir obſervé, il y a long-temps, que quantité d'autres papillons, ſoit plus grands, ſoit plus petits que celui du ver à ſoye, & de genres differents, n'ont point auſſi de trompe, ou n'en ont pas de ſenſible ; mais on ne paroît pas y avoir fait aſſés d'attention. Il étoit naturel de faire entrer au moins dans les caracteres des claſſes, ou des genres des pa-pillons, que les uns ſont privés, ou ſemblent privés, d'une partie ſi eſſentielle aux autres, qui eſt le premier conduit de leurs aliments. On l'a jugée ſi neceſſaire, que des auteurs l'ont accordée à des papillons qui ne l'ont point.

On la trouve dans l'inſtant à ceux qui en ſont pourvûs ; ſi on obſerve, même à la vûë ſimple, le deſſous de leur tête ; elle eſt préciſément entre les deux yeux *. Quoi-qu'il y en ait de très-longues, toutes y tiennent fort peu de place ; tant que le papillon ne cherche point à prendre de nourriture, ſa trompe eſt roulée en ſpirale, comme le ſont les lames d'acier dont ſont faits les reſſorts des mon-tres, je veux dire, que chaque tour enveloppe celui qui le précede *. Il y en a de courtes qui ne forment gueres qu'un tour & demi, ou deux tours * ; il y en a de grandeur moyenne qui forment trois tours & demi, ou quatre tours ; &

* Pl. 8.
Fig. 24. t.
& Pl. 9. Fig.
11 & 12. t.

* Pl. 9.
Fig. 1.
* Fig. 13.
& 14.

Tome I.   . F f

enfin il y en a de très-longues qui font plus de huit ou dix tours.

Quand elle eft roulée, il n'y a qu'une partie de la circonference de ce rouleau qui s'offre à nos yeux; fes deux bouts, qui font des plans perpendiculaires à la tête, font cachés par des parties aufquelles je ne fçais pas donner de nom bien convenable; elles n'ont pas d'ailleurs, à beaucoup près, la même figure dans tous les papillons. Nous avons dit qu'il y en a de ceux qui portent des antennes en maffes, qui ne fe fervent point de leurs deux premieres jambes pour marcher, la derniere partie de ces jambes eft chargée de poils qui lui donnent une forte de reffemblance avec un cordon de palatine de peau; du deffous, & de la bafe de la tête de plufieurs papillons, partent deux pareils cordons * qui s'élevent chacun en fe courbant, pour fuivre le contour interieur de l'œil, & qui fe réuniffent au-delà de la tête; quelques-uns s'élevent beaucoup au-deffus, & y forment comme le devant d'une efpece de bonnet, ou d'une efpece de mitre; ce qui donne au papillon une forte de coiffure finguliere. C'eft entre ces deux cordons que la trompe eft placée; ils ne laiffent voir que partie de la circonference du rouleau qu'elle forme, ils en cachent les deux bouts, ou, ce qui eft la même chofe, ils empêchent de voir, par les côtés, les differents tours de la fpirale; ils font alors une efpece d'étui à la trompe, je ne connois pas leurs autres ufages; ils font pourtant mobiles, ils la peuvent preffer par les bords. Dans d'autres papillons, ce font deux parties plus larges, mais beaucoup plus courtes, qui couvrent les côtés de la trompe *; ce font deux efpeces de lames, elles fuivent le contour des yeux, & vont peu par-delà; leur contour exterieur eft arrondi en portion de cercle ou de courbe; elles font ordinairement couvertes de poils courts: ce font deux efpeces de cloifons

* Pl. 7.
Fig. 3. *bc, bc.*

* Pl. 8.
Fig. 24. *i l,
i l.*

qui forment la cavité où la trompe est logée; aussi nommons-nous ces deux parties, tantôt les *cloisons barbuës*, & tantôt les *barbes du papillon*. Nous aurons occasion dans la suite de faire observer de ces barbes, ou cloisons barbuës, dont les figures different fort des figures de celles dont nous venons de parler.

Si on est curieux de voir comment les papillons se servent de leur trompe, on n'a qu'à suivre un de ceux qui volent autour de quelque fleur; on le verra se poser dessus, ou tout auprès, pour quelques instants; on observera alors qu'il porte en avant sa trompe entierement ou presqu'entierement déroulée; bientôt après il la redresse au point de lui laisser à peine un peu de courbure; il la dirige en bas, il la fait entrer dans la fleur, il en conduit le bout jusqu'au fond du calice, quelque profond que soit celui que la fleur forme. Qelquefois, un instant après, il l'en retire pour la courber, pour la contourner un peu, & quelquefois même pour lui faire faire quelques tours de spirale. Sur le champ il la redresse pour la plonger une seconde fois dans la même fleur, d'où il la retire comme la premiere fois pour la recourber. Après avoir repeté sept à huit fois le même manege, il vole sur une autre fleur, moins apparemment par l'inconstance que nos poëtes lui reprochent, que parce qu'il ne trouve plus assés aisément, sur la fleur qu'il quitte, le suc qu'il veut recueillir.

On observera des papillons qui semblent encore plus volages *, ils ne s'appuyent même jamais sur une fleur; ils volent aussi continuement, & plus continuement que les hirondelles. C'est en volant que celles-ci attrapent les moucherons dont elles se nourrissent, & c'est en volant sur les fleurs que ceux-ci en pompent le suc. Ils planent, pour ainsi dire, à la maniere des oiseaux de proye, audessus de celles qui sont de leur goût; leurs aîles, qu'ils

* Pl. 12.
Fig. 5. 6. 9.
& 10.

F f ij

agitent avec vîteffe, font un affés grand bourdonnement.
Malgré la force qu'ils font obligés d'employer pour fe
foûtenir en l'air, ils déroulent leur trompe, ils la picquent
au fond de la fleur; quelquefois ils la courbent, ils lui font
faire quelque part un angle pour l'introduire plus commodement dans certaines fleurs; après l'y avoir picquée,
ils l'en retirent, fans doute, chargée d'un fuc mielleux, ils la
courbent ou roulent, & la redreffent enfuite; & ils repetent
fouvent ce manege.

N'examinons point encore pourquoi le papillon redreffe & recourbe alternativement fa trompe après l'avoir
plongée dans les fleurs ; tâchons auparavant de prendre
quelque idée de fa ftructure. Ce qui en paroît à la vûe
fimple, c'eft qu'elle eft une efpece de lame plus large
qu'épaiffe, d'une matiere affés analogue à celle de la corne.
Si on preffe le papillon vers la bafe de fa tête, on le force
à la dérouler, à l'étendre prefqu'en ligne droite. On voit
alors qu'elle tire fon origine de la partie anterieure &
fuperieure de la tête : ce feroit à peu-près là la place
d'un nez; auffi quelques auteurs qui ont vû des papillons qui portoient une trompe déroulée, ont dit qu'ils
avoient un long nez. Elle paroît aller en diminuant de
largeur depuis fa bafe jufqu'à fon extremité; au moins eft-
elle vifiblement plus large au premier de ces bouts qu'à
l'autre.

On la déroule encore quand on veut, fans faire une
grande violence au papillon. Il eft affés aifé d'introduire la
pointe d'une épingle dans le centre du rouleau; fi pendant
que l'épingle y eft entourée par les tours de fpirale, on l'é-
loigne doucement du papillon, on oblige les tours à fe dévider, on redreffe la trompe. Lorfqu'on la déroule, & fur-
tout lorfqu'étant déroulée, on la manie, on la comprime,
on la tiraille pour l'obferver, on la voit fe fendre * auprès

de fa pointe en deux parties égales & femblables. La fente
gagne, fi l'on continuë de tourmenter la trompe, elle va
quelquefois jufqu'à la bâfe. On a beau même menager
certaines trompes, on ne peut parvenir à les étendre fans
les faire entr'ouvrir, foit auprès de leur pointe, foit même
en quelqu'endroit qui en eft éloigné. De là naît une queftion qui a partagé ceux qui ont obfervé cette partie avec
le plus de foin, & une queftion dont la décifion eft abfolument neceffaire pour expliquer, & comment elle eft conftruite, & comment elle agit, c'eft de fçavoir fi la trompe ne
fe fend fi aifement, que parce qu'elle eft mince & fragile,
comme caffante, ou fi c'eft qu'elle eft réellement compofée
de deux parties, de deux efpeces de trompes appliquées
l'une contre l'autre. Le P. Bonnani, qui a fait repréfenter
des trompes en grand dans fa Micrographie, eft du dernier
fentiment; il croit qu'elles font chacune compofées de deux
trompes appliquées l'une contre l'autre. M. Puget, qui a depuis étudié cette partie avec une attention dont elle lui avoit
paru digne, nous a donné une defcription de fa ftructure,
où il la regarde auffi comme naturellement divifée dans
toute fa longueur. Mais, dans le même ouvrage où eft
cette defcription, il en donne une feconde, qui, quoiqu'elle ne foit pas la vraye, eft cependant une grande
preuve de fon amour pour la verité : il y retracte fon premier fentiment, il y dit que la facilité qu'ont à fe fendre,
à fe déchirer des parties délicates, lui en a impofé. Il y
foûtient, & tâche même de prouver que la trompe n'eft
pas réellement compofée de deux parties appliquées l'une
contre l'autre, fuivant leur longueur.

Mes premieres obfervations me firent embraffer le
dernier fentiment de M. Puget, je crûs même y être fondé
fur des preuves plus fortes que celles qu'il a rapportées,
parce que j'étois parvenu à dérouler, à plier, même à

replier des trompes autant que je voulois, fans qu'il leur
arrivât de fe fendre; mais d'autres obfervations plus décifives, m'ont ramené au premier fentiment. C'est ainfi
que les plus petits fujets font capables de nous arrêter, fi
pourtant nous pouvons appeller de petits fujets, ceux qui
ayant peu d'étenduë, ont des organifations qui nous portent néceffairement à juger qu'ils font l'ouvrage de l'ou-
vrier par excellence.

C'est dans des papillons, que j'ai été attentif à voir
naître, à voir quitter la dépouille de crifalide, que j'ai
reconnu que leur trompe eft compofée de deux parties
égales & femblables. Pendant que le papillon eft pour ainfi
dire, emmailloté fous la forme de crifalide, fa trompe eft
droite, & étenduë le long de fon corps, comme nous l'expliquerons mieux dans un autre Memoire; alors on peut fe
convaincre qu'elle eft faite de deux parties égales & femblables, appliquées l'une contre l'autre. Mais on s'en convainc
encore mieux, fi on le faifit dans le moment où il fe défait
de fes enveloppes: à peine la trompe s'eft-elle dégagée des
fiennes, qu'elle fe roule; mais dans ce premier inftant les
deux parties ne fe roulent pas avec une égalité parfaite;
de là il arrive qu'elles ne s'ajuftent pas exactement l'une
contre l'autre, & rien n'eft plus vifible que leur féparation.
On eft même en peine de fçavoir comment le papillon
parviendra à les ajufter, à les appliquer bien regulierement
l'une contre l'autre: on le voit les rouler, les dérouler continuellement, tantôt à plus grands, tantôt à plus petits
tours, & cela fouvent pendant un long temps, fans que
les tours fe rencontrent. Quelquefois cette réunion fe fait
affés vîte, les deux parties fe touchent par leur bafe, elles
tendent d'ailleurs à s'appliquer l'une contre l'autre par
leur propre pofition. Quand deux parties proches de la
bafe viennent à former deux arcs femblables & égaux, elles

* Pl. 9.
Fig. 3. 4.
& 5.

se rencontrent, elles se touchent dans toute leur étenduë, & les voilà jointes*. Il en arrive ensuite de même à la portion suivante*, & ainsi successivement jusqu'au bout. Mais quand l'operation dure trop, la trompe peut-être se desseche trop, les deux parties n'ont plus une égale flexibilité, ou n'en ont pas assés, elles prennent, pour ainsi dire, des plis; alors on a pitié du papillon qu'on voit recourber & redresser sans fin chacune des moitiés de sa trompe; elles se mêlent quelquefois*, elles s'entrelacent de façon qu'il ne lui est plus possible de les débarrasser l'une de l'autre; & le voilà condamné à être privé de l'organe qui lui devoit fournir des aliments. Quand dans un quart d'heure, ou dans une demi-heure au plus, la trompe n'est pas ajustée, il désespere d'y réussir, du moins ne fait-il plus de tentatives pour y parvenir; on le garde en vie souvent pendant plusieurs jours, & on voit que sa trompe reste toûjours divisée; ç'en-est fait pour lui, dès qu'il a manqué les premiers moments. Mais quand la trompe a été une fois bien ajustée, si quelque temps après elle se dérange, alors le papillon réunit aisement les parties qui ont été séparées. J'ai souvent divisé, & cela plus ou moins, & dans des endroits differents, des trompes de papillons vivants, que j'ai trouvées très-bien réunies quelque temps après.

* Pl. 9.
Fig. 3. *b c.*
* Fig. 4. *c d.*

* Pl. 9.
Fig. 5.

M. Ray, pag. 229. N.° 82. parle d'un petit papillon commun dans les prairies, qui a une double trompe: *Phalæna minor pascuorum gemina proboscide, alis oblongis, &c.* Je n'ai point assés observé ce papillon, pour sçavoir s'il a réellement deux trompes, ou si c'est qu'il arrive assés souvent aux deux moitiés de la sienne de se séparer.

Mais les deux parties des trompes ordinaires ne font-elles que simplement appliquées l'une contre l'autre?

Quoique nous ayons beaucoup parlé de la facilité avec laquelle on les sépare, deux plans si étroits, qui ne seroient que se toucher, tiendroient encore moins ensemble. Il y a même des circonstances où on éprouve que leur union est assés forte; il est besoin qu'elle le soit pour qu'elles ne s'écartent pas l'une de l'autre pendant les mouvements réiterés de la trompe. Mais la mechanique d'où cette union dépend, ne peut être expliquée qu'après que nous aurons pris des idées plus complettes de leur structure.

Parmi les trompes qui ont des grandeurs sensibles, je n'en ai encore observé que de deux formes assés differentes pour demander à être mises dans deux genres differents. Les unes sont plus longues & plus applaties, & se roulent en plus de tours *; les autres sont plus courtes, plus arrondies & plus grosses *; les premieres sont des especes de lames, & les secondes ressemblent plus à des cordons. Celles du premier genre sont les seules, que je sçache, dont on ait examiné la structure, & on n'a pas assés cherché à l'examiner sur les plus longues & les plus larges de ce genre. Lorsqu'il s'agit d'observer des objets, sur la composition desquels le microscope même ne nous fait pas assés voir, il est essentiel de choisir ceux qui sont les plus visibles par eux-mêmes. C'est apparemment pour avoir observé des trompes trop petites, & peut-être aussi pour avoir crû leur structure conforme aux usages qu'il leur avoit imaginés, que M. Puget en a fait graver des figures qui ne sont pas telles que son amour pour le vrai, & son attention à observer, meritoient qu'elles fussent. Il nous apprend que celles qu'il a décrites avoient au plus 10. à 12. lignes de long, & il y en a qui ont plus de 3. pouces de longueur, & qui sont larges à proportion.

Quelque grandes qu'elles soient, c'est avec le microscope, ou avec une loupe forte, qu'il faut les voir; alors le deſſus de nos trompes plattes paroît profilé comme le ſont certains ouvrages de menuiſerie *. Le bord de cha- que côté eſt fait en quart de rond *. Chaque quart de rond eſt, dans quelques-unes, ſuivi d'une moulure creuſe *, & enfin, après la moulure ſuit un filet quarré *, ſur le milieu duquel paroît tout du long une ligne, qui eſt celle de la jonction des deux parties de la trompe *, & qui diviſe le filet quarré en deux parties égales. J'ai toûjours trouvé ces trois parties dans les differentes trompes plat- tes; mais dans les unes, le quart de rond eſt plus ou moins arrondi, la moulure qui le ſuit eſt plus ou moins creuſe, & plus ou moins large; & de même le filet quarré eſt tantôt plus large, & tantôt plus étroit.

La figure du deſſous de la trompe eſt plus ſimple, cha- que moitié eſt un quart de rond *; par leur rencontre ces quarts de rond forment une goutiere étroite, & aſſés creuſe le long du milieu, d'un bout à l'autre *.

Mais où il paroît le plus de travail, c'eſt dans le nom- bre prodigieux de fibres tranſverſales qui ceignent la trom- pe, & qui ſemblent la diviſer dans une infinité d'anneaux ou de tranches, ſur une grande partie de ſa longueur *. Vers le bout, ces fibres prennent une direction plus obli- que à la longueur de la trompe *.

Il y a des trompes qui ſont liſſes & luiſantes dans toute leur longueur, tant par-deſſus, que par-deſſous; mais il y en a, au-deſſous deſquelles on obſerve, à quelque diſtance du bout, & juſqu'au bout, des feuillets membraneux très- proches les uns des autres *. Il y en a deux ſur chaque moitié de la trompe *, ils y forment une eſpece de gou- tiere, parce qu'ils s'écartent les uns des autres en s'éloi- gnant de leur baſe. M. Puget, qui avoit crû d'abord que la trompe du papillon étoit ſemblable à celle d'un élephant, avoit penſé que ces feuillets ſervoient comme de doigts

Tome I.   . G g

* Fig. 1, 2, 6, 9.

* a a.

*Fig. 6. cc.

* b b.

* Fig. 9. d.

* Fig. 7 & 10. a a, a a.

* g.

* Fig. 9, 10, 16, 17.

* Fig. 16.

p p.

* Fig. 2. ll, h, ll, i.
* Fig. 8. sr.

au papillon pour ramasser une liqueur épaisse au fond des
fleurs, & que la trompe, qui étoit une espece de main
portoit, en se roulant, ces especes de doigts à la bouche.
Mais n'ayant point trouvé de bouche aux papillons, aussi
n'en ont-ils pas, il abandonna cette premiere idée, & la
combattit lui-même. Il regarda donc ensuite la trompe
comme elle doit être regardée, comme le canal qui pompe
& conduit la liqueur qui est l'aliment convenable au papillon; il crût même avoir observé dans l'interieur de cette
trompe deux canaux posés l'un au-dessus de l'autre, tout
du long du milieu de la trompe.

Sans nous arrêter à faire voir ce qui en a imposé à M.
Puget une seconde fois, pourquoi il a mal placé les canaux, nous dirons que le Pere Bonnani avoit mieux réussi
à voir les trompes; il a donné au moins l'essentiel de leur
structure, en les representant composées de deux parties
separées, dans l'interieur de chacune desquelles un canal
est creusé. Ce qu'il a pensé sur l'usage des feuillets * qui se
trouvent vers les bouts des trompes n'est pas aussi exact,
il a fait representer ces feuillets comme des mamelons; il
a imaginé que leur fonction étoit de succer le suc des
plantes, & qu'ils le portoient dans les canaux de la trom-
-pe. Mais on ne sera pas disposé à croire que ce soit là leur
usage, si on fait attention, qu'outre qu'ils n'ont point la
forme de mamelon, il y a quantité de trompes de papillons
qui succent le suc des fleurs, & qui n'ont rien d'analogue à
ces feuillets; qu'ils sont souvent situés en des endroits trop
éloignés de la pointe pour succer: peut-être ne servent-ils
qu'à arrêter, & appuyer un peu le bout des trompes foibles; les plus fortes trompes n'en ont point.

Il est plus certain que chaque moitié de la trompe a un
canal propre à recevoir & à conduire de la liqueur. Voici
l'observation qui m'en a convaincu, & qui établit le fait

* Pl. 9.
Fig. 2. ll, cc.

incontestablement. J'ai crû que les trompes des papillons morts, pourroient se laisser dérouler & étendre, comme celles des papillons vivants, si on les ramollissoit; que celles des papillons vivants ne sont souvent si fragiles, que parce qu'elles se sont trop dessechées, peut-être même, pendant la durée de l'observation. J'ai donc plongé dans l'eau les têtes de divers papillons morts, je les y ai laissées pendant plusieurs heures; après les en avoir retirées, je déroulois leurs trompes, & bien mieux que celles des papillons vivants; elles étoient plus flexibles; je pouvois les manier, les redresser, les couper transversalement, & cela sans qu'elles se fendissent, tant que j'avois attention de ne les point tenir trop long-temps sans recommencer à les humecter. On sçait que la corne & la baleine, qui sont des matieres analogues à celle de l'exterieur des trompes, prennent dans l'eau de la souplesse. Nos trompes ont aussi, comme la corne, un degré de transparence; il a suffi pour me laisser voir plusieurs fois deux petites colomnes d'eau que je faisois marcher dans la trompe que je pressois entre mes doigts, pendant que je l'observois avec une loupe forte près d'une bougie. Ces colomnes alloient, soit du côté de la base, soit vers le bout, selon le sens dans lequel je pressois. Ç'a été ordinairement sur les trompes que j'avois coupées en travers, vers leur milieu, que j'ai fait cette observation. Dans le plan de la section se trouvoient les ouvertures des deux canaux, par lesquels je faisois sortir la quantité que je voulois de l'eau des petites colomnes *. La situation des conduits où étoit cette eau, se voyoit donc très-bien, ils étoient creusés dans les parties dont le contour exterieur est en quart de rond, & finissoient vers le commencement de la moulure en goutiere. Lorsqu'après avoir fait sortir l'eau des canaux, je remettois la trompe dans un vaisseau qui en contenoit, & que je l'y laissois

* Fig. 9,
& 10. ee.

G g ij

pendant quelques heures, souvent elle reprenoit de nouvelle eau.

La structure du milieu de la trompe, de l'endroit où
touchent ses deux branches, est plus difficile à détermi-
que l'existence des canaux dont nous venons de par...
Quand on les a écartées, si on observe séparement les
faces qui s'appliquent l'une contre l'autre, on recon...
très-distinctement à chacune une petite lame qui part...
base du filet quarré, & qui est parallele au plan de la tro...
ou au plan superieur du filet quarré *. On croit voir,
vers le dessous de la trompe, c'est-à-dire, à l'endroit...
se rencontrent les deux quarts de ronds de la gout...
inferieure, deux autres lames pareilles à celles dont...
venons de déterminer la position. Ce sont ces...
lames qui servent à faire l'assemblage des deux mo...
de la trompe. Quoiqu'ordinairement elles paroiss...
chacune une lame mince, étroite & continuë, quand...
les ai observées à une lumiere favorable, il m'a sem...
qu'elles étoient composées d'une infinité de filets...
plement appliqués les uns contre les autres, mais si...
appliqués pourtant, qu'ils faisoient un corps qui paroi...
continu : en un mot, je les ai regardés, & j'ai cru...
voir tels que les barbes des plumes ; ces dernieres...
servées avec une loupe très-forte, paroissent en bien...
circonstances former une lame continuë, où on ne...
point de séparation ; on ne reconnoît que cette lame...
barbes de plumes est faite de filets appliqués les uns co...
les autres, & entrelacés, que quand on la considere a...
l'avoir frottée ; j'ai frotté aussi les lames saillantes des...
tiés de la trompe, & j'ai crû bien voir alors les filets...
je veux y faire imaginer.

De la composition dont nous voulons donner id...
il suit que nous voulons faire concevoir que l'assembla...

* Pl. 9.
Fig. 6. ddd.

la liaison des deux parties de la trompe se fait précisément
comme celles des barbes des plumes, que les poils dont
est composée la lame superieure d'une des moitiés *, s'en-
grainent & s'entrelacent avec ceux de la lame superieure
de l'autre moitié, & que de même ceux des deux lames
inferieures s'entrelacent ensemble. Ce qui m'a encore
confirmé dans cette idée, c'est que j'ai réuni des trompes
dans des endroits où elles étoient séparées, de la même
maniere qu'on réunit les barbes des plumes. Deux barbes
de plumes sont écartées, qu'on fasse doucement glisser
ces barbes entre deux doigts qu'on conduit de leur base
vers leur pointe, & qu'on repete plusieurs fois cette petite
manœuvre, les barbes se réunissent; de même, en faisant
glisser une trompe souple entre mes doigts, que je condui-
sois de la base vers la pointe, & repetant cette manœuvre
plusieurs fois, je réunissois les deux parties superieures.

* Pl. 9. Fig. 6. *d d.*

Au-dessous de la lame superieure, & au-dessus de l'inferieure, j'ai vû à quelques trompes des dentelures qui,
en s'engrainant les unes dans les autres, peuvent fortifier
l'union, & la pourroient faire seules, si les lames n'étoient
pas composées de filets.

L'espace qui est entre les deux lames des bords de chaque moitié de trompe, est creusé en demi-goutiere, qui
semble s'élargir en s'éloignant de chaque bord; d'où il paroît que quand les deux moitiés de la trompe sont réunies,
il y a encore un canal tout du long du milieu de la trompe
qui est plus étroit au milieu que sur les côtés * : c'est-là où
M. Puget en a mis deux l'un au-dessous de l'autre. Les
barbes des plumes ordinaires, qui ne sont jointes que par
des filets engrainés les uns dans les autres, qu'on sépare &
qu'on rassemble quand on veut, forment des tissus qui empêchent l'air & l'eau de passer. Ce sont des tissus bien
propres à nous faire admirer l'art, & l'exactitude avec

* Fig. 9 & 10. *f.*

G g iij

laquelle les ouvrages de la nature font executés; ils font propres auffi à nous faire concevoir qu'il peut y avoir un canal bien clos tout du long de la trompe, quoiqu'il foit fait par l'affemblage de deux parties aifées à feparer, & unies par le fimple entrelacement de divers poils.

* Fig. 9
& 10. ee.

* Fig. 9
& 10. f.

Voilà donc trois canaux dans la trompe; fçavoir, deux * dont il y en a un creufé tout du long de chacune de fes moitiés, & qui font près des bords de la trompe, & le troifieme *, qui eft tout du long de fon milieu. Servent-ils tous trois à conduire le fuc des fleurs dans le corps du papillon? Je croirois volontiers qu'il y a de ces canaux deftinés à conduire l'air que le papillon refpire, & alors la trompe feroit chargée de faire les fonctions de la bouche & celles du nez. Une obfervation particuliere m'a paru appuyer cette idée· je confiderois un papillon de la belle chenille du titimale, qui venoit d'éclorre, & qui n'avoit pû ajufter l'une contre l'autre, les deux moitiés de fa trompe; elles étoient féparées jufqu'affés près de leur bafe. Dans l'angle formé par leur féparation, il fe trouvoit une gouttelette de liqueur très-claire & très tranf-parente; ce qui me parut digne d'attention, c'eft que, fans que je viffe de mouvement dans la trompe, la gout-telette d'eau étoit pouffée tantôt en avant, & tantôt re-tirée en arriere: à mefure qu'elle étoit portée plus loin, elle paroiffoit groffir comme groffit une boule d'eau fa-vonneufe dans laquelle on fouffle; & elle diminuoit de groffeur à mefure qu'elle retournoit en arriere: quelque-fois elle étoit condûite à plus d'une ou deux lignes loin, & peu après elle étoit ramenée à fa premiere place. Ce manege dura long-temps, les mouvements alternatifs de la gouttelette d'eau de devant en arriere, & d'arriere en avant, ne pouvoient être attribués qu'à ce qu'elle cedoit à ceux de l'air que le papillon faifoit entrer dans fon corps, & qu'il en faifoit enfuite fortir.

La gouttelette d'eau est tombée quelquefois, & alors il en a paru une seconde dont la liqueur est sortie de l'origine de la trompe. Quand cette gouttelette étoit poussée loin, elle prenoit une figure allongée, elle mouilloit les deux branches. C'est peut-être un usage de cette liqueur, que d'humecter les deux moitiés de la trompe pour les tenir souples; peut-être sert-elle aussi à soulever les barbes qui doivent s'engrainer les unes dans les autres. Mais nous verrons bientôt un autre usage plus certain de l'eau que le papillon peut pousser, & pousse dans le canal formé par la réunion des deux parties de la trompe.

Cette observation prouve déja que près de la base de la trompe, le papillon a des organes propres à attirer & à repousser l'air, ou, ce qui est la même chose, qu'il peut par la suction, faire entrer l'air, ou des liqueurs dans sa trompe. Swammerdam, pag. 138. de son Histoire generale des Insectes, paroît croire aussi que les papillons respirent par la trompe, mais il n'en apporte aucune preuve. Nous examinerons ailleurs si c'est-là le principal conduit de l'air qu'ils inspirent, ou qu'ils expirent.

Les trompes du second genre*, les plus grosses & les plus courtes, se terminent par une pointe dure & aiguë; leur bout est à peu-près taillé comme celui d'une plume; il peut être enfoncé avant dans la fleur, & apparemment que le papillon l'y enfonce jusqu'à ce que les embouchures des tuyaux par où la liqueur doit monter, soient au niveau des endroits de la feuille d'où elle s'échappe. Il y a de ces papillons qui ont la pointe de leur trompe si dure, qu'elle est capable de picquer le doigt contre lequel on la presse; telle est celle du gros papillon, qui porte une espece de dessein de tête de mort sur son corcelet, & connu sous le nom de *papillon à tête de mort**. Les autres trompes se

* Pl. 9.
Fig. 13 &
14.

* Pl. 14.
Fig. 2.

terminent aussi par une pointe propre à picquer, m
qui n'est pas prise de si loin. Le suc qui s'épanche de
fleur picquée, est attiré par la suction dans le bout de
trompe, & la suction acheve de le faire monter.

Mais est-ce par le canal du milieu, ou par ceux des côt
ou par tous les trois ensemble, que la liqueur coule da
la trompe? Est-il bien sûr que c'est la suction qui l'y
monter; cet effet n'est-il point plûtôt produit par le
roulemens successifs de la trompe? Ce sont des faits
lesquels je ne croyois pas qu'il fût possible de s'éclair
un hazard cependant, que je ne cherchois pas, les a
mis à portée de mes yeux.

* Pl. 8.
Fig. 26. Je faisois dessiner un assés beau papillon *, de la classe
ceux qui viennent le soir aux lumieres. Une chenille
à seize jambes, peu au-dessus de la grandeur médioc
d'un beau verd-tourville, qui semble velouté, & qui
de pimprenelle & d'heliantheme, me l'avoit donné. C
chenille étoit entrée en terre vers le 15. Avril, elle
transforma en crisalide, & le papillon sortit de sa crisali
& de terre le 20. May. Ce ne fut que le 29. du mê
mois que je le fis dessiner; il avoit passé neuf jours attach
au couvercle du poudrier dans lequel il étoit né, sa
prendre de nourriture; la terre seche, qui étoit tout
que le poudrier renfermoit, ne pouvoit pas lui en four
Pour le contenir pendant qu'on le dessinoit, on le m
sous un couvercle de compotier d'un verre bien blanc
marchoit dessous plus que le dessinateur & moi n'auri
voulu, & en marchant il allongeoit sa trompe, comm
pour chercher des aliments, qu'un long jeûne lui avo
rendus très-nécessaires. Je mis auprès de lui un morce
de sucre, & tout aussi-tôt il appliqua dessus le bout de
* Pl. 8.
Fig. 25. trompe *, & il me parut ne plus songer qu'à le succer
devint tranquille, & si tranquille, que quoique ce fût

papillon

papillon vif, & qui vole très-bien, il ne montra aucune envie de s'envoler lorsque j'otai le couvercle de verre, deſſous lequel il étoit renfermé ci-devant. Je n'avois penſé qu'aux papillons qui ſuccent les fleurs, & ils ne m'avoient pas paru aſſés traitables, pour qu'on pût ſe promettre de les obſerver pendant qu'ils prennent leurs repas; mais j'eſperai que celui dont je parle me permettroit de voir agir ſa trompe. Je pris le papier ſur lequel il étoit poſé avec ſon morceau de ſucre; il ſe laiſſa tranſporter auprès de la fenêtre; il n'étoit occupé que de ſon ſucre; dès qu'on éloignoit un peu le ſucre de lui, il s'en rapprochoit, pour poſer deſſus le bout de ſa trompe. Enfin, il ſembloit un vrai papillon privé, & ſi privé, qu'il n'y a pas d'oiſeau qui le ſoit autant. Je croyois bien que dès que ſa faim ſeroit appaiſée, il redeviendroit farouche, mais je n'aurois pas crû que pour appaiſer ſa faim, il fût reſté près de deux heures de ſuite ſur le ſucre, ſans l'abandonner. Je cherchai à profiter de cette heureuſe diſpoſition du papillon, pour voir comment ſa trompe agiſſoit. De temps en temps il la rouloit, mais ce n'étoit que pour un inſtant, & il la tenoit déroulée quelquefois pendant pluſieurs minutes de ſuite; quand il venoit de la dérouler, il la rendoit quelquefois preſque droite, & dirigée perpendiculairement à la longueur de ſon corps; quelquefois il la tenoit un peu recourbée en arc: il tâtoit avec le bout de cette trompe, pour trouver le morceau de ſucre que de petits mouvements avoient quelquefois un peu éloigné: dès qu'il l'avoit touché, le bout de la trompe ſe courboit pour l'embraſſer. Le bout courbé ſur une portion du ſucre, avoit ordinairement la longueur de la 5.e ou 6.e partie de la trompe entiere; le plus ſouvent il étoit recourbé de façon que la ſurface qui touchoit le ſucre, étoit la ſurface inferieure de la trompe, étenduë horiſontalement.

Tome I.   . Hh

Quelquefois le bout de la trompe touchoit le sucre par son autre surface, c'est-à-dire, que quelquefois le bout étoit plié dans un sens contraire au premier. Quelquefois le papillon enfonçoit le bout de la trompe dans le morceau de sucre.

Ce que j'avois alors le plus d'envie de voir, & ce que j'étois le plus attentif à observer, c'étoit ce qui se passoit dans l'interieur de la trompe. Nous avons dit qu'elle a un assés grand degré de transparence. Je tenois d'une main une loupe forte que j'approchois de la partie de la trompe que je voulois considerer, & autant que j'en avois besoin. Le papillon n'en étoit pas effarouché; il étoit même permis à mon autre main, qui tenoit le papier sur lequel il étoit, de placer ce papier dans les positions qui me convenoient le mieux pour profiter de la lumiere. J'étois quelquefois une demi-minute, ou près d'une minute sans rien appercevoir, après quoi je voyois clairement une petite colomne de liqueur monter avec vitesse tout du long de la trompe. Souvent cette colomne paroissoit coupée par de petites bulles, qui sembloient être des bulles d'air qui avoient été attirées avec la liqueur; quelquefois pourtant la colomne paroissoit continue. La liqueur montoit ainsi pendant trois à quatre secondes, & cessoit de monter. Au bout d'un intervalle d'un plus grand nombre de secondes, ou quelquefois après un intervalle aussi court, on voyoit monter de nouvelle liqueur. Mais c'étoit tout du long du milieu de la trompe que la liqueur paroissoit monter, & elle y montoit à plein canal. Quelque disposition que j'eusse à croire qu'elle devoit passer par les canaux des côtés, quoique je soupçonnasse que quelqu'illusion d'optique me pouvoit faire rapporter au milieu de la trompe, le jet de liqueur qui montoit plus près de ses bords, il m'a paru enfin qu'il n'y avoit pas de doute que ce ne fût

par le canal qui eſt tout du long du milieu de la trompe, que
la liqueur paſſoit. Ainſi ce canal, formé de deux parties réunies ſouvent ſur le champ, eſt néantmoins aſſés clos pour
que de la liqueur puiſſe monter dedans par ſuction. Mais
nous avons voulu faire entendre ci-devant que l'aſſemblage de ſes parties eſt fait comme celui des barbes des plumes, & nous avons fait remarquer en même-temps, que
lorſque les barbes des plumes ſont bien engrainées enſemble, elles arrêtent l'eau & l'air. Les deux canaux des
côtés, ceux qui ſont creuſés dans chacune des branches
de la trompe, ſemblent donc uniquement deſtinés à conduire l'air que le papillon reſpire.

C'eſt ſur du ſucre ſolide que le bout de la trompe de
notre papillon étoit appliqué; comment arrivoit-il donc
que je voyois monter un jet de liqueur dans cette trompe!
M. Puget n'avoit pû concevoir comment une liqueur
mielleuſe & épaiſſe, pouvoit paſſer par des canaux ſi deliés;
c'eſt ce qui l'avoit déterminé à faire agir cette partie comme une main. L'auteur de la nature a donné aux petits
animaux des moyens d'operer, quelquefois très-ſimples,
que nous ne ſçavons pourtant pas deviner, & que ſouvent nous ne ſommes pas à portée de voir. Pendant que
j'obſervois la trompe de notre papillon, outre les colomnes de liqueur que j'y voyois monter, il y avoit, mais
plus rarement, des temps où je voyois au contraire de la
liqueur deſcendre à plein canal depuis la baſe de la trompe
juſqu'à ſa pointe. La liqueur qui étoit ainſi pouſſée en
bas, occupoit quelquefois plus de la moitié, ou des deux
tiers de la longueur de la trompe. Il n'eſt plus difficile à
preſent de voir comment le papillon peut ſe nourrir du
miel, du ſirop le plus épais, & même du ſucre le plus ſolide. La liqueur qu'il darde en bas eſt apparemment très-
liquide; elle eſt pouſſée ſur le ſucre, elle le mouille, elle

H h ij

le diffoud. Le papillon repompe enfuite cette liqueur lorfqu'elle s'eft chargée de fucre, il la conduit jufqu'à la bafe
de fa trompe, & par-delà. Il ne falloit que penfer à cet
expedient, pour voir que c'étoit le feul auquel le papillon
dût avoir recours. Si pourtant j'euffe encore douté que
la liqueur qu'il pouffoit de temps en temps vers le bout
de fa trompe, fervoit à ramollir le fucre, il m'eût été aifé
de me convaincre que c'étoit là fon effet. Lorfque je
confiderai les differents endroits du fucre fur lefquels la
trompe avoit été appliquée, je vis qu'ils étoient aifés à
reconnoître. Le fucre, fec par-tout ailleurs, étoit là ramolli, un peu fondu, en un mot, dans l'état d'un fucre
qui a été mouillé. Rappellons-nous encore une obfervation rapportée ci-devant fur une trompe de papillon, dont
les deux moitiés ne s'étoient réunies que vers l'origine; il
y avoit une goutte d'une eau très-claire, & très-tranfpa-
rente, qui tantôt étoit attirée jufqu'à la tête, & qui tantôt
étoit repouffée entre les deux moitiés de la trompe. Nous
jugerons à prefent que cette eau fi limpide eft de celle qui
eft employée à diffoudre le fucre, ou à donner plus de
liquidité aux liqueurs trop firupeufes, ou trop mielleufes
que le papillon a à faire paffer par fa trompe.

Le papillon qui a bien voulu nous permettre d'obferver fa trompe à loifir *, porte fes aîles parallelement au
plan fur lequel il eft pofé; les deux fuperieures femblent
chacune faire un plis près de leur bord exterieur. Les couleurs font diftribuées par aires triangulaires fur le deffus
de chacune de ces aîles. Le bout de l'aîle a pourtant une
bande affés large qui la borde, dont la couleur eft plus
claire que celle des aires triangulaires, & moins nuée.
Vûës en gros, fes couleurs ne femblent qu'un mêlange
d'une efpece de brun jaunâtre, & de gris, mais fi on les
confidere un peu, on y trouve du verd olive, du pour-

* Pl. 8.
Fig. 25 &
26.

pre, du canelle, du jaune; en un mot, un mêlange de
plufieurs belles couleurs que le pinceau auroit peine à
imiter. Le corps du papillon, fur-tout par-deffous, a une
legere teinte rougeâtre qui tire fur la couleur du rocou.
Le deffous de fes aîles a encore une teinte plus legere de
cette même couleur, il y paroît feulement de plus, quelques points, quelques traits, & quelques ondes, le tout en
noir, ou en brun noir. Le lendemain du jour où il avoit
fuccé le fucre pendant fi long-temps, je lui en prefentai,
mais il ne daigna pas y toucher, & n'y voulut plus toucher depuis; fon premier repas fut le feul de fa vie, auffi
fut-il peut-être plus long que repas de papillon l'ait jamais été.

Au refte, il n'eft pas le feul papillon qui puiffe donner
occafion de repeter les obfervations que nous avons rapportées. Peu de jours après que je les eûs faites, M. de
Maupertuis voulut voir fi un papillon *, qui lui étoit né
d'une chenille épineufe que nous avons nommée *la bedaude*, n'avoit pas le même goût pour le fucre, qu'avoit
eû le mien. Il trouva que le fucre le rendoit pour le moins
auffi traitable; il lui fit fuccer du fucre fur fon doigt,
fur lequel il fe tenoit, comme auroit pû faire un oifeau
privé.

J'ai auffi prefenté depuis du fucre à un autre papillon *,
qui étoit venu d'une chenille épineufe, commune fur
l'orme. Je m'étois défié de lui, je craignois qu'il ne m'é-
chappât; je le tenois par fes aîles appliquées les unes contre
les autres au-deffus du dos. Je le pofai fur du fucre, il le faifit
fur le champ avec fes pieds; il déroula enfuite fa trompe,
& en appliqua le bout fur le fucre. Je le retirai de l'endroit où je l'avois pofé; les jambes n'abandonnerent pas
le fucre, elles le tinrent toûjours bien faifi, & la trompe
ne ceffa pas d'agir pendant plus d'un quart d'heure que je

* Pl. 27.
Fig. 9 & 10.

* Pl. 23.
Fig. 1 & 2.

H h iij

le foûtins en l'air, pour mieux voir ce qui fe paffoit dans l'interieur de la trompe. Après l'avoir affés obfervé, je lui ôtai fon fucre; je lui en r'offris plufieurs fois dans la même journée, mais il n'en voulut pas goûter. Il y a apparence que beaucoup d'autres papillons, & furtout de ceux qu'on aura fait éclorre chés foi, & qui auront paffé plufieurs jours, depuis leur naiffance, fans fuccer le fuc des fleurs, fucceront, comme ceux dont nous venons de parler, le fucre qu'on leur prefentera. Il s'en faut pourtant beaucoup que tous les papillons qu'on tient captifs, & à qui il n'eft arrivé de prendre aucun aliment, veuillent faire ufage de leur trompe. J'ai offert du fucre à ceux de plufieurs efpeces differentes, qui font péris fans en vouloir tâter.

Nous avons vû que le papillon retire de temps en temps fa trompe du fond de la fleur, ou de deffus le morceau de fucre pour la rouler. Seroit-ce feulement parce qu'il ne fçauroit tenir fa trompe étenduë, fans des efforts qu'il ne peut continuer de faire que pendant un temps affés court, qu'après avoir agi, il fe repofe! Le roulement de la trompe pourroit avoir un autre ufage. S'il étoit entré dans fon canal des parties trop groffieres que la fuccion n'eût pas pû faire monter jufqu'à la bafe, peut-être que le roulement les y conduiroit. La force qui contraint la trompe à fe rouler, agit pour pouffer en avant ce qui eft contenu dans fon canal; car foit Figure 1.ʳᵉ un canal droit *A A, P P,* dans lequel eft contenuë une boule, *C.* Il eft évident que fi on recourbe la partie *B B, P P,* de ce canal, Fig. 2.ᵉ pendant

que la partie *A A, B B,* refte droite, la boule *C,* fera pouffée vers *A A.* S'il arrive de plus à la partie *B B, P P,* de se resserrer, de diminuer de diametre, comme il y a apparence qu'il arrive au diametre de notre canal, pendant que la trompe se roule, la boule en sera encore plus fortement poussée. C'est ainsi que par des roulements, & des diminutions successives du diametre du canal de la trompe, des parties trop grossieres, qui n'ont pas cedé à la suction, peuvent être portées jusqu'à l'origine de la trompe.

Les roulements de la trompe, à plus forte raison, sont capables de faire circuler de la liqueur fluide contenuë dans sa cavité; car une liqueur entrée dans le canal de la trompe, pourroit y monter en descendant continuellement, comme l'eau monte en descendant dans cette ingenieuse machine, connuë sous le nom de *vis d'Archimede*; c'est même une machine dont la trompe de nos papillons auroit pû donner idée. Car soit P, Fig. 3.ᵉ la pointe de la trompe, & que la liqueur dont elle s'est chargée, n'aille que jusqu'en *E*; il est aisé de voir que si le papillon roule le bout de cette trompe, comme dans la Figure 4.ᵉ la liqueur qui

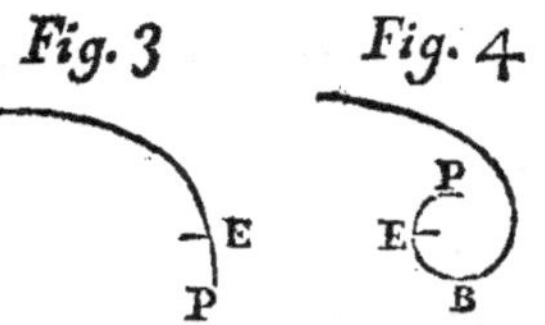

est en *P E*, aura une pente pour descendre vers *B*, & qu'un roulement successif lui donnera des pentes pour la conduire tout près de l'origine de la trompe.

Le ressort des trompes tend à les rouler, le roulement est leur état ordinaire; les trompes des papillons morts sont roulées; si on les ramollit dans l'eau, & qu'on les redresse, dès qu'ensuite on les abandonne à elles-mêmes, elles se roulent de nouveau. Les fibres transversales, si proches les unes des autres, sont comme des articulations, comme des vertebres infiniment petites, qui permettent au corps de la trompe de prendre une si grande courbure. Cette structure exterieure approche de celle des vers de terre, & permet une sorte de mouvement vermiculaire à la trompe. Nous avons pourtant à remarquer une autre direction qu'ont plusieurs de ces fibres; celles qui sont sur la surface superieure, proche de la pointe, deviennent plus obliques, elles s'inclinent comme pour se diriger vers la base *. La trompe est sans doute bien pourvuë de fibres longitudinales qui sont apparemment logées dans son interieur, & sous l'enveloppe écailleuse, comme le sont celles des jambes écailleuses, & qui sont apparemment employées à redresser la trompe; ce sont les ressorts d'une machine singuliere, mais des ressorts si délicats, qu'il nous faut desesperer de les mettre à portée de nos yeux.

* Pl. 9.
Fig. 16. pp.

Il y a quelques varietés dans les couleurs des trompes, quelques-unes sont toutes noires; d'autres sont rousses, ou couleur de marron; d'autres sont feuille morte; d'autres d'un jaune plus clair. Il y en a qui sont chargées de poil à leur surface inferieure, & d'autres qui n'en ont point du tout, d'autres en ont sur les côtés ; mais tout cela n'offre plus rien de bien digne de nous arrêter à une partie qui nous a beaucoup tenu, mais qui merite bien d'être connuë. Nous ajoûterons pourtant encore qu'il y a des varietés non-seulement dans la figure des trompes, qu'il y en a dans leur structure interieure. Les trompes en cordon, qui sont plus courtes, & plus grosses que les autres *, n'ont dans leur interieur qu'un seul canal. Si on les coupe à quelque distance de leur pointe, comme au-dessus de *pp*, Fig. 16. on ne voit qu'une ouverture, dont le contour est un oval, dont le grand diametre est sur la largeur de la trompe; tout le reste est plein, & dans ce plein, on distingue de chaque côté un petit cercle bien terminé, qui est la coupe d'un tendon, ou d'un muscle qui sert apparemment aux mouvements d'une des moitiés de la trompe.

* Pl. 9.
Fig. 13, 14
& 15.

EXPLICATION

EXPLICATION DES FIGURES
DU CINQUIEME MEMOIRE.
PLANCHE VII.

LA Figure 1, eft celle d'une chenille de la ronce, que j'ai trouvée en Poitou deux années de fuite dans le mois de Septembre; elle eft d'un velouté couleur de fuye, & un peu plus grande que dans la Fig. *dddd,* les quatre anneaux de fes jambes intermediaires, qui forment des efpeces de piramides prefque couchées, & inclinées vers la tête. *c,* autre anneau qui a une piramide refenduë, qui forme deux efpeces de cornes.

La Figure 2, eft celle du papillon de la chenille précedente; il eft nocturne. Ses aîles fuperieures font d'un brun verdâtre, marquées de taches de couleur de rofe de differentes nuances, qui le parent de maniere à lui mériter une place parmi les beaux papillons.

La Figure 3, eft celle d'un papillon diurne, reprefenté plus grand que nature, & vû du côté du ventre.

a a, les deux antennes, à maffe ou à boutons.

bb, les deux barbes, ou tiges barbuës, qui ont leur origine en *cc,* au-deffous de la tête, & qui s'élevent beaucoup au-deffus de la tête, pour y former comme le devant d'un bonnet pointu, ou d'une efpece de mître.

e e, les yeux, qui, dans ce papillon, font très chargés de poils.

f, la trompe roulée en fpirale, entre les deux tiges barbuës.

gg, les deux premieres jambes, qui, dans les papillons de cette claffe, font chargées de poils. La partie

Tome I. . I i

par laquelle chacune d'elles se termine, est si fournie de poils, qu'elle semble un pendant de palatine. Le papillon ne se sert point aussi de ces jambes pour marcher; ce sont de fausses jambes.

h h, i i, les quatre autres jambes, les véritables jambes.

k k, portion des aîles, qui, dans ce papillon, embrasse le dessous du ventre, & le couvre.

La Figure 4, est celle d'une jambe, *h, h,* Fig. 3. ou de la seconde paire, représentée séparement.

o, la cuisse.

p, q, r, trois parties dont la jambe est composée.

La Figure 5, est le bout du pied, ou de la partie *r,* Fig. 3.

s, marque l'endroit où sont quatre ongles ou crochets. Le bout du pied, vû ici de côté, n'en peut montrer que deux.

La Figure 6, est celle d'une des fausses jambes, *g, g,* de la Fig. 3. *l,* le corps de la jambe. *m,* le bout qui est fait en pendant de palatine.

La Figure 7, est celle d'une aîle superieure du papillon à queuë *, qui vient de la chenille à corne en *Y,* du fenouil.

** Pl. 30. Fig. 1.*

La Figure 8, est celle d'une portion de cette aîle vûe simplement à la loupe. Alors l'arrangement de ses écailles la fait paroître tissuë comme une espece de camelot, ou de bouracan.

La Fig. 9, est celle d'une portion d'aîle du grand papillon paon *, de la grande chenille à tubercules du poirier; elle est grossie par le microscope. On y voit en quelques endroits les écailles disposées en rangs semblables à ceux des tuilles. On y en voit aussi quelques-unes isolées, & qui sont restées près des endroits d'où les autres ont été emportées. *r r,* marquent des lignes ponctuées où des écailles étoient implantées.

** Pl. 48. Fig. 5.*

n o, quelques-unes des grosses nervûres. Dans les endroits où elles ont été coupées comme en *o,* on peut reconnoître qu'elles sont des tuyaux creux.

La Figure 10, est celle d'une portion de la même aîle Fig. 9. prise près du bord. On lui a ôté toutes ses écailles, excepté celles qui lui font une frange, *ff.*

La Figure 11, est celle d'une aîle qui est comme veluë, qui, outre les écailles, est chargée d'especes de poils qui couvrent presque les écailles. C'est une aîle d'un papillon nocturne * qui vient d'une grosse chenille veluë à seize & Pl. 35. jambes, dont les poils se couchent sur le corps, & qui Fig. 6. mange bien les feuilles d'orme.

La Figure 12, est celle d'une portion de l'aîle de la Fig. 11. représentée en grand, pour faire mieux voir la disposition des poils qui se couchent sur les écailles.

La Fig. 13, est celle d'une portion du dessus du corps d'un papillon, grossie par le microscope, pour rendre sensible la disposition des écailles aiguës, ou en picquants, *i,i,i,* qui bordent chaque anneau.

Les chifres 1, 2, &c. jusqu'à 19, marquent des écailles d'aîles de papillons de differentes formes, dont la plûpart sont assés raccourcies.

Les chifres 21, 22, &c. jusqu'à 28, designent des écailles qui sont plus allöngées.

Les chifres 30, & jusqu'à 35, indiquent des écailles qui sont très allongées, ou qui ont une longue tige, de celles qu'on peut appeller des *poils,* & qui en paroissent à la vûë simple.

Le chifre 37, montre une écaille en pointe, ou en picquant, telles que celles qui bordent l'anneau, Fig. 13.

PLANCHE VIII.

La Figure 1, est celle d'un papillon à antennes prismatiques, à qui on a coupé les aîles, afin que le deſſus du corps fût à découvert.

a a, les antennes qui tiennent à la tête, *t.*

b b, les deux yeux.

c c, dd, le corcelet auquel tiennent les aîles.

d d, endroit où les aîles ont été coupées.

e e e e e, ſix anneaux dont eſt compoſé le corps du papillon. Le corcelet eſt tout ce qui eſt compris entre ces ſix anneaux, & la tête.

La Figure 3, eſt un œil du même papillon, vû au microſcope.

La Figure 4, eſt auſſi un œil vû au microſcope; mais il eſt de ceux qui ſont chargés de poils, comme le ſont ceux du papillon de la Planche 7.me Fig. 3.

La Figure 5, repreſente en grand une antenne à maſſe ou à bouton, ou une antenne de la premiere eſpece.

b, la baſe de cette antenne, le bout par où elle tient à la tête.

b c, ſa tige qui eſt cylindrique, & compoſée d'un grand nombre de petits cylindres, mis bout à bout les uns des autres.

a c, la maſſe, ou le bouton qui termine ces ſortes d'antennes.

La Figure 6, eſt auſſi celle d'une antenne de l'eſpece de la précedente, mais dont le bout *a,* de la maſſe, eſt plan.

Les Fig. 7 & 8, ſont celles d'une antenne en maſſuë, ou de la ſeconde eſpece. Depuis leur baſe, ou depuis le bout qui s'articule avec la tête *h,* elles augmentent de diametre juſqu'auprès de leur autre bout, où elles s'arrondiſſent, & ſe terminent par un petit bouquet de filets, *a.* La Fig. 7, eſt celle de l'antenne vûë par-deſſus, & la Fig. 8, celle de l'antenne vûë par-deſſous. Elles ont été deſſinées ſur

celles du papillon épervier ou bourdon *, qui vient d'une   * Pl. 12.
chenille à corne fur la queuë, dont le caille-lait eft l'ali-   Fig. 5 & 6.
ment.

Les Figures 9 & 10, font celles d'une antenne de la
troifieme efpece, de celles qui font en corne de belier.
Le bout *b*, qui s'articule avec la tête, a encore moins de
diametre que n'en a la partie fuperieure de la même antenne. Celle-ci après avoir pris beaucoup de groffeur, fe
termine en pointe.

c, marque l'endroit où ces fortes d'antennes prennent
des inflexions, qui ne font pas toûjours les mêmes fur la même antenne. Tantôt elles font telles
que celles de la Fig. 9. & tantôt telles que celles
de la Figure 10. & quelquefois moyennes entre
celles de l'une & de l'autre.

La Fig. 11, & la Fig. 12, font celles d'antennes de la
quatrieme efpece, ou de celles que je nomme *prifmatiques*,
faute de fçavoir un nom qui leur convienne mieux.

b, leur bafe; elles y ont un peu moins, mais gueres
moins de diametre qu'elles en ont dans la plus
grande partie de leur longueur *d c*, où elles font
d'une groffeur uniforme. *a*, eft un filet crochu par
lequel elles fe terminent.

La Figure 12, eft celle d'une de ces antennes qui, d'un
côté, qui eft le fuperieur, ont une canelure; elle commence
en *d*, & finit vers *e*.

La Figure 13, eft une portion de la Figure 11. très-
groffie au microfcope, & prife entre *d c*.

c c, la coupe d'un des bouts qui donne le contour de
l'antenne.

p p, r r, marque une des faces planes d'une des articulations, fur laquelle *p r, p r*, montrent auffi deux
rangs de poils, difpofés de façon que ceux d'un

rang s'élevent & se dirigent pour aller rencontrer ceux de l'autre, & faire avec eux une espece de berceau.

Les Figures 14 & 15, sont celles d'antennes de la 5.me espece, que je nomme *antennes à filets coniques & grainés,* parce qu'ordinairement elles sont déliées, & composées de grains mis les uns au bout des autres.

b, la base de ces antennes. Depuis cette base jusqu'au bout *a,* l'antenne diminuë insensiblement de diametre.

La Fig. 15, donne un exemple de celles qui semblent composées de grains mis bout à bout les uns des autres.

La Figure 14, donne un exemple de celles qui semblent composées d'une suite de vertebres.

La Figure 16, est celle d'une des antennes de la 6.me espece, de celles que nous appellons *antennes en plumes,* ou *à barbes de plumes.*

b, la base, le bout de l'antenne qui tient à la tête.

La Figure 17, est encore celle d'une antenne de la même espece, mais dont les barbes sont plus écartées les unes des autres. Les mâles portent des antennes telles que celles de la Figure 16, & les femelles en portent de celles de cette Figure 17; elles les ont même souvent composées de barbes plus courtes, & plus écartées les unes des autres.

Dans la Figure 18, *g f g,* sont deux articulations, representées en très-grand, de la tige *a b,* Figure 16. *g c, g d,* sont deux barbes, qui partent de ces deux articulations. On voit que ces barbes elles-mêmes sont des tiges qui ont d'autres barbes, celles de l'une rencontrent celles de l'autre dans la ligne *h f.*

La Figure 19, est la coupe de deux barbes principales, telles que celles qui sont marquées *g c, g d,* Fig. 18. Ici *d & e,* sont les coupes des deux tiges. En *i* se rencontrent les filets qui partent de chaque tige. *h* & *h*, font des filets qui vont rencontrer les filets des autres barbes.

La Figure 20, donne l'exemple d'une antenne à plumes, ou à barbes d'une autre conftruction. L'antenne n'eft pas ici dans fon entier.

La Figure 21, eft une tête de papillon qui porte des antennes reprefentées en grand dans la figure précedente.

La Figure 22, eft une des articulations de l'antenne de la Fig. 20. *a,* coupe de la tige. *a b, a b,* deux barbes principales qui fe terminent chacune par une tête, d'où il fort une pointe en maniere d'épine.

La Figure 23, fait voir comment les filets d'une barbe vont rencontrer l'autre barbe.

La Figure 24, eft la tête d'un papillon nocturne, vûë par-deffous, & groffie.

a a, les antennes à filets coniques & grainés, coupées en *a a.*

b b, les deux yeux.

li, li, deux efpeces de lames barbuës dont le contour exterieur eft un peu circulaire.

t, la trompe roulée entre les deux lames.

La Figure 25, eft celle d'un papillon nocturne, qui vient d'une chenille verte & rafe de la premiere claffe, & qui fe nourrit de la pimprenelle, & de l'eliantheme, dont la trompe allongée fucce du fucre, *f.*

La Fig. 26, eft celle du même papillon, vû d'un autre fens.

PLANCHE IX.

La Figure 1, eft celle d'une trompe d'un papillon * qui vient de la chenille épineufe la plus commune fur l'orme; elle eft ici vûë au microfcope. Ses tours de fpirale ont été écartés les uns des autres, afin qu'on les pût aifement diftinguer.

* Pl. 23,
Fig. 1 & 2.

La Figure 2, est celle de la même trompe presqu'entierement étenduë, & beaucoup plus grossie, pour rendre ses moulures sensibles. *f*, l'endroit où il est ordinaire aux deux branches, aux deux parties qui la composent, de se séparer.

> *i*, *k*, les bouts des deux branches de la trompe.

> *l*, *l*, frange qui paroît dessous le bout de la plûpart des trompes, & qui est formée par des especes de lames qui sont representées plus en grand dans la Figure 8.

Les Figures 3, 4 & 5, font voir les deux branches de la trompe, séparées & differemment contournées. Le papillon qui ne vient que de naître, les montre souvent avec ces differents contours, & avec plusieurs autres qu'il eût été inutile de representer.

La Figure 6, est celle d'une portion d'une des trompes précedentes, extremement grossie, vûë par-dessus. *a a*, quart de rond qui forme le bord exterieur de chacun des côtés de cette trompe.

> *c c*, goutiere, ou moulure creuse. Après cette moulure vient un filet quarré *d d d*. Les deux parties de la trompe sont ici séparées; *d d d*, marquent aussi divers filets semblables aux barbes des plumes que nous avons crû y voir, & servir à assembler les deux branches.

La Figure 7, est celle d'une portion de la même trompe, vûë par-dessous.

La Figure 8, est celle du bout d'une branche de la trompe, Fig. 1, & 2, vû par-dessous. Il nous a paru que deux lames triangulaires, deux barbes formoient ensemble une espece de goutiere. *r s*, deux de ces lames.

Les Figures 9 & 10, font deux portions de trompe, prises vers le milieu d'une trompe beaucoup plus longue,

&

& plus groſſe que celles des figures précedentes. Elle étoit celle d'un grand papillon à antennes priſmatiques *; elle étoit beaucoup plus longue, & preſqu'une fois plus longue que le corps du papillon. Ses moulures ſont un peu dif-ferentes de celles des autres figures. La Figure 9, eſt cette portion de trompe vûë par-deſſus, & la Fig. 10. la même, vûë par-deſſous.

* Pl. 13.
Fig. 8.

a a, Figure 9, le quart de rond.

b b, filet quarré.

c, la goutiere qui ſuit le filet quarré.

d, l'endroit où les deux parties de la trompe s'aſſem-blent. Il y a auſſi un filet quarré après la goutiere, & c'eſt du deſſous de ce filet quarré que partent les barbes marquées *d d,* Fig. 6.

e, e, coupe des deux canaux creuſés dans chaque bran-che de la trompe. Quand le papillon ſucçoit le ſucre, ou le ſirop, je n'ai point vû paſſer la li-queur dans ces canaux, qui ne ſont peut-être que des conduits pour l'air.

f, coupe du canal qui eſt formé par l'aſſemblage des deux branches de la trompe, & qui eſt le ſeul où j'aye vû paſſer la liqueur pendant que j'obſervois un papillon qui ſucçoit du ſucre.

Figure 10, la même portion de trompe, Fig. 9. vûë par-deſſous.

a, a, les quarts de rond.

g, marque la ligne du milieu, où ſe rencontrent ſes fibres des deux moitiés de la trompe. Cette ligne ſemble celle du comble d'un petit toit qui ſe rend de chaque côté au quart de rond; ou, ſi l'on veut, la cavité exterieure du milieu eſt une goutiere formée par deux plans.

b, b, filets quarrés du deſſus.

Tome I.   . Kk

e, e, les deux canaux creusés dans les deux moitiés de la trompe.

f, canal formé par la réunion des deux moitiés de la trompe, ou celui par où passe le suc des fleurs.

Sur les Figures 9 & 10, paroissent les fibres transversales extremement fines, dont la trompe est entourée.

Les Figures 11 & 12, sont celles de la tête du papillon à tête de mort *, vûës par-dessous.

* Pl. 14. Fig. 2.

i, i, les yeux.

l, l, les deux lames chargées de poils, entre lesquelles la trompe est logée.

t, la trompe.

La Figure 13, est celle de la même tête, dont la trompe est déroulée en partie.

La Figure 14, fait voir la même trompe encore plus déroulée.

La Fig. 15, est celle de la trompe de grandeur naturelle, & étenduë. Elle est de celles qui sont courtes & grosses.

La Figure 16, est celle de la même trompe, grossie au microscope, vûë par-dessus.

i, la pointe de cette trompe, taillée comme celle d'une plume; elle est dure & picquante.

La seule inspection de la figure montre assés la difference qui est entre les moulures du dessus de cette trompe, & les moulures des trompes des autres figures.

Les fibres transversales qui la ceignent, y sont representées. On remarquera que vers *p,* ces fibres se dirigent plus obliquement, elles tendent vers la pointe.

La Figure 17, est celle de la même trompe, vûë par-dessous.

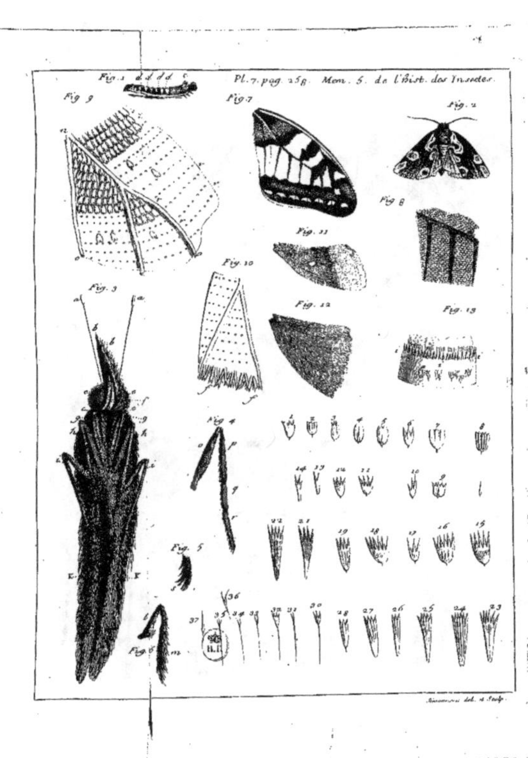

Fig. 1. a a d d d e
Pl. 7. pag. 258. Mem. 5. de l'Hist. des Insectes.
Fig. 9
Fig. 7
Fig. 2
Fig. 3
Fig. 10
Fig. 11
Fig. 8
Fig. 12
Fig. 13
Fig. 4
Fig. 5
Fig. 6

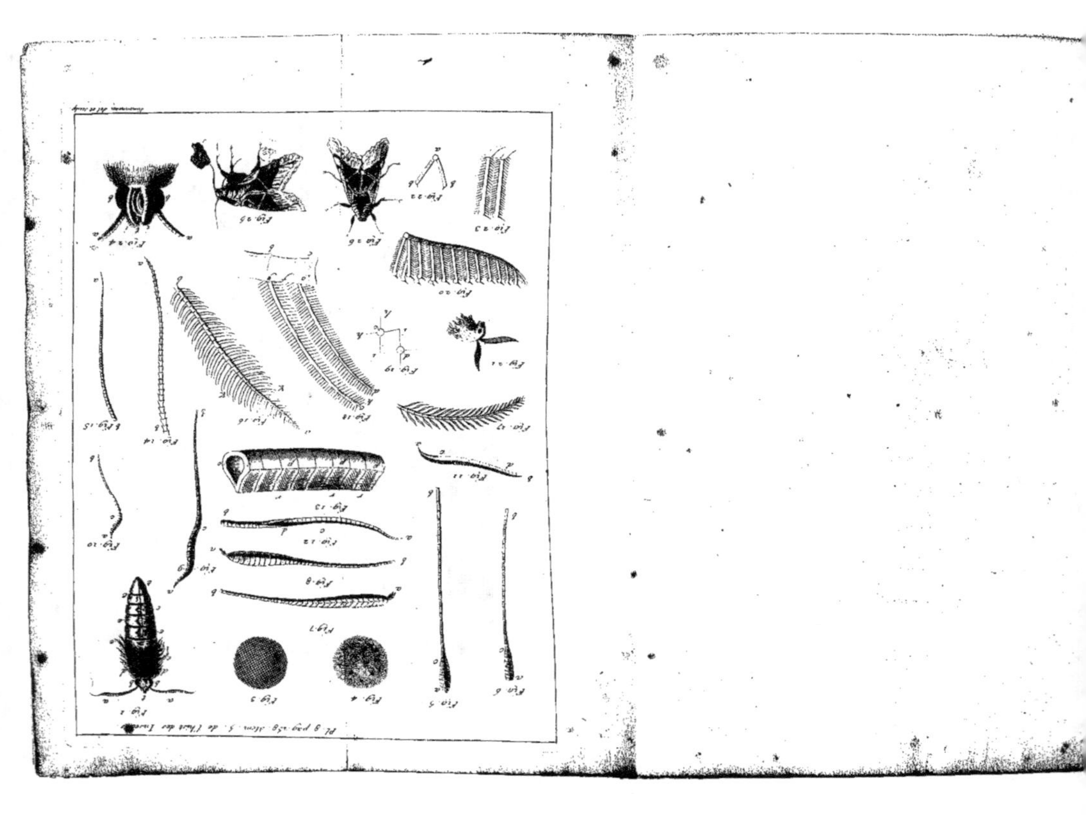

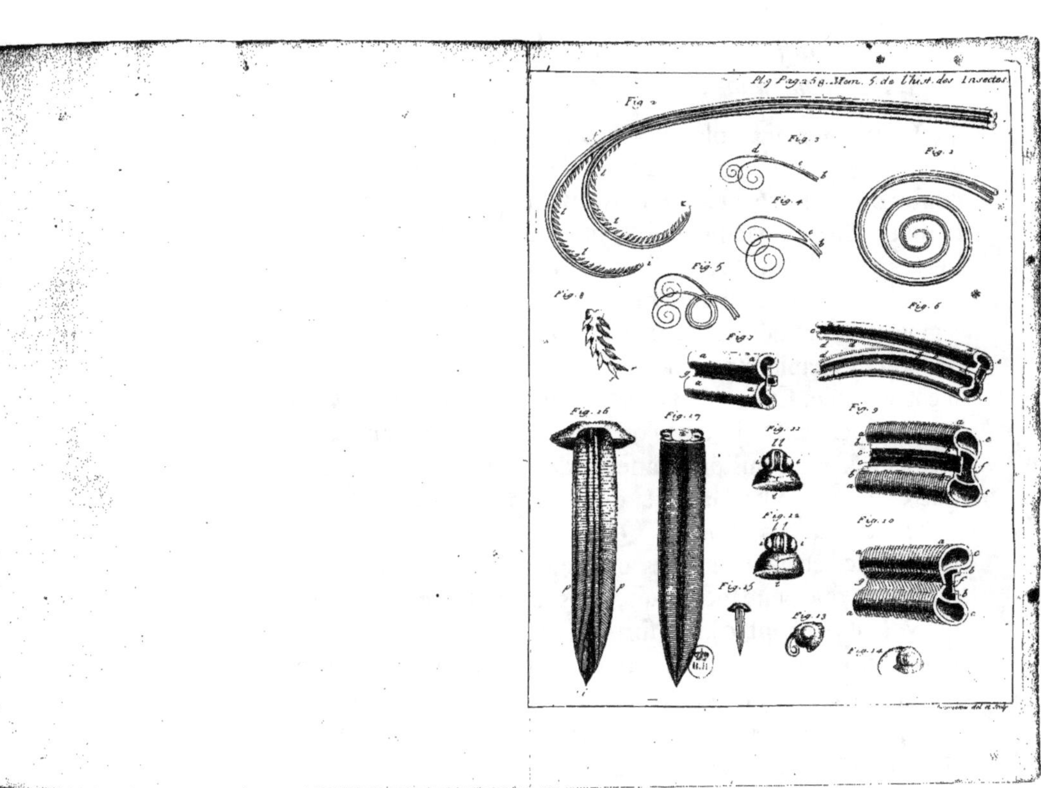

Pl. 9 Pag. 259. Mem. 5. de l'Hist. des Insectes
Fig. 1
Fig. 2
Fig. 3
Fig. 4
Fig. 5
Fig. 6
Fig. 7
Fig. 8
Fig. 9
Fig. 10
Fig. 11
Fig. 12
Fig. 13
Fig. 14
Fig. 15
Fig. 16
Fig. 17

SIXIEME MEMOIRE.

Des caracteres qui peuvent être employés pour distribuer les Papillons en classes, en genres & en especes,

Et 1.° des differentes classes & des differents genres de Papillons diurnes.

NOus voyons voler des papillons dans les jardins, dans les campagnes pendant le jour; mais les naturalistes ont observé qu'il y en a d'autres qui n'y volent que la nuit: ceux qui viennent se brûler aux lumieres dans les soirées chaudes de l'esté, sont du nombre des derniers. Les uns aiment & cherchent la clarté du soleil, les autres semblent la craindre & la fuir; c'est ce qui a fourni une division des papillons en deux classes, qui a été generalement adoptée. On a mis dans la premiere, ceux qui ne volent que pendant le jour, qu'on peut appeller des papillons *diurnes*; & on a mis dans la seconde, ceux qui ne volent gueres que pendant la nuit, qu'on appelle des papillons *nocturnes*, ou des *phalenes*. Quelques especes d'oiseaux, comme les chat-huants, les chouettes, les orfrayes, &c. ne volent que pendant la nuit, mais le nombre des oiseaux qui volent pendant le jour, surpasse considerablement celui des oiseaux nocturnes; ces derniers ne sont presque qu'une exception à la regle generale. Il en est tout autrement de nos petits volatiles; le nombre des especes de papillons qui ne volent que pendant la nuit, ou qui volent plus volontiers pendant la nuit, est considerablement plus grand que le nombre des especes de ceux qui ne volent que pendant le jour.

K k ij

Les vrais papillons nocturnes, ou phalenes se tiennent tranquiles pendant le jour sur des feuilles d'arbres ou de plantes; ils sont souvent au milieu des brossailles, ou des plantes les plus touffuës; ils y sont cachés & tapis de maniere qu'il est difficile d'en voir un seul dans les endroits où il y en a beaucoup. Mais si on bat de petits buissons, si on secouë les branches de certains arbres, ou certaines touffes de plantes, on les détermine à s'envoler; il y a tel endroit où on en fait sortir à la fois de petites nuées. Ils ne prennent pas, pour l'ordinaire, un grand essor, ils vont s'appuyer sur quelqu'autre arbre, ou sur quelqu'autre plante des environs, & s'y cachent. Pour voir un grand nombre de ces papillons, on n'a qu'à se promener dans les jardins pendant ces nuits d'esté où la chaleur n'est temperée par aucun vent, & porter avec soi une lumiere; ils y accourent de toutes parts.

Les papillons dont les inclinations sont si differentes, les diurnes, & les phalenes ou nocturnes, ont des parties par lesquelles ils sont aisés à reconnoître; on les distingue sur-tout par la forme de leurs antennes. C'est une regle bien certaine, que tous ceux qui ont les antennes dont nous avons fait le premier genre, & que nous avons nommées *antennes à bouton* ou *à masse* *, sont des papillons diurnes; qu'on ne voit jamais aucun de ceux qui en portent de cette espece, venir le soir se brûler à la chandelle. Il y a encore d'autres formes d'antennes propres aux papillons diurnes, comme sont celles du second genre *, dont le diametre augmente insensiblement depuis leur origine jusqu'auprès de leur bout, ou des antennes en massuë; celles du troisieme genre que nous avons comparées aux cornes de belier *, ont été aussi regardées comme propres aux papillons diurnes.

Les phalenes portent des antennes des trois autres

* Pl. 8.
Fig. 5 & 6.

* Pl. 8.
Fig. 7 & 8.

* Pl. 8.
Fig. 9 & 10.

genres, de celles du 4.me du 5.me & du 6.me sçavoir, ou
de celles qui ont presque dans toute leur longueur un
diametre égal, que nous avons nommées *antennes pris-*
matiques *, ou de celles dont le diametre va toûjours en
diminuant depuis la base jusqu'à la pointe, que nous avons
nommées des *antennes à filets coniques* *, ou de celles qui
sont en plumes ou à barbes *. Les papillons qui viennent le soir voler dans les appartements, qui vont se brûler
aux lumieres, ont toûjours des antennes d'un des trois
derniers genres. Il n'est pourtant pas aussi constant que les
papillons qui portent de ces sortes d'antennes, ne paroissent jamais que la nuit ; j'en ai vû voler en plein jour, &
en grand nombre, dans des bois, des especes qui ont les
antennes en plumes, & cela, même dans des endroits
éloignés de celui où j'allois, & où rien ne les obligeoit
à prendre l'essor. Mais ce que j'ai observé en même-temps,
c'est que tous ceux qui voloient alors étoient des mâles,
qui cherchoient, pour s'accoupler, des femelles qui étoient
tranquiles & immobiles sur des feuilles, ou sur des branches d'arbres. Mais la regle qui reste vraye dans toute sa
generalité, c'est qu'on ne voit jamais les phalenes voltiger
de fleur en fleur en plein jour, pour succer leur miel ; s'ils
volent alors, c'est pour chercher à perpetuer leur espece.
J'ai pourtant vû des phalenes se tenir pendant le jour sur
des fleurs de chardon, & qui paroissoient les succer. D'ailleurs, il faut avouer qu'il y a quantité d'especes de papillons qu'on nomme *phalenes,* qui ne volent gueres plus la
nuit que le jour, ils n'aiment pas à faire usage de leurs aîles,
apparemment parce qu'ils n'ont pas besoin de s'en servir.

    Il est singulier que les papillons qui fuyent la lumiere
du jour, soient précisément ceux qui se rendent dans les
chambres éclairées, & autour d'une lumiere qu'on porte
dans les jardins. Mais j'ai remarqué que ce ne sont pas

K k iij

* Pl. 8.
Fig. 11 &
12.
* Pl. 8.
Fig. 14 &
15.
* Pl. 8.
Fig. 16, 17,
20.

generalement tous les phalenes que la lumiere attire, que ceux qui s'y rendent font prefque toûjours les mâles. Nous avons dit ailleurs * que les mâles des vers luifants font at-tirés par la lumiere qui brille auprès du derriere de leurs femelles; celle d'une bougie peut tromper, & trompe réel-lement ces mâles, ils volent vers elle. Les femelles des papillons nocturnes ne répandent-elles point une lumiere trop foible, pour faire impreffion fur nos yeux, quoi-qu'affés forte pour agir fur ceux de leurs mâles!

Tous les papillons fe rangent donc en deux claffes, dont la premiere eft celle des papillons diurnes, & la feconde, beaucoup plus nombreufe, eft celle des papillons phalenes ou nocturnes. Pour nous aider à reconnoître ceux de ces differentes claffes, nous avons befoin de pouffer les divi-fions & les fubdivifions bien plus loin. La nature n'a pas été moins prodigue en varietés de formes par rapport aux papillons, que par rapport aux chenilles; mais elle n'a pas confulté les naturaliftes pour diftribuer ces varietés. Nous avons dit dans le fecond Memoire, que des infectes qui, dans leur premier état, étoient affés femblables pour être mis dans le même genre, après leur derniere transforma-tion, demandoient à être placés dans des claffes differentes.

Nous avons déja vû que les formes des antennes peu-vent fervir à diftinguer plufieurs claffes de papillons; les trompes nous y ferviront auffi. Tous les papillons diurnes que je connois, en font pourvûs, mais plufieurs genres de phalenes en manquent, ou paroiffent en manquer; & entre les phalenes qui ont une trompe fenfible, les uns l'ont longue & applatie, les autres l'ont plus courte & plus arrondie.

Des fources d'où nous pouvons tirer un nombre beau-coup plus grand de caracteres, font les aîles; elles four-niffent les varietés les plus propres à nous frapper, foit

que nous confiderions leur figure, foit que nous confiderions leur port, je veux dire, la pofition dans laquelle
les tient le papillon pendant qu'il marche, ou pendant
qu'il eft en repos. Il y a auffi de ces varietés, dont nous
nous fervirons pour aider à diftinguer les claffes des papillons diurnes, & d'autres que nous n'employerons que
pour diftinguer les genres des phalenes.

Quoique dans quelques pofitions, les aîles fuperieures
foient cachées par les inferieures *, elles font, generalement parlant, celles qui fe font le plus voir, & celles d'où
on doit le plus tirer les caracteres. Toutes ont des figures
triangulaires; les unes font des efpeces de triangles rectilignes, les autres des triangles curvilignes *, & les autres
des triangles mixtilignes. C'eft par un des trois angles,
mais qui a été abbatu, que l'aîle eft affemblée, & articulée
avec le corcelet *; & c'eft cette partie de l'aîle, que je
nomme le *fommet*, & qui le feroit du triangle, fi le triangle n'étoit pas tronqué. Je diftingue deux côtés, l'un par
le nom de *côté interieur* *; c'eft le plus proche du corps, &
l'autre par le nom de *côté exterieur* *; s'ils fe prolongeoient
jufqu'à fe rencontrer, ils formeroient l'angle du fommet.
Je nomme le *troifieme côté*, celui qui eft oppofé au fommet, *la bafe*, ou *le bout de l'aîle* *.

Des differents rapports qu'ont entr'eux ces trois côtés,
naiffent un grand nombre de figures d'aîles dont nous
ne parcourrons que les principales.

Lorfque le côté exterieur & le côté interieur font prefque droits & égaux, alors l'aîle eft un triangle ifofcele, ou
un fecteur de courbe, felon que la bafe eft droite ou convexe; mais felon que cette même bafe eft plus grande ou
plus petite par rapport aux deux autres côtés égaux ou prefqu'égaux, l'aîle ou a plus d'ampleur *, ou eft plus étroite *.

Les differents rapports qu'ont entr'eux le côté exterieur

* Pl. 10.
Fig. 8.

* Pl. 10.
Fig. 1, 2, 3,
4, 5.

* Fig. 1, 2,
3, 4, 5, 6. ſ.

* ſ i.

* ſ e.

* e i.

* Fig. 3.
* Fig. 1.

& le côté interieur, donnent encore bien des varietés. Ce dernier est ordinairement le plus court; quand il ne l'est que de peu, la base fait avec lui un angle droit, où presque droit, & alors, lorsque le côté interieur de chaque aîle est parallele à la longueur du corps, les bases des deux aîles se trouvent sur une même ligne droite. Si le côté exterieur est beaucoup plus long que l'interieur, lorsque les deux aîles sont dans la position où nous venons de les considerer, les deux bases font ensemble un angle plus ou moins ouvert, selon que la longueur du côté exterieur surpasse plus celle de l'interieur, & selon aussi que l'angle compris entre ces deux côtés, est plus ou moins grand. Alors la base s'incline plus ou moins vers la tête du papillon. Le côté exterieur est ordinairement convexe vers le dehors où il est droit, au lieu que le côté interieur est tantôt droit, tantôt concave *, & tantôt convexe vers le corps du papillon *.

* Pl. 10. Fig. 5. & i.
* Fig. 4. & i.

Pour la base, non-seulement elle est ou droite, ou convexe, ou concave, mais de plus, elle est tantôt découpée avec art, tantôt elle est comme déchirée. Quelques-unes ont des dentelures legeres, d'autres les ont plus sensibles *; il y a même des aîles où une des dentelures de la base s'étend si fort par-delà l'alignement des autres, qu'elle forme une espece de queuë au papillon *.

* Fig. 3. d.

* Fig. 6. g.

Les aîles superieures enfin, sont tantôt plus grandes, & tantôt plus petites par rapport au corps du papillon; elles ont aussi differents rapports de grandeurs avec les aîles inferieures. Dans quelques papillons, ces dernieres sont très-petites en comparaison des superieures. Dans d'autres papillons, ces aîles ont autant de surface, ou au moins autant de longueur que les superieures. Enfin, les aîles inferieures de quelques papillons, sont même plus longues que les superieures.

A l'égard

A l'égard des differences qui nous font fournies par le port des aîles, elles font encore en grand nombre, & méritent qu'on y faffe plus d'attention qu'on n'y en a fait jufqu'ici. On n'a pas affés diftingué toutes celles qu'elles nous préfentent. Tel papillon, pendant qu'il eft tranquille & en repos, tient le plan de fes aîles perpendiculaire à celui fur lequel il eft pofé *; fes deux aîles fuperieures appliquées l'une contre l'autre, s'élevent beaucoup au-deffus de fon corps. D'autres tiennent leurs aîles paralleles au plan de pofition *. D'autres les laiffent tomber fur ce plan, ils ont les aîles pendantes. Ce n'eft, au refte, qu'après que le papillon a été tranquille pendant quelques inftants, qu'on doit déterminer le port de fes aîles. Tel papillon tient fes aîles ouvertes, & étendües parallelement au plan fur lequel il fe pofe, qui, après y être refté quelques moments, les redreffe. Les aîles de quelques autres forment alors une efpece de toit, fous lequel eft le corps du papillon *; les côtés interieurs des deux aîles fuperieures vont fe rencontrer au-deffus de fon corps. Il y a des genres de papillon dont les aîles forment alors un toit élevé & aigu, d'autres qui ne forment qu'un toit écrafé, quelquefois arrondi. Les aîles de quelques autres papillons embraffent leur corps, elles s'appliquent deffus à la maniere de celles des oifeaux. Mais il feroit inutile d'entrer actuellement dans de plus grands détails fur les differents ports des aîles, puifque nous allons le faire en traçant le plan des claffes & des genres, dans lefquels il nous femble qu'on peut affés commodement ranger les papillons, pour être enfuite en état de les reconnoître, & fur-tout pour prendre une idée du nombre de leurs efpeces & de leurs varietés. Nous avons pourtant regret de ne pouvoir pas profiter, autant que nous le fouhaiterions, des figures des papillons qui ont été gravées dans la plûpart des Livres d'Hiftoire naturelle, pour les

*Pl. 10.
Fig. 7 & 8.

*Pl. 12.
Fig. 5.

*Pl. 12.
Fig. 15.

Tome I.   . Ll

mettre en ordre par rapport aux ports des aîles. Les deffi-
nateurs ont cherché fur-tout à reprefenter la diftribution
des taches, des rayes, des bandes de differentes couleurs;
ils ont cherché à nous reprefenter les papillons en beau;
pour cela, ils les ont reprefentés volants, ou ayant même
les aîles beaucoup plus étalées qu'ils ne les ont lorfqu'ils
volent; ils ont même fait voler dans leurs deffeins diverfes
efpeces de papillons à qui la nature n'a pas accordé d'employer leurs aîles à un ufage auquel feul nous les jugeons
deftinées. On les a reprefentés dans des attitudes qu'ils
n'ont jamais, & on a négligé de les faire voir dans les
attitudes qu'ils ont lorfqu'ils fe préfentent à nos yeux.
Dans ces mêmes deffeins, on a prefque toûjours négligé
de faire remarquer fi un papillon avoit une trompe, ou
s'il n'en avoit pas; fur combien de jambes il fe pofe & il
marche. On y a été affés peu attentif à donner aux antennes leurs vrayes formes, ainfi ce ne font que les papillons que nous avons obfervés nous mêmes, que nous
avons pû mettre en ordre; fi celui que nous avons choifi
eft approuvé, on y trouvera des places préparées pour
ceux qu'on obfervera dans la fuite.

Les couleurs, leurs mélanges, leurs diftributions, aufquelles on femble avoir été plus attentif qu'à tout le refte,
ne me paroiffent propres qu'à diftinguer des efpeces, encore quelquefois ne peut-on s'en fervir qu'à diftinguer des
individus; une même efpece de papillons, nous montre
quelquefois fur tout cela beaucoup de varietés.

Diftribution des papillons diurnes.

Nous avons vû ci-devant, que les papillons diurnes
peuvent être diftribués en trois differentes claffes generales
par les formes des antennes; nous ne nous bornerons pas
cependant à cette divifion, parce que la claffe des papillons

à antennes à boutons ou à maſſe, ſe trouveroit ſeule
conſiderablement plus nombreuſe que les claſſes de ceux
à antennes en maſſuë, & de ceux à antennes à cornes de
belier priſes enſemble. D'ailleurs les papillons qui portent
des antennes de la premiere eſpece, nous offrent des varietés qui ſemblent exiger qu'on les diſtribuë en differentes claſſes.

Pour avoir les caracteres de ces claſſes, nous remarquerons que le plus grand nombre des papillons qui ont
des antennes à boutons ou à maſſe, tiennent le plan de
leurs aîles perpendiculaire à celui ſur lequel ils ſont poſés.
Nous l'avons déja dit, & nous avons dit auſſi qu'alors les
deux aîles ſuperieures ſont appliquées l'une contre l'autre,
& s'élevent au-deſſus du corps *; mais on ne paroît pas
avoir fait aſſés d'attention dans les figures qu'on nous a
données de ces papillons, aux poſitions de leurs aîles inferieures. On en peut obſerver deux aſſés differentes pour
fournir les caracteres de deux claſſes. Les aîles inferieures
des uns ſe recourbent alors par enbas pour embraſſer le
deſſous du corps *, les bords de l'une vont s'appliquer
contre ceux de l'autre, tout du long du milieu du ventre;
l'aîle eſt concave par enbas, de façon qu'elle fait un moule
capable de recevoir la moitié du corps *, ainſi le corps
entier de ceux-ci eſt couvert par les aîles, elles le cachent
tant par-deſſus que par-deſſous.

Les mêmes aîles inferieures de quelques autres papillons
ſe recourbent alors tout autrement; la partie inferieure de
chacune ſe plie pour venir embraſſer le corps par-deſſus;
elles forment enſemble une eſpece de goutiere, dans laquelle il eſt logé *. Je ne ſuis pas certain encore qu'il y
ait des papillons diurnes, dont le plan entier des aîles inferieures ſoit vertical, ou dont le bord inferieur s'applique
ſimplement le long des côtés, & n'empêche pas même de

* Pl. 10.
Fig. 8. & Pl.
11. Fig. 1.

* Pl. 7.
Fig. 3. & Pl.
10. Fig. 8.

* Pl. 10.
Fig. 3. *a, b, c.*

* Pl. 11.
Fig. 3 & 5.

L l ij

voir le corps; en cas qu'on en obferve dont les aîles inferieures ayent cette troifiéme pofition, ils pourront être mis dans une claffe particuliere. Nous devons nous fouvenir, que parmi les papillons qui portent des antennes de la premiere efpece, il y en a qui n'ont que quatre jambes femblables, ou au moins que quatre jambes fur lefquelles ils fe pofent, & ils marchent *. Les deux premieres jambes font de fauffes jambes, elles font terminées par des efpeces de cordons, femblables aux cordons de palatines; quoiqu'elles foient grandes, le papillon les replie, & les applique contre fon corps, de maniere qu'on ne peut les voir, que quand on le force à les déplier.

Il y a encore d'autres papillons diurnes qui ne fe pofent, & ne marchent que fur quatre jambes, & qui femblent auffi n'en avoir que quatre; ils en ont pourtant réellement fix femblablement conftruites: mais les deux premieres * font fi déliées & fi courtes, que le fecours de la loupe eft prefque neceffaire pour les appercevoir. C'eft des remarques précedentes que nous tirons les caracteres de fept claffes de papillons diurnes.

Nous compofons la premiere claffe de ceux dont les antennes font terminées par des maffes ou boutons, qui tiennent le plan de leurs aîles perpendiculaire à celui fur lequel ils font pofés, & dont le bord inferieur des aîles inferieures embraffe le deffous du corps; & enfin, qui font pofés fur fix jambes, & qui marchent auffi fur fix jambes. Le papillon blanc, avec quelques taches noires, qui vient de la plus belle des chenilles du chou, dont on aura l'hiftoire dans le 11.me Memoire, nous fournit un exemple des papillons de cette claffe *.

La feconde claffe comprend ceux dont les quatre aîles font perpendiculaires au plan de pofition, & dont les inferieures embraffent auffi le corps par-deffous, mais qui

* Pl. 7. Fig. 3.

* Pl. 11. Fig. 2. bb.

I.re CLASSE.

* Pl. 10. Fig. 7. ppp.

11.me CLASSE.

ne se posent que sur quatre jambes; il ne leur en paroît
que quatre, soit qu'ils marchent, soit qu'ils soient en repos.
Ordinairement ils tiennent leurs deux premieres jambes
repliées; ce sont de fausses jambes qui se terminent par
des especes de cordons semblables aux pendants des palatines de peau. Diverses especes de chenilles épineuses
donnent des papillons de cette classe; nous n'en avons fait
represer ter qu'un ici * pour servir d'exemple; c'est celui
d'une chenille épineuse de l'ortie *, qui y vit solitaire; elle
se tient ordinairement dans une feuille de cette plante
qu'elle a pliée en goutiere *, & qu'elle ronge en commençant par le bout, tant qu'elle peut y être à couvert. Jeune,
elle est d'une couleur de caffé foncé, plus vieille, elle devient d'un brun noir; mais de chaque côté tout du long
du corps, elle a un rang de taches d'un jaune citron qui
se touchent presque; elle a sept épines sur chaque anneau. Elle se pend par le derriere, la tête en bas pour
se transformer en une crisalide *, & après quinze ou vingt
jours, le papillon, qui est ici representé, sort de cette crisalide; il m'est né les premiers jours du mois d'Aoust. On
voit dans la Figure 8. que ses aîles inferieures embrassent
le dessous de son corps. Dans cette position, c'est la face
inferieure d'une de ces mêmes aîles qui est en vûë; des
ondes de noir & de brun font le fond de la couleur de
cette aîle; le bord a des couleurs plus claires, & vers le haut,
une tache jaune; il y a aussi du jaune & du violet mêlés
parmi le brun & le noir qui font la base des couleurs.

Une partie du dessous d'une aîle superieure paroît dans
cette même figure; vers son origine, il y a ici en blanc
une tache qui est d'un beau rouge, & quelques taches
d'un beau bleu. La portion du bord exterieur, où il semble
y avoir un petit cordon, est marquée par des taches blanches & par des taches noires.

LI iij

Dans la Figure 9, le même papillon est vû par-dessus, ayant les aîles étenduës; la grande tache blanche qui est ici sur chaque aîle superieure, est rouge & d'un beau rouge; les autres taches qui sont marquées en blanc, sont blanches, & le reste est noir. Tout le dessus des aîles inferieures est du même noir, excepté près du bord, où il y a une espece de large bande, ou de galon, qui est rouge, & seulement picquée de quelques points noirs.

Une autre chenille de l'ortie *, que je n'ai eû que quelques jours avant qu'elle se soit transformée en crisalide, qui portoit aussi sur chaque anneau sept épines *, m'a donné un papillon semblable au précedent; il ne m'a paru en differer que par le nombre des taches blanches qui sont dans la Fig. 9. dans l'espace *t, t, t,* sur les aîles superieures, il en avoit deux de plus ou plus distinctes. C'étoit un papillon mâle, dont celui de la Fig. 9. étoit apparemment le papillon femelle *; mais ce qui est ici plus digne de remarque, c'est que la chenille d'où le mâle est venu étoit entierement d'un blanc jaunâtre tirant sur le citron, avec quelques petites taches rougeâtres; le tronc des épines étoit du même jaune que celui du corps. Cette chenille étoit donc tout autrement colorée que celle qui a donné le papillon de la Figure 9. Peut-être que dans cette espece les chenilles d'où viennent les papillons mâles ne sont pas de même couleur que celles d'où viennent les papillons femelles; c'est pourtant ce qui demende à être verifié par des observations repetées.

Les papillons diurnes que nous rassemblons dans la troisieme classe, ont le même port d'aîles & la même forme d'antennes, que ceux des deux classes précedentes; ils ont même de commun avec ceux de la seconde, de ne se poser, & de ne marcher que sur quatre jambes *, mais ils n'ont point, comme eux, leurs deux premieres jambes terminées en cordons de palatines; elles font faites comme les autres jambes, mais fi confiderablement plus petites, que les yeux ont peine à les voir *.   * Fig. 2. *bb.*

Un papillon très-commun dans les prairies & dans les champs vers la fin de Juin, pendant tout le mois de Juillet, & même plus tard, eft de cette claffe *. Le deffous de fes   * Fig. 1 & 2. aîles inferieures eft d'un gris dans lequel il entre des teintes de jaunâtre; le deffous des fuperieures eft d'un affés mauvais feuille morte, & ce qu'il offre de plus remarquable, eft une tache en œil, affés noire, & dont le centre eft marqué par un point blanc; les furfaces fuperieures des quatre aîles ont des couleurs affés femblables à celles des furfaces inferieures.

Il y a des papillons beaucoup plus petits que les précedents, & qui d'ailleurs leur reffemblent parfaitement par les couleurs de leurs aîles, qui font auffi de la même claffe.

Sous cette claffe fe rangent encore quelques efpeces de papillons, fur les aîles defquels il y a une diftribution de taches noires & de taches blanches, qui imite affés celle des quarrés d'un damier. Enfin, beaucoup d'autres efpeces de papillons appartiennent à cette même claffe.

Nous croyons devoir ranger dans une 4.me claffe, les   I V.me papillons dont les antennes font encore terminées par des   C L A S S E. maffes ou boutons, & qui portent auffi leurs quatre aîles perpendiculaires au plan de pofition, mais dont le bord des inferieures fe recourbe pour venir embraffer & couvrir le deffus du corps *. Les aîles de ceux-ci laiffent tout le   * Pl. 1 r. refte du corps à nud. Quelque marqué que foit ce carac-   Fig. 3, 4 & tere, les papillons que je connois actuellement de cette   5. claffe en ont encore un qui frappe davantage; chaque aîle inferieure a, vers le bout exterieur de fa bafe, un long appendice, une partie qui s'étend en pointe, & beaucoup par-delà le refte. Ces parties femblent former une queuë

* Fig. 3. 4 au papillon *, auffi appelle-t-on ceux qui les ont, des *pa-*
& 5. 9 7. *pillons à queuë.* Des papillons pourtant, aux aîles defquels
ces appendices manqueroient, feroient de notre quatrier
claffe, fi le bord de leurs aîles inferieures fe replioit pour
embraffer le deffus du corps. Ils ont fix veritables jambes.

* Pl. 10. Vers la fin de Juillet on trouve affés fouvent aux en-
Fig. 3 & 4. virons de Paris, un grand & beau papillon de cette claffe *,
dont je n'ai pas eû la chenille, mais on la peut voir dans la
94.me Planche des Infectes d'Europe de M.me Merian;
elle l'a nourrie de feuilles de prunier fauvage. Le fond de la
couleur des aîles de ce papillon eft un citron clair. Les taches qui font deffus, font noires, faites en efpeces d'ondes,
ou de flammes, qui imitent celles de ces taffetas qu'on
nomme *flambés*. De part & d'autre de l'appendice qui forme une queuë à chaque aîle inferieure, il y a des taches en
forme d'yeux, cinq en tout; la circonference exterieure de
ces yeux eft noire, & leur interieur eft rempli par un beau
bleu nué; il n'y a que le milieu de l'œil le plus proche du
corps, qui foit feuille morte.

V.me Nous mettrons dans la cinquieme claffe, des papillons
CLASSE. qui ont encore leurs antennes terminées par des maffes
ou boutons, qui ont fix vrayes jambes, mais qui, quand ils
font en repos, tiennent ordinairement leurs aîles parallèles
* Pl. 11. au plan de pofition *, ou qui au moins ne les redreffent ja-
Fig. 6. mais affés pour que les deux fuperieures s'appliquent l'une
* Fig. 7. contre l'autre au-deffus du corps *.

Nous avons un papillon de cette claffe, qui vient d'une
* Fig. 9. petite chenille rafe de la guimauve *. Cette chenille a feize
jambes, fa couleur eft par-tout d'un vray gris de fouris,
excepté tout proche de la tête, où elle a fur le premier
anneau trois taches d'un beau jaune, qui lui font un joli
* Fig. 8. collier. Elle eft cachée par la feuille-même qu'elle mange *,
avant de commencer à la ronger, elle a foin de la plier,

&

& de la tenir pliée, au moyen de divers fils ; elle est dans
la cavité que forme cette feuille. Quand elle se dispose à
se transformer en crisalide, elle plie encore, avec plus
d'art, une des plus petites feuilles * ; elle en fait une es- *Pl. 11.
pece de boîte ovale dans laquelle elle file une mince coque Fig. 10.
de soye : c'est dans cette coque qu'elle perd sa figure,
pour prendre celle de crisalide *. La crisalide, qui est *Fig. 11
d'une couleur brune, est couverte d'une legere poudre & 12.
blanche, d'une espece de farine semblable à celle qu'on
voit sur les prunes, & qu'on en appelle *la fleur*. Vers les
premiers jours d'Aoust, j'ai eu les papillons de ces chenilles qui ont été cachés sous la forme de crisalide pendant
trois semaines ou environ.

La Figure 6, represente ce papillon dans son attitude
la plus ordinaire. Le fond de la couleur du dessus de ses
quatre aîles est un agathe sur lequel sont des taches nuées
de noir, de brun & de gris, & sur lequel il y a aussi des
taches presque blanches.

Le même papillon est representé dans la Figure 7, ayant
les aîles élevées, ce qui est plus rare ; mais on voit qu'alors
les deux aîles superieures ne se touchent point, qu'il reste
entr'elles un espace. Le dessous des aîles est d'une couleur
jaunâtre, marqué de taches d'une couleur plus claire que
celle des taches du dessus.

Les crisalides des papillons diurnes des quatre premieres classes, se trouvent toutes penduës ou liées, comme
nous l'expliquerons ailleurs *, mais jamais elles ne sont ren- *Pl. 22.
fermées dans des coques, comme l'est celle de notre pa- Fig. 1 & 2.
pillon de la guimauve *.

On ne manquera pas aussi de caracteres pour les genres *Pl. 11.
dans lesquels on voudra diviser ces classes, les boutons Fig. 10.
même des antennes en fourniront. Les uns ont ces boutons plus arrondis, les autres les ont plus allongés, les

Tome I.   M m

autres les ont plus applatis. Quelques-uns se terminent
par une pointe plus aiguë, les autres se terminent par un
plan circulaire, qui a même plus de diametre que le reste.
Ce dernier caractere, par exemple, distingue un beau papillon jaune, dont les aîles sont bordées de noir, des divers
autres papillons jaunes de la premiere classe. Les antennes
des uns sont plus longues, proportionnellement à la longueur du corps, que celles des autres.

La base des aîles des uns est une ligne courbe qui n'a
ni dentelures ni découpures *, telles sont communément
les bases de ceux de la premiere classe. Les bases des aîles
des autres, au contraire, sont découpées, dentelées ou
déchirées, & telles sont les bases des aîles des papillons
de la seconde classe *, qu'on peut distinguer les uns des
autres par la nature des dentelures.

On les distinguera encore par le côté interieur de l'aîle
superieure qui est concave, mais plus ou moins dans differents papillons des premieres classes. Il est, par exemple,
très-concave dans le papillon qui vient de la chenille épineuse de l'orme, appellée *bedaude* *, & il est presque droit
dans le papillon qui vient d'une chenille épineuse de l'orme
qui a des rayes brunes, & des rayes d'un verd foncé.
Ces papillons sont de deux genres differents de la seconde
classe.

Il y a même apparence que lorsque les observations
seront plus multipliées, on parviendra à remarquer dans
chaque papillon, des particularités qui nous indiqueront
la classe, & même le genre de la chenille d'où il sort,
que de même on parviendra à distinguer des chenilles en
apparence assés semblables, par des circonstances qui nous
échappent actuellement, & qui indiqueront le genre du
papillon qui en doit éclorre. On sçait déja, par exemple,
qu'aucune des chenilles qui se filent des coques pour

* Pl. 10.
Fig. 7.

* Pl. 10.
Fig. 8.

* Pl. 27.
Fig. 9 & 10.

* Pl. 26.
Fig. 6 & 7.

transformer en crifalide, ne prennent la forme de papillons qui ont les antennes en boutons ou à maffe, & qui portent leurs aîles bien perpendiculaires au plan fur lequel ils font pofés.

Jufqu'ici je n'ai point vû de ces mêmes papillons qui foient venus de chenilles à longs poils, & bien veluës, ni de celles qui ont une corne fur le derriere, ni de celles qui ont de ces gros tubercules qui imitent de petites turquoifes, ou d'autres pierres de couleur. Je n'ai vû aucune chenille épineufe qui fe foit transformée en un papillon nocturne. Il y a plus, toutes les chenilles épineufes que j'ai nourries, ont donné des papillons diurnes de la feconde claffe, je veux dire, des papillons qui ne fe pofent, & ne marchent que fur quatre jambes, & dont les deux premieres font terminées en pendants de palatines.

Mais, entre les chenilles rafes, & entre celles qui n'ont que des poils courts, il y en a qui fe transforment en papillons diurnes, & d'autres qui fe transforment en papillons nocturnes. Des obfervations plus fines que celles que j'ai faites, apprendront peut-être à diftinguer celles de ces chenilles qui doivent devenir des papillons de formes & d'inclinations differentes.

Les papillons de la fixiéme claffe font caracterifés par leurs antennes en maffuë *, c'eft-à-dire, par ces antennes, qui, depuis leur origine, jufqu'affés près de leur extremité, augmentent en groffeur. Tous ceux que je connois de cette claffe, volent prefque continuellement pendant le jour. Quoique Mme Merian ait donné le nom de *phalenes* à des papillons de cette efpece, je ne vois pas qu'il y ait à hefiter à les placer parmi les diurnes, puifqu'il n'y en a point qui volent plus pendant le jour, ni qui volent moins pendant la nuit. Ce font de ceux dont nous avons déja parlé, qui planent fur les fleurs, pendant que leur trompe

VIme
CLASSE.
* Pl. 12.
Fig 5, &
Fig. 10.

Mm ij

allongée en succe la liqueur. Quelques auteurs les nom-
ment des *éperviers*, nom qui leur convient assés, en ce qu'ils
ressemblent à ces oiseaux, ou à d'autres oiseaux de proye
par la facilité qu'ils ont de se soûtenir en l'air sans presque
changer de place. Le bruit qu'ils font en volant, nous les
fait appeller des *papillons-bourdons*. Quand ils s'appuyent
ils ont leurs aîles paralleles au plan sur lequel ils sont posés.
Le côté interieur de leurs aîles est plus court que l'exterieur. Le corps se termine par une espece de queuë fourchuë, formée par de longs poils *.

    Nous avons déja décrit dans le second Memoire * une
chenille * qui porte une corne sur le derriere, & qui vit des
feuilles du caille-lait, qui donne un papillon de cette classe;
nous y avons dit, que le fond de la couleur de cette chenille est un verd celadon; elle est picquée de quantité de
points blancs, qu'on n'a pû mettre qu'en noir dans la
gravure; elle a de chaque côté deux rayes blanches. Quelquefois les chenilles de cette espece entrent en terre lors
qu'elles sont près de se métamorphoser; quelquefois elles
se font, auprès de la surface de la terre, une coque avec la
terre même, & avec diverses feuilles & branches de la plante
dont elles se nourrissent, ou de quelques autres plantes,
comme on le voit dans la Figure 2. dont le côté ouvert
étoit fermé par les parois du poudrier, contre lequel la
coque étoit appliquée. C'est vers le 20. d'Aoust que les
chenilles de cette espece, que je nourrissois, se sont mises
en crisalides; je n'ai point bien sçû le temps où les papillons sortirent des crisalides. Après avoir été absent de Paris
pendant tout le mois de Septembre, j'y revins à la fin de
celui d'Octobre, j'y trouvai les papillons nés & morts
dans leurs poudriers. Le dessus de leur corps * est entierement à découvert, les aîles ne le cachent point; il est d'un
brun couleur de suye: c'est aussi la couleur du dessus des

Notes marginales :

* Pl. 12.
Fig. 5 & 6.
9.
* 2ᵉ. Mem.
p. 89 & 90.
* Pl. 12.
Fig. 1.

* Fig. 5.

aîles, où il y a de plus des ondes & des taches noires, &
d'autres d'un gris plus clair *. Il faut voir le papillon par- * Fig. 5.
deſſous, pour voir ſes aîles inferieures *, qui ſont très- * Fig. 6.
courtes, & couleur de tabac; une nuance plus claire de
cette couleur, eſt auſſi celle du deſſous des aîles ſuperieures. Le deſſous du corcelet, la partie où les jambes
s'attachent, eſt bien fournie de poils blancs, le reſte du
deſſous du corps eſt preſque noir; mais ſur les bords des
côtés il y a alternativement de petites houppes blanches &
de petites houppes noires; les poils qui lui font une queuë
fourchuë, ſont noirs.

La forme des antennes, le port des aîles, la façon de
voler, demandent qu'on place dans la même claſſe des
papillons ordinairement plus petits que celui que nous venons de prendre pour exemple. Ceux dont nous voulons
former un genre de cette claſſe ſont très-aiſés à diſtinguer,
on les peut nommer des *papillons-mouches;* ils ſe rapprochent des mouches; leurs aîles ne ſont pas entierement
couvertes de ces pouſſieres qui rendent opaques celles des
autres papillons; elles ſont tranſparentes au moins dans
une partie de leur étenduë. Ces ſortes d'aîles en partie
tranſparentes, ont déja le nom *d'aîles vitrées,* qui leur doit
être conſervé. Le papillon-mouche que nous avons fait
repreſenter *, a la plus grande partie du deſſus du corps * Pl. 12.
couverte de poils d'une olive un peu jaune; ſes aîles, tant Fig. 9 & 10.
ſuperieures qu'inferieures *, ont tout autour une bordure * Fig. 11
opaque. La bordure de la baſe de l'aîle, eſt beaucoup plus & 12.
large que celle des côtés, elle eſt d'un beau brun, entre le
canelle & le maron; tout le reſte, tout le milieu de chaque
aîle, eſt tranſparent. Lorſqu'on voit le papillon par-deſſus *, * Fig. 9.
ſes aîles ſuperieures ſemblent pourtant être traverſées vers
le milieu de leur longueur par une bande opaque; cette
bande opaque eſt celle qui borde l'aîle inferieure qui eſt

Mm iij

courte; comme cette bande de l'aîle inferieure eſt bien appliquée contre la partie tranſparente de la ſuperieure, elle
lui donne ce qu'elle a d'opaque & de coloré. Le deſſous du
corps de ce papillon eſt couvert de poils plus jaunâtres que
ceux du deſſus, ils ſont preſque citron; ceux de la queue
ſont canelle, il en a auſſi de cette couleur vers le milieu du
corps. Je n'ai point encore élevé la chenille qui donne ce
papillon. Les papillons de cette 6.ᵉ claſſe ont ſix jambes.

Nous mettons dans la ſeptiéme claſſe des papillons
diurnes, ceux qui ont des antennes en cornes de belier.
Si pourtant on vouloit regarder cette même claſſe comme
la premiere des phalenes ou des nocturnes, le papillon que
nous allons donner pour exemple de ceux qui portent de
ces ſortes d'antennes, ſembleroit favoriſer cet arrangement, il vole peu pendant le jour; on le voit attaché contre des tiges de plantes, & ſouvent contre celles du gramen. Mais je ne crois pas qu'il vole davantage pendant la
nuit, & il ne cherche point à ſe cacher pendant le jour.
M.ᵐᵉ Merian l'a mis parmi les phalenes, & M. Ray lui
donne place parmi les diurnes, par la même raiſon, apparemment, qui nous y détermine actuellement; c'eſt que ſes
antennes reſſemblent plus à celles des papillons diurnes
qu'à celles des nocturnes. Quand il eſt en repos, les aîles
ſuperieures de la femelle pendent de chaque côté *, & font
ſur ſon dos une eſpece de toit. Le fond de leur couleur eſt
changeant; vû dans un ſens, il paroît olive, vû dans un autre,
d'un brun bleuâtre, vû dans un autre, d'un noir bleu; un œil
d'or ſe mêle à ces differentes couleurs; quatre à cinq taches
rouges ſemblables à celles du jaſpe-ſanguin, ſont jettées ſur
ce fond de couleurs changeantes. Les aîles de deſſous
ſont par-tout d'un beau rouge; le contour de leur baſe doit
ſeul être excepté, il eſt bordé de noir; la couleur du corps
tient de celle des aîles ſuperieures. Ce papillon eſt commun dans les prairies.

VII.ᵐᵉ
CLASSE.
* Pl. 12.
Fig. 15, 16
& 17.

* Fig. 15.

* Fig. 16.

Je n'ai eû la chenille d'où il fort que lorſqu'elle venoit de finir la coque où elle étoit près de ſe transformer en criſalide *; elle étoit raſe alors, & le fond de ſa couleur étoit un jaune pâle, ſur lequel elle a pluſieurs rangs de taches noires alignées ſuivant la longueur du corps. Elle a ſeize jambes; elle ſe fait une fort jolie coque de ſoye; quelques-unes ſe la font d'une ſoye blanche, mais plus communément elles ſe la font d'une ſoye couleur de paille. On la trouve preſque toûjours attachée contre une tige de gramen; ſa forme eſt ſinguliere, elle approche de celle d'un grain d'orge *; elle a au moins trois fois plus de longueur qu'un pareil grain, & plus de diametre à proportion, je veux dire, que le milieu * eſt l'endroit où elle eſt le plus renflée, & que de-là, juſqu'à chacun de ſes bouts *, elle diminuë inſenſiblement de diametre pour s'y terminer en pointe. Elle ſemble compoſée de differentes côtes; ſon tiſſu extremement ſerré, & ſa couleur, feroient croire à ceux qui ne l'examineroient pas de près, qu'elle eſt réellement de paille. C'eſt dans le mois de Juin que chacune de ces chenilles ſe fait une pareille coque, dont le papillon ſort vers le commencement de Juillet. J'ai eu de ces papillons, qui, dans les poudriers où je les tenois, ont fait des œufs ronds & brillants, ſemblables à de la ſemence de perle. Au bout de dix ou douze jours les petites chenilles en ſont ſorties; elles n'ont pas vêcu chés moi plus de huit ou dix jours, parce qu'on ne leur a pas donné des aliments convenables.

Si tout a été repreſenté exactement dans le papillon de la Planche 20. des Inſectes de Surinam de Mme Merian, il demande qu'on établiſſe une 8.me claſſe pour les papillons diurnes. Celui qu'on y voit a des antennes à filets coniques. Ce papillon porte cependant ſes aîles droites, ou perpendiculaires au plan de poſition; & ce qui eſt encore

* Pl. 12.
Fig. 13.

* Fig. 14.

* a.

* c, c.

particulier, c'est que la grosse chenille rayée transversalement de verd & de noir, d'où il sort, se file une coque pour s'y transformer en crisalide. Enfin, on augmente le nombre des classes de nos papillons diurnes, si de nouvelles observations le demandent.

EXPLICATION DES FIGURES
DU SIXIEME MEMOIRE.

PLANCHE X.

LEs Figures 1, 2, 3, 4, 5, 6, sont celles de quelques aîles de differentes formes.

f, marque le sommet de chacune de ces aîles.

f e, le côté exterieur, qui, dans toutes ces figures est courbe, & convexe vers le dehors de l'aîle.

e i, est la base de l'aîle, ou le bout de l'aîle.

i f, en est le côté interieur, presque droit Figure 3, concave Fig. 1, 5 & 6, convexe Fig. 4. L'aîle de cette Figure 4, est une de celles où le terme qui sépare la base du côté exterieur, n'est pas marqué, où ces deux côtés semblent former une même courbe. Les aîles des Figures 3 & 4, sont l'aîle superieure, & l'aîle inferieure d'un grand papillon appellé *tête de mort,* representé Pl. 11. Fig. 2.

a b c, Figure 3, est celle d'une espece d'appendice qui le côté interieur de chaque aîle inferieure de plusieurs papillons diurnes. C'est cette partie qui se moule sur le ventre du papillon, & qui l'embrasse.

d, Figures 2 & 3, sont des dents, ou parties saillantes.

q, Figure 6, est un de ces longs & étroits appendices, qui se trouvent à la base des aîles inferieures.

de quelques papillons, & qui leur forment des efpeces de queuës.

La Figure 7, est celle d'un papillon diurne de la premiere classe, dont les antennes sont terminées par des boutons ou masses, & qui a de chaque côté trois jambes *p, p, p,*
ou six jambes en tout, sur lesquelles il marche, & se pose.
On aura l'histoire de ce papillon, Mem. 11.me Pl. 28 & 29.

La Figure 8, est celle d'un papillon de la 2.de classe, ou
dont les antennes sont terminées par des boutons, mais
qui n'a de chaque côté que deux vrayes jambes *p p,* ou
que quatre en tout, sur lesquelles il se pose, & il marche.
Il a deux fausses jambes qui se terminent comme les pendants des cordons de palatines, & qui lui servent plûtôt
de mains que de jambes; elles lui servent pour se brosser
les yeux, & les environs de la tête.

La Figure 9, est celle du même papillon, vû par-dessus, ayant les aîles étenduës.

La Fig. 10, est celle d'une chenille épineuse de l'ortic,
qui donne ce papillon.

La Figure 11, est celle d'une feuille de l'ortie pliée, dans
laquelle cette chenille se cache ordinairement, & qu'elle
ronge par le bout.

La Figure 12, est celle de la coupe d'un des anneaux
de cette chenille, qui montre en grand le nombre, & la
figure de ses épines.

La Figure 13, est celle de la crisalide de cette chenille.

PLANCHE XI.

La Figure 1, est celle d'un papillon diurne de la troi-

Tome I.   . N n

fieme claffe. Il a les antennes, & le port d'aîles de ceux de la premiere claffe, & de la feconde claffe. Comme ceux de la feconde claffe, il ne fe pofe auffi que fur quatre jambes, dont deux, *p p,* peuvent feules paroître dans cette figure.

La Figure 2, eft celle du même papillon, vû de face, & du côté du ventre, reprefenté en grand. *p p p p,* font les quatre jambes fur lefquelles il marche, & fe pofe. *b b,* font les deux jambes anterieures dont il ne fe fert jamais pour marcher. Elles font extremement petites en comparaifon des autres. C'eft par la petiteffe de ces jambes, & par leur forme, que les papillons de cette claffe font diftingués de ceux de la premiere, & de ceux de la feconde claffe.

Les Figures 3, 4 & 5, reprefentent un papillon de la quatrieme claffe.

q q, les appendices des aîles qui font des efpeces de queuës à ces papillons. Ce qui les caracterife, c'eft que les aîles inferieures, Figure 3, fe recourbent pour venir couvrir partie du deffus du corps.

La Figure 5, où ce papillon eft renverfé, fait encore mieux voir en *l l,* comment les aîles inferieures font re-courbées prefqu'à angle droit, pour former une couver-ture au-deffus du corps, & fur-tout au-deffus de la partie pofterieure.

Les Figures 6 & 7, font celles d'un papillon diurne de la 4.me claffe, qui, Figure 6, tient fes aîles paralleles au plan de pofition, & qui, quand il les redreffe, Figure 7, ne les redreffe jamais affés, pour que les deux fuperieures fe touchent.

La Figure 8, est celle d'une feuille de guimauve pliée, & rongée en partie, dans laquelle se tient la chenille qui donne ce papillon.

La Figure 9, est celle de cette chenille.

La Fig. 10, est celle d'une feuille que la même chenille a pliée pour se transformer en crisalide dans sa cavité.

Les Figures 11 & 12, sont celles des crisalides de cette chenille, vûës des deux côtés opposés.

PLANCHE XII.

La Figure 1, est celle de la chenille du caille-lait, qui porte une corne sur le derriere.

La Figure 2, fait voir la coque que s'est faite cette chenille avec de la terre & du caille-lait. La chenille, qui paroît raccourcie dans cette coque, est prête à se metamorphoser en crisalide.

Les Figures 3 & 4, sont celles d'une crisalide de cette chenille, vûë par-dessous, Figure 3, & vûë par-dessus, Figure 4.

La Figure 5, est celle du papillon de cette chenille, vû du côté du dos.

La Figure 6, est celle du papillon de la même chenille, vû du côté du ventre. Ce papillon, par la forme de ses antennes, est de la sixieme classe. C'est un papillon bourdon, ou épervier.

La Figure 7, est celle d'une aîle superieure de ce papillon.

La Figure 8, est celle d'une petite aîle du même papillon.

Les Figures 9 & 10, font celles d'un autre papillon de la même claffe, vû auffi par-deffous, Figure 9, & par-deffus, Figure 10. C'eft un papillon mouche.

La Figure 11, eft celle d'une des aîles fuperieures de ce papillon.

La Figure 12, eft celle d'une de fes aîles inferieures.

La Figure 13, eft celle de la chenille qui donne le papillon des Figures 15, 16 & 17.

La Figure 14, reprefente une portion d'une tige de gramen, ou chiendent, contre laquelle eft attachée la coque *c a c,* de cette chenille. Elle eft renflée vers le milieu *a*.

La Figure 15, eft celle d'un papillon de la 7.me claffe, ou à cornes de belier, qui vient de la chenille précédente, vû par-deffus.

La Figure 16, eft celle du même papillon, vû par-deffous. Le papillon de ces deux Figures eft femelle.

La Figure 17, eft celle du papillon mâle.

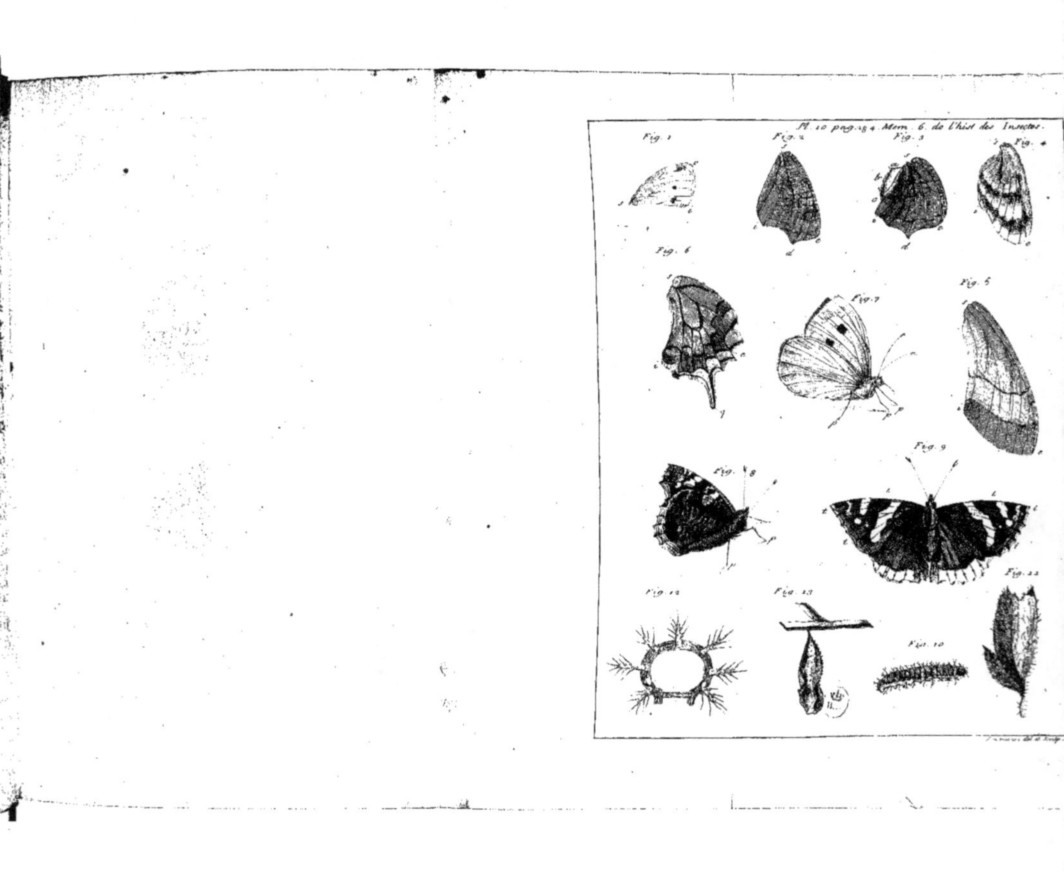

Pl. 10 pag. 184. Mem. 6. de l'hist. des Insectes.
Fig. 1
Fig. 2
Fig. 3
Fig. 4
Fig. 5
Fig. 6
Fig. 7
Fig. 8
Fig. 9
Fig. 10
Fig. 11
Fig. 12
Fig. 13

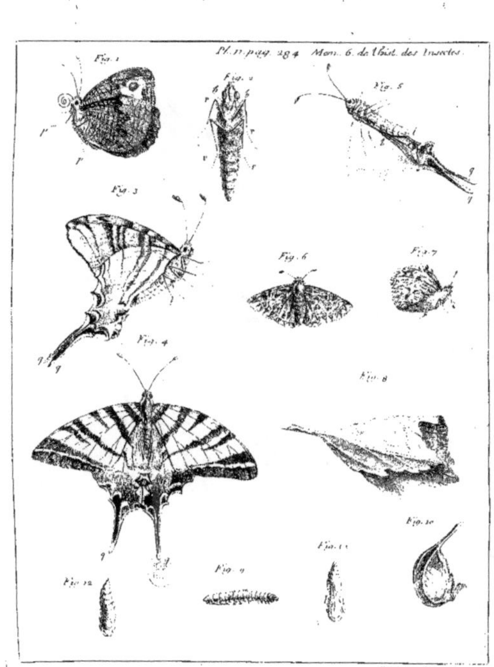

Pl. II. pag. 284. Mem. 6. de l'hist. des Insectes.
Fig. 1
Fig. 2
Fig. 5
Fig. 3
Fig. 6
Fig. 7
Fig. 4
Fig. 8
Fig. 9
Fig. 10
Fig. 11
Fig. 12

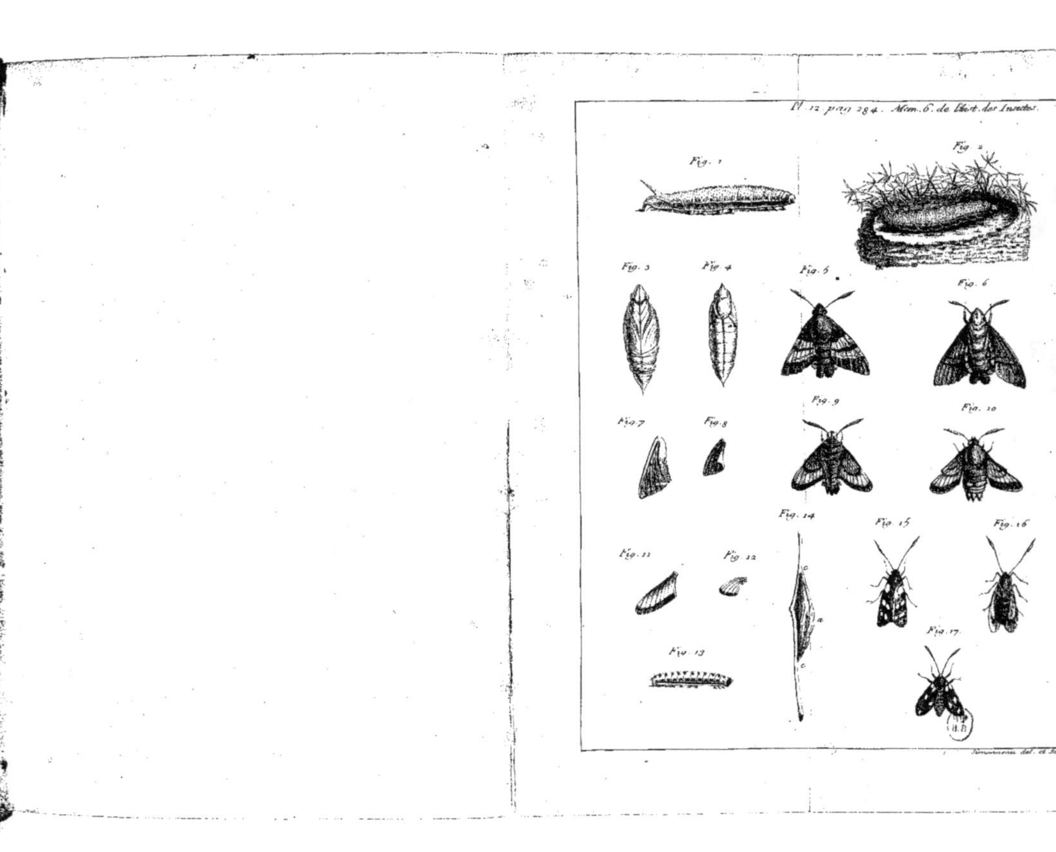

Pl. 12. pag. 284. Mem. 6. de l'Hist. des Insectes.
Fig. 1
Fig. 2
Fig. 3
Fig. 4
Fig. 5
Fig. 6
Fig. 7
Fig. 8
Fig. 9
Fig. 10
Fig. 11
Fig. 12
Fig. 13
Fig. 14
Fig. 15
Fig. 16
Fig. 17

SEPTIEME MEMOIRE.
DES CARACTERES DES CLASSES
ET DES GENRES
DES PHALENES,
OU
PAPILLONS NOCTURNES.

LA plûpart des papillons nocturnes, qui font en liberté dans la campagne, ne volent que la nuit, ou que quand la nuit approche. Ceux de la même claffe qu'on tient renfermés dans des boiftes, ou dans des poudriers, nous y apprennent le temps où leur inclination les porte à voler. Pendant le jour, ils font tranquiles dans leurs prifons, ils y paffent des heures, & fouvent des journées, fans changer de place; mais lorfque la nuit eft venuë, & quelquefois même dès que le foleil eft près de fe coucher, ils agitent leurs aîles, & volent autant que le permet la petite capacité du lieu où ils font. Nous avons déja dit qu'il y a beaucoup plus de genres & d'efpeces de ces papillons, que de diurnes ; nous nous contenterons pourtant de les divifer en fept claffes; mais en revanche, nous donnerons les caracteres d'un grand nombre de genres qui viennent fe ranger fous chacune de ces claffes.

Lorfque nous avons parlé des trompes des papillons, nous avons infifté fur ce qu'elles ne font pas des organes qu'on leur trouve à tous; tous les diurnes en font pourvûs. Mais il y a beaucoup de genres de nocturnes qui font privés de la trompe. Nous avons vû qu'elle eft toûjours placée au milieu du devant de la tête entre deux barbes, ou deux cloisons barbuës, qui sont chacune posées contre le contour interieur de chaque œil, & qui ont differentes figures dans differents papillons *. Ceux qui manquent de trompe ont aussi de ces barbes, ou de ces cloisons barbuës, mais les poils de l'une touchent les poils de l'autre, elles ne laissent aucun espace entr'elles *. J'ai cherché à m'assurer si la trompe manquoit réellement à tous les papillons à qui elle paroissoit manquer; si elle n'étoit point cachée par les cloisons barbuës. Pour m'en instruire, j'ai arraché une de ces barbes à divers papillons, & j'ai jetté l'autre sur le côté, pour pouvoir bien observer, tant avec mes yeux seuls, qu'avec mes yeux armés d'une forte loupe, le devant de la tête. Il y a eû des papillons où toutes mes recherches ne m'ont rien fait appercevoir qui fût analogue à la trompe, ou à quelque partie propre à prendre des aliments. Aussi verrons-nous dans la suite, qu'il y a quantité de phalenes qui ne se nourrissent, ni ne songent à se nourrir de toute leur vie; une trompe leur seroit donc inutile, au moins pour prendre de la nourriture. Mais il y a eû des papillons nocturnes à qui, après avoir enlevé une des barbes, & écarté l'autre, j'ai trouvé deux petits corps blancs, oblongs, faits comme deux especes de cordons, ou de gros filets *, qui avoient leur origine où est celle des trompes dans les autres papillons, & qui de là, jusqu'à leur bout, diminuoient de grosseur. On peut regarder ces petits corps comme des trompes d'une espece particuliere, ou comme des organes analogues aux trompes ordinaires. La petitesse des parties dont je parle est d'ailleurs telle, qu'elle ne permet à de bons yeux de les voir, qu'après que la loupe les leur a fait distinguer. Quelquefois elles sont couchées l'une auprès de l'autre, quelquefois elles se croisent, & quelquefois elles s'écartent

* Pl. 8.
Fig. 24. *li.*
* Pl. 7.
Fig. 3. *bc.*
* Pl. 16.
Fig. 15.

* Pl. 18.
Fig. 10. *tt.*
Pl. 19. Fig.
19. *tt.*

l'une de l'autre. Mais on ne peut gueres s'affûrer de les trouver dans leur veritable fituation ; on les en dérange en cherchant à les voir.

Nous avons crû qu'un des principaux caracteres des claffes des papillons nocturnes, devoit être pris de ce que les uns ont des trompes, & de ce que les autres n'en ont point. Quoique ceux qui ont des trompes extremement petites, des trompes réelles, mais prefqu'infenfibles pour nous, duffent être placés avec ceux qui ont des trompes, ou au moins dans une claffe particuliere, nous les mettrons pourtant avec ceux qui n'en ont point, & dont ils different par une partie bien effentielle. Nous ne voulons point obliger ceux qui trouvent un papillon, & qui defirent fçavoir la place où ils le doivent mettre, à être toûjours munis d'une forte loupe, à avoir befoin d'avoir recours à l'operation, fouvent affés délicate, d'emporter une des barbes. Par rapport aux productions de la nature de toute efpece, il nous 'arrive fouvent de les diftinguer les unes des autres par des proprietés, par des circonftances qui font à notre portée, mais qui ne font pas celles qui les differentient effentiellement. Les papillons qui auront des trompes fi petites, par rapport à la grandeur de leurs parties, qu'on ne peut les diftinguer qu'avec la loupe dans des papillons de grandeur mediocre, ou qui auront des trompes qui fe trouvent entierement cachées fous les barbes, feront donc mis ici au rang de ceux qui n'ont pas de trompe. Il eft vrai auffi que fi ceux dont nous parlons ont des trompes, ils les ont d'une ftructure differente de celles des autres, & même d'une fubftance differente, la leur paroît charnuë, & celle des autres eft écailleufe. Loin pourtant de defapprouver que dans les claffes des papillons fans trompe, on diftingue ceux qui en font veritablement dépourvûs, de ceux qui en ont d'extremement petites, & d'une forme differente de celles des trompes ordinaires, mais qui leur paroiſſent analogues ; loin, dis-je, de le deſapprouver, je crois qu'on devra des éloges à l'exactitude des obſervateurs qui ne negligeront pas de faire ces diſtinctions.

I.re CLASSE.

Les papillons dont nous compoſons la premiere claſſe, portent de ces eſpeces d'antennes que nous avons nommées *priſmatiques* *, c'eſt-à-dire, de celles qui entre leurs deux bouts, dans la plus grande partie de leur étenduë, ont un diametre à peu-près égal, & dont la coupe eſt un ſecteur de courbe, ou un triangle curviligne. Tous les papillons de cette claſſe doivent auſſi avoir des trompes. Ceux de la plûpart des genres qui lui appartiennent, ont les aîles diſpoſées de maniere qu'elles laiſſent le deſſus du corps à découvert, qui ordinairement ſe termine en pointe. Leurs aîles inferieures ſont petites par rapport aux ſuperieures *. Le côté interieur de ces dernieres eſt plus court, & ſouvent conſiderablement plus court que le côté exterieur. Le bout de celui-ci va juſqu'au derriere, & quelquefois par-delà le derriere, au lieu qu'après la fin de l'autre, il reſte encore quelques anneaux. Ces papillons, qui ont le corps gros & peſant, dont les aîles inferieures ſont courtes, & dont les ſuperieures, malgré leur longueur, n'ont pas une grande ſurface, font beaucoup de bruit en volant ; ils font entendre un bourdonnement très-fort : ils ne ſçauroient ſe ſoûtenir en l'air ſans agiter leurs aîles avec une grande vîteſſe. Nous avons vû des papillons bourdons dans la 6.me claſſe des diurnes *, & nous avons des bourdons-phalenes dans la premiere claſſe de ceux-ci.

Pluſieurs des plus grandes & des plus belles eſpeces de phalenes appartiennent à cette premiere claſſe ; nous allons en décrire quelques-unes qui nous donneront occaſion de parler des caracteres qui en peuvent diſtinguer les genres.

Nous

* Pl. 13. Fig. 4, 5, 6, 7 & 8, & Pl. 14. Fig. 1 & 2.

* Fig. 5, 6 & 9.

* Pl. 12. Fig. 5 & 6.

Nous avons déja annoncé une chenille, qui vit fur le titimale *, en lui donnant l'épitete de *belle;* ceux-même qui ne font
pas autrement touchés de la beauté des chenilles, la lui donneroient; à mes yeux, c'eft la plus belle de toutes celles
que je connois. Elle eft de la claffe de celles à 16. jambes,
dont les membraneufes ne font armées que d'une demi-
couronne de crochets. Quand elle s'allonge pour marcher,
elle a plus de trois pouces, & quelquefois plus de trois
pouces & demi de longueur : elle eft parfaitement rafe,
la loupe ne fait pas découvrir un feul poil fur fa peau, qui
eft extremement liffe, & fi liffe, qu'elle a une forte de
luifant qui approche de celui des vernis. Elle a auffi des
couleurs telles qu'on les voit fur plufieurs ouvrages vernis
à la Chine. Le fond des fiennes eft le noir, & un noir
velouté, qui cependant ne domine pas. Depuis la tête
jufqu'au derriere, elle a tout du long du dos une raye d'un
rouge précifement femblable à ceux des vernis rouges de la
Chine. De part & d'autre de cette raye, il y a fur chaque
moitié d'anneau trois taches diftinctes, rangées les unes au-
deffus des autres, dont les deux fuperieures font jaunes, &
dont l'inferieure eft rouge. Les deux fuperieures font prefque circulaires ou ovales, & l'inferieure a une figure triangulaire renfermée par trois lignes courbes. Le refte de chaque anneau eft tout pointillé de taches d'un beau jaune,
qui approchent de la figure circulaire, & difpofées regulierement fur des lignes qui fuivent le contour des anneaux: chaque anneau eft comme partagé en dix ou douze
zones, chaque moitié de ces zones ou bandes, a quinze
à feize de ces petites taches jaunes. Les quatre ou cinq
dernieres taches de chaque bande font blanches fur quelques-unes de ces chenilles. Les jambes, tant écailleufes
que membraneufes, & la tête, font du même rouge que
la bande qui regne le long du dos; le deffous du ventre

Tome I.   . O o

* Pl. 13.
Fig. 1.

est aussi d'un pareil rouge; en un mot, toute sa peau a l'air d'une belle étoffe. Le chaperon qui couvre l'anus est rouge; les jambes posterieures sont entierement de cette couleur; les deux tiers de la corne sont rouges, & le tiers qui en fait la pointe, est noir.

Quand cette chenille est jeune, & sur-tout quand elle vient de muer, elle a des couleurs plus tendres, mais qui ne plaisent pas moins. Immediatement après la mûe, elle a peu de noir, c'est un verd doux & un peu jaune qui domine. Par la suite, quand ses couleurs se fixent, elle prend plus de noir, elle a en jaune ce que dans un âge plus avancé elle aura en rouge, & en blanc ce qu'elle aura en jaune. Enfin, le jaune prend des nuances de rouge & devient rouge, & le beau blanc prend des nuances de jaune, & devient jaune. Il y a des temps où ces chenilles n'ont en jaune que les petites taches, toutes les grandes sont d'un rouge, soit couleur de rose, soit d'une couleur plus haute.

Le titimale à feuilles de cyprès est la plante favorite de ces chenilles : elles ont rejetté differentes autres especes de titimale que je leur ai offertes lorsque celle-là me manquoit. Elles ont pourtant très-bien mangé les grandes especes connuës des paysans sous le nom d'*épurge*, parce qu'ils se purgent avec leurs graines.

Ces chenilles sont assés rares aux environs de Paris, j'y en ai pourtant trouvé de très-grandes dès le 15. de Juillet, & qui se sont mises peu après en crisalides; mais il y a eu des années où je les ai vû extremement communes sur la levée de la Loire, depuis Blois jusqu'à Langés, dans les premiers jours de Septembre. De celles que j'y ai ramassées, il y en a eû peu qui ne se soient transformées en crisalides avant le 20. du même mois. Quand elles sont près de quitter leur premiere forme, leurs belles couleurs s'effacent; elles deviennent d'un brun fale, ayant feulement des taches blancheâtres; alors elles entrent en terre: elles s'y font des coques dans lefquelles elles fe metamorphofent en crifali-des *. Enfin, ce n'eft que vers le commencement de Juil-let, pour le plûtôt, que j'ai eû des papillons de ces che-nilles, qui s'étoient metamorphofées en crifalides dès le 15. de Septembre.

Le papillon ne répond pas mal, par fa beauté, à celle de la chenille d'où il vient. La Figure 4. le reprefente dans fa pofition ordinaire. Les aîles inferieures font alors entierement cachées par les fuperieures: les taches que le deffus de celles-ci a en brun dans la figure, le deffus du corcelet & le deffus du corps font d'une belle couleur d'olive; ce qui eft plus clair eft un haut rouge de lilas ou de pêche: une raye blanche borde le côté interieur de chaque aîle fuperieure; une pareille raye fuit de chaque côté le contour du corcelet.

La Figure 5. fait voir le même papillon volant, ou ayant les aîles fuperieures écartées, & qui laiffent les infe-rieures à découvert. Ce qui paroît en brun fur ces der-nieres, eft d'un beau noir; le refte eft un rouge nué de couleur plus haute que le rouge des aîles fuperieures. Le deffous des quatre aîles, celui du corps & du corcelet, & tout ce qui paroît dans la Figure 6. eft de couleur de lilas ou de pêche; le tout a un œil velouté. Ces trois figures font celles d'un papillon femelle. La Figure 7. eft celle d'un papillon mâle de la même efpece; ordinairement ils ne font pas fi beaux. Le deffous du corps & celui des aîles ont quelquefois à peine une affés mauvaife teinte de rouge; & le deffus des aîles eft quelquefois tout entier de diverfes nuances de couleur d'olive; elles ont au plus de foibles nüances de rouge dans les endroits où celles des femelles font couleur de fleur de pêcher, ou couleur de

* Pl. 13.
Fig. 2 & 3.

O o ij

pêche. Toutes les femelles n'ont pourtant pas des couleurs également belles.

Les longueurs & les figures des trompes, peuvent servir à distinguer des genres de cette premiere classe de phalenes; trois differents papillons, tous trois fort grands, vont nous en fournir des exemples. Les aîles superieures du premier *, sont d'un gris cendré; tout du long du milieu du corps il a une raye grise, à chaque côté de laquelle est une raye composée de divers quarrés mis bout à bout, qui sont chacun de trois couleurs; leur partie la plus proche de la tête est blanche, celle qui suit est d'un rouge nué, quelquefois jaunâtre, quelquefois couleur de rose, & celle qui les termine est noire. Je n'ai point eu la chenille de ce papillon, qu'on me prit au commencement de Septembre à Amboise; mais je crois que c'est celui qui se trouve plus ouvragé, dans les Insectes d'Europe de M.me Merian, & qui lui est né d'une grosse chenille à corne sur le derriere, d'un brun-clair, rayée & tachetée d'un brun plus foncé, dont l'aliment ordinaire, à ce qu'elle pense, est la racine de l'yvraye. Quoi qu'il en soit, ce papillon est de ceux qui ont la trompe applatie; mais je ne sçais s'il y en a qui en portent une plus longue. Lorsque je l'ai entierement déroulée & étenduë, non-seulement je l'ai conduite jusqu'au bout d'une des grandes aîles, ce qui alloit par-delà, avoit encore environ la longueur des deux tiers de la même aîle.

Deux crisalides d'une espece de chenille rase & verte à seize jambes, qui porte une corne sur le derriere, me furent remises par un curieux qui en avoit trouvé les chenilles à la promenade, dans le mois d'Aoust; il négligea de décrire les chenilles qui se metamorphoserent chés lui. De chaque crisalide il sortit, chés moi, au commencement de Juillet de l'année suivante, un papillon

* Pl. 13.
Fig. 8.

affés femblable au précedent *, pour être jugé de la même
efpece; le deſſus des aîles étoit à peu près du même gris;
le deſſus du corps avoit tout du long une raye d'un brun
noir, & chaque anneau étoit couvert par une raye tranſverſale d'un beau couleur de roſe nué, couleur pourtant
qui s'effaça de jour en jour. Ces varietés ſont moindres
que celles qui s'obſervent ſouvent ſur des individus de la
même eſpece: mais la trompe de ce dernier papillon étant
déroulée, n'alloit que juſqu'au bout de ſon corps, celle
de l'autre étoit près du double plus longue. Malgré leur
reſſemblance, ces deux papillons étoient d'un genre different.

 Le troiſiéme papillon *, celui qui ſervira d'exemple
d'un autre genre de cette claſſe, a au contraire une
trompe arrondie très-forte, mais courte *; elle ne ſçauroit atteindre au bout du corcelet ; je ne crois pas
qu'elle faſſe jamais deux tours de ſpirale complets, au lieu
que celle du premier papillon en fait peut-être plus de dix
à douze. Ce papillon à trompe courte, mérite d'ailleurs
qu'on le faſſe connoître. Il y a pourtant des pays où il n'eſt
que trop connu; il y a jetté l'épouvante, & il l'y jettera apparemment encore quand on l'y verra. On l'a malheureuſement trouvé, dans ces pays, dans des années où regnoient
des maladies épidemiques; & on a obſervé ſur ſon corcelet
une tache, qui a quelque reſſemblance avec la figure d'une
tête de mort. Il n'en a pas fallu davantage au peuple timide,
toûjours diſpoſé à adopter des préſages funeſtes, pour juger
que c'étoit ce papillon qui portoit la mort, ou au moins
qu'il étoit venu annoncer les maladies fatales qui regnoient.
Le fond de la couleur du deſſus de ſes aîles ſuperieures,
eſt un brun noir, mêlé avec des taches d'un jaune feuille-
morte. C'eſt ce jaune, mêlé avec quelques points noirs,
qui forme malheureuſement ſur ſon dos, ſur ſon corcelet,

* Pl. 14.
Fig. 1.

* Pl. 14.
Fig. 2.

* Pl. 9.
Fig. 13, 14
& 15.

O o iij

une figure qui n'imite pas mal celle d'une tête de mort;
auffi peut-on fort bien défigner ce papillon, un des plus
grands que nous connoiffions, par le nom de *papillon à
tête de mort*. Le deffous de fes aîles superieures, les deux
côtés de fes aîles inferieures, le deffous & le deffus de fon
corps, font de couleurs plus claires que celles du deffus des
aîles superieures; le feuille-morte y domine; il y eft pourtant coupé par des bandes, des rayes, & des taches brunes. C'eft le peuple de quelques cantons de la Bretagne,
qui a été effrayé par ces papillons, dans des années où il
en a paru affés pour qu'il les ait remarqués; il les a regardé
comme les avant-coureurs, comme les caufes même des
maladies épidemiques, & des mortalités. Pendant que M.
le Comte de Pontchartrain étoit Secretaire de la Marine,
il me fit remettre des deffeins de ces papillons, qu'on lui
avoit envoyez de Bretagne, en lui apprenant l'effroi qu'ils
y caufoient, & en le priant de fçavoir fi l'Academie jugeoit
que les allarmes du peuple fuffent fondées. M. Deflandes
Controlleur general de la Marine à Breft, a depuis peu
d'années envoyé à l'Academie des deffeins de ces mêmes
papillons; il avoit auffi été déterminé à les obferver, par
les inquietudes qu'il avoit appris qu'ils donnoient au petit
peuple de cette ville. On trouve de ces papillons aux environs de Paris; j'en ai eu plufieurs en Poitou, mais ils
font affés rares dans ces derniers endroits, & je ne fçache
pas que le peuple s'y foit avifé de prendre garde à la figure
de tête de mort qu'ils portent, ni peut-être aux papillons
eux-mêmes, qu'il verroit apparemment fans en être épou-
vanté.

Le papillon à tête de mort a encore une fingularité, il
a une efpece de cri, qui auroit bien pû être pris pour un
cri lamentable & funebre; il a quelque chofe de plaintif.
Ce cri pourtant eft femblable à ceux que font entendre

quelques especes de scarabes, dont nous parlerons ailleurs, & qui, dans ces derniers insectes, est produit par le frotement réciproque de quelques-unes de leurs parties écailleuses. Il y a grande apparence que le cri de notre papillon est dû à une pareille cause, mais les poils dont il est couvert ne m'ont pas permis d'observer précisément où se fait le frotement qui produit un cri. Il est jusqu'ici le seul papillon qui m'ait fait entendre un bruit de cette espece.

Je n'ai point eu la chenille d'où vient ce papillon. M. Bernard de Jussieu en trouva une, il y a plusieurs années, sur un jasmin du jardin du Roy, dont elle mangeoit les feuilles. C'est une grande chenille qui porte une corne sur le derriere; on en peut voir une figure enluminée, dans la sixiéme Planche des Insectes d'Angleterre, d'Eleazar Albin; elle y est aussi représentée sur le jasmin. Sa corne * est plus contournée que celle qu'ont d'autres chenilles, elle a une inflexion, après laquelle elle se termine par un crochet, dont la concavité regarde la tête. Celle qui fut trouvée par M. de Jussieu, étoit près de se metamorphoser: le fond de sa couleur étoit un jaune un peu brun. Sur chaque anneau, excepté sur les trois premiers, elle avoit deux rayes obliques à la longueur du corps, nuées de pourpre & de bleu.

* Pl. 14. Fig. A.

La figure des aîles aidera encore à distinguer des genres & des especes de papillons de cette classe. Le côté interieur des aîles superieures de quelques-uns est presque droit; le même côté des mêmes aîles de quelques autres, est convexe par rapport au corps, & le même côté des mêmes aîles de quelques autres papillons, est concave. Enfin, ce côté de chaque aîle superieure de quelques autres papillons, a plusieurs inflexions *. Au reste, les aîles de differents papillons de la même classe, laissent le corps plus ou moins à découvert. Lorsque celui à tête de mort

* Pl. 13. Fig. 4 & 7.

eſt en vie, & en repos, les deux côtés interieurs des aîles ſuperieures ſe rencontrent ſur le milieu du corps, & le cachent. Celui de la Fig. 2 * a été deſſiné ſur un papillon mort, dont les aîles s'étoient rétirées de deſſus le corps.

* Pl. 14.

Le caractere des papillons dont nous compoſons la ſeconde claſſe, eſt d'avoir des antennes à filets coniques, ou plus exactement & plus generalement des antennes qui, depuis leur origine juſqu'à leur extremité, diminuent inſenſiblement de diametre, & ſe terminent par une pointe aſſés fine. Les mêmes papillons, comme ceux de la premiere claſſe, doivent être pourvûs de trompes *.

II.me CLASSE.

* Pl. 14. Fig. 6, 9, Fig. 12 & 13. Pl. 15. Fig. 4 & 5.

Les papillons dont nous formons la troiſiéme claſſe, ont des antennes ſemblables à celles des papillons de la claſſe précedente; mais on ne leur trouve point de trompe *.

III.me CLASSE.

Le caractere de ceux de la quatriéme claſſe, eſt d'avoir des antennes à barbes, & une trompe *.

* Pl. 17. Fig. 4 & 5.

Enfin, les papillons que nous réuniſſons dans la cinquiéme claſſe, ont des antennes à barbes, & n'ont point de trompe *.

IV.me CLASSE. * Pl. 15. Fig. 10.

On pourroit diſtinguer divers genres de papillons de chacune de ces cinq claſſes, par la ſtructure même des antennes. Les eſpeces d'anneaux ou de vertebres, qui, miſes bout à bout, en font la longueur, ont differentes proportions, ſont differemment articulées, elles ont differents contours; les unes ſont chargées de poils, les autres en ſont dépourvûës. Mais toutes ces differences ne peuvent guéres s'appercevoir qu'à la loupe, & nous aurons d'autant plus de tort de nous y trop arrêter, que differents papillons vûs, ſoit en repos, ſoit pendant qu'ils marchent, nous offrent des differences conſiderables, qui peuvent être apperçûës ſans beaucoup d'attention; ils ont des manieres differentes de porter leurs aîles. Nous avons fait

V.me CLASSE. * Pl. 48. Fig. 3.

entrer

entrer le port des aîles pour quelque chofe, dans les caracteres mêmes des claffes des papillons diurnes ; mais
nous avons crû ne nous en devoir fervir que pour diftinguer les genres des phalenes. Les premiers ne portent pas
leurs aîles d'autant de manieres differentes que les derniers
les portent. Nous poufferions donc trop loin le nombre
des claffes de ceux-ci, fi nous en établiffions autant que de
differents ports d'aîles. Comme leurs claffes nous paroiffent fuffifamment, & mieux caractérifées par les antennes
& les trompes, nous n'employerons les ports d'aîles que
pour diftinguer les genres de chaque claffe. Nous allons
parcourir ceux qui nous femblent fuffifamment diftingués
par les ports d'aîles. Ces caracteres feront communs pour
les papillons des cinq premieres claffes. La feconde nous
fournit feule des exemples de tous les differents genres
dont nous allons parler; mais les autres ne m'en ont encore offert chacune que de quelques-uns de ces genres.

Le caractere du premier genre de port d'aîles confifte, Ier
GENRE.
en ce que fes phalenes tiennent leurs aîles paralleles au
plan de pofition, mais de maniere que l'une des deux fuperieures paffe fur l'autre; elles fe croifent *. Alors les côtés   *Pl. 14.
exterieurs de ces deux aîles, font prefque paralleles l'un   Fig. 6, 7 &
à l'autre : tantôt c'eft l'aîle droite qui paffe fur la gauche,   10.
& tantôt c'eft la gauche qui paffe fur la droite *. Les deux   * Fig. 6
aîles inferieures font pliffées, ou plûtôt pliées, en quelque   & 10.
forte en éventail, fous les fuperieures.

La feconde claffe a plufieurs efpeces de papillons de ce
genre, qui viennent de chenilles qui aiment des plantes
baffes & potageres, comme l'ofeille & la laituë; & qui fe
tiennent ordinairement affés proche de la furface de la
terre, dans laquelle elles entrent pour fe transformer en
crifalides : il y en a auffi qui y entrent en d'autres temps.
Ces chenilles font rafes, elles ont feize jambes, dont les

Tome I. .Pp

membraneuses ont des demi-couronnes de crochets se roulent volontiers lorsqu'on les touche. Nous n'écrirons actuellement qu'une espece *, que j'ai trouvée l'oseille, & que j'en ai nourrie. J'en ai eu de cette ce qui se sont mises en crisalides avant la fin d'Av d'autres qui ne s'y sont mises que vers la mi-May qu'elles ne sont pas parvenuës à leur dernier ter grandeur, elles sont d'un assés beau verd, un peu pourtant. Ce qui les distingue le plus de bien d'au nilles vertes, c'est qu'elles ont sur la partie super chaque anneau, deux traits noirs tirés parallele longueur du corps. Après la derniere mue, leur v face, il est mêlé avec du brun & du noir, mais les noirs restent toûjours comme on les voit dans la

Vers la fin de Juin, les papillons de ces chen sortis de terre. Du noir, du jaune, du brun, combinés par taches & par rayes, donnent au des aîles superieures de quelques-uns, des couleurs asse blables à celles des Figures 6 & 7. Le dessus des quelques autres est d'un gris plus clair; il n'y a que taches noires qui y soient bien marquées *. Les dessous, de l'un & de l'autre côté, sont d'un jaune morte clair *. Elles ont seulement une bande no rallele au bord de la base, & qui en est peu é J'ai eû aussi des papillons de ce genre dont les aîl rieures étoient colorées comme les aîles de ceux do venons de parler, mais dont les aîles inferieures en assés mauvais blanc, ce que les autres ont en morte. Des chenilles rases & brunes qui avoie l'hyver en terre, & qu'on a tirées devant moi, en rant dans le mois de Fevrier, y sont ensuite rentré se mettre en crisalides, & m'ont donné des papill blables à celui de la Figure 10. ils n'en differoient

* Pl. 14. Fig. 4.

* Fig. 10.

* Fig. 8. & 9.

parce que leur gris étoit plus jaunâtre. Leurs aîles inferieures étoient feuille-morte, & avoient la bande noire.

Les aîles superieures des papillons qui ont un second
genre de port, sont, comme celles du premier genre, paralleles au plan de position; elles couvrent aussi les aîles
inferieures. Ce que la disposition des superieures a de propre à ce nouveau genre, c'est qu'elles ne se croisent point.
Les côtés interieurs de ces deux aîles sont appliqués l'un
contre l'autre.

On trouvera bien des soûdivisions de ce genre, si on
fait attention qu'il y a des aîles dont les bases sont droites,
& presque perpendiculaires au côté interieur, par consequent les bases des deux aîles du même papillon se rencontrent bout à bout pour former une même ligne droite:
les deux aîles ensemble, avec la partie anterieure du papillon, composent alors un seul triangle isoscele, dont la
base est ou plus petite ou plus grande qu'un des côtés,
ou lui est quelquefois égale, selon les differentes especes de papillons. On observera d'autres aîles dont la base
est concave *, d'autres où elle est convexe; d'autres enfin
où elle est droite; mais où elle rencontre obliquement le
côté interieur; alors il reste entre les deux aîles appliquées
l'une contre l'autre, un angle plus ou moins ouvert, plus
ou moins profond, & formé ou par des lignes droites,
ou par des lignes courbes. Toutes ces circonstances peuvent être employées pour empêcher qu'on ne confonde
ensemble differents papillons, & ce sont des varietés de
la plûpart desquelles on trouvera des exemples dans les
2, 3 & 4.me classes, & qui s'offriront assés, si l'on jette les
yeux sur les differents papillons qui sont representés dans
cet ouvrage. Nous nous bornerons actuellement à donner deux exemples des differentes figures d'aîles paralleles au plan de position, & qui ne se croisent point. Le

I I.^{me}
GENRE.

* Pl. 14.
Fig. 12 &
13.

P p ij

* Pl. 15. papillon qui eſt vû par-deſſus dans la Fig. 4 *. & par-deſſous
dans la Fig. 5. nous fournira le premier exemple; il appartient à la ſeconde claſſe. Les baſes de l'une & de l'autre
de ſes aîles ſuperieures ſont convexes vers le dehors, elles
forment par leur rencontre un angle curviligne très-obtus.
Ils ſont de ceux à qui la gravure fait moins perdre, parce
que du noir, du brun, du gris, du blanc ſont les couleurs
qui ſont diſtribuées par taches, par ondes, par lignes ſur
* Fig. 4. leurs aîles ſuperieures *. Le deſſous des quatre aîles eſt
* Fig. 5. d'un gris plus clair que celui du deſſus, & y eſt couché
aſſés uniformement. La Figure 5. apprend qu'il eſt de ceux
dont les aîles inferieures ſont plus courtes que les ſuperieures. Il m'eſt né, le 12. de Juillet, d'une chenille du
chêne, qui s'étoit miſe en criſalide vers la mi-Juin. Quelques jours auparavant elle avoit contourné & lié enſemble
* Fig. 3. des feuilles de chêne *, & c'eſt au milieu de ce paquet
qu'elle ſe fila une coque mince dans laquelle elle perdit
ſa forme, & prit celle de criſalide. On trouve cette che-
* Fig. 1 & nille *, mais encore petite, ſur le chêne, dès que ſes feuilles
2. commencent à pointer. Elle eſt raſe, & pourvue de ſeize
jambes; elle eſt d'un beau verd tendre qui eſt picqué de
points d'un jaune pâle. Tout du long du dos elle a une raye
blanche; de chaque côté elle en a encore une autre de
même couleur qui paſſe ſur les ſtigmates. Le deſſus du premier anneau a de plus quatre autres petites rayes blanches
qui ne vont pas juſqu'au ſecond. Mais ſa forme eſt ce qui
a de plus remarquable; elle peut ſervir à caracteriſer un
genre de chenilles. La partie poſterieure, plus élevée que
l'anterieure, a quelque choſe de la figure de la poupe
d'un vaiſſeau.

On reconnoît aiſement que le papillon des Figures 12.
& 13. Planche 14. eſt de même claſſe & de même genre
que celui dont nous venons de parler, mais qu'il eſt d'un

efpece differente. Les bafes de fes aîles fuperieures font concaves, au lieu que les bafes des aîles fuperieures de l'autre font convexes. D'ailleurs, les aîles fuperieures de ce papillon ne femblent pas auffi étenduës que le font communement celles des autres; elles ont une efpece de ply auprès de leur côté exterieur, qui eft prefque parallele à ce même côté : elles font, avec le deffus de la tête, une efpece de triangle, dont la pointe de la tête eft le fommet. Les couleurs du deffus des aîles fuperieures font affés femblables à celles d'un autre papillon que nous avons vû ci-devant fucçant du fucre *. Elles font de même difpofées par triangles, excepté auprès de la bafe de l'aîle. Ce font des couleurs de bois, affés claires, mêlées avec un blanc jaunâtre. Il eft né pendant que j'étois abfent de Paris, ce qui m'a laiffé incertain fi c'étoit en Septembre ou en Octobre. C'eft vers la fin d'Aouft que la chenille qui l'a donné étoit entrée en terre pour fe mettre en crifalide. Cette chenille * eft d'un beau verd clair, elle a feulement tout du long du dos un petit filet blanc, & une bande blancheâtre, de chaque côté, au-deffus des jambes. Elle eft très-rafe; elle ne craint point cependant les picqueures de l'ortie. C'eft la plante fur laquelle je l'ai trouvée, étant encore très-petite, & dont je l'ai nourrie: je ne l'ai jamais vû manger pendant le jour; elle le paffe fans fe donner de mouvement, cachée fous des feuilles; elle ne mangeoit que dans l'obfcurité, que quand la nuit étoit venuë.

*Pl. 8. Fig. 25.

*Pl. 14. Fig. 11.

Des papillons dont les aîles fuperieures ont encore chacune leur côté interieur appliqué contre celui de l'autre, des papillons qui avec ces aîles cachent bien les inferieures, & qui les tiennent, au moins en grande partie, paralleles au plan de pofition, ont une particularité dans le port de ces mêmes aîles qui demande qu'ils foient mis dans un troifieme genre. La partie des deux aîles qui

III.me GENRE.

répond au deſſus du corps, n'a pas le même parallelifme qu'a le reſte des aîles; elle embraſſe le deſſus du corps, elle s'y moule, de ſorte qu'elle laiſſe voir la forme du deſſus du corps qu'elle couvre. Quoique pluſieurs eſpeces de papillons ayent ce port d'aîles, nous nous ſommes contentés d'en faire repreſenter ici un de ceux à qui il eſt propre *. Il vient d'une chenille veluë qui m'a paru aimer ſur-tout les graines de l'ortie. On trouvera ſon hiſtoire, & celle de quelques autres eſpeces de chenilles qui donnent des papillons dont le port des aîles eſt le même, dans le 13.ᵐᵉ Memoire, ou le ſecond de ceux où nous traiterons de l'art avec lequel les chenilles ſçavent conſtruire leurs coques. Nous dirons ſeulement que le papillon que nous venons de prendre pour exemple, eſt de la ſeconde claſſe, ſes antennes ſont des filets coniques. Un brun noir, & du blanc, forment ſur le deſſus de ſes aîles ſuperieures, une eſpece de point de Hongrie, & les font paroître griſes.

Un 4.ᵐᵉ genre de port d'aîles, eſt celui où les ſuperieures ſont encore paralleles, ou preſque paralleles au plan de poſition, mais où elles ſont écartées du corps, de maniere que non-ſeulement elles ne le couvrent pas, mais qu'elles laiſſent même à découvert les aîles inferieures. Ce genre peut être diviſé en pluſieurs eſpeces. Les papillons des unes ne laiſſent voir qu'une petite partie du deſſus des aîles inferieures, pendant que ceux des autres en laiſſent voir une partie conſiderable. Enfin quelques autres papillons de ce genre tiennent, pendant qu'ils ſont en repos, leurs aîles auſſi étalées qu'elles le ſont pendant qu'ils volent, les inferieures ſont alors preſqu'entierement à découvert.

Le papillon de la Figure 9. eſt de la ſeconde claſſe, & de ceux qui, pendant qu'ils ſont en repos, laiſſent voir une aſſés grande portion de leurs aîles inferieures, ſans être pourtant de ceux qui les découvrent le plus. Les couleurs de ses aîles sont douces, du gris remplit les intervalles que laissent des taches & des points d'un jaune plus pâle que la couleur de paille; ces deux couleurs sont distribuées d'une maniere qui plaît aux yeux.

La chenille * qui donne ce papillon, est de la classe de celles à 16. jambes, dont les membraneuses sont faites en jambes de bois, & terminées par des couronnes de crochets presque complettes; elle vit de feuilles de lilas. Elle est d'un verd blancheâtre; lorsqu'elle vient de changer de peau, elle est presque blanche. Alors, sur-tout, elle est très-transparente; elle l'est en tout temps, & sa transparence permet de bien voir les mouvements du gros vaisseau, ou de l'espece de cœur qui regne tout du long du dos. Souvent elle courbe une feuille de lilas vers le dessous, au moyen de differents fils presque paralleles les uns aux autres, & elle se tient sous ces fils, sur-tout dans le temps où elle est prête à changer de peau; quelquefois les fils ne courbent pas la feuille sensiblement *. Quand elle veut se mettre en crisalide, elle plie quelque part davantage une feuille du même arbrisseau; dans cette partie de la feuille qui a été pliée, elle file une coque dans laquelle elle perd sa premiere forme. J'en ai eû qui ont fait leurs coques au mois d'Aoust, d'où les papillons ne sont sortis que vers les premiers jours de Juillet de l'année suivante.

La Figure 10 *. est celle d'un papillon qui a ses aîles superieures bien plus écartées du corps, que ne le sont celles du papillon de la Figure 9. Quand on auroit voulu le représenter volant, on ne l'auroit pas representé avec des aîles plus étalées qu'il les a dans son état de repos. Les côtés exterieurs des deux aîles superieures sont sur une même ligne, autant qu'ils y peuvent être. Il est de la quatriéme classe, c'est-à-dire, qu'il a une trompe & des

* Pl. 5.
Fig. 8.

* Fig. 7.

* Pl. 15.

antennes à barbes de plumes. Les barbes de ses antennes
sont grandes par rapport à la grandeur du papillon. Ses
couleurs sont précisement celles qui paroissent ici, du
blanc & du noir sont distribués avec art sur ses aîles.
Plusieurs de ces papillons sont nés chez moi vers la fin
d'Aoust; ils venoient de chenilles arpenteuses à dix jambes
qui avoient été trouvées sur la bistorte, & que j'en avois
nourries. Leur couleur étoit à peu-près canelle. Je ne
les ai jamais vû manger pendant le jour, c'est la nuit qu'elles
prenoient leurs repas. Parvenuës à leur dernier terme d'accroissement, elles entrerent en terre pour se transformer
en crisalides, & trois à quatre semaines après, de chaque
crisalide il sortit un papillon.

Un nouveau port des aîles superieures, & tel que les
aîles inferieures se trouvent entierement cachées, nous
donne le caractere d'un cinquieme genre, qui consiste en
ce que les côtés interieurs des deux aîles superieures sont
appliqués l'un contre l'autre, & élevés au-dessus du corps
du papillon, de sorte que les deux plans de ces aîles font
un toit au-dessous duquel est le corps; elles lui forment
une espece de tombeau. Nous appellerons ce port d'aîles
à toit à vive-arrête.

Un assés joli phalene nous fournira le premier exemple
de ce port d'aîles *, il est de la seconde classe. Il ne fait
voir que deux couleurs, du noir & du rouge. Sa tête,
son corcelet & son corps sont d'un beau noir. La couleur
qui domine sur le dessus de ses aîles superieures, est un
noir un peu gris, qui est égayé par une bande d'un beau
rouge, posée assés proche du côté exterieur *, auquel elle
est parallele, & par deux taches rouges presque circulaires
placées près de chacun des angles de la base. Ce même
papillon, vû par-dessous *, ne montre presque que du
rouge sur ses aîles; les inferieures ont seulement un petit
bord

bord noir; en un mot, tout ce qu'on voit en noir dans
les figures, est noir, & tout ce qui y est plus clair, est
rouge. Une chenille qui vit sur la jacobée & sur le sen-
neçon *, donne ce phalene; elle est de la classe de celles   * Pl. 16.
à seize jambes, dont les membraneuses n'ont que des demi-   Fig. 1 & 2.
couronnes de crochets; elle est rase. Chacun de ses anneaux est de deux couleurs, qui semblent le diviser en
deux anneaux differents: une de ses moitiés est d'un beau
noir velouté, & l'autre d'un jaune qui tire sur un bel aurore. Pour peu qu'on touche la plante sur laquelle sont
ces chenilles, elles se laissent tomber à terre, & y tombent
roulées *. Plusieurs se sont mises en crisalides chez moi   * Fig. 2.
vers le 8. & le 10. de Juillet. Il y en a eû qui se sont filées
des coques minces entre quelques petales de la fleur *;   * Fig. 3. c.
d'autres se sont transformées, sans se filer de coques, sur
le fond du poudrier. Ce n'est que l'année suivante, vers
le 24 & 25. Juin, que les papillons sont sortis de l'état
de crisalide; ainsi ils sont restés près d'un an sous cette
derniere forme.

Les figures des aîles varient celles du toit qu'elles forment; c'est de quoi quelques autres phalenes vont nous
donner des exemples. Le premier * est de la 5.ᵐᶜ classe;   * Pl. 16.
il a des antennes à barbes de plumes, & il n'a point de   Fig. 11.
trompe. Il est tout blanc, & d'une blancheur éclatante;
il est étonnamment velu, ses jambes sont chargées de poils
jusqu'au bout des pieds; on ne sçauroit le toucher sans
faire tomber une quantité considerable de poils, de plumes
& d'écailles. Celui-ci est le mâle, la femelle a précisement
le même port d'aîles, & lui est semblable en tout, à cela
près, que ses antennes ne sont pas si belles, & qu'elle a
un duvet jaunâtre près du derriere; elle couvre ses œufs
de cette espece de duvet. J'ai eû ces papillons, au commencement de Juillet, de chenilles à seize jambes, qui

Tome I.   Q q

* Pl. 16. Fig. 9.

avoient filé des coques de foye * dans lesquelles s'étoient renfermées vers le commencement de Juin, vivent sur le poirier, sur le prunier, sur le faule, &

* Fig. 8.

être sur d'autres arbres. Elles sont très-veluës sur les c tout du long du dos elles ont une large raye rafe beau rouge; de chaque côté elles ont une raye qui demande qu'on les mette dans le même gen

* Pl. 6. Fig. 2 & 10.

commune *. Quoique ces rayes blanches semblent la peau, elles sont réellement composées de poils arrangés les uns auprès des autres en paquets plats, ment des especes de lames qui se couchent sur le

* Pl. 16. Fig. 12.

Plusieurs chenilles *, d'une des plus petites celles que le chou nourrit, qui sont d'un verd blanc un peu transparentes, n'ayant que quelques poils ques petits tubercules noirs, qui ont seize jamb les membraneuses sont faites en jambes de bois, & d'une couronne complette de crochets, plusieurs chenilles, dis-je, se renfermerent chacune dans un tite coque de foye, qu'elles se filerent dans le p où je les tenois, vers la mi-Octobre. Les premiers de Juin, il fortit de ces coques des papillons qu la seconde classe, ayant une trompe & les antenn ques à filets grainés, & qui portent leurs aîles

* Fig. 13 & 14.

élevé, & à vive-arête *. Le côté exterieur de la superieures est considerablement plus long que interieur; le dessus de ces mêmes aîles est jaunât & ondé d'un brun couleur de bois; les ondes veines sont à peu-près paralleles à la base de l'aîle

Au reste, les trois exemples que nous venons de d'aîles en toit à vive-arefte, nous font voir des bases très-étroites, je veux dire, que les côtés exterieurs y sont posés assés près du corps. Les toits à vive faits par les aîles de plusieurs autres especes de pap

font plus ouverts; celles de quelques-uns forment des
toits très-écrafés; les côtés exterieurs des aîles font pofés
plus loin du corps. Ces differences peuvent aider à diftinguer les differentes efpeces de papillons qui portent
leurs aîles en toit à vive-arête. On ramenera à ce genre,
tous ceux qui laiffent tomber leurs aîles, qui les ont pendantes, qui femblent ne pouvoir les foûtenir parallelement
au plan de pofition. Dans la premiere claffe, par exemple,
le papillon à tête de mort differe de celui de la chenille du titimale, parce qu'il laiffe tomber fes aîles, au lieu
que l'autre les tient bien paralleles au plan fur lequel il
eft pofé. Les limites pourtant, entre cette efpece de port
& celui des aîles qui s'éloignent peu du parallelifme, ne
feront pas toûjours aifées à déterminer.

Les aîles d'un des derniers papillons que nous avons cités
pour exemple d'une efpece de port d'aîles en toit *, & celles
de plufieurs autres, forment un toit qui s'éleve infenfiblement depuis le corcelet jufqu'au-deffus du derriere. Mais il y
a de papillons dont les aîles font un toit bas fur une partie du
corps, & qui s'éleve enfuite plus brufquement; le papillon
paroît comme enfellé: tel eft celui de la Figure 6. Planche
18. qui eft de la 5.me claffe, ou de la claffe de ceux qui
ont des antennes à barbes de plumes, & qui n'ont point
de trompe. Il nous fournira pourtant encore un exemple
de ceux qui, quoiqu'ils n'ayent pas de trompe fenfible, ont
deux petits corps longs & blancs qui femblent analogues aux
trompes *. Il vient d'une chenille à feize jambes à demi-
couronne de crochets, qui vit fur le cerifier & fur l'aube-
épine; on la trouve auffi fur l'abricotier, & j'en ai nourri
plufieurs de cette efpece avec les feuilles de ce dernier arbre.
Dans fon état moyen de grandeur *, elle a trois rayes
d'un beau jaune, l'une tout du long du milieu du dos, &
une autre de chaque côté, plus étroite, au-deffus de la

* Pl. 16.
Fig. 13. &
14.

* Pl. 18.
Fig. 10. 11.

* Fig. 1.

Q q ij

ligne des jambes. Entre la raye jaune du deſſus du corps,
& celle d'au-deſſus des jambes, elle en a une large, d'un
bel ardoiſé, qui tire ſur le bleu. Elle a divers grains ſemés
ſur le corps, qui ſont de petits tubercules noirs, du milieu
* Pl. 18. de chacun deſquels il part un poil court & aſſés gros.
Fig. 2. Quand elle a pris tout ſon accroiſſement *, ſes couleurs
* Fig. 3. changent; les rayes ſont moins bien terminées, les couleurs des unes vont ſe noyer dans celles des autres, l'ardoiſé devient gris de perle. La forme même de leur corps
change, leur derriere ne ſe coude pas comme il faiſoit lorſqu'elles étoient plus jeunes. J'en ai eû qui ſe ſont miſes en
* Fig. 5. criſalides * vers le commencement de Juin, dans des coques
de ſoye blanche, aſſés minces, & pourtant ſerrées, qu'elles
* Fig. 4. s'étoient filées * ; d'autres ne ſont devenuës criſalides
que vers le commencement de Juillet. Deux années de
ſuite, les papillons ſont ſortis des coques, pendant que
j'étois abſent de Paris, dans les mois de Septembre, ou
d'Octobre. Le fond de la couleur de leurs aîles ſuperieu-
* Fig. 7 & res * eſt un agathe brun, qui a diverſes nuances. Sur châ-
9. cune il y a une grande tache d'un blanc jaunâtre, plus
longue que large, dont les contours ſont irreguliers. Les
* Fig. 8. aîles inferieures ſont d'un gris cendré *, elles ont chacune
* Fig. 6. une eſpece d'œil brun. Le corcelet eſt ſi chargé de poils,
qu'il paroît tout bourreux, & comme couvert d'une eſpece de toiſon. La Figure 7. qui repreſente en grand la
tête du papillon, vû par-deſſous, & à qui on en a ôté les
barbes, fait voir les deux petits corps oblongs & blancs,
* t t. qui ſemblent analogues aux trompes *.
V I.me
GENRE. Nous mettrons dans un ſixieme genre, les papillons
qui portent leurs aîles en toit arrondi. Ce port d'aîles
ſera toûjours aiſé à diſtinguer du port en toit à vive-arête,
dans le premier, les aîles ſe courbent un peu ſur le corps,
la rencontre des côtés interieurs des deux aîles ſuperieures

n'eſt pas marquée par une vive-arête. Nous pourrions citer un très-grand nombre d'exemples de ce port d'aîles, pris de papillons de differentes claſſes; mais nous nous bornerons à un ſeul de la troiſieme claſſe, c'eſt-à-dire, d'un phalene qui a des antennes coniques, & qui n'a point de trompe.

D'ailleurs, la chenille qui donne ce papillon merite d'être connuë par ſa façon de vivre. Toutes celles dont nous avons parlé juſqu'ici, rongent les feuilles des plantes & des arbres; celle que nous voulons faire connoître *, ne ſçait ce que c'eſt que d'y toucher. Elle vit dans l'interieur des arbres qui commencent à pourrir; elle les hache, elle ſcie pour ſe faire des routes dans le bois même, & elle mange partie de la ſciure qu'elle a détachée. Ces chenilles peuvent pourtant vivre dans du bois aſſés ſain, mais alors peut-être qu'elles n'attaquent que l'aubier; au moins ſçais-je qu'ayant enlevé d'épaiſſes écorces d'orme dans des endroits où elles ſembloient bien adherantes à l'aubier, j'y ai trouvé pluſieurs fois des chenilles de l'eſpece dont il s'agit, qui étoient encore petites. Les premieres que j'ai euës me furent envoyées de Reaumur, par M. Bazin, vers la fin de Mars; elles avoient alors toute la grandeur à laquelle elles peuvent parvenir, & elles étoient des plus grandes chenilles; une d'elles avoit plus de trois pouces & demi de long. Le deſſus du corps de ces chenilles eſt liſſe, & a une ſorte de luiſant; ſa couleur eſt, dans certains temps, un marron clair ou rougeâtre; il y a d'autres temps, lorſque la chenille eſt jeune, & ſur-tout lorſqu'elle vient de muer, où ſa couleur eſt d'un aſſés beau rouge qui tire ſur la couleur de ceriſe. Le deſſus du premier anneau eſt pourtant à peu-près rempli par deux taches d'un brun preſque noir. La tête eſt noire; les côtés & le deſſous du ventre n'ont pas le luiſant du deſſus du corps, & ils ont

* Pl. 17.
Fig. 1.

feulement une legere teinte de rougeâtre, telle que
néroit une couche mince de rocou qui feroit étendue
corps blancheâtre. Ces chenilles ont feize jambes,
huit intermediaires font courtes, & bordées à leur ext
par une couronne complette de deux rangs de croc

Quoique celles que je reçûs cette premiere fois
d'autres que je reçûs dans la fuite, euffent fait plus
lieuës en pofte, elles ne parurent pas avoir fouffer
route; elles étoient venuës au milieu de la fciure
qui les avoit deffenduës contre les fecouffes trop
tes. Je les mis dans de grands poudriers, j'y r
* Pl. 17. avec elles des morceaux de bois * de la groffeur
Fig. 4 & 6. des chaifes de paille, qui commençoient à fe pour
ne furent pas long-temps fans les attaquer par le
inferieur; elles continuerent de creufer, d'agrandi
vité commencée, jufqu'à ce qu'elle eût affés de
pour les recevoir. Elles fe font tenuës dans ces
de bois, qu'elles ont continué de ronger; & quand
de leur transformation a approché, elles ont tapiffé
une partie de l'interieur de la cavité, elles s'y fo
* Fig. 6. cc. une coque * où elles fe font transformées en cri
* Fig. 3. Trois ou quatre femaines après, il eft forti de cha
* Fig. 4. P. falide, le papillon * qui nous donne un exemple
qui portent leurs aîles en toit arrondi. Il n'a pas
des couleurs propres à lui attirer des regards, le
ne font que differents gris; le fond eft un gris
tre, fur lequel un gris plus brun forme differentes
* Fig. 5. Le deffous des aîles *, tant inferieures que fuperieu
d'un gris moyen entre les précedents, qui, fur l
des inferieures, femble diftribué par petits quarr
mâle & la femelle font affés femblables une
fit des œufs ronds le jour même où elle fortit du
Nous avons déja dit que ces papillons n'ont pou

trompe, que leurs antennes font coniques*; mais la
coupe tranfverfale des antennes, eft la même que celle de
quelques antennes prifmatiques; elles ont une de leurs
faces courbe, & chargée de poils, qui forment deffus des
efpeces de feuillets*.

 Quantité d'efpeces de phalenes, pour la plûpart affés
petites, qui portent leurs aîles en toit écrafé, ou prefque
horizontalement, doivent cependant être mifes dans un 7.^e
genre par une circonftance qui leur eft particuliere. Ils font,
pour ainfi dire, larges d'épaules*; c'eft même le nom par
lequel nous les défignerons dans la fuite. Pendant qu'ils font
en repos, leur diametre horizontal eft plus grand vers le
commencement ou vers le milieu du corcelet, que par tout
ailleurs; leurs aîles fe refferrent enfuite un peu, elles femblent fe rétrecir en s'approchant du derriere. Un grand
nombre de chenilles, aufquelles nous deftinons un Memoire entier, qui roulent avec art des feuilles de plantes,
donnent des papillons de ce genre; d'autres chenilles en
donnent auffi. Nous en avons fait reprefenter un* qui vient
d'une petite chenille rafe à 16. jambes, qui fe tient fur les
feuilles d'érable, & qui s'en nourrit. Elle eft affés jolie;
le deffus de fon corps eft d'un gris de fouris un peu brun,
picqué de points d'un jaune citron, fes côtés, & tout le
deffous de fon corps, font du même jaune citron. Vers le
10. May elle s'eft mife en crifalide; cette crifalide étoit
penduë au poudrier par plufieurs fils qui ne formoient pas
une coque, ni même une toile. Le 27. ou le 28. May, le
papillon fortit de cette crifalide; la partie anterieure de fes
aîles fuperieures eft d'une couleur moyenne, entre celle
du tabac & celle du chamois; le refte des mêmes aîles eft
d'un brun qui tient de la couleur de maron foncé. Ce
papillon eft de la feconde claffe.

 Nous ne pouvons nous difpenfer de faire un huitiéme

* Fig. 7.

* Fig. 8
VIIme
GENRE.

* Pl. 17.
Fig. 9.

* Pl. 17.
Fig. 9.

VIIIme
GENRE.

genre des phalenes, dont les aîles s'appliquent contre le
corps, pour l'embraſſer & ſe mouler deſſus, comme les aîles
des oiſeaux s'appliquent contre leur corps *. Le Memoire
où nous parlerons des chenilles qui paſſent toute leur vie en
ſocieté, nous donnera occaſion de faire connoître pluſieurs
petites eſpeces de papillons qui ont ce port d'aîles. Celui
qui eſt repreſenté dans les Figures 8 & 9. vient d'une
chenille qui vit en ſocieté ſur le fuſain. Ce papillon eſt
de ceux qu'on peut appeller *petit-deuil;* le deſſus des
aîles ſuperieures eſt d'un beau blanc argenté, piqué de
points noirs; mais le deſſous des mêmes aîles, & les deux
côtés des aîles inferieures, ſont d'un ardoiſé tendre; il
appartient à la 2.de claſſe, il a une trompe & des antennes à
filets grainés. Par la longueur ſeule des antennes, on peut
diſtinguer pluſieurs eſpeces de papillons de ce genre. Il y
a qui les ont aſſés courtes; d'autres les ont extrememens
longues, plus longues que tout leur corps. Si ces phalenes euſſent été bien obſervées, pluſieurs auteurs ne nous
euſſent pas donné comme une regle certaine, que les papillons diurnes ont les antennes plus longues que celles
des nocturnes. Des phalenes de pluſieurs autres genres
peuvent de même faire voir la fauſſeté de cette regle.

Enfin il y a des phalenes de ce genre, & de ceux de quelques autres genres, qui, quoiqu'ils portent leurs aîles ſoit
à la maniere des oiſeaux, ſoit en toit, lorſqu'ils ſont en
repos, les dreſſent lorſqu'ils marchent, & les tiennent
preſque perpendiculaires au plan de poſition; ils n'en
approchent pourtant pas autant du milieu du deſſus de
leurs corps, que les diurnes en approchent les leurs.

Nous mettons dans un neuvieme genre quantité d'eſpeces de phalenes, pour la plûpart encore plus petites que
les précedentes, dont les aîles, après s'être appliquées presque ſur toute la longueur du corps, à la maniere de celles

des oiseaux, s'élargissent & s'élevent au-dessus du derriere,
pour former une sorte de queuë qui a quelque ressemblance avec une queuë de coq. Nous appellerons aussi ce
neuviéme genre, le genre *de port d'aîles en queuë de coq.*
Si les especes de papillons qu'il renferme sont petites, en
revanche il en renferme un grand nombre, & qui paroissent d'une beauté admirable lorsqu'on les regarde à la
loupe, car souvent ces papillons sont si petits, qu'ils demandent à être vûs avec la loupe; alors on reconnoît qu'il
n'en est point de plus superbement vêtus; leurs aîles semblent être faites de l'or & de l'argent le plus éclatant. Tel
est le petit papillon de la Fig. 12 *. qui est representé grossi
à la loupe; il vient d'une chenille dont nous donnerons
ailleurs l'histoire, qui vit dans l'interieur des feuilles de
l'orme, & sur-tout de l'orme femelle. Les papillons des
teignes appartiennent pour la plûpart à ce genre, ou au
précedent; ils ont des antennes à filets coniques. Il est souvent difficile de s'assurer s'ils ont des trompes, parce qu'ils
sont fort petits.

   Il y a des phalenes dont les aîles superieures embrassent
le corps d'une façon particuliere, qui mérite de faire le
caractere d'un dixiéme genre. Une des aîles superieures,
en se moulant sur le corps, se roule dessus *; non seulement elle embrasse le corps du côté où elle part, elle
l'embrasse même de l'autre côté vers la partie posterieure; de sorte qu'une grande partie d'une des aîles superieures est presque cachée sous l'autre, qui se contourne
en spirale pour l'envelopper. Les papillons qui sont representés Fig. 13 & 14. pour donner un exemple de ce port
d'aîles, sont de la seconde classe; leur tête & leur corcelet
sont d'un jaune qui tient du feuille-morte. Le dessous des
aîles superieures est d'un gris cendré assés clair, & qui tire
sur l'argenté. Je ne suis point encore parvenu à avoir les

Tome I.   . Rr

* Pl. 17.

Xme
GENRE.

* Pl. 17.
Fig. 13 &
14.

chenilles qui donnent ces papillons dans la grandeur qui les fait reconnoître. Il en est pourtant né chés moi un grand nombre, des œufs qui avoient été pondus par les papillons dans les poudriers où je les avois renfermés; mais je n'ai pas sçû donner aux chenilles nouvellement nées, des feuilles qui fussent de leur goût, elles sont péries encore très-jeunes & très-petites.

Ces dix genres, au moyen des differentes classes, peuvent suffire pour mettre en ordre un grand nombre d'especes de papillons. Les differentes especes seront determinées par le degré dans lequel chacune a le caractere du genre, par exemple, de ce que les aîles en toit forment un toit plus ou moins aigu; qu'elles s'écartent plus ou moins du corps du papillon; du rapport qu'ont entr'elles les aîles superieures & les inferieures, car ces dernieres sont plus courtes en quelques papillons de même genre & plus longues en d'autres; de la forme de ces aîles inferieures, de ce qu'elles sont étenduës ou pliées lorsque le papillon est en repos, & de la maniere dont elles sont pliées.

Ces deux barbes, ou cloisons barbuës, qui partent du bas de la tête, & entre lesquelles la trompe est logée, pourront pour le moins donner des subdivisions de genres. Elles pourroient très-bien servir à caracteriser des genres, & quand on s'attachera à les observer, peut-être même trouvera-t-on qu'elles meriteroient d'être employées dans les caracteres des classes. Deux papillons assés petits, vont nous en fournir la preuve; le premier * vient d'une chenille qui se nourrit des feuilles du bouillon-blanc. Il est representé un peu plus grand que nature dans la Fig. 11. & encore plus grossi dans la Fig. 12. pour mieux faire voir une singularité remarquable *; il a deux cornes qui semblent partir du commencement du corcelet. Un

* Pl. 18. Fig. 11 & 12.

* Fig. 11 & 12. cc.

papillon avec deux cornes me parut très-extraordinaire. Je
l'obſervai avec une forte loupe pour bien voir ces deux
cornes, & leur origine, & je trouvai qu'elles la tiroient d'au-
deſſous de la tête. Je vis qu'une partie de chaque barbe
eſt une tige *, qui groſſit à meſure qu'elle s'éloigne du   * Fig. 15.
bas de la tête, & qu'elle ſe courbe pour ſuivre le contour   b, d.
de la tête, au-deſſus de laquelle elle vient ſe coucher. Du
bout ſuperieur de chacune de ces tiges, ſort une partie *   * Fig. 15.
formée en vraye corne, & qui paroît s'élever en certains   d, c.
temps du corcelet du papillon, quoiqu'elle ne ſoit réellement qu'un prolongement d'une des barbes entre leſquelles la trompe eſt placée. Les tiges des barbes ſont
chargées de poils, & les cornes ſont liſſes.

Ce papillon n'a d'ailleurs rien de remarquable, il porte
ſes aîles ſuperieures en toit arrondi; leur couleur eſt d'un
blanc ſale ou jaunâtre. Ceux que j'ai eûs me ſont venus de
criſalides que j'avois trouvé attachées ſur des feuilles de
bouillon-blanc, & bien recouvertes du duvet cottonneux de
cette plante *. J'ai lieu de croire que ces criſalides étoient   * Fig. 13.
celles de chenilles aſſés petites, dont le corps eſt tout brun,   b, d.
& dont la tête eſt noire, que j'ai vûës ſouvent ſur la même
plante *. Pendant qu'elles mangent la ſubſtance charnuë   * Fig. 14.
de ſes feuilles, elles ont ſoin de ſe tenir cachées ſous le
duvet qu'elles en ont détaché *, & qui n'eſt pas un aliment   * Fig. 13.
qui leur convienne.   b, d.

Un autre eſpece de papillons *, un peu plus grande, mais   * Pl. 18.
dont je n'ai point encore eû les chenilles, a auſſi dans   Fig. 16.
ſa forme quelque choſe de ſingulier, qu'il doit à la ſtructure particuliere des barbes entre leſquelles la trompe eſt
roulée; il a une eſpece de muſeau allongé, une eſpece de
bec de beccaſſe : ce muſeau, ce nez, eſt formé par les deux
barbes en queſtion. On voit dans la Fig. 17. qui repreſente la tête de ce papillon groſſie au microſcope, com-

Rr ij

ment les deux barbes * se prolongent en ligne droite par delà le bout de la tête. Chacune de ces barbes * est une lame platte, dont le bout est entaillé; quand on écarte ces deux barbes l'une de l'autre *, on voit que la trompe est roulée vers leur origine; on peut même, sans separer les barbes, retirer la trompe & la dérouler *. Chacune de ces lames plattes que nous nommons *barbes*, est couverte d'écailles pareilles à celles des aîles, tant sur sa face exterieure que sur sa face interieure.

Au reste, les barbes des phalenes nous fournissent des caracteres très-commodes pour une subdivision de ceux de la cinquieme classe; pour aider à distinguer ceux qui ont des trompes très-petites, & bien cachées, de ceux qui n'en ont point du tout, au moins en dehors de la tête, & à qui par consequent on ne sçauroit en trouver. Les papillons qui ont des parties extremement petites & analogues aux trompes, ont deux barbes; & jusqu'ici je n'ai point trouvé de barbes, c'est-à-dire, deux tiges, de quelque figure que ce soit, qui ont leur origine au-dessous de la tête, & qui s'élevent en suivant le contour interieur de chaque œil, auquel elles ne sont pas adherantes; jusqu'ici, dis-je, je n'ai point trouvé de ces barbes aux papillons qui n'ont aucun vestige de trompe. Ces papillons ont pourtant des bouquets de poils, qui partent d'entre les yeux, mais ils partent de la tête même. Ces mêmes bouquets de poils avertissent que les barbes manquent au papillon, lorsqu'ils se dirigent en bas. Les poils portés par les barbes, se dirigent en haut. De grandes, & de petites especes de papillons-paons, representées dans les Planches 47, 48 & 49, nous donnent des exemples de phalenes qui n'ont que des toupets de poils entre les yeux, qui n'y ont point de barbes, & qui aussi n'ont point du tout de trompe.

Un caractere encore qui aidera à distinguer des genres,
& qui serviroit même à en augmenter le nombre, si on le
desiroit, c'est qu'il y a des papillons qu'on peut appeller
huppés, ils portent des especes de huppes de poils. Les uns en
ont plus, les autres moins *; quelques-uns n'en ont qu'une   * Pl. 19.
seule sur le corcelet; d'autres en ont deux ou trois à la file les   Fig. 2. *h*.
unes des autres sur ce même corcelet, dans la direction de
la longueur du corps; d'autres en ont jusques sur le premier
anneau du corps; quelques-uns en ont deux à côté l'une de
l'autre. Il y a de ces huppes qui forment des demi-tuyaux
creux, dont la cavité est tournée vers le derriere; quelque-
fois la cavité d'une des huppes * est tournée vers la tête *,   * Fig. 3. *H*.
& celle de la huppe qui suit est tournée vers le derriere.   * *k*.

Le chou nourrit une arpenteuse verte qui a quatre
jambes intermediaires, ou douze jambes en tout, c'est-à-
dire, une chenille de la cinquieme classe. Elle est rase, elle
a seulement quelques poils blancs assés longs, semés sur
le corps. Cette arpenteuse se fila vers le 15. Juillet, une
coque mince de soye blanche, contre les parois du poudrier. Au bout de 16. à 17. jours, un papillon nocturne
sortit de cette coque; il servira d'exemple de ceux qui
portent des huppes sur le corcelet. Ce papillon est de la 2.^{de}
classe, & du genre de ceux qui portent leurs aîles en toit qui
se termine par une vive-arête, mais dont la base est assés
grande; il a deux huppes, l'une sur le corcelet par-delà son
milieu, & l'autre à la fin du corcelet. La Figure 3. fait
voir chacune de ces huppes plus en grand, & que la ca-
vité de la premiere * est tournée vers la tête, & que celle   * Pl. 19.
de la seconde l'est vers le derriere *. Ce papillon est brun,   * Fig. 3. *H*.
& ne laisse pas d'avoir une sorte de beauté; du rougeâtre,   * *K*.
du jaunâtre, du gris & du brun, sont combinés pour
composer son brun; mais ce qui se fait le plus remarquer
sur chaque aîle superieure, c'est une tache qui est ici en

R r iij

blanc, & qui est d'un jaune brillant, tirant sur la couleur
d'or.

Outre les varietez que nous avons détaillées, on en
observera apparemment encore d'autres, qui mettront en
état de caracteriser au moins les principaux genres de papillons, par la structure & par la disposition de leurs differentes parties. On ne s'arrêtera aux couleurs, & à leurs
distributions, que pour faire connoître les especes; c'est
tout ce qu'on en peut attendre.

Nous ne devons pourtant pas dissimuler un inconvenient qui pourra se presenter lorsqu'on voudra faire usage
des caracteres que nous avons choisis pour les genres.
Dans chaque espece de papillons, il y a des mâles & des
femelles. C'est des œufs fécondés par des mâles, & dé-
posés ensuite par les femelles, que naissent les chenilles;
car, malgré ce qu'en a dit Aldrovande, dans un temps où
l'on étoit moins instruit, on n'a point d'exemples qu'une
chenille ait pondu de veritables œufs: on sçait à present,
& nous le verrons dans la suite, ce qui a pû lui en imposer. Ce que nous voulons dire maintenant, c'est qu'il y
a des genres de papillons où le port des aîles du mâle &
le port des aîles de la femelle, ne sont pas les mêmes, &
sembleroient exiger qu'on plaçât dans differents genres,
des insectes qui ne different que de sexe. Il y a, par exemple, des papillons mâles qui portent les aîles parallèles au
plan de position, pendant que leurs papillons femelles les
y tiennent inclinées. Devons-nous pour cela abandonner
ces caracteres, d'ailleurs si commodes! Je ne le pense pas.
Tout ce qui s'ensuit, c'est que pour bien déterminer le
genre d'une espece de papillon, il faut en avoir observé
le mâle & la femelle; alors on placera cette espece, sans
embarras, dans son genre & dans sa classe, si ceux des
deux sexes ont le même port d'aîles; si ils l'ont different,

on pourra les placer felon que le demande le port d'aîles
du mâle, ou felon que le demande celui de la femelle, en
avertiffant tout de fuite, en quoi il differe de celui de l'autre.
Mais j'aimerois mieux encore compofer dans chaque claffe,
des genres particuliers pour les papillons dont le mâle &
la femelle differeroient par la maniere de porter les aîles.
D'être aîlé, ou de n'avoir point d'aîles, font affûrement
des caracteres qui fembleroient les meilleurs pour diftinguer des claffes. Nous verrons pourtant, lorfque nous
en ferons à d'autres infectes, qu'il y a des claffes qu'il
faudra caracterifer, parce que quelques-uns des genres &
quelques-unes des efpeces qui leur appartiennent, font
compofées d'infectes qui portent des aîles, & d'autres qui
en font privées. Le mâle du ver luifant a des aîles, c'eft
une efpece de fcarabé, & fa femelle n'en a point. Dans
la même fourmillere, nous avons des fourmis fans aîles,
& des fourmis aîlées.

Il eft plus étonnant que les papillons nous offrent
quelque chofe de pareil. Des oifeaux qui naîtroient
conftamment fans aîles fenfibles, feroient une forte de
prodige, ou au moins une efpece bien finguliere. Les
papillons femblent nous faire voir ce prodige ; Goc-
daert eft le premier, que je fçache, qui l'ait obfervé. Il a
nourri une chenille qui vit de feuilles d'aulne, & qui
porte fur la partie anterieure de fon corps, deux efpeces
de cornes ou d'antennes, & une autre fur le derriere,
qui toutes trois font des aigrettes de plumes, ou de
poils. Il a nourri auffi une jolie chenille du prunier *,   * Pl. 19.
dont nous avons parlé ailleurs, qui, outre les longues   Fig. 4 & 5.
aigrettes, a des broffes de poils fur le dos *. Il a vû ces   * Fig. 4.
deux efpeces de chenilles fe transformer en crifalides, &
il a vû fortir de ces crifalides, un animal qui lui a paru
admirable, non par fa beauté, mais par le peu de ref-

semblance de fa forme avec celle d'un papillon; aufli n'a-
t-il pas crû lui en devoir donner le nom. Cet animal
n'avoit point d'aîles, & marchoit fur fix jambes. Mais ce
qui augmente le prodige, c'eft que l'animal, forti de la
premiere des efpeces de chenilles, ne s'eft point accouplé,
à ce que dit Goedaert, qu'il a cependant fait des œufs,
d'où font nées dans la fuite de petites chenilles. Il eft furprenant que Lifter, dans fes notes fur cet auteur, ait,
avec lui, parlé de ce fecond fait, comme d'une grande
merveille, comme s'il nous prouvoit qu'il y a des œufs
de papillons d'où des chenilles éclofent, quoiqu'ils n'ayent
pas été fécondés par l'accouplement du papillon mâle.
Lifter n'avoit-il pas encore lû Swammerdam lorfqu'il
écrivoit cette note! ou avoit-il oublié que Swammerdam
avoit fait difparoître tout ce qui fembloit miraculeux dans
la feconde obfervation? Il nous a appris que l'efpece
de chenille à broffes qui vit des feuilles de prunier, donne
un papillon mâle, qui a de belles & de grandes aîles *,
& que la même efpece de chenilles donne un papillon
femelle qui eft dépourvû d'aîles *. En general, il n'a pas
évité de relever les méprifes de Goedaert, & il ne lui a
pas fait grace fur celle-ci. Les chenilles à broffes de l'aûlne
avoient donné à Goedaert un papillon avec des aîles, &
un autre fans aîles, qu'il n'avoit pas voulu reconnoître
pour papillon: ils fe font fans doute accouplés enfemble
à des heures où Goedaert ne pouvoit pas les obferver.
Les chenilles à broffes du prunier m'ont aufli donné des
papillons femelles fans aîles; j'en ai eu qui m'ont pondu
des œufs féconds, & d'autres des œufs fteriles. Je n'ai
jamais eu que de ces derniers, quand j'ai tenu les femelles
dans des poudriers où il n'y avoit pas de mâles. Je n'ai pas
eu befoin même, l'année derniere, d'ufer de précaution
pour avoir des femelles feules; il ne m'eft point né de mâles.

Au

* Pl. 19.
Fig. 18.

* Fig. 12
& 13.

Au reste, ç'a été, pour parler comme ces auteurs, que j'ai dit que les papillons femelles de ces chenilles n'ont point d'aîles; pour parler plus exactement, ils en ont quatre, mais si petites, qu'on ne les voit bien qu'avec le secours de la loupe *. On peut pourtant les reconnoître à la vûë simple, & on les reconnoît même dans les figures de grandeur naturelle qu'en a données Swammerdam. Elles sont très-garnies de poils. Quelque petites que soient les aîles, dès que ces papillons en ont, ils rentrent dans l'ordre.

* Pl. 19.
Fig. 13.

Le papillon mâle porte ses aîles superieures paralleles au plan de position; elles laissent le corps un peu à découvert: leur couleur est un feuille-morte lavé de brun en differents endroits. Il y a sur chacune un œil blanc. Le dessus des aîles inferieures, & le dessous de toutes les quatre est feuille-morte. Ses antennes sont de très-jolies antennes à barbes de plumes. Comme il ne paroissoit point de trompe entre ses barbes, j'ai détaché une des barbes, & j'ai jetté l'autre sur le côté; la loupe alors m'a fait voir deux petits corps ob-longs, dont nous avons parlé ci-devant, & que nous avons regardés comme analogues aux trompes. Malgré ces petits corps blancs, ce papillon appartiendroit donc à la 5.me classe; mais il me paroît plus convenable de le mettre dans une classe particuliere, dans une sixieme classe qui comprendra les papillons dont les femelles n'ont pas d'aîles sensibles. Swammerdam paroît croire que les deux especes de chenilles dont a parlé Goedaert, sont les mêmes; mais la maniere dont un des papillons femelles a enveloppé ses œufs, maniere qui n'est pas pratiquée par l'autre, établit assés que les papillons femelles qu'a eûs Goedaert, sont de deux differentes especes, & qu'ils vien-nent, par consequent, de chenilles d'especes differentes.

VI.me
CLASSE.

Il paroît même par les planches de M.me Merian, & par celles d'Albin, que plusieurs especes de papillons à

Tome I.   S s

broſſes, qui ont de longues aigrettes proche de la tête en forme d'antennes, donnent des papillons femelles qui n'ont pas d'aîles ſenſibles. Des arpenteuſes à dix jambes nous fourniront, dans la ſuite de cet ouvrage, un bon nombre de papillons femelles qui appartiennent à cette 6.ᵐᵉ claſſe.

Il nous reſte encore à parler d'une claſſe mieux caracteriſée qu'aucune des précedentes; c'eſt de celle dont les papillons ont des aîles qui imitent fort celles des oiſeaux; elles paroiſſent compoſées de veritables plumes. Tous ceux qui appartiennent à cette claſſe ſont petits, mais la ſtructure particuliere de leurs aîles merite que nous nous arrêtions à l'examiner. Nous les avons mis à la ſuite des phalenes, ils en ont un des caracteres par leurs antennes à filets coniques; mais on ne laiſſe pas de les voir voler pendant le jour: & d'ailleurs, la transformation des chenilles d'où ils viennent, ſe fait de la même maniere que celle des chenilles des papillons diurnes, comme nous l'expliquerons ailleurs. Ils pourroient donc auſſi appartenir à la claſſe des papillons diurnes: mais de tout cela, il reſulte qu'on les peut regarder comme une claſſe particuliere que nous placerons pourtant ici à la ſuite des phalenes. J'en connois trois genres qui ont des caracteres qui les font aiſement diſtinguer les uns des autres.

Tous ceux, que je connois, du premier genre, ſont d'une grande blancheur *; ils ſe poſent ordinairement ſur ſix jambes, dont les deux poſterieures ſont plus longues que les anterieures. Jamais ce papillon n'applique ſes aîles contre ſon corps, il les tient même toûjours dans une direction perpendiculaire, ou à peu-près à ſa longueur, il les étale pourtant plus ou moins. Quand il eſt en repos, il tient les deux d'un même côté pliées à la maniere d'un éventail, ou des aîles des oiſeaux; mais jamais il ne les plie aſſés exactement pour empêcher d'appercevoir qu'elles

font compofées de diverfes parties qui femblent de veritables plumes. Lorfqu'on a recours à la loupe, on reconnoît
que ces prétenduës plumes ne font que les parties dans
lefquelles l'aîle eft refenduë. L'aîle fuperieure l'eft depuis
fa pointe jufqu'environ aux deux tiers de fa longueur *.   * Pl. 20.
Elle paroît une côte plate qui fe divife en deux lanieres;   Fig. 4. *a b.*
l'exterieure, celle qui fait le côté exterieur de l'aîle, eft de
quelque chofe plus longue que l'autre; ces deux côtes,
ces deux lanieres, font bordées de part & d'autre de longues
barbes blanches, qui reffemblent à celles des plumes.

L'aîle inferieure * eft refenduë en trois parties femblables   * Fig. 4.
aux précedentes; une des divifions va tout près du fommet   *c d.*
de l'aîle *, tout près de fon infertion dans le corcelet,   * Fig. 4.
mais l'autre divifion fe termine au tiers de la longueur   *c e.*
de l'aîle. Hook a fait graver, très en grand, dans fa Micrographie, la figure d'un de ces papillons, mais il n'y donne
qu'une divifion, que deux plumes à l'aîle inferieure. Je
ne fçais fi c'étoit-là la ftructure de l'aîle qu'il a obfervée;
ce que je fçais, c'eft que quand on ne fe donne pas affés
de foin pour féparer les plumes, la troifieme, celle qui
eft faite par la plus longue divifion, ne fe voit point; un
pli qu'elle a à fa bafe tend à la ramener fur les autres :
peut-être auffi que le papillon de Hook n'eft pas celui
que nous avons fait reprefenter, qu'il eft d'un autre genre,
ou d'une autre efpece. Quand le nôtre veut voler, il
écarte les plumes, ou les differentes parties de fes aîles,
& c'eft le temps où elles reffemblent plus à celles des
oifeaux. Les deux aîles d'un même côté paroiffent n'en   * Fig. 3.
compofer qu'une feule *. Tout cela enfemble, qui fait de
fort jolies aîles à obferver, ne paroît pas en faire de bien
bonnes. Ces papillons ne volent ni loin ni haut pendant
le jour, & je ne fçais s'ils volent même pendant la nuit.

Le papillon, qui nous fervira d'exemple du fecond

genre de ceux à plumes, eſt d'un brun qui tire ſur une couleur de bois clair. Je n'en ai point vû encore de ceux-là, de blancs, ni de quelqu'autre couleur. Quand ils ſont poſés, leurs aîles ne paroiſſent nullement des aîles en plumes, elles ont plûtôt l'air de deux bras étendus que de deux aîles *; le papillon a alors une figure qui rappelle celle d'un homme en croix. Les deux aîles de chaque côté ſont raſſemblées en une eſpece de cordon dont le bout ſe recourbe en crochet; chacune des aîles ſuperieures n'eſt fenduë que vers le bout, au plus juſqu'à la 6.me ou 7.me partie de ſa longueur *. Par-deſſus, elle eſt convexe, & par-deſſous, elle forme une goutiere dans laquelle ſe loge l'aîle inferieure, qui, comme celle du papillon dont nous venons de parler, eſt compoſée de trois plumes, ou de trois parties détachées les unes des autres juſqu'auprès de ſon origine *. Ces plumes de l'aîle inferieure ſont bien fournies de chaque côté, de grandes barbes ; toutes trois ſe raſſemblent dans un paquet qui s'ajuſte dans la goutiere de l'aîle ſuperieure *. Les bords interieurs de la partie refenduë de l'aîle ſuperieure, & les bords exterieurs de cette aîle, ſont garnis de barbes juſques vers la moitié de ſa longueur.

 Ce papillon differe encore du précedent, en ce qu'il ne s'appuye ordinairement que ſur les quatre jambes anterieures ; il tient les deux dernieres, qui ſont conſiderablement plus longues, étenduës, quelquefois le long des côtes, & quelquefois deſſous le corps, auquel elles forment une eſpece de queuë, après s'être croiſées l'une & l'autre ſur le derriere *. Chacune des jambes de ce papillon, & chacune de celles du précedent, ont, d'eſpace en eſpace, d'aſſés grands crochets, ou ergots.

 Je ne ſçache point qu'on ait fait encore attention au troiſieme genre de papillons à aîles en plumes dont il nous reste à parler; quoique ce soient ceux de tous dont les aîles sont mieux formées en vrayes aîles de plumes, & qu'ils les tiennent toûjours déployées *. J'ai vû pendant du temps, de ces papillons attachés contre les vitres de ma fenêtre, sans m'appercevoir que la structure de leurs aîles avoit quelque chose de singulier. Ils sont petits; quand ils sont tranquilles, on les prend simplement pour des papillons du genre de ceux qui tiennent leurs aîles étendües parallelement au plan de position. Leur couleur d'ailleurs n'a rien qui engage à les regarder de plus près; elle est brune. Des bruns plus clairs & plus foncés, mêlés par petites taches, font toutes les varietés de quelques-uns. Ce brun a pourtant un œil doré. Il y a plusieurs especes de ces papillons que je ne me suis pas fort attaché à distinguer; mais au moins ai-je observé que des couleurs de brun nué sont differemment distribuées sur les aîles de differents papillons de cette classe; que les aîles de quelques-uns sont très-joliment marquetées, & ont d'assés grandes taches. Si on prend un des papillons de cette classe, & qu'on l'observe de près, on reconnoît que ses aîles, qui sembloient continuës, sont faites de plumes qui ont de grandes barbes; la continuité apparente de l'aîle dépend de la maniere dont les barbes des plumes voisines s'ajustent ensemble.

Outre que ce papillon est petit, ses aîles sont tendres; pour bien voir leur structure, il faut le prendre & le manier doucement, & l'observer ensuite à la loupe. On trouve que chaque aîle superieure est formée de huit plumes *, & chaque aîle inferieure de quatre seulement. Toutes les tiges des ces plumes sont séparées les unes des autres jusqu'auprès de l'origine de l'aîle *. On n'hésiteroit pas à les prendre pour de vrayes plumes, si les observations faites sur les papillons précedents ne nous faisoient

* Pl. 19.
Fig. 19 & 20.

* Pl. 19.
Fig. 21.

* Pl. 19.
Fig. 22.

S ſ iij

voir qu'elles peuvent n'être que les parties de l'aîle profondement refenduë. Ce ne font pas feulement les barbes des plumes d'une même aîle qui s'ajuftent enfemble; les barbes de la derniere plume de l'aîle fuperieure femblent s'ajufter auffi-bien avec les barbes de la premiere plume de l'aîle inferieure; de forte que les deux aîles enfemble paroiffent n'en compofer qu'une, qui a beaucoup d'ampleur *. Si on a recours à un bon microfcope pour voir les barbes, on reconnoît pourtant que leur ftructure differe de celle des barbes des plumes; chaque barbe y paroît de l'efpece de ces longs poils dont nous avons parlé dans le 5.me Memoire, lorfque nous avons décrit les écailles des papillons. Ces barbes * font des efpeces d'écailles très-longues, & très-étroites; le bout par lequel elles font engagées dans leur tige commune, eft le plus pointu; l'autre bout eft plus large. Ce font des lames bien étroites, dont les deux côtés pourtant femblent avoir un rebord, mais ils ne font point garnis de poils, ou de barbes plus petites, comme le font les côtés des barbes des plumes. Les aîles laiffent, fur les doigts qui les touchent, de ces pouffieres que nous avons vû être autant de petites écailles; elles font attachées fur les tiges des plumes.

L'origine de ce papillon m'eft encore inconnuë, mais j'ai grande difpofition à croire qu'il vient de quelque teigne, ou de quelque chenille qui habite dans nos maifons; je l'ai inutilement cherché dans les champs; je l'ai trouvé affés commun dans les maifons de campagne, pendant les mois d'Aouft, de Septembre & d'Octobre; j'en ai même pris, dès le 2. de Mars, dans ma chambre, temps où on ne voit que rarement des papillons à la campagne. Ce petit papillon a des antennes à filets coniques, & une trompe.

L'origine des petits papillons bruns * à aîles en plumes,

* Pl. 19. Fig. 21.

* Fig. 23.

F* Pl. 20. Fig. 12 & Fig. 13.

de ceux du fecond genre, m'eſt mieux connuë. Les chenilles * d'où ils viennent, vivent ſur le lizeron; je les ai
élevées depuis leur premiere ſortie de l'œuf juſqu'à leur
derniere tranſformation. Des papillons de cette eſpece,
que j'avois pris à la campagne, firent des œufs dans le
poudrier où je les avois renfermés: j'attachai ce poudrier
auprès d'une tige de lizeron, & je fis entrer une partie
de ce lizeron dans la bouteille même, qui reſta ouverte.
Dès que les chenilles furent écloſes, elles trouverent
une nourriture convenable; elles crûrent ſur ce lizeron,
& ſur quelques autres pieds des environs où elles ſe rendirent. Quand il me parut qu'il y avoit à craindre qu'elles
n'allaſſent trop loin, j'en pris quelques-unes que je renfermai dans des poudriers, & que je fis nourrir avec les
feuilles de la plante qu'elles aiment. Cette eſpece de chenille a ſeize jambes, elle reſte petite, ſa couleur eſt d'un
verd blancheâtre; elle a des poils mediocrement longs,
rangés au moins ſur quatre rangs de tubercules; les poils,
en s'élevant, s'écartent les uns des autres. Pour ſe mettre
en criſalides, elles s'attacherent au poudrier. Les criſalides, vûës du côté du dos *, ſont preſqu'auſſi veluës que
les chenilles, & en ne les regardant que de ce côté-là, on
auroit aſſés de peine à s'aſſûrer que ce ſont des criſalides.
Les papillons des miennes ſortirent vers la mi-Aouſt.
J'ai negligé de remarquer combien de temps préciſement
ils avoient été en criſalide, mais je ne crois pas qu'ils y
ayent été plus de quinze jours. Les chenilles d'où ils venoient étoient nées vers le commencement de Juillet.
Je n'ai pas encore l'hiſtoire aſſés complette du papillon
blanc à aîles en plumes du premier genre; il vient d'une
chenille qui differe peu de la précedente, mais qui eſt
plus veluë *: elle ne s'eſt pas miſe en criſalide chés moi.

* Pl. 20.
Fig. 7.

* Pl. 20.
Fig. 9.

* Fig. 5
& 6.

Nous avons affés dit que nous penfions qu'on ne devoit faire ufage des couleurs que pour diftinguer les unes des autres, les efpeces des papillons. Il y en a dont toutes les aîles font d'une même couleur, d'autres dont les aîles inferieures font autrement colorées que les fuperieures. Les couleurs du deffous de la même aîle font fouvent differentes de celles du deffus ; quelques aîles font prefqu'entierement d'une couleur fimple, d'autres d'une couleur compofée. Quelques-unes n'ont qu'un bord d'une couleur differente de celle du refte ; d'autres n'ont que quelques taches d'une autre couleur que celle du fond. Entre les taches, il y en a de rondes, compofées de differentes couleurs nuées, & diftribuées par bandes circulaires & concentriques, qui imitent la figure des yeux, & qui en portent le nom. D'autres aîles font toutes remplies de taches de differentes couleurs ; les couleurs font étenduës par rayes fur quelques-unes, fur d'autres par ondes : enfin, on y obferve toutes les varietés imaginables, & nous en avons affés parcouru jufqu'ici, foit de couleurs, foit de forme, pour donner idée de la grande quantité de papillons que l'Auteur de la nature s'eft plû à produire, & à diverfifier fi fingulierement.

Nous ne parlerons point actuellement des aîles où l'or & l'argent femblent répandus tantôt avec profufion, tantôt avec art ; de celles qui font nacrées, ou qui ont des taches qui femblent de nacre. Nous avons déja dit qu'il y en a qu'on appelle des *aîles vitrées,* nom qui leur a été très-bien donné, parce qu'elles ont des parties plus ou moins grandes, qui ont une forte de tranfparence. Ce font des aîles dont la membrane n'eft pas par-tout recouverte d'écailles ; les endroits où elle n'en a pas, ont de la tranfparence, & femblent autant de petites vitres.

EXPLICATION

EXPLICATION DES FIGURES
DU SEPTIEME MEMOIRE.

PLANCHE XIII.

LA Figure 1, eſt celle de la belle chenille à corne du titimale à feuille de cyprès, actuellement cramponnée le long d'une tige de cette plante, & mangeant une de ſes feuilles. Il y en a de plus grandes que celle de cette Figure.

La Figure 2, eſt celle de la criſalide de cette chenille, vûë par-deſſus.

La Fig. 3, eſt celle de la même criſalide, vûë par-deſſous.

La Fig. 4, eſt celle du papillon de cette chenille, qui eſt de la premiere claſſe des phalenes, dans ſa poſition ordinaire.

La Figure 5. eſt celle du même papillon qui vole.

La Figure 6, fait voir le même papillon par-deſſous.

La Figure 7, eſt celle d'un papillon mâle, dans ſa poſition ordinaire.

La Figure 8, eſt celle d'un papillon qui appartient encore à la premiere claſſe des phalenes, qui eſt pourvû d'une trompe extremement longue.

La Figure 9, eſt celle d'une des aîles inferieures du papillon de la Fig. 8.

PLANCHE XIV.

La Figure 1, eſt celle d'un papillon qui vient d'une chenille vèrte à corne ſur le derriere, que je n'ai pas nourrie, & dont j'ai eû ſeulement les criſalides.

La Fig. 2, eſt celle du papillon à tête de mort. J'en ai eu de plus petits, & d'un peu plus grands que celui de cette Figure.

La Figure 3, eſt celle d'une des aîles inferieures de ce

Tome I.   . Tt

papillon; une partie *ſb* de cette aîle, eſt pliée ſur le reſte. Ce pli ſubſiſte, tant que le papillon ne vole pas.

La Figure *A*, eſt celle de la corne que porte ſur le derriere, la chenille qui donne le papillon de la Figure 2.

La Figure 4, eſt celle d'une chenille raſe, à ſeize jambes, de l'oſeille.

La Figure 5, eſt celle de la criſalide de cette chenille.

Les Figures 6 & 7, ſont celles du papillon de cette chenille. Il eſt de la ſeconde claſſe, & par ſon port d'aîles du premier genre de cette claſſe.

La Figure 8, eſt celle du même papillon vû par-deſſus, ayant les aîles ouvertes.

La Figure 9, eſt celle du même papillon vû par-deſſous.

La Figure 10, eſt celle d'un autre papillon de la même claſſe, & du même genre que le précedent, qui vient auſſi d'une chenille qui entre en terre pour ſe metamorphoſer.

La Figure 11, eſt celle d'une chenille verte, raſe, & à ſeize jambes, de l'ortie.

La Figure 12, eſt celle du papillon nocturne de cette chenille, vû par-deſſus; il eſt de la ſeconde claſſe, & du ſecond genre de cette claſſe.

La Figure 13, eſt celle du même papillon, vû par-deſſous.

PLANCHE XV.

La Figure 1, eſt celle d'une chenille raſe & verte, à ſeize jambes, qui vit de feuilles de chêne; ſon derriere eſt fait en poupe de vaiſſeau.

La Figure 2, eſt celle de la même chenille, qui a été deſſinée dans un âge plus avancé ; on lui voit mieux la forme du derriere.

La Figure 3, repreſente un paquet de feuilles que cette

chenille a liées enfemble, & au milieu defquelles elle s'eft filé une coque mince, dans laquelle elle s'eft mife en crifalide.

La Figure 4, eft celle du papillon qui eft venu de cette chenille, vû par-deffus; il eft de la feconde claffe, & du fecond genre de cette claffe; il porte fes aîles paralleles au plan de pofition; les côtés interieurs de chaque aîle fuperieure, font appliqués l'un contre l'autre.

La Fig. 5, eft celle du même papillon, vû par-deffous.

La Figure 6, eft encore celle d'un papillon qui vient d'une chenille rafe, qui vit fur l'ortie. Ce papillon eft de la feconde claffe, & du troifiéme genre; la partie fuperieure de fes aîles fe moule fur le corps, elle en prend bien l'empreinte; le refte des mêmes aîles eft parallele au plan de pofition.

La Figure 7, eft celle d'une feuille de lilas, fur une partie de laquelle eft une efpece de toile de fils, qui ne laiffe qu'entrevoir une chenille qui eft deffous.

La Figure 8, eft celle de cette petite chenille du lilas.

La Figure 9, eft celle du papillon qui vient de la chenille de la Fig. 8. il eft de la feconde claffe, & du quatrieme genre de port d'aîles; fes aîles fuperieures, paralleles au plan de pofition, laiffent à découvert une bonne partie des inferieures.

La Figure 10, eft celle d'un papillon qui a encore le port d'aîles du quatrieme genre, mais qui écarte plus fes aîles du corps que celui de la Fig. 9. il eft de la quatrieme claffe, c'eft-à-dire, qu'il a des antennes à barbes de plumes, & une trompe.

Les Figures 11 & 12, reprefentent, en deux attitudes differentes, l'arpenteufe à dix jambes qui donne ce papillon.

T t ij

La Figure 13, eſt celle de la criſalide de cette chenille.

PLANCHE XVI.

La Figure 1, eſt celle d'une chenille qui vit des feuilles & des fleurs de la jacobée, & de celles du ſéneçon.

La Figure 2, eſt celle de la même chenille roulée.

La Figure 3, repreſente en *c*, une criſalide de cette chenille qui eſt entre quelques petales de la fleur.

La Figure 4, eſt celle du papillon de cette chenille, vû de côté; il eſt de la ſeconde claſſe, & du cinquiéme genre, portant ſes aîles en toit aigu.

La Figure 5, eſt celle du même papillon, dans une vûë où ſes deux aîles ſuperieures paroiſſent.

La Figure 6, eſt celle du même papillon, qui a éloigné ſes aîles ſuperieures de ſon corps, elles laiſſent à découvert le deſſus des aîles inferieures.

La Figure 7, fait voir le ventre, & le deſſous des aîles de ce même papillon.

La Figure 8, eſt celle d'une chenille veluë ſur les côtés, qui a ſeize jambes; elle a tout du long du dos une belle raye rouge, & ſur chaque côté une raye blanche; elle ſe nourrit de feuilles de poirier, & de celles de prunier.

La Figure 9, eſt celle d'une coque de cette chenille, attachée contre une feuille de poirier.

La Figure 10, eſt celle de la criſalide de cette chenille.

La Figure 11, eſt celle du papillon, il eſt de la cinquieme claſſe; il a des antennes à barbes de plumes, & il manque de trompe; il porte ſes aîles en toit aigu. Les œufs de ce papillon ſont de petites ſpheres, dont un ſegment a été emporté; ils ſont petits, & blancs.

La Fig. 12, eſt celle d'une petite chenille raſe, du chou.

Les Figures 13 & 14, ſont celles du papillon de cette

chenille qui porte ſes aîles en toit, & qui eſt de la ſeconde claſſe.

La Figure 15, eſt en grand la tête d'un papillon ſans trompe. On a abbaiſſé les barbes qui étoient entre les yeux, & qui auroient pû cacher la trompe, s'il y en avoit eû une; mais ces barbes ôtées, on ne voit point de trompe, parce que le papillon n'en a pas, au moins de ſenſible.

PLANCHE XVII.

La Figure 1, eſt celle d'une chenille qui vit dans l'interieur des troncs de chêne, d'orme, & d'autres arbres.

La Figure 2, repreſente en grand ſa tête, vûë par-deſſous. *l*, la levre ſuperieure. *DD*, les deux dents qui ſont plus aiguës que celles des chenilles ordinaires, & qui ſe rencontrent l'une l'autre ſous un angle plus aigu; auſſi celles-ci ont-elles à percer le bois. *NMN*, les trois parties dont eſt compoſée la levre inferieure. Du haut de la partie *M*, il ſort un gros filet, qui eſt la filiere. Ici cette filiere paroît tomber ſur les dents, parce qu'elle eſt vûë de front; mais elle fait au moins un angle de quarante-cinq degrés avec la levre d'où elle part.

La Figure 3, eſt celle de la criſalide de cette chenille.

La Figure 4, eſt celle d'un morceau de bois ſur lequel eſt le papillon, *P*, de la chenille de la Fig. 1. il eſt de la 3.me claſſe; ſes antennes ſont coniques, & il n'a point de trompe. Le port de ſes aîles eſt du ſixieme genre, ou en toit arrondi.

d d d, marquent ſur ce même morceau de bois, le contour d'un endroit où le bois a été percé par la chenille, & où l'ouverture a été remplie de ſciure liée par des fils de ſoye.

C, eſt une partie de la coque dans laquelle la chenille

s'étoit enfermée pour se mettre en crisalide. C'est le fourreau de la crisalide fort défiguré, qui est resté dans l'ouverture de la coque par où le papillon est sorti.

La Figure 5, est celle du papillon mâle, vû par-dessous. C'est la femelle qui est vûë par-dessus, Fig. 4.

La Figure 6, est celle du morceau de bois de la Fig. 4. dont on a emporté une partie, & aussi une partie de la coque, pour faire voir l'interieur de cette coque, qui est très-poli, quoique son exterieur *c c,* soit tout grainé.

La Figure 7, est celle d'une antenne de ce papillon, vûë au microscope.

La Figure 8, est celle d'une petite partie de l'antenne, Fig. 7. représentée très en grand, pour faire voir les lames *l, m,* que le microscope fait découvrir sur une de ses faces. Ces lames sont veluës, ou faites de poils.

La Figure 9, est celle d'un papillon, dont le port d'aîles est du septieme genre, & qui est de la seconde classe; il est large d'épaules. Celui-ci vient d'une petite chenille rase de l'érable.

Les Figures 10 & 11, sont celles d'un papillon dont le port d'aîles est du huitieme genre, ou dont les aîles embrassent le corps, à la maniere de celles des oiseaux. Ce papillon est de la seconde classe, il vient d'une chenille du fusain, dont nous parlerons ailleurs.

La Figure 12, est celle d'un petit papillon, qui donne un exemple d'un neuvieme genre de port d'aîles, de celui que nous avons nommé *en queuë de coq.* Quoique ce papillon soit assés petit, il est pourtant beaucoup plus grand que nature; il vient d'une très-petite chenille, dont nous parlerons ailleurs, qui se tient dans l'interieur des feuilles de l'orme femelle.

Les Figures 13 & 14, font celles d'un papillon, dont les aîles embraſſent le corps, & ſe contournent pour paſſer du côté oppoſé à celui de leur origine. Une des aîles ſuperieures couvre une grande partie de l'autre aîle ſuperieure. C'eſt le dixiéme genre de port d'aîles. Ce papillon eſt de la ſeconde claſſe.

PLANCHE XVIII.

La Figure 1, eſt celle d'une chenille raſe qui vit ſur le cerifier, ſur le prunier, & ſur l'épine, & qui eſt encore jeune.

La Figure 2, repreſente un des tubercules, *t,* qui ſont ſur le corps de cette chenille, groſſi au microſcope; il s'en éleve un poil, *p.*

La Figure 3, eſt celle de la chenille de la Fig. 1, parvenuë à ſon dernier terme d'accroiſſement.

La Figure 4, eſt celle de la coque dans laquelle cette chenille ſe renferme pour ſe metamorphoſer.

La Figure 5, eſt celle de la criſalide de cette chenille.

La Figure 6, eſt celle du papillon mâle qui ſort d'une des chenilles de l'eſpece précedente, vû de côté, & pendant qu'il eſt en repos. *a,* une de ſes antennes.

   c, ſon corcelet, qui eſt ſi couvert de longs poils & de longues écailles, qu'il ſemble l'être d'une eſpece de toiſon.

   e, l'endroit qui fait paroître ce papillon comme enſellé.

La Figure 7, eſt celle du même papillon qui tient ſes aîles paralleles au plan de poſition, comme il les y tient lorſqu'il marche.

La Figure 8, eſt celle du même papillon, vû du côté du ventre.

La Figure 9, est celle d'un papillon femelle, venu de la même chenille, dessinée sur un papillon mort.

La Figure 10, est celle de la tête du papillon grossie au microscope. *a a*, les endroits où les deux antennes ont été coupées.

i, i, les yeux. On a ôté les deux barbes qui étoient entre eux deux, pour mettre à découvert deux corps blancs & oblongs, *t t*, qui paroissent être deux parties analogues aux trompes ordinaires. Nous mettons cependant au rang des papillons sans trompe, ceux qui n'ont que de pareilles parties, dont la figure n'est pas la même que celles des autres trompes, & qui d'ailleurs sont très-petites.

La Figure 11, est celle d'un petit papillon singulier en ce qu'il paroît avoir deux cornes, *c c*.

La Figure 12, est celle du même papillon représenté plus grand que nature, pour rendre plus sensibles les deux cornes *c c*. Ses antennes sont à filets coniques; une d'elles, *a*, est ici couchée sur une des aîles.

La Figure 13, est celle d'une portion de feuille de bouillon blanc. En *b*, est la tête d'une petite chenille, dont le corps est caché sous le duvet *b d*, qu'elle a enlevé de la feuille de cette plante.

La Figure 14, est celle de cette chenille qui est toute brune. C'est, je crois, la chenille d'où vient le papillon de la Figure 11.

La Figure 15, est celle de la tête du papillon de la Fig. 11, grossie au microscope.

a, une des antennes.

i, un œil.

b d c, b c, les deux barbes, ou cloisons barbuës, entre lesquelles paroît vers *b*, le rouleau formé par la trompe.

b d, la

b d, la tige d'une des barbes.

d c, efpece de corne par laquelle cette barbe fe termine.

Quand la tige *b d* fe courbe, & s'applique fur la tête, la partie *d* fe trouve du côté du dos vers le commencement du corcelet, d'où la corne *c d* paroît partir.

La Figure 16, eft celle d'un papillon qui femble avoir un mufeau allongé, une forte de nez de beccaffe. Ce mufeau, ce nez eft encore formé par les deux barbes, ou cloifons barbuës, entre lefquelles la trompe eft logée.

La Figure 17, eft celle de la tête de ce papillon, groffie au microfcope, & vûë par-deffous.

a a, les antennes.

b d, b d, les deux barbes. C'eft un peu au-deffus de l'origine *b* de ces deux barbes, que la trompe eft placée entr'elles deux.

La Figure 18, un peu moins grandie que la Figure 17, fait voir la trompe *t,* qui a été déroulée & tirée d'entre les cloifons barbuës.

La Figure 19, eft celle de la tête du même papillon, vûë de côté. *a a,* les antennes.

i, un œil.

b d, une des lames barbuës.

d d, fait voir comment le bout de chacune de ces lames eft entaillé.

La Figure 20, montre les deux lames barbuës *b d, b d,* écartées l'une de l'autre, au lieu qu'elles font appliquées l'une contre l'autre dans les Figures 17, 18 & 19. *i i,* les yeux. La trompe paroît roulée entre les deux lames à la hauteur *i i* des yeux.

On voit auffi, dans cette figure, que les faces de ces lames font couvertes d'écailles femblables à celles des aîles des papillons.

Tome I. .Vv

PLANCHE XIX.

La Figure 1, eſt celle d'une coque de ſoye qui a été filée par une arpenteuſe du chou, à douze jambes, ou à quatre jambes intermediaires.

La Figure 2, eſt celle du papillon de cette chenille. Il porte des huppes ſur le corcelet.

La Figure 3, eſt celle des huppes du papillon précedent, repréſentées plus en grand. *H*, la plus haute de ces huppes, formée en tuyau creux, dont la cavité eſt tournée vers la tête. *K*, la 2.me huppe, plus petite que la premiere, & dont la cavité eſt tournée vers le derriere.

Les Figures 4 & 5, ſont celles d'une chenille qui vit ſur le prunier, & ſur-tout ſur le prunier ſauvage, dont le papillon femelle a de ſi petites aîles, qu'on a peine à les appercevoir. Elle a ſur le dos des broſſes de poils, & pluſieurs grandes aigrettes de plumes en d'autres endroits. La couleur de ſa peau eſt d'un agathe rougeâtre. Elle a ſur chaque anneau, excepté ſur ceux où ſont les broſſes, huit tubercules; ceux des rangs ſuperieurs ſont d'un rouge peu vif, & ceux des quatre rangs inferieurs d'un jaune de paille.

    a a,   les deux grandes aigrettes, qui tirent leur origine du premier anneau, d'auprès de la tête, & que la chenille porte en devant.

    b b,   Fig. 5. les aigrettes des côtés, étenduës comme des bras; elles manquent à quelques-unes de ces chenilles; d'autres n'en ont qu'une de chaque côté, & d'autres en ont deux de chaque côté.

    c,   l'aigrette qui eſt près du derriere.

    d,   Figure 4, les quatre broſſes jaunes qui ſont ſur le

dos. Chacune d'elles eſt formée par les poils qui partent de deux tubercules, & qui viennent ſe rencontrer vers le milieu du dos.

La Figure 6, eſt celle d'une dépouille de la chenille.

La Figure 7, eſt celle d'une des aigrettes de la tête, repreſentée en grand, pour faire voir l'arrangement des plumes dont elle eſt compoſée.

La Figure 8, eſt celle d'une des plumes de l'aigrette de la Fig. 7. encore plus groſſie, où l'on voit la diſpoſition des barbes que porte ſa tige. Les barbes les plus grandes, & les plus proches du bout ſuperieur, ſont noires ; les autres barbes, & la tige, ne ſont que brunes.

Les Figures 9 & 10, ſont celles des criſalides de cette chenille, vûës de differents côtés. La criſalide de la Fig. 10. eſt celle d'où doit ſortir un papillon mâle, ou un papillon qui a de grandes aîles.

La Figure 11, groſſie au microſcope, eſt celle d'une criſalide d'où doit ſortir un papillon femelle.

La Figure 12, eſt celle du papillon femelle.

La Figure 13, eſt celle du même papillon, qui a été groſſie, pour rendre les aîles plus ſenſibles ; il a quatre aîles très-veluës. Le papillon, en entier, eſt très-velu. Il eſt d'un gris ſale, cendré.

La Figure 14, eſt celle d'une coque de ſoye dans laquelle la chenille s'eſt miſe en criſalide, & ſur laquelle le papillon femelle, qui en eſt ſorti, a dépoſé ſes œufs, ce qui leur eſt aſſés ordinaire.

La Figure 15, eſt celle de la coque de la Fig. 14. repreſentée en grand, mais ſans œufs.

La Fig. 16, eſt celle d'un œuf de cette chenille, groſſi.

La Figure 17, au haut de la planche, eſt celle du papillon mâle de cette chenille, qui a des antennes en plumes, & qui n'a point de trompe semblable aux trompes ordinaires, ou sensible à la vûë simple.

La Figure 18, est celle de la tête de ce même papillon, vûë par-dessous, & en grand, à qui on a ôté une des barbes qui étoient en *b*, & jetté l'autre barbe *B*, sur le côté, pour mettre à découvert l'endroit où devroit être la trompe. On voit alors deux petits corps, *t t*, un peu plus gros dans cette figure, qu'ils ne devroient l'être; il y a grande apparence qu'ils font la fonction de trompe.

La Figure 19, au bas de la planche, est celle d'un papillon à aîles en plumes, du 3.me genre de ceux dont les aîles ressemblent le plus à celles des oiseaux; il est vû par-dessus.

La Fig. 20, est celle du même papillon, vû par-dessous.

La Figure 21, représente le même papillon plus en grand. On y voit les plumes des aîles garnies de barbes, & que les barbes d'une des plumes se joignent aux barbes de la plume suivante.

La Figure 22, représente en grand deux plumes de la même aîle, & fait mieux voir l'espece de goutiere qui se trouve entre les barbes de deux differentes tiges, & comment les barbes d'une tige vont rencontrer celles de l'autre.

La Figure 23, est en très-grand, celle d'une des barbes des plumes de la Figure 22.

PLANCHE XX.

La Figure 1, est celle d'un papillon blanc à aîles de plumes, vû du côté du dos, ayant ses aîles très-ouvertes.

La Figure 2, est celle du même papillon, qui a les aîles moins ouvertes.

La Figure 3, est aussi celle du même papillon, vû du côté du ventre, & représenté beaucoup plus grand que nature, ayant ſes aîles ouvertes, afin qu'on puiſſe voir leurs diviſions, ou le nombre des plumes dont elles ſont compoſées.

La Figure 4, repreſente encore plus en grand les deux aîles d'un même côté.

a b, l'aîle ſuperieure.

c d e, l'aîle inferieure.

Les Figures 5 & 6, ſont celles des chenilles veluës qui donnent cette eſpece de papillon.

La Figure 7, eſt celle d'une chenille qui donne un papillon à aîles en plumes, d'un genre different du précedent, & qui eſt auſſi d'une couleur differente; il eſt d'un brun clair.

La Figure 8, eſt celle de la criſalide de cette derniere chenille, vûë du côté du dos.

La Figure 9, eſt celle de la même criſalide, groſſie, afin de rendre les poils plus diſtincts.

La Figure 10, eſt celle de la même criſali le, de grandeur naturelle, vûë du côté du ventre.

La Figure 11, eſt celle de la criſalide, plus grande que nature, vûë du même côté que dans la Figure 10.

La Figure 12, eſt celle du papillon qui ſort des criſalides précedentes, vû du côté du dos.

La Figure 13, eſt celle du même papillon, vû du côté du ventre.

Les Figures 14 & 15, ſont celles du même papillon, ſort groſſies. Dans l'une, il eſt vû du côté du dos, & dans l'autre, du côté du ventre. On peut remarquer dans l'une & dans l'autre de ces figures, une poſition des jambes poſterieures, qui ne ſe trouve pas dans les Fig. 12 & 13.

La Figure 16, eſt celle d'une des aîles ſuperieures de

V v iij

ce papillon, repréſentée ſeparement, & plus grande que nature.

La Figure 17, eſt celle d'une de ſes aîles inferieures, groſſie comme l'eſt celle de la Fig. 16.

La Figure 18, fait voir l'aîle ſuperieure, & l'aîle inferieure. *a b*, eſt l'aîle ſuperieure. *a e*, *a f*, *a g*, compoſent enſemble l'aîle inferieure, dont les trois plumes ſont ici écartées les unes des autres. Quand elles ſont raſſemblées les unes auprès des autres, plus qu'elles ne le ſont dans la Figure 17. l'aîle ſuperieure *a b*, leur ſert d'étuy.

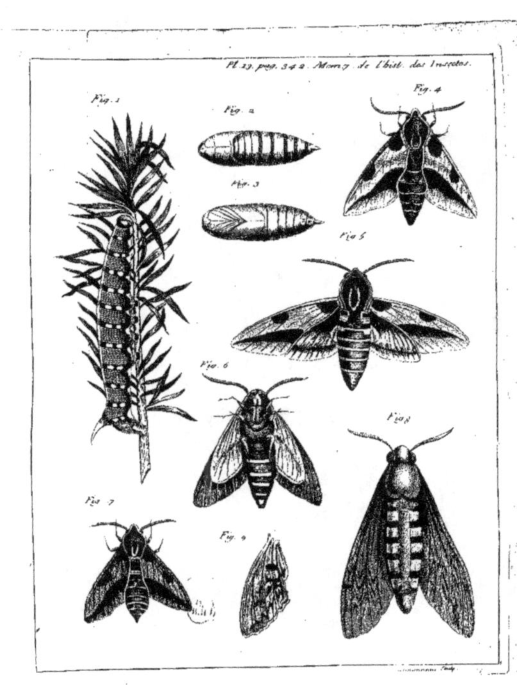

Pl. 23. pag. 348. Mœurs de l'hist. des Insectes.
Fig. 1
Fig. 2
Fig. 3
Fig. 4
Fig. 5
Fig. 6
Fig. 7
Fig. 8
Fig. 9

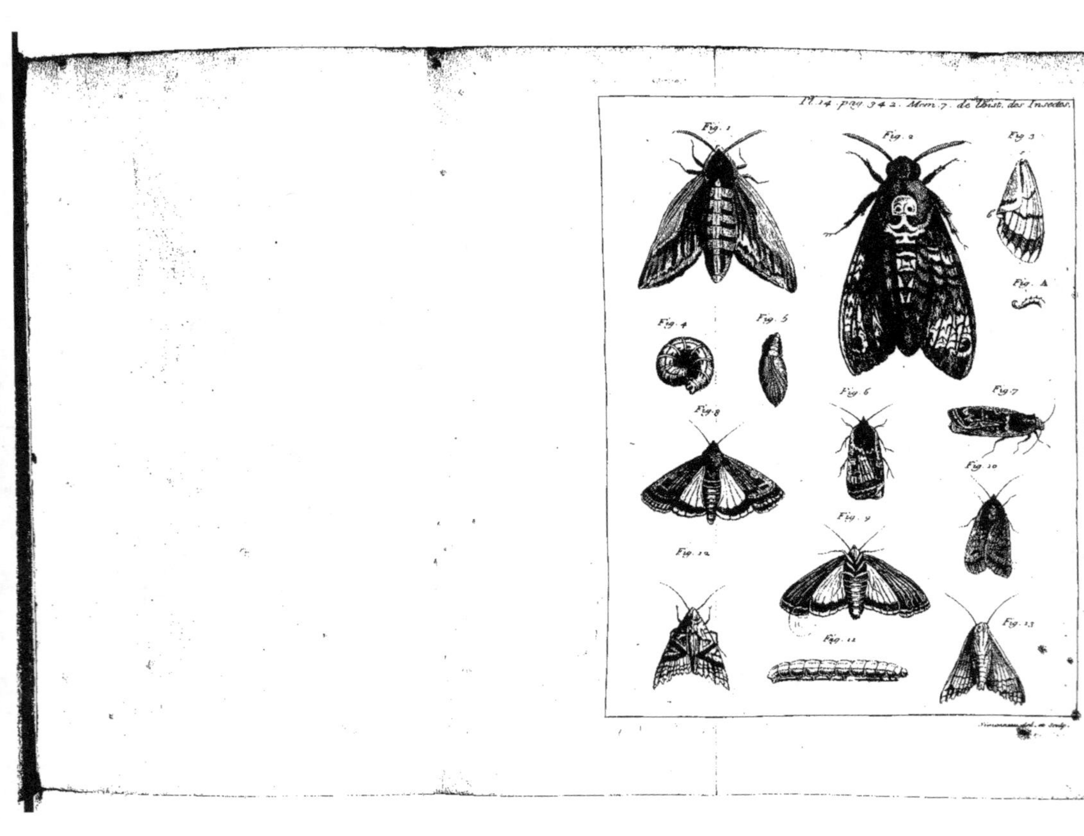

Pl. 14. pag. 342. Mem. 7. de l'Hist. des Insectes.
Fig. 1
Fig. 2
Fig. 3
Fig. A
Fig. 4
Fig. 5
Fig. 6
Fig. 7
Fig. 8
Fig. 10
Fig. 9
Fig. 12
Fig. 11
Fig. 13

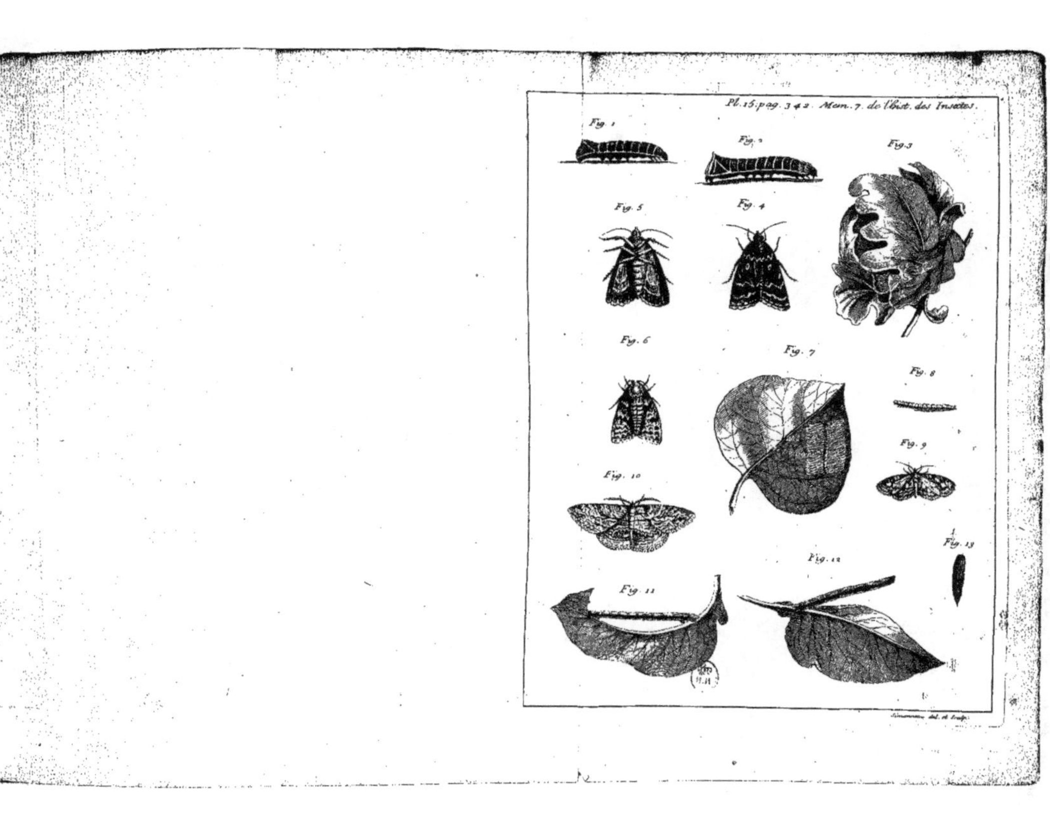

Pl. 15. pag. 342. Mem. 7. de l'hist. des Insectes.
Fig. 1
Fig. 2
Fig. 3
Fig. 5
Fig. 4
Fig. 6
Fig. 7
Fig. 8
Fig. 9
Fig. 10
Fig. 13
Fig. 12
Fig. 11

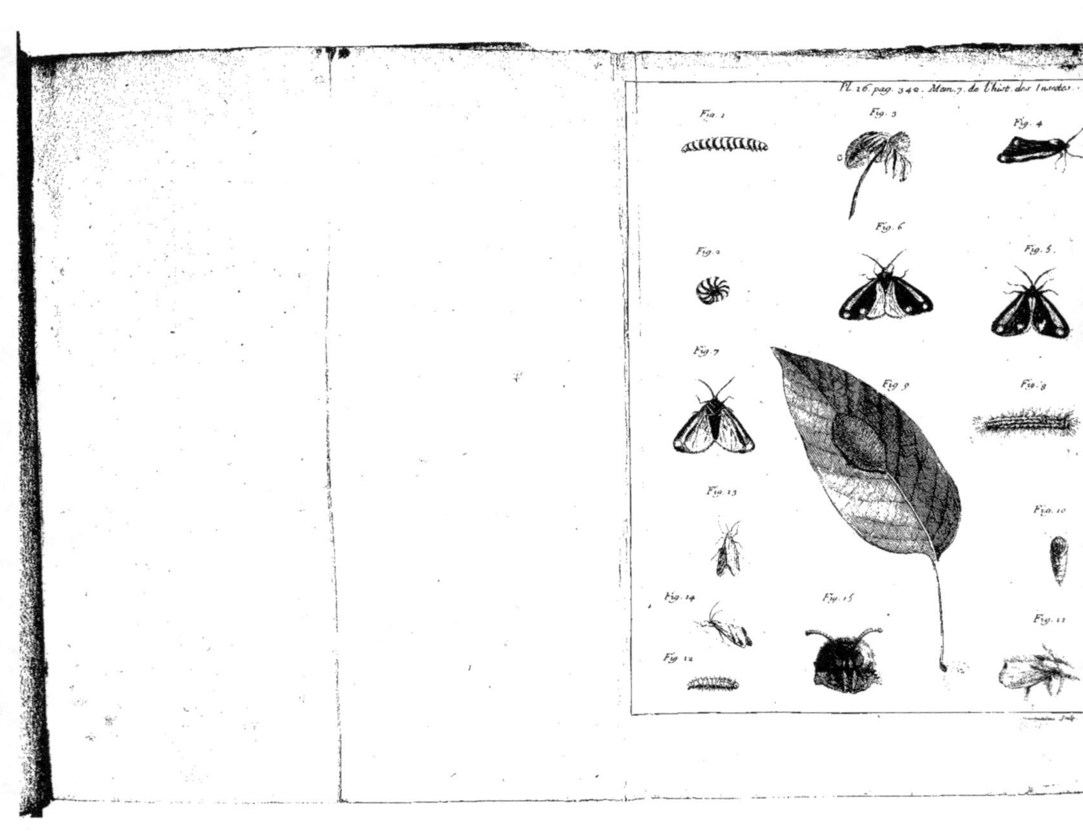

Pl. 26. pag. 340. Mem. 7. de l'hist. des Insectes.
Fig. 1
Fig. 3
Fig. 4
Fig. 2
Fig. 6
Fig. 5
Fig. 7
Fig. 9
Fig. 8
Fig. 13
Fig. 10
Fig. 14
Fig. 15
Fig. 11
Fig. 12

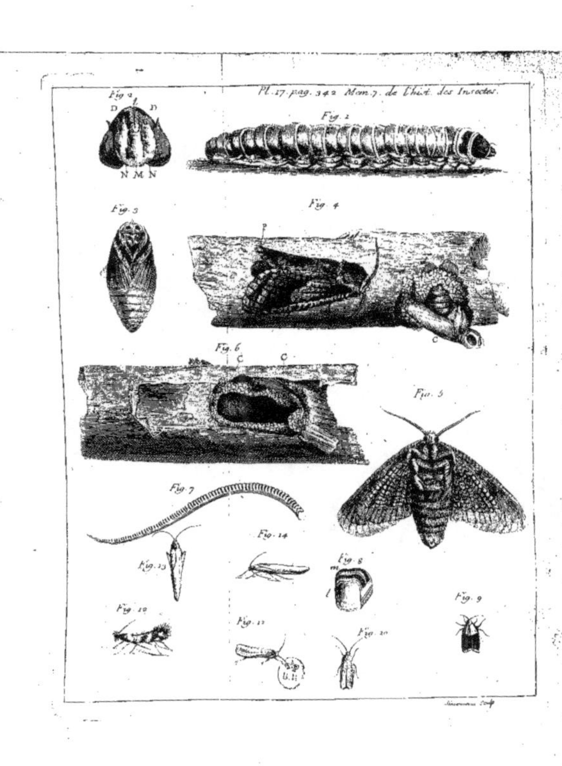

Pl. 17. pag. 342 Mem. 7. de l'hist. des Insectes.
Fig. 2
D D
N M N
Fig. 1
Fig. 3
Fig. 4
Fig. 6
C C
Fig. 5
Fig. 7
Fig. 14
Fig. 13
Fig. 8
Fig. 10
Fig. 12
Fig. 20
Fig. 9
Fig. 11

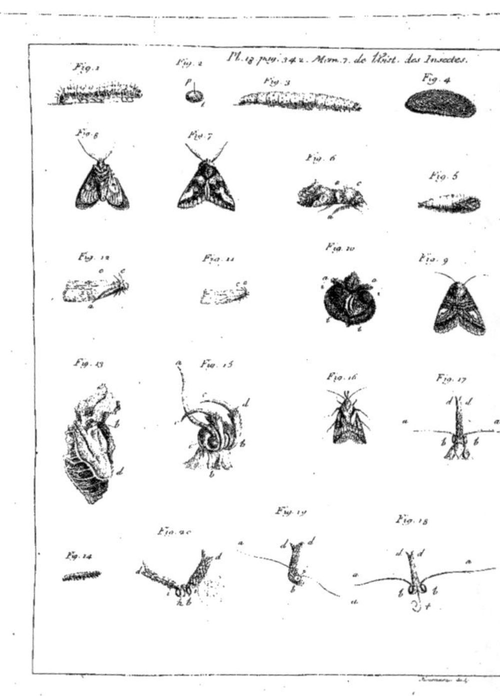
Pl. 13 pag. 342. Mem. 7. de l'Hist. des Insectes.
Fig. 1
Fig. 2
Fig. 3
Fig. 4
Fig. 8
Fig. 7
Fig. 6
Fig. 5
Fig. 12
Fig. 11
Fig. 10
Fig. 9
Fig. 13
Fig. 15
Fig. 16
Fig. 17
Fig. 14
Fig. 20
Fig. 19
Fig. 18

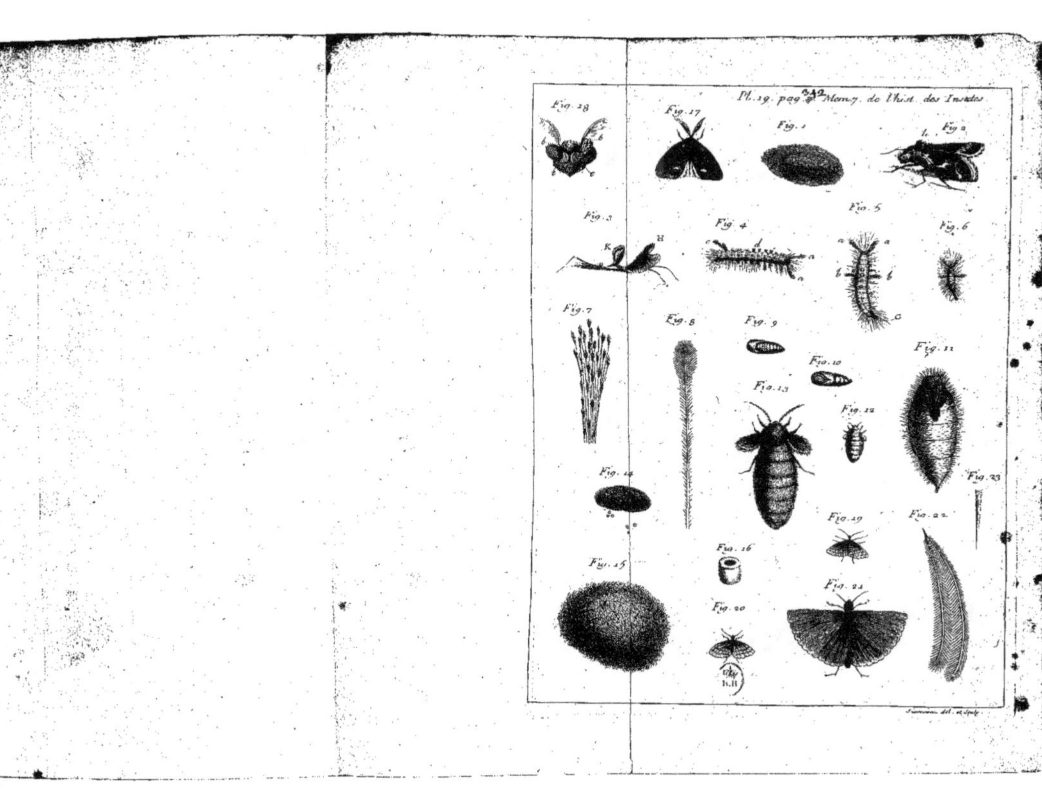

Fig. 18
Fig. 17
Fig. 1
Fig. 2
Pl. 19. pag. Monog. de l'hist. des Insectes.
Fig. 3
Fig. 4
Fig. 5
Fig. 6
Fig. 7
Fig. 8
Fig. 9
Fig. 10
Fig. 11
Fig. 13
Fig. 12
Fig. 14
Fig. 23
Fig. 19
Fig. 22
Fig. 16
Fig. 15
Fig. 21
Fig. 20

Pl. 20 pag. 342 Mem. 7. de l'hist. des Insect
Fig. 1
Fig. 2
Fig. 3
Fig. 4
Fig. 5
Fig. 6
Fig. 7
Fig. 8
Fig. 9
Fig. 10
Fig. 11
Fig. 12
Fig. 13
Fig. 14
Fig. 15
Fig. 16
Fig. 17
Fig. 18

HUITIE'ME MEMOIRE.

DES CRISALIDES
EN GENERAL;

Et à quoi de réel se reduisent les transformations appa-
rentes des chenilles en crisalides, & des crisalides
en papillons.

NOus avons dit, nous avons même été obligés de le
dire plus d'une fois, que tous les insectes qui parviennent de l'état de chenille à celui de papillon, passent
par un état moyen, qui est celui de crisalide. Les crisalides sont connuës sous un autre nom par tous ceux qui
élevent des vers à soye, ils les appellent des *feves*. En
general, leur figure approche de celle d'un cone, au moins
presque toutes ont leur partie posterieure de figure conique. Sous cette forme, l'insecte ne paroît avoir ni jambes
ni aîles; il ne peut ni marcher ni se traîner; il semble à
peine avoir vie ; il semble reduit à être une masse mal
organisée; il ne prend aucune nourriture, & n'a point
d'organes pour en prendre. Sa partie posterieure est la
seule qui paroisse animée, elle se peut donner quelques
mouvemens, quelques inflexions sur les jointures des
anneaux qui la composent.

Leur peau, ou leur enveloppe exterieure, semble cartilagineuse; on juge que si elle étoit aussi épaisse que l'espece d'écaille qui recouvre les écrevisses, elle paroîtroit
de même nature. Elle est communement rase, & même
lisse. On voit pourtant quelques especes de crisalides qui
ont des poils semés sur leur corps *. Il y en a même   * Pl. 21.
Fig. 8.

d'auſſi veluës que des chenilles ; telle eſt celle qui vient de la chenille veluë du peuplier blanc *. Il y en a d'autres dont la peau paroît chagrinée * ; j'en ai eu une de celles-ci, qui étoit ſortie d'une groſſe chenille verte qui porte une corne ſur le derriere.

Nous venons déja de commencer à indiquer quelques-unes des varietés des criſalides ; il n'y en a pas d'auſſi conſiderables entr'elles, ni en auſſi grand nombre, qu'entre les chenilles d'où elles viennent, & qu'entre les papillons qui en doivent ſortir. Nous parcourrons celles qu'elles nous offrent, après que nous aurons fait remarquer qu'on leur diſtingue à toutes deux côtés oppoſés l'un eſt celui du dos de l'inſecte *, l'autre eſt celui du ventre *. Sur la partie anterieure de ce dernier *, on aperçoit divers petits reliefs formés & diſpoſés comme les bandelettes des têtes des momies ; nous prendrons pour la tête de la criſalide, l'endroit d'où ces eſpeces de bandelettes ſemblent tirer leur origine *.

Le côté du dos eſt uni & arrondi dans un très-grand & même dans le plus grand nombre des criſalides ; mais quantité d'autres ont ſur la partie anterieure de ce même côté & même tout du long des bords qui ſeparent les deux côtés, où les deux faces, de petites boſſes *, des éminences plus larges qu'épaiſſes, qui finiſſent par des pointes aiguës, & qui ont fait nommer ces criſalides des *criſalides angulaires*. C'eſt de là qu'on doit tirer la premiere & plus marquée des diviſions des criſalides. On en a deux claſſes generales, dont la premiere eſt celle des criſalides angulaires, & l'autre, celle des criſalides plus arrondies qui ſont celles qui pourroient être appellées des *foues*. Cette diviſion même s'accommode aſſés avec la premiere & la plus generale diviſion des papillons. Toutes les criſalides angulaires, connuës juſqu'ici, donnent des papillons diurnes,

* Pl. 21.
Fig. 13.
* Fig. 1, 2
& 3.

* Fig. 1, 8,
12, &c.
* Fig. 2, 4,
6, &c.
* Fig. 2 &
4. a b b.

* a.

* Pl. 22.
Fig. 1, 2 &
3. & Pl. 23.
Fig. 4. d d d.

diurnes, & il n'y a que peu de crifalides arrondies qui ne donnent pas des papillons nocturnes.

La tête de celles de la premiere claffe fe termine quelquefois par deux parties angulaires qui s'écartent l'une de l'autre, & lui forment deux efpeces de cornes *. Dans quelques-autres, ces deux parties font courbées en croiffans tournés l'un vers l'autre; la crifalide de la chenille épineule de l'orme, appellée *bedaude*, en fait voir de telles *. D'autres n'ont au bout de la tête qu'une feule partie pointuë *. Ces efpeces de cornes leur font à toutes une coëffure finguliere, lorfqu'on les regarde du côté du ventre. Lorfqu'on les regarde du côté du dos, on eft encore plus frappé de la figure qu'on apperçoit fur quelques-unes: on y croit voir une face humaine *, ou celle de certains mafques de fatyres *. Une éminence qui eft au milieu du dos a autant la forme d'un nez, que le fculpteur pourroit la donner fi en petit *: diverfes autres petites éminences, & divers creux font difpofés de façon que l'imagination a peu à faire pour trouver là un vifage bien complet.

Il y a d'ailleurs beaucoup d'autres variétés dans le nombre, dans la forme, dans la grandeur & dans l'arrangement des éminences qui font fur le refte du corps de differentes efpeces de crifalides. Quelques-unes en ont un rang d'affés petites le long de chacun de leurs côtés; à peuprès auffi éloignées du milieu du deffus, que du milieu du deffous du corps *; elles ne femblent que des épines qui partent de chaque anneau. D'autres ont un autre rang de pareilles épines, qui commence à peu-près, où finit l'efpece de face humaine, & qui va jufqu'au derriere; il en part de la partie fuperieure de chaque anneau *. Les crifalides qui en font ainfi chargées femblent épineufes. D'autres ont moins de ces efpeces d'épines, mais elles ont de chaque côté une ou deux plus grandes éminences angulaires, qui ont

Tome I. Xx

** Pl. 29.*
Fig. 5 & 6. quelqu'air des aîlerons des poiſſons *. En ſuivant tout ces differences, & pluſieurs autres dont nous parleron dans la ſuite, on trouveroit de quoi caracteriſer aſſez de genres & d'eſpeces de criſalides ; mais je ne crois pas qu'il ſoit neceſſaire, par rapport à elles, de deſcendre dans le détails où les papillons & les chenilles nous ont enga. Les inſectes, dans cet état de ſommeil, qui paroît pl que un état de mort, ne s'attirent pas, chacun en particu. lier, notre attention, comme ils ſe l'attirent dans des état où ils agiſſent.

Nous ferons pourtant remarquer que juſqu'ici nos ob ſervations ſemblent donner pour regle, que toutes les cri ſalides, dont la tête ne ſe termine que par une ſeule partie
** Pl. 22.*
Fig. 1. angulaire *, donnent des papillons diurnes de la premier claſſe, c'eſt-à-dire, de ceux à antennes à bouton, ou maſſe, dont les aîles enveloppent le deſſous du corps qui marchent ſur ſix jambes. Que toutes les criſalides don les têtes ſe terminent par deux parties angulaires, dont le corps ſont très-chargés d'épines, & ſur le dos deſquelles
** Pl. 23.*
Fig. 4. une face humaine eſt le mieux ſculptée *, ſe transfor
** Fig. 1* ment en papillons de la ſeconde claſſe des diurnes, de
& 2. ceux qui ne marchent que ſur quatre jambes, & dont les deux premieres ſont faites en cordons de palatine, & qui ont la baſe de l'aîle découpée, ou comme déchirée. Le criſalides dont la tête a deux parties angulaires, mais plus courtes, & ſur le dos deſquelles la face humaine ne paroît pas ſi bien, qui n'ont des épines, ni ſi aiguës, ni ſi grandes ſe transforment en papillons diurnes de la quatrieme claſſe de ceux dont les aîles ſuperieures ſont à queue, & dont les aîles inferieures ſe replient par enbas pour embraſſer le
** Pl. 11.*
Fig. 3 & 4. deſſus du dos *. Des obſervations continuées confirme ront ou détruiront ces regles, & elles en fourniront appa remment d'autres pour connoître le papillon qu'on doi

attendre d'une crisalide, & pour apprendre de quelle chenille cette crisalide est venuë.

Les crisalides plus arrondies, ou celles de la seconde classe, ont aussi entr'elles des differences: la plus grande partie du corps de quelques-unes a une figure conique, le gros bout, celui qu'on peut nommer *la tête* de la crisalide, celui où devroit être la base plane & circulaire du cone, est arrondi en forme de genou. Il y a pourtant des crisalides dont le gros bout est terminé par une surface presque plane. Quelques chenilles arpenteuses à dix jambes m'en ont donné de telles, qui ont deux petites éminences qui semblent demander que ces crisalides soient accordées au genre des angulaires *. Il y en a qui sont des cones plus aigus, plus allongés. D'autres sont des cones plus gros par rapport à leur longueur. Quelques autres plus raccourcies encore, n'ont de conique que leur extremité posterieure. Le bout anterieur, ce bout qui est arrondi en genou dans le plus grand nombre des crisalides de cette classe, est un peu applati de chaque côté dans quelques genres, & la partie applatie s'avance un peu du côté du ventre; elle donne à la tête de la crisalide l'air d'une tête enveloppée d'un camail, & dont les bords de l'ouverture, tirés en avant, ont été appliqués l'un contre l'autre pour cacher le visage *. Quelques-unes de celles qui sont plus raccourcies, ont une espece d'entaille, d'enfoncement sur le dos *. Il y en a enfin qui ne sont pas coniques, qui sont applaties du côté du ventre, & seulement arrondies du côté du dos. Le contour de leur partie posterieure, pris sur les côtés, est non-seulement une portion d'un oval, mais d'un oval plus ouvert que celui du contour de leur partie anterieure, pris dans le même sens. Les chenilles cloportes du chêne en donnent de ce genre, & nous donnent en même tems un exemple de papillons diurnes qui ne sortent

* Pl. 22.
Fig. 3 & 4.
c c.

* Pl. 21.
Fig. 9. d.
* Pl. 21.
Fig. 10 &
12. e e.

X x ij

point des crisalides angulaires *. Il y en a qui semblent avoir une espece de nez recourbé vers le ventre *.

Mais les couleurs des crisalides, au moins les couleurs de quelques-unes de celles de la premiere classe, ou des angulaires, sont plus propres que leurs figures à leur attirer des regards. Il y en a de bien superbement vêtuës; elles paroissent tout or. L'or qui couvre les unes est plus jaune, celui des autres est plus verdâtre; celui des autres est plus pâle: c'est pourtant toûjours de bel or, qui a le brillant, & l'éclat de l'or bruni. C'est à la riche couleur, qui pare celles-ci, que toutes les crisalides doivent leur nom; on a rendu commun à toutes, un nom qui n'avoit été donné en grec, que pour exprimer la beauté propre à quelques especes; on les a de même nommées toutes en latin *aurelia.* L'or se trouve employé avec plus d'œconomie sur d'autres crisalides; elles n'ont que quelques taches dorées sur le dos, ou sur le ventre. Ces differences ne sçauroient pourtant servir à nous faire distinguer surement differentes especes de crisalides: quand nous examinerons d'où vient cette couleur d'or à celles qui sont dorées, nous verrons qu'il y a des circonstances qui empêchent qu'elle ne paroisse sur certaines crisalides; que des mêmes chenilles d'où sortent les crisalides les plus dorées, il en sort d'une couleur brune. On trouve aussi sur d'autres crisalides, des taches d'argent, soit sur le dos, soit sur le ventre.

D'ailleurs, les crisalides qui n'ont ni or ni argent, n'ont pas des couleurs capables de leur attirer de l'attention. Parmi les angulaires, il y en a pourtant qui restent toûjours d'un assés beau verd; telle est celle de la belle chenille du fenouil *. D'autres sont jaunes, ou jaunâtres. D'autres, sur un fond d'un jaune verdâtre, sont marquées de taches noires & allignées avec ordre; telle est la crisalide de la plus belle des chenilles du chou *. Mais la couleur du

plus grand nombre des crisalides, est brune : elles font voir
differentes nuances de brun, qui tirent assés communement sur le marron. Il y en a de nuances de bruns plus
clairs, mais il y en a de nuances de bruns plus foncés; il y
en a même d'absolument noires, & d'un très-beau noir,
luisant & poli comme le vernis noir de la Chine. Le figuier nourrit une chenille qui donne une crisalide de ce
beau noir. La chenille de la vigne, que nous avons appellée *le lievre,* donne aussi des crisalides de ce noir éclatant *. Il y a pourtant entre les crisalides arrondies des mê-   * Pl. 21.
langes de couleurs, comme des taches noires sur un fond   Fig. 12.
jaunâtre; mais, en general, leurs couleurs n'offrent rien de
bien remarquable que la dorure. Au reste, avant que d'arriver à une couleur permanente, elles en ont toutes eu de
passageres, je veux dire que la crisalide qui vient d'éclorre,
est autrement colorée qu'elle le sera un jour ou deux après
sa naissance. Mais la couleur qu'elle a prise au bout de deux
ou trois jours, elle la conserve tant qu'elle vit crisalide; si,
par la suite, on voit sa couleur noircir en quelqu'endroit,
c'est qu'elle est morte, ou preste à périr. Les nuances de
la couleur qu'elle avoit en naissant changent insensiblement
ment : la crisalide *, par exemple, de la petite chenille rase,   * Pl. 29.
verte & chagrinée du chou *, est d'abord du plus beau   Fig. 5 & 6.
verd, & dans vingt-quatre heures elle passe successivement   * Fig. 4.
par differentes nuances de verd, & devient enfin jaune.
La crisalide *, nouvellement sortie de cette chenille veluë   * Pl. 22.
du chêne & de l'orme, que nous avons nommée *à oreilles,*   Fig. 6.
a un fond blanc legerement lavé de rouge, sur lequel sont
parsemées des taches d'un rouge assés beau; & au bout de
quelques jours, elle est par-tout d'une même nuance de
marron rougeâtre.

Une mouche, une araignée, une fourmi, en un mot,
des insectes de genres très-differens, ne different pas plus

X x iij

entr'eux, à nos yeux, qu'y differe le même infecte fous les formes de chenille, de crifalide & de papillon. Cependant cet infecte, qui étoit chenille, paroît, après quelques inftans, crifalide. Il ne faut de même que quelques inftans pour que l'infecte qui étoit crifalide, foit papillon. De fi grands changemens, operés fi fubitement, ont été regardés comme des metamorphofes femblables à celles que la fable raconte, & peut-être eft-ce-là la fource où la fable elle-même a pris l'idée de celles qu'elle a annoblies. Il a paru qu'un infecte étoit transformé prefque fur le champ en un autre infecte, & on a crû pendant long-temps que cela étoit ainfi. Qu'on ne demande point comment on imaginoit qu'une pareille transformation pouvoit être operée, quelle idée raifonnable on pouvoit s'en faire! Ceux qui penfoient qu'un peu de chair pourrie, qu'un peu de bois pourri devenoient les jambes, les aîles, la trompe, les yeux, en un mot, tout le corps d'un infecte, compofé de tant d'admirables organes, de tant de mufcles, de nerfs, de veines, d'arteres, ne dévoient pas avoir de peine à admettre que quelques chairs de la crifalide formoient les aîles d'un papillon; que les feize jambes d'une chenille fournifoient de quoi faire les fix jambes du papillon, que la trompe de celui-ci pût être faite des dents de celle-là: ou plûtôt on tenoit le fait pour vrai, on admiroit la transformation, fans examiner fi elle étoit réelle ou poffible. Mais lorfque la nouvelle Philofophie a eu fait des progrès, lorfque les infectes ont été obfervés par ceux à qui elle avoit appris à être en garde contre les apparences, & à ne recevoir que des idées claires, on a reconnu que les transformations fubites n'étoient pas au nombre des moyens que la nature employe à la production de fes ouvrages. Que malgré les apparences, propres à en impofer, elles étoient auffi chimeriques que celles de la fable. C'eft ce que de grands anatomiftes, Malpighi & Swammerdam, nous ont bien dévoilé; ils ont fuivi avec attention ces infectes qui paroiffent fucceffivement fous differentes formes; ils les ont diffequés avec art, dans des temps qui précedoient les changemens furprenans qui devoient s'y faire; & ils ont reconnu que la premiere forme étoit dûë à une efpece de fourreau fous lequel devoient croître certaines parties ; que ces parties étoient très-diftinctes, lorfque l'infecte rejettoit le premier fourreau, & paroiffoit avec un fecond d'une autre forme, fous lequel les mêmes parties achevoient de fe fortifier, & devenoient enfin en état de paroître au grand jour, & y paroiffoient lorfque l'infecte s'étoit défait de fa derniere enveloppe. Ils ont vû, & très-bien prouvé, que le papillon croît, fe fortifie, que fes parties fe développent fous la figure de cet infecte que nous appellons *une chenille,* & que l'accroiffement du papillon fe fait par un développement, comme fe font ceux de tous les corps organifés qui nous font connus, tant dans le regne animal que dans le regne vegetal. Ils ont fait difparoître tout le faux merveilleux dont les noms de metamorphofe & de transformation donnoient des idées confufes, mais en même-temps ils nous ont laiffé bien du merveilleux réel à obferver. Ce que Malpighi & Swammerdam nous ont donné fur cette matiere, eft exact; mais ni l'un ni l'autre, ni aucun des auteurs qui font venus depuis, n'ont pouffé leurs obfervations auffi loin qu'on fouhaitroit qu'elles euffent été pouffées : nous en ajoûterons quelques-unes aux leurs, qui laifferont encore beaucoup à defirer, & qui peut-être exciteront à approfondir davantage une des plus curieufes matieres de la Phyfique.

On peut mettre encore au nombre de ceux qui fe font fait des *idées* peu juftes des metamorphofes des infectes,

les philosophes qui ont regardé comme une espece de
resurrection, celle de la crisalide en papillon; qui l'ont
crû propre à nous donner une image d'un des plus grands
mysteres de notre religion, de la resurrection de nos corps.
Je serois étonné qu'une telle idée eût été adoptée par un
celebre metaphysicien, dont le génie étoit aussi net que
sublime, si je ne sçavois qu'il pouvoit quelquefois etre
maîtrisé par son imagination, lorsqu'il n'étoit pas asses en
garde contr'elle; elle égaloit en beauté, en force & en
étenduë, celle des plus grands poëtes.

   Jusqu'ici nous n'avons point hesité à nous servir des
termes de metamorphose & de transformation, nous
continuerons même à les employer dans la suite; ils sont
commodes pour exprimer les passages subits d'une forme
à une autre, & il n'y aura plus à craindre qu'ils donnent
de fausses idées, après que nous aurons observé à quoi précisément se reduisent ici les changemens de forme. Nous
en avons deux, deux metamorphoses; la premiere est celle
de la chenille en crisalide, & la seconde est celle de la
crisalide en papillon. La derniere n'a plus rien de miraculeux, dès qu'on veut bien considerer une crisalide avec
quelqu'attention; on reconnoît qu'elle est un véritable
papillon, mais qui est en quelque sorte emmaillotté. On
lui trouve generalement toutes les parties du papillon, les
aîles, les jambes, les antennes, la trompe, &c *. Mais ces
parties sont posées, pliées & empaquetées de façon qu'il
n'est pas permis à la crisalide d'en faire usage; il ne convenoit
pas aussi qu'il lui fût permis de s'en servir, dans un temps
où elles sont encore trop tendres & trop molles.

   Cherchons à reconnoître dans la crisalide, toutes ces
parties qui caracterisent le papillon, & à voir comment
elles sont posées. Le côté du dos n'en montre aucune,
on y peut voir seulement d'où partent les aîles. Mais
c'est

*Pl. 22.
Fig. 5 & 7.
& Pl. 23.
Fig. 6.

*Pl. 21.
Fig. 1.

c'eſt ſur ce même côté qu'on peut mieux diſtinguer le
nombre des anneaux dont la criſalide eſt compoſée; on
lui en compte neuf complets, en prenant, comme nous
l'avons fait dans les chenilles, pour un anneau, la partie
conique qui termine le corps. Il en manque donc trois
pour remplir le nombre de douze que nous avons trouvé
aux chenilles, ſçavoir, les trois premiers; mais le dernier
de ceux-ci, ou le plus éloigné de la tête, paroît en partie,
& eſt en partie caché par une plaque qui n'eſt point diviſée
annulairement, & qui occupe la place des deux premiers:
nous lui donnerons le nom * de *corcelet,* parce qu'elle ſe
trouve au-deſſus de la partie du papillon à qui nous avons
donné le même nom.

    * Pl. 21.
Fig. 1. & Fig.
8. *a b b.*

    C'eſt ſur la portion anterieure, du côté oppoſé à celui
que nous venons de conſiderer, ou de celui du ventre,
& dans cette portion, qui eſt comme gravée en relief,
qu'on retrouve les principales parties exterieures du papillon; chaque petit relief eſt celui d'une de ces parties.
Deux plaques * très-grandes, par rapport au reſte, qui ont
leur origine à la partie anterieure du corcelet, ſe rencontrent, ou ſe rencontrent preſque ſur le ventre. Ce ſont
les élevations formées par les quatre aîles; il y en a deux
dans chaque plaque; elles y ſont poſées l'une au-deſſous de
l'autre, & ſont reduites à avoir une étenduë bien differente
de celle qu'elles ont dans le papillon en état de voler. Entre
ces aîles reſte un eſpace triangulaire qui eſt rempli par tous
nos petits reliefs en forme de bandelettes: qu'on s'attache à
les ſuivre, & on verra que les uns ſont les antennes *,
que les autres ſont les jambes *. Toutes ces parties ſont
étenduës en ligne droite, quoiqu'elles ne ſoient pas auſſi
allongées qu'elles le ſont dans le papillon. Enfin dans les
criſalides des papillons à trompe, on trouve la trompe,
qui, au lieu d'être roulée en reſſort de montre, comme

    * Pl. 22.
Fig. 5 & 7.
& Pl. 23.
Fig. 6. *a a,*
a a.

    * *b c, b c.*
    * *l l.*

Tome I.   Y y

elle l'est dans le papillon qui ne succe point les fleurs, est étenduë, comme les autres parties, & au milieu d'elles, le long du milieu du ventre *.

* Pl. 22.
Fig. 7. t o.
& Pl. 23.
Fig. 6. t o.

On distingue donc sur la crisalide, si elle est celle d'un papillon à trompe, ou celle d'un papillon sans trompe. Avec le secours de la loupe, on reconnoît aussi, en observant les antennes, si celui qui en doit sortir est de la classe des papillons diurnes, ou de celle des papillons nocturnes. La forme des antennes en massuë, & celle des antennes en masse, ne laissent pas de paroître au travers des enveloppes. Dans les crisalides de papillons à antennes à plumes, on va jusqu'à distinguer celle d'où doit sortir un papillon mâle, & celle d'où doit sortir un papillon femelle ; les antennes de ce dernier sont plus étroites, & n'ont pas autant de relief que celles de l'autre.

Toutes ces parties sont pourtant si pressées les unes contre les autres, qu'elles semblent ne faire qu'une même masse ; elles ont chacune des enveloppes particulieres, & il y en a de plus une qui leur est commune à toutes. Ce n'est qu'au travers de ces enveloppes qu'on les apperçoit, ou plûtôt c'est sur ces enveloppes qu'on reconnoît les moules des figures de chacune d'elles en particulier ; aussi n'est-ce qu'avec quelqu'attention qu'on les y démêle. Mais il est un temps où elles sont, pour ainsi dire, à découvert, c'est le temps où l'enveloppe commune est mince & transparente, & où même elle n'éxiste pas, & où toutes les autres enveloppes sont transparentes ; & enfin un temps où l'on peut séparer sans peine toutes les parties exterieures les unes des autres. C'est peut-être celui où on s'y attendroit moins, celui où quelques auteurs ont dit que la crisalide n'étoit qu'une espece de bouillie ; en un mot, c'est celui où elle vient, pour ainsi dire, de naître, celui où elle vient de quitter la dépouille de chenille. Nous

rapporterons dans la fuite des obfervations qui apprendront à faifir affés aifement ce temps favorable, quoique
fa durée foit courte.

La crifalide qui vient de fortir de la dépouille de chenille, eft tendre & molle; par la fuite, fon enveloppe exterieure s'endurcit jufqu'à devenir friable. La plûpart même,
dans ces premiers inftans, ont le corps tout mouillé d'une
liqueur vifqueufe; mais il n'en eft point, où l'on ne puiffe
obferver alors de cette liqueur qui fuinte du deffous des
aîles & de leurs bords, & qui fuinte generalement de toutes les parties qui font renfermées entre les aîles. Elle
s'épaiffit & feche affés vîte; elle colle enfemble des parties
qui ne faifoient que fe toucher. Toutes celles qui en ont
été mouillées fe trouvent par la fuite avoir une nouvelle
enveloppe appliquée fur celle qui les couvre immediatement. En même temps que cette liqueur gluante fe deffeche, & qu'elle prend la confiftence d'une membrane,
elle fe colore, & elle perd fa tranfparence. De là il arrive
donc que des parties qui ne tenoient nullement enfemble,
lorfque la crifalide a commencé à paroître au jour, fe
trouvent réunies par la fuite; & que ces parties qu'on a
pû obferver dans les premiers inftans à travers une couche
d'une liqueur tranfparente, font cachées enfuite fous une
efpece de membrane opaque. C'eft auffi en obfervant la
crifalide, avant que cette liqueur ait eu le temps de fecher, qu'on voit très-diftinctement qu'elle n'eft qu'un papillon, & qu'on peut féparer les unes des autres toutes les
parties exterieures qui lui font propres. On y reconnoît
la tête qui eft panchée & recourbée fur la poitrine; les
deux yeux fe font remarquer. D'au-deffus de chacun d'eux
part une des antennes *, qui font ramenées, dans l'état
ordinaire de la crifalide, en devant, comme le feroient
deux rubans, ou deux bandelettes qui partiroient du deffus

* Pl. 22.
Fig. 9. bc,
bc. Pl. 23.
Fig. 7. bc.

Y y ij

de la coëffure d'une femme, & qui seroient conduites en ligne droite sur son sein ; on y apperçoit des rayes transversales, toutes paralleles les unes aux autres, qui y font un fort joli travail, & qui marquent les differentes articulations. C'est alors qu'on voit très-bien les aîles, qu'on voit distinctement qu'il y en a deux de chaque côté, & d'où elles partent chacune * ; & pour suivre une comparaison que nous avons commencé à employer, qu'elles sont ramenées sur la poitrine, comme le sont quelquefois les deux barbes d'une cornette de femme, & accompagnées par dedans par les antennes, comme par deux rubans*.

*PI. 22.
Fig. 9. *A a,*
A a. Pl. 23.
Fig. 6. *A a,*
A a.

*PI. 22.
Fig. 5 & 7.

On trouve enfin, dans l'espace que les aîles laissent entr'elles, les six jambes * & la trompe, si le papillon en doit avoir une *, & enfin toutes les parties qui sont les accompagnemens de la tête. Alors, en se servant de la pointe d'un canif ou de celle d'une épingle, on sépare aisement des autres la partie qu'on veut considerer, on la place dans la position où on la veut ; ainsi on sépare les deux aîles du même côté, l'une de l'autre. La partie qu'on vient de découvrir en relevant les aîles, paroît toute mouillée de la liqueur visqueuse, qui par la suite les auroit collées ensemble, & qui les auroit aussi collées au corps. Enfin on trouve les insertions des jambes, & generalement celles de toutes les parties exterieures.

*PI. 22.
Fig. 9. *i, l, k.*
Pl. 23. Fig.
7. *i, l, k.*
*PI. 23.
Fig. 7. *t o.*

Il est donc bien certain & très-visible, que la chrysalide n'est autre chose qu'un papillon, dont les parties sont cachées sous certaines enveloppes, qui les collent toutes ensemble, qu'elle n'est précisement, comme nous l'avons dit, qu'un papillon emmailloté. Dès que ce papillon aura acquis la force de briser ses enveloppes, dès que ses aîles, ses jambes seront devenuës capables de faire leurs fonctions, & dès que ses besoins exigeront qu'il se débarrasse des fourreaux qui ne lui seront plus qu'incommodes, il s'en défera; toutes ſes parties exterieures, devenuës libres, s'étendront ou ſe plieront, ſe placeront & s'arrangeront comme le demandent les uſages auſquels elles ſont deſtinées; en un mot, le papillon ſera alors tel que le ſont ceux de ſon eſpece. C'eſt-là à quoi ſe reduit la ſeconde metamorphoſe, celle de criſalide en papillon.

La premiere metamorphoſe ne differe de la ſeconde, qu'en ce que le papillon ſort foible du fourreau de chenille, il en ſort avec des aîles & des jambes qui ne ſçauroient encore lui ſervir, au lieu qu'il ſort vigoureux de celui de criſalide. Un inſecte eſt pour nous une chenille, tant que nous lui en voyons la forme, & pendant qu'il eſt encore chenille pour nous, il eſt aiſé de ſe convaincre qu'il eſt réellement papillon, ou, ſi l'on veut, qu'il eſt un papillon caché ſous le maſque d'une chenille. Nous avons vû dans le 4.me Memoire, que toutes les chenilles ont à ſe défaire de pluſieurs peaux dans le cours de leur vie : après les avoir quittées, elles continuent de paroître ſous leur premiere forme; mais elles paroiſſent criſalides à nos yeux, quand elles ſe ſont tirées de la derniere de leurs peaux. Nous ſuivrons dans la ſuite tous les mouvemens que ſe donne l'inſecte pour ſortir de ce dernier fourreau : il nous ſuffit à preſent de ſçavoir qu'ils reſſemblent, dans l'eſſentiel, à ceux qu'il ſe donne pour ſortir des premiers ; il parvient à obliger ſa peau à ſe fendre ſur le dos, & dans cette derniere operation, il ſort par la fente en forme de criſalide, comme dans les premieres il en étoit ſorti en forme de chenille. Qu'on jette dans de l'eſprit de vin, ou dans quelqu'autre liqueur forte, une chenille dont la peau n'a que commencé à ſe fendre, qu'on l'y laiſſe perir, & même qu'on l'y laiſſe pendant quelques jours, afin qu'elle y prenne plus de conſiſtence, & qu'elle s'y durciſſe; on achevera enſuite ſoi-même le dépouillement avec aſſés de facilité. On

Y y iij

enlevera la peau de la chenille, & on trouvera deſſous,
la criſalide, ou le papillon foible; ſes yeux, ſes aîles, ſes
jambes & toutes ſes autres parties ſeront très-reconnoiſ-
ſables *.

* Pl. 22.
Fig. 9. & Pl.
23. Fig. 7.

Pour trouver les principales parties du papillon ſous
la peau de chenille, il n'eſt pas même beſoin d'attendre
que le moment de la transformation ſoit ſi proche. Si on
fait perir une chenille dans l'eſprit de vin ou dans le vinai-
gre, comme l'a fait Swammerdam, un jour ou deux avant
celui où la transformation ſe devoit faire, & qu'on la laiſſe
dans la liqueur pendant quelques jours, afin que ſes chairs
s'y affermiſſent, on parvient, avec un peu d'adreſſe &
d'attention, à enlever le fourreau de chenille, & à mettre
le papillon à découvert, & on peut reconnoître toutes
ſes parties. Une longue trompe, des aîles, des antennes,
des jambes auſſi grandes qu'on les trouve à la criſalide, ne
ſont pas l'ouvrage d'un inſtant; & dès que dans celui où la
criſalide commence à paroître, elle les a telles, il eſt certain
qu'elle les avoit lorſqu'elle étoit cachée ſous le fourreau de
chenille. Pour peu qu'on veuille raiſonner, on ſe convainc
auſſi-bien par raiſonnement que leur exiſtence a précédé le
temps de la transformation, qu'on en peut être convaincu
par le dépouillement artificiel dont nous venons de parler.

Mais ce dépouillement artificiel eſt neceſſaire pour nous
inſtruire d'un fait qui ne peut manquer d'exciter ici notre
curioſité. La criſalide avoit-elle, ſous la peau de chenille, une
forme ſemblable à celle que nous lui voyons dans la ſuite,
excepté qu'elle étoit plus allongée! je demande ſi les antennes, la trompe, les aîles, les jambes du papillon étoient placées alors comme elles le ſont ſur la criſalide qui s'eſt elle-
même tirée à terme du fourreau de chenille! Le dépouillement artificiel fait voir que tant que les parties du papillon ſont contenuës ſous la peau de chenille, elles ſont

plus repliées, plus refferrées, & autrement arrangées que
fur la crifalide *. Les aîles, qui font deux plaques affés
grandes, étenduës fur la poitrine & fur le ventre de la
crifalide comme une efpece de mouchoir de col, font ici
ramaffées de chaque côté en une efpece de cordon *, qui
a affés de place pour fe loger dans la cavité qui eft entre
le premier & le fecond anneau. Les antennes qui font
ramenées en devant de la crifalide, & qui y font étenduës,
font pofées à plat fur la tête même du papillon, & roulées de façon que la partie qui forme le fecond tour, eft
appliquée fur celle qui forme le premier *. Si on foûleve
alors une de ces antennes, la maniere dont elle eft contournée la fait paroître femblable à une corne de belier.
La trompe eft auffi roulée, mais le rouleau qu'elle forme
eft pofé à plat fur la partie fuperieure & anterieure du
crane, de forte qu'elle n'eft pas alors placée comme elle
l'eft dans le papillon, ni comme elle l'eft dans la crifalide.
Bientôt nous verrons auffi que les jambes du papillon
font tout autrement difpofées alors qu'elles le font fur la
crifalide.

Toûjours eft-il certain que toutes les parties du papillon
font cachées fous le fourreau de chenille, mais elles y font
d'autant plus aifées à trouver, que la transformation eft
plus proche; elles y font neantmoins en tout temps : il
ne s'agiroit peut-être que d'une grande dexterité pour les
découvrir dans des chenilles encore très-petites. On trouve
même dans la chenille, des dépendances du papillon, qu'on
ne devroit pas s'attendre à y trouver. M. Malpighi a vû
les œufs du papillon dans une crifalide de ver à foye, qui
n'étoit crifalide que depuis deux ou trois jours; j'ai cherché les œufs du papillon dans la chenille même, & je
les ai trouvés dans des chenilles du chêne, que j'ai nommées *à oreilles* *, dans un temps où elles ne paroiffoient

* Pl. 24.
Fig. 5.

* *A a, A a.*

* *b b.*

* Pl. 24.
Fig. 1.

nullement fe difpofer à la metamorphofe, fûrement plus
de huit à dix jours avant qu'elles duffent perdre leur forme.
Les œufs alors étoient à la verité très-petits, mais ils étoient
très-reconnoiffables ; ils étoient bien ronds, bien formés,
bien rangés à la file les uns des autres, comme le font
les grains d'un chapelet. J'ai vû de femblables œufs dans
une crifalide de quelques heures, venuë de la même chenille, ils y étoient plus gros & rougeâtres, comme ils le
font lorfque le papillon les dépofe.

On eft partagé fur la premiere origine des eftres organifés ; aujourd'hui pourtant la plûpart des philofophes ne
veulent admettre aucunes veritables productions de plantes
& d'animaux ; ils ne reconnoiffent que des développemens.
Une plante, un animal nouvellement formés, ne font
nouvellement formés que pour nous ; ils exiftoient depuis
que tous les eftres créés exiftent ; ils font produits pour
nous, quand des circonftances favorables les ont mis en
état de s'étendre, de croître jufqu'à un point où ils font
à la portée de nos fens. Quand il y auroit des productions
réelles de plantes & d'animaux, comme d'autres philofophes le prétendent, il nous faudroit renoncer à expliquer
comment elles fe font. Si on effaye de fe faire des idées
claires de la premiere formation de quelques corps organifés, on fent bientôt que la force de notre raifonnement, &
l'étenduë des connoiffances qu'il nous eft permis d'avoir,
ne fçauroient nous y conduire ; il nous faut commencer
au développement, à l'accroiffement des eftres déja formés, fans tenter de remonter plus haut. Les fimples développemens ne nous prefentent encore que trop de difficultés à refoudre : il eft vrai qu'ils nous permettent de
faire des obfervations qui peuvent au moins nous donner
des connoiffances fur l'ordre dans lequel ils fe font.

La nature a employé differents moyens pour faire

croître

croître jusqu'à leur dernier terme les corps animés. Le moment où les fœtus humains, & où ceux des quadrupedes sortent du corps de leur mere, est le moment que nous prenons pour celui de leur naissance: nous reculons plûtard celui de la naissance des animaux que nous voyons sortir d'un œuf; le poulet naît quand il se dégage de sa coque. Selon ce langage, la naissance du papillon est, à proprement parler, le moment où il quitte la forme de crisalide. Mais au lieu que le poulet nouvellement éclos, que les fœtus humains, & ceux des quadrupedes, ont considerablement à croître après leur naissance, le papillon qui naît a fait tout son croît; en naissant il a toute sa grandeur, toute sa vigueur; il est parfait papillon quand il naît. Mais aussi a-t-il à naître trois fois, si nous prenons sa premiere naissance à sa sortie de l'œuf. Il naît la premiere fois sous la forme de chenille, & c'est sous cette forme qu'il doit prendre tout, ou presque tout son accroissement. Il l'a pris, quand il naît pour la seconde fois sous la forme de crisalide; car si on se donne la peine de bien développer la trompe, les antennes & les jambes d'une crisalide naissante, non-seulement on les trouvera bien formées, comme nous l'avons dit ci-dessus, mais on pourra se convaincre qu'elles ont la grandeur de celles du papillon parfait. Nous prouverons même ailleurs que les aîles de la crisalide, quelque peu de place qu'elles occupent, ont toute l'étenduë de celles qui soûtiennent le papillon dans l'air. Toutes les parties exterieures du papillon, sous la forme de crisalide, ont donc acquis leur veritable grandeur; pendant qu'il reste sous cette forme, elles n'ont à acquerir que plus de consistence & de solidité. Quoique Swammerdam ait beaucoup déclamé contre Harvée & contre quelques autres, qui appelloient des crisalides *des œufs*, il me semble qu'on peut non-seulement les regarder

Tome I. .Z z

comme analogues aux œufs, mais qu'on peut prendre les chenilles elles-mêmes pour des œufs d'une espece singuliere. Si l'œuf dans lequel le poulet est renfermé pouvoit s'étendre en tout sens, si de plus cet œuf avoit des organes, ou une structure telle qu'il pût succer le suc des grains sur lesquels il seroit posé, comme les plantes succent celui de la terre; en un mot, s'il croissoit lui-même pendant qu'il fourniroit tout ce qui est necessaire à l'entier accroissement du poulet; le poulet sortiroit parfait, il sortiroit coq ou poule d'un tel œuf, que nous regarderions sans peine comme un œuf, tant que le poulet y seroit contenu. Ce que nous voulons faire imaginer plus en grand, nous l'avons en petit dans ce qu'on appelle *des œufs de fourmis,* mais qui, comme nous le verrons ailleurs, ont des organes pour prendre de la nourriture, & qui croissent avec l'insecte qui s'y éleve. Ajoûtons des pieds à de pareils œufs, & nous en ferons presque des chenilles. Tout cela veut dire seulement qu'il y a des insectes qui croissent dans des œufs qui sont eux-mêmes en quelque sorte animés; que la nature a produit des machines animales qui chacune servent à faire croître une autre machine animale; que celle qui sert d'enveloppe à l'autre, lui ramasse, lui prépare & lui distribuë les alimens; & que quand celle qui les reçoit est devenuë assés forte pour se soûtenir par elle-même, elle se dégage d'un vêtement organisé qui ne lui est plus necessaire, & qui lui est même devenu incommode; que les animaux qui croissent dans des œufs d'une telle structure, sont ceux dont l'accroissement est le plus avancé au moment de leur naissance: nous avons vû que des papillons avoient déja le corps plein d'œufs bien formés, quand ils quittent cette enveloppe qui les faisoit paroître chenilles.

Un papillon sous la forme de chenille, est dans son enfance; il n'est arrivé à l'état de perfection, à l'âge de de force, que quand il paroît papillon. Dans ce dernier état, il ne se nourrit que du suc fluide que sa trompe tire des plantes, pendant que la chenille ronge & dévore les feuilles les plus dures. L'ordre ordinaire semble entierement renversé ici ; c'est comme si la nature ne nourrissoit que de lait les plus forts animaux, & qu'elle ne donnât aux fœtus que des alimens solides. Mais le point de vûë auquel nous venons de nous arrêter nous fait retrouver l'analogie ordinaire. La chenille hache, broye, digere des alimens qu'elle distribuë au papillon, comme les meres préparent ceux qui sont portés aux fœtus. Notre chenille, en un mot, est destinée à nourrir & à deffendre le papillon qu'elle renferme.

Il seroit sans doute très-curieux de connoître toutes les communications intimes qui sont entre la chenille & le papillon, de sçavoir précisément en quoi elles consistent, & comment elles se font ; mais elles dépendent de parties si fines & si molles, qu'il ne nous est presque pas permis d'esperer de voir sur cela tout ce qu'il est naturel de souhaiter de voir. Contentons-nous de reconnoître quelles sont les principales parties propres à la chenille, celles qui n'appartiennent aucunement au papillon. Nous verrons qu'il y en a dont il se dégage & qu'il rejette pour paroître en crisalide ; qu'il y en a d'autres qui lui sont trop intimement unies, & qui sont trop liées & trop entrelacées avec ses parties interieures ; celles-ci se dessechent, s'effacent & se détruisent peu à peu. La dépouille qu'il vient de quitter nous montre les premieres. On trouve seize jambes à quantité d'especes de chenilles, & on n'en trouve que six à tout papillon, il y a donc alors dix jambes propres à la chenille, dont le papillon se défait. Ce sont les dix jambes membraneuses ; on les retrouve, ou au moins on en retrouve tout l'exterieur, jusqu'aux ongles,

Z z ij

fur le fourreau qui a été rejetté. Mais il m'a paru qu'il y avoit lieu de douter fi l'interieur des jambes, fi les parties charnuës qui les rempliffent & qui aident à les mouvoir, étoient reftées à la dépouille. On feroit porté à croire que les jambes font rejettées en entier; fi on confidere une crifalide de quelques jours, on y reconnoît bien leurs places, elles font marquées chacune par un petit enfoncement, qui femble la cicatrice de la playe qui a été faite lorfque les jambes ont été détachées : mais on porte un jugement tout different, fi on obferve une crifalide qui ne vient que de naître, ou encore mieux, fi on acheve foi-même de dépouiller une crifalide qui a commencé à faire des efforts efficaces pour fe tirer de fon fourreau. Dans cette derniere circonftance, fur-tout, on voit diftinctement de petites élevations charnuës dans les endroits qui répondoient aux jambes membraneufes de la chenille; elles font de figure conique, c'eft-à-dire, d'une figure qui étoit propre à remplir le fourreau d'où elles ont été tirées; on y apperçoit divers plis, tous paralleles à leur bafe commune, qui montrent que ces jambes fe retirent vers le corps du papillon, ou plûtôt vers la membrane qui l'enveloppe, & qui le contient dans la forme de crifalide. D'inftant en inftant ces parties charnuës fe raccourciffent, elles deviennent de moins en moins fenfibles, & elles le font fi peu au bout de quelques jours, qu'il faut de l'attention pour reconnoître leurs places; elles fe deffechent totalement; elles font attachées à une membrane peu propre à leur fournir de la nourriture, puifqu'elle fe defleche elle-même journellement.

Les pofitions des fix jambes du papillon donnent lieu de croire qu'elles étoient logées dans les fix jambes écailleufes de la chenille, & cela eft auffi, quoique la longueur & la groffeur qu'elles ont, même dans la crifalide, puffent

enfuite faire douter de ce qui avoit paru d'abord très vrai-
femblable. Ce que nous avons vû des poils de la nouvelle
peau, qui, avant que de paroître, n'étoient point logés dans
les poils de la peau qui doit être rejettée, feroit propre
encore à augmenter ce doute. Mais pour avoir quelque
chofe de plus décifif que des vrai-femblances, j'ai pris
d'une main une chenille dont la crifalide étoit prête à
fortir, dont la peau étoit déja fenduë fur le dos, & avec
des cifeaux que je tenois de l'autre main, je lui ai emporté plus de la moitié de trois des jambes écailleufes d'un
même côté. Malgré ce mauvais traitement, la crifalide a
continué fes efforts pour achever de fe dépouiller, & elle
y eft bientôt parvenuë. Il étoit alors aifé de reconnoître
fi les jambes du papillon avoient été logées dans les fourreaux écailleux de celles de la chenille; dans ce cas, la
crifalide devoit avoir les trois jambes d'un côté mutilées;
auffi avoit-elle réellement trois jambes d'un côté, plus
courtes que les jambes correfpondantes de l'autre côté.
Quand j'ai ainfi coupé partie des jambes à des chenilles
qui n'étoient pas auffi près de fe metamorphofer que celle
dont je viens de parler, elles ont prefque toûjours peri
fans parvenir à fe dépouiller; je n'en ai eu qu'une, qui
malgré une pareille operation, fe foit mife en crifalide,
mais ç'a été avec trois jambes eftropiées. Enfin, j'ai fait
perir dans l'efprit de vin des chenilles prêtes à fe metamorphofer, & après les y avoir laiffées, pour y prendre plus de
confiftence, je les ai dépouillées moi-même, étant attentif
à obferver les parties que je découvrois; j'ai vû qu'alors
je tirois les jambes du papillon des jambes écailleufes de
la chenille.

Au refte, fi les jambes de la crifalide paroiffent plus
longues & plus groffes que celles de la chenille où elles
étoient renfermées, c'eft qu'elles y étoient pliées & com-

primées, les frottements qu'elles souffrent quand la crisalide les tire de ces fourreaux, les allongent & les déplient.
Si on les observe à la loupe, on y voit des rayes transversales toutes paralleles entre elles, & très proches les unes
des autres, qu'on ne leur verra plus quand elles seront
sorties de la dépouille de crisalide. Ces rayes apprennent
qu'elles étoient raccourcies comme l'est un ressort à bou-
din chargé de quelque poids : non seulement elles s'étendent en devenant libres, elles se gonflent en même-temps;
c'est à quoi aide le suc qui y est porté.

La tête de la chenille comparée avec celle de la crisalide, ou, ce qui est la même chose, avec celle du papillon,
nous fera voir encore plusieurs parties exterieures qui
étoient essentielles à la premiere forme de l'insecte, & que
ses dernieres formes demandent qu'il rejette. Les dents,
ou les especes de machoires, & les muscles qui les faisoient
agir, restent attachés à la dépouille que la crisalide vient
de quitter. Il n'y a ni papillon ni crisalide qui file; cette
filiere, qui est une espece de petit bec qui part de la levre
inferieure, est devenuë un instrument inutile, & est aussi
une des parties dont la crisalide se défait; elle se défait en
même-temps de la levre inferieure à laquelle elle tenoit;
cette levre, la superieure, & generalement toutes les parties qui formoient la bouche de la chenille, sont rejettées
avec la dépouille, elles ne peuvent plus servir aux usages
ausquels elles étoient employées ci-devant. Tout papillon,
au moins tout papillon à trompe, ne doit plus avoir une
bouche ressemblante en aucune façon à celle des chenilles, il ne doit plus couper des fragments de feuilles, ni
les broyer, ni les avaler; son aliment n'est plus qu'un suc
très fluide, qui est pompé par la trompe.

Voilà principalement à quoi se réduit la metamorphose
qu'on peut appeller exterieure. Il s'en doit faire une

interieure, qui fans doute n'eft pas moins confiderable; des
parties qui étoient propres à la chenille, & qui ne peuvent
plus fervir à leurs anciennes fonctions, doivent périr, ou
changer de conformation; d'autres propres au papillon,
doivent fe développer, croître, fe fortifier. Mais la metamorphofe interieure, celle des parties contenuës dans la
grande capacité du corps, ne fe fait pas fubitement comme la premiere; le temps que l'infecte paffe fous la forme
de crifalide, eft employé à la rendre complette. Les vaiffeaux à foye, par exemple, qui font fi confiderables dans
plufieurs chenilles, fe voyent encore dans la crifalide née
depuis peu; on les retrouve pendant plus ou moins de
jours, felon que le papillon doit refter plus ou moins long-
temps fous cette forme. Enfin, ils s'effacent, ils difparoiffent entierement, comme il arrive dans les animaux aux
autres vaiffeaux qui ceffent de recevoir le liquide, qui avoit
coutume de les remplir, & d'entretenir leur cavité.

Nous avons déja fait obferver que les aliments neceffaires pour nourrir la chenille, font folides & groffiers, au lieu
que ceux du papillon font fluides; que les organes propres
à ramaffer les aliments de la chenille, à les conduire dans
fon interieur, font differents de ceux qui reçoivent & qui
conduifent le fuc, qui eft la feule nourriture du papillon.
L'œfophage, l'eftomach, les inteftins; en un mot, tous les
conduits interieurs par où doivent paffer des aliments fi
differents, font-ils les mêmes? Cet eftomach qui étoit
rempli & gonflé par des feuilles affés mal broyées, qu'il
étoit chargé de digerer, eft-il le même qui n'aura dans la
fuite à contenir & à digerer qu'un peu de liqueur miellée?
Un nouvel œfophage, un nouvel eftomach, de nouveaux
inteftins, prennent-ils la place des anciens? C'eft ce qui
paroît très vrai-femblable, & fur quoi nous n'avons pas encore d'obfervations affés précifes. Celles que nous avons

fuffifent pourtant pour apprendre que des parties, confiderables dans le corps de la chenille, difparoiffent pendant
que l'infecte eft fous la forme de crifalide; que dans ce
fecond état, des parties qui n'étoient pas fenfibles dans le
premier, fe développent; & que dans la crifalide, prête à
paroître papillon, ou dans le papillon, la capacité du ventre
eft occupée par des parties qui n'étoient point vifibles dans
la chenille, & que celles qui l'étoient le plus dans le corps
de la chenille, ceffent de l'être dans celui de la crifalide,
Enfin, il fe fait dans l'interieur de la crifalide, mais plus
à la longue, une metamorphofe auffi confiderable que
celle qui nous a frappés, lorfqu'elle a rejetté le fourreau
de chenille.

Il feroit à fouhaiter que M. Malpighi eût voulu faire jour
par jour des obfervations fur les changements qui arrivent
dans l'interieure de la crifalide, femblables à celles qu'il a faites fur l'incubation des œufs, ou que quelqu'habile anato-
mifte voulût aujourd'hui fe charger de ce travail. Quelque
jufte défiance que je doive avoir de ma dexterité pour des
obfervations anatomiques fi délicates, je m'étois pourtant
propofé l'été dernier de diffequer des crifalides qui font plus
groffes que celles du ver à foye, & qui ne reftent fous cette
forme que pendant 14 à 15 jours, d'en diffequer un grand
nombre de jour en jour, depuis celui de leur transformation, jufqu'à celui où le papillon doit prendre l'effor. Une
chenille que j'ai appellée *à oreilles,* & qui vit fur le chêne
& fur l'orme, m'avoit paru propre à fournir commodement à tant de diffections. Jamais il n'a peut-être paru
plus de ces chenilles qu'à la fin du printemps de 1732. Le
public a été generalement effrayé, & avec raifon, de la
maniere dont toutes les chenilles en general fembloient
s'être multipliées alors, & l'efpece dont je parle eft une de
celles dont il y avoit le plus. Mais un évenement auquel

je

je ne m'attendois pas, m'a empêché de faire les obfervations que je m'étois promifes, & le public y a gagné. Une
efpece de maladie épidemique fe mit heureufement fur
ces chenilles, elle en fit périr fans nombre; neantmoins
il en refta encore beaucoup qui fe transformerent en crifalides. Je raffemblai une grande quantité de ces crifalides,
mais la mortalité continua fur elles Dans certaines années,
de cent crifalides il n'y en a quelquefois pas une qui ne fe
transforme en papillon; & cette année là, de cent de ces
crifalides, à peine y en avoit-il une ou deux qui devinffent
papillon. Nous parlerons ailleurs des caufes d'une mortalité fouvent défirable, qui, alors arriva mal à propos pour
moi feul.

Au défaut d'obfervations auffi détaillées que celles que
j'euffe fouhaitées, j'en rapporterai pourtant qui nous inf-
truiront en general fur quelques changements qui fe font
dans l'interieur de nos infectes. Plufieurs jours avant
qu'ils quittent la forme de chenille, on obferve des changements dans l'eftomach. Si on ouvre alors des chenilles,
celle du maronnier d'inde, par exemple, l'eftomach, qui
auparavant étoit un canal tendu, paroît pliffé, comme gaudronné, ou pour parler comme a fait Malpighi, de celui
du ver à foye, il paroît un vaiffeau variceux. Ce celebre
auteur a très-bien obfervé que l'eftomach de cette pré-
cieufe chenille, eft comme compofé de deux facs de figures femblables, dont l'un fert de doublure à l'autre.
L'exterieur eft fibreux, charnu & très-fort; il recouvre l'autre, qui eft fait d'une membrane mince, & fi tranfparente,
qu'on n'y peut appercevoir de fibres. Il a très-bien obfervé
que cette feconde membrane de l'eftomach ne paroît avoir
prefqu'aucune liaifon avec la premiere, & qu'on la fépare
aifement de l'autre. J'ai trouvé cette même ftructure à tous
les eftomachs de chenilles; celle de leurs inteftins eft la

Tome I.   . Aaa

même. Si on examine leurs excrements quelques jours
avant qu'elles se préparent à la métamorphose, on reconnoît qu'ils ont entraîné avec eux cette membrane mince qui
revest tout le long canal de l'estomach & des intestins; ce
canal se trouve dédoublé : on peut voir que cette membrane
recouvre les excrements en partie, & qu'elle est aussi en partie mêlée avec eux. Quoique nous venions de la donner
pour peu adherante à l'autre, peut-être l'est-elle quelquefois
trop, & peut-être que la chenille est obligée de faire de trop
grands efforts pour la détacher; au moins ai-je vû plusieurs
chenilles, qui pour avoir apparemment fait de trop grands
efforts, rejettoient alors tout leur estomach, tous leurs
intestins par l'anus, & rejettoient l'anus lui-même, recon-
noissable par son ouverture à six pans. Après en avoir vû
plusieurs dans cet état, je fus porté à penser qu'avant leur
transformation, elles se défaisoient de parties qui devoient
être inutiles au papillon; mais j'ai eû preuve que ce n'étoit
là qu'une espece de maladie, telle que seroit une trop
violente colique, car toutes celles qui ont rejetté leur
estomach & leurs intestins, ne se sont jamais transformées
en crisalides, elles ont péri. D'ailleurs on trouve à toutes les
crisalides nouvellement nées, l'estomach de la chenille, mais
encore plus gaudronné, plus plissé & plus ratatiné, qu'il
ne l'étoit avant la transformation.

Il se plisse de plus en plus, & M. Malpighi nous parle
d'un temps, que je n'ai pas vû, où l'œsophage se rompt;
l'estomach par consequent s'en sépare. Mais que devient
alors cet estomach, un autre prend-il sa place, l'ancien
estomach sert-il à former une certaine vessie qu'on observe
dans la crisalide prête à se transformer en papillon, & qu'on
ne voit point dans la chenille? C'est sur tout cela qu'il reste
à faire de curieuses observations en ouvrant des crisalides
de differents âges.

Nous avons parlé ailleurs de ce corps graiſſeux *, qui
occupe ſeul la plus grande partie de la cavité du ventre de
la chenille, qui ſeul y tient beaucoup plus de place que
toutes les autres parties enſemble. On le retrouve encore
dans la criſalide nouvellement écloſe, mais de jour en jour
il paroît ſe fondre; les vaiſſeaux dont il eſt compoſé ſe
briſent, ſe hachent, à peine en trouve-t-on quelques veſtiges quand le papillon ſe tire du fourreau de criſalide. Nous
n'avons rien ſoupçonné ſur ſes uſages dans la chenille;
mais ne pourrions-nous pas penſer avec vrai-ſemblance,
qu'il eſt le grand reſervoir de la matiere deſtinée à nourrir,
à fortifier, & à faire croître les parties du papillon, pendant
qu'il eſt emmailloté ſous la forme de criſalide! N'eſt-il pas
vrai-ſemblable que ce qu'eſt le blanc d'œuf par rapport au
poulet, ce corps que nous nommons *graiſſeux*, l'eſt par
rapport au papillon en criſalide. Il ſemble que c'eſt de ce
corps fondu que vient une liqueur aſſés claire & aſſés tranſparente, qui remplit le ventre de la criſalide. Je l'ai trouvée,
cette liqueur, en ſi grande quantité dans des criſalides, qui
l'étoient depuis deux mois, & qui devoient l'être pendant
près de dix, telle que celle de la belle chenille du titimale,
que lorſque j'ouvrois leur ventre, il en tomboit une quantité d'eau, qui ſembloit même plus grande que celle que la
capacité ouverte pouvoit contenir. Je ne ſuis point en état
d'expliquer comment cette eau eſt portée à toutes les parties
du papillon, mais je puis déſabuſer ſur la maniere dont on
paroît avoir crû juſqu'ici que le papillon ſe fortifie ſous la
forme de criſalide.

J'ai toûjours entendu dire, & c'eſt l'idée qui ſe preſente
la premiere, que la criſalide n'avoit plus beſoin que de
ſe deſſecher. On a imaginé que l'eau dont elle étoit trop
penetrée, devoit ſe diſſiper peu à peu par l'évaporation,
après quoi des parties du papillon, auparavant trop molles,

A a a ij

avoient une folidité fuffifante. Une crifalide refte pendant plufieurs femaines, & fouvent pendant plufieurs mois fans prendre aucun aliment; pendant une diette fi longue, il s'y doit affûrement faire quelque évaporation. Mais à quoi fe reduiroit fon corps, fi la plus grande quantité de la liqueur qui penetre fes differentes parties devoit s'évaporer! Quelques-unes font molles alors au point d'être prefque liquides pour nos fens groffiers. Quelque part où on faffe des bleffures à une crifalide nouvellement dépouillée, il en fort de l'eau; il s'en échappe même des parties qui dans la fuite feront les plus feches & les plus folides. Si on coupe une petite portion des aîles ou des antennes, auffi-tôt on voit couler beaucoup d'eau par la playe, quoique les unes & les autres doivent devenir par la fuite une efpece de corne. Pour peu qu'on faffe attention à la quantité de liqueur dont la nouvelle crifalide eft penetrée, on n'eft plus gueres difpofé à penfer que la plus grande partie de cette eau fe doive évaporer; la maffe du papillon fe reduiroit à prefque rien. Il m'a paru qu'il étoit plus vrai-femblable que cette liqueur s'uniffoit, s'incorporoit davantage aux parties de la crifalide; qu'elle s'épaiffiffoit en s'y uniffant, qu'elle étoit employée à donner de la folidité aux parties, comme le chile, le fang, ou la lymphe font employés chés nous au même ufage; qu'au lieu que la liqueur qui nourrit le poulet, l'entoure exterieurement, la liqueur qui doit nourrir les parties du papillon crifalide, les baigne chacune en particulier; que les enveloppes qu'ont chacune de ces parties, étoient principalement deftinées à empêcher une trop grande évaporation, qu'elles faifoient l'office de la coque de l'œuf. Pour fçavoir s'il falloit s'en tenir à cette derniere idée, j'ai pefé, dans le mois de Juillet, deux crifalides dans l'inftant qu'elles venoient de fortir du fourreau de chenille; la plus legere pefoit un peu moins de

dix-huit grains, & la plus pesante en pesoit un peu moins
de dix-neuf. Je les ai renfermées separement avec la note
de leur poids. Je les ai repesées chacune tous les deux ou
trois jours, pendant seize jours consecutifs, c'est-à-dire, jusqu'à celui où elles se sont metamorphosées en papillon. Ce
jour là, la plus legere pesoit encore plus de 17 grains, &
l'autre en pesoit plus de 18; d'où il suit que ce qui s'étoit
évaporé pendant une diette de seize jours, n'alloit pas à un
grain, ni peut-être même à $\frac{3}{4}$. de grain; ainsi ce qui s'éva-
pore n'est peut-être pas la vingtieme partie du poids total.
J'ai de même pesé les papillons nouvellement sortis de ces
crisalides, & leur poids a été sensiblement le même, en y
adjoûtant celui des dépouilles qu'ils avoient quittées.

Ce qui s'échappe des crisalides par la voye de l'insen-
sible transpiration, n'est donc pas aussi considerable qu'on
auroit pû le croire; mais ce qui s'en échappe par cette
voye, est, comme il étoit naturel de le penser, une espece
de liqueur aqueuse très-limpide. Il m'a été facile de ramasser ce qu'elles transpirent, & des experiences, dont
nous parlerons ailleurs, m'y ont engagé. J'ai renfermé plusieurs crisalides dont la peau étoit très-seche, chacune
dans un gros & court tube de verre, dont un des bouts
étoit un peu renflé en boule, & dont l'autre bout a été
scellé hermétiquement. Quelques jours après que ces crisalides ont été renfermées, de petites gouttes d'une liqueur
très-claire ont paru attachées aux parois interieures du tube.
Il y a eu assés de ces petites gouttes pour que la liqueur
ait coulé dans la boule, & s'y soit rassemblée sous la forme
d'une goutte beaucoup plus grosse. Les tubes de verre
étoient dans un lieu où la chaleur étoit temperée; la liqueur des thermometres, dont j'ai donné la construction,
s'y tenoit aux environs de 14. à 15. degrés.

Il ne se fait pourtant qu'une assés petite évaporation

Aaa iij

de l'eau dont la crisalide est imbibée, & réellement très-
petite par rapport à la quantité de cette eau qui existe dans
la crisalide nouvellement éclose; cette legere évaporation
suffit pour faire prendre de la solidité à tout le reste, qui
s'incorpore intimement avec les parties de l'insecte, dont
plusieurs, comme les jambes, les aîles, les antennes, le
crâne, le corcelet, deviennent cartilagineuses, & presque
écailleuses. Nous examinerons l'état où elles parviennent
dans la crisalide, dans le Memoire où nous verrons le papillon quitter cette derniere forme. Nous n'avons pas
même vû encore comment il quitte celle de chenille,
nous ne l'avons consideré que dans l'état de chenille &
dans celui de crisalide; le temps du passage de l'un à
l'autre état merite bien de nous arrêter: les observations
qu'il nous a fournies seront la matiere du Memoire suivant, pour lequel même nous reservons ce qui se passe
par rapport aux stigmates & aux trachées, en un mot, par
rapport aux organes de la respiration, pendant & après la
premiere metamorphose. Nous dirons pourtant encore
que la dépouille d'où la crisalide s'est tirée, permet d'observer une membrane interieure, mince & transparente,
qui est détachée en plusieurs endroits de cette membrane
plus épaisse, ou de ce composé de membranes que nous
nommons *la peau* de la chenille *, & qu'entre la peau &
la membrane mince, on trouve des paquets de trachées,
qui sont couchés en forme de cordons blancs sur la surface interieure de la peau *. Le Memoire que nous finissons
nous a déja appris que la nature, pour conduire un papillon
à être un animal parfait, employe autant de parties que les
constructions de deux animaux differents en sembleroient
demander, & que c'est par des retranchemens considerables, les uns faits subitement, & les autres peu à peu, que
l'insecte, d'abord trop composé, parvient à être papillon.

EXPLICATION DES FIGURES
DU HUITIEME MEMOIRE.
PLANCHE XXI.

LA Figure 1, est celle d'une crisalide d'une chenille à corne sur le derriere; elle est vûë du côté du dos.

La Figure 2, est celle de la même crisalide vûë du côté du ventre; elle est comme chagrinée.

La Figure 3, est celle de la partie *a b b*, de la Figure 1, grossie au microscope, pour faire voir comment la peau de cette crisalide paroît chagrinée.

La Figure 4, est celle de la crisalide d'une chenille verte à tubercules couleur de rose, qui vit sur la charmille, vûë du côté du ventre. Sa partie anterieure *a b b*, est plus applattie que la même partie de la Fig. 2. A son derriere, *p,* elle a une palissade de crochets.

La Figure 5, est celle d'une crisalide d'où doit sortir un papillon à aîles en plumes du second genre, representée plus grande que nature, & vûë de côté. Elle est veluë. Si on regarde la partie de son côté *a c,* la plus proche du ventre, on pourra aisement remarquer que les aîles du papillon qui y est emmailloté, ne doivent pas être semblables à celles des papillons ordinaires; on peut même y appercevoir qu'elles sont refenduës.

Les Figures 6 & 7, sont celles d'une même crisalide, vûë du côté du ventre Fig. 6, & de côté Fig. 7. On peut appeller ces sortes de crisalides, *des crisalides à nés. n,* la partie qui semble leur faire une espece de nés. Le papillon nocturne de la premiere claſſe, repreſenté Pl. 14, Fig. 1, eſt ſorti d'une de ces criſalides.

La Figure 8, eſt celle de la Fig. 9, Pl. 19, groſſie au microſcope, pour donner un exemple des criſalides qui ont beaucoup de poils ſur leur corps.

La Figure 9, eſt celle d'une criſalide d'où ſort le papillon diurne, qui eſt un des bourdons ou éperviers, repreſenté dans la Pl. 12, Fig. 5. Cette criſalide eſt ici vûë de côté; poſition la plus propre à rendre ſenſible la partie *a d*, qui la caracteriſe. Elle s'avance en devant de la tête, elle y a une figure ſemblable à celle d'un *domino* de Prêtre tiré en devant, & dont les deux côtés ſeroient appliqués l'un contre l'autre, & cacheroient le viſage.

La Figure 10, eſt celle de la criſalide de la chenille du bois, repreſentée Pl. 17, Fig. 1. Dans la même Planche, cette criſalide eſt vûë du côté du ventre, & elle l'eſt ici du côté du dos. Elle eſt de celles qui ſont comme entaillées vers la fin du corcelet en *e e*, qui s'y retreciſſent, pour s'élargir enſuite. Ce qu'elle a de plus remarquable, c'eſt qu'à la jonction des anneaux *a, a, a,* &c. elle a un double rang d'eſpeces d'épines de pointes triangulaires, dirigées vers le derriere.

La Figure 11, eſt celle de deux portions d'anneaux *a, a,* Fig. 10, repreſentées en grand. *e e ff, h h ii,* ſont les deux anneaux. *e e ff,* le premier; à ſa partie ſuperieure, *e e,* eſt le premier rang de dents, ou d'eſpeces d'épines; ce ſont les plus longues. *ff,* eſt le ſecond rang de dents, celui des plus courtes. *h h,* eſt le rang des grandes dents de l'anneau ſuivant. *ii,* eſt le rang des petites dents du même anneau. Ces dents permettent à la criſalide d'aller en avant, & ne lui permettent pas d'aller en arriere.

La

La Figure 12, est celle d'une crisalide qui, de même que celle de la Fig. 10, est comme entaillée en *e e;* elle vient d'une chenille lievre.

La Figure 13, est celle d'une crisalide, qui, comme une chenille, est chargée d'aigrettes de poils. Nous parlerons ailleurs de la chenille qui la donne, qui se nourrit des feuilles du peuplier blanc: ici la crisalide est vûë du côté du dos.

La Figure 14, est celle d'une crisalide d'où doit sortir un papillon, dont la trompe fait un coude en *t,* & retourne un peu vers la tête. Une chenille du bouillon-blanc, & quelques autres chenilles dont il sera parlé dans la suite, se transforment en ces sortes de crisalides.

PLANCHE XXII.

La Figure 1, est celle d'une crisalide angulaire, dont la tête se termine par une pointe, *c,* en prouë de galere. Elle vient de la belle chenille du chou. Elle est attachée en *f,* par un lien de fils de soye; & sa queuë est accrochée en *q,* par d'autres fils de soye.

   d d, marquent des dents, des éminences aiguës qu'elle
       a sur le corps.

La Figure 2, est celle d'une crisalide angulaire penduë par la queuë en *q,* qui vient d'une chenille de l'orme, que nous avons nommée *la bedaude,* & qui est representée Pl. 27. Fig. 1.

   c c, deux especes de cornes faites en croissant, qui sont
      au bout de la tête de cette crisalide.
   t, d d, marquent quelques-unes des éminences angu-
      laires qui sont sur le corps de cette crisalide.

La Figure 3, est celle d'une de ces crisalides dont la

Tome I.   Bbb

tête eft prefque terminée par un plan; la tête n'eft ni aiguë, ni arrondie.

    c c, font deux petites éminences, qui femblent demander qu'on ramene ces crifalides à la claffe des angulaires.

Celle de cette figure, eft la crifalide d'une arpenteufe verte à dix jambes, du chêne; elle eft verte elle-même, mais pourtant piquée de quelques points noirs. Il y en a trois près de la tête & du côté du ventre, qui eft celui de cette figure, qui lui font une efpece de vifage. On l'a reprefentée un peu plus grande que nature.

La Figure 4, eft celle de la crifalide de la Fig. 3. vûe du côté du dos.

La Figure 5, eft celle de la Fig. 6. groffie, pour rendre fes diverfes parties plus fenfibles.

    a a, a a, les aîles.

    b c, b c, les antennes, dont l'origine eft en *b,* & qui fe terminent en *c.*

    i, l; i, l, quatre jambes. Les deux autres font cachées.

Dans la ligne du milieu du corps, où fe terminent les bouts des aîles & des jambes, on ne voit point ici de trompe, parce que le papillon qui fort de cette crifalide, n'en a point.

    q, paquet de petits crochets, qui eft au derriere de cette crifalide.

La Figure 6, eft celle de la crifalide reprefentée en grand, Fig. 5. & celle de la chenille à oreilles, du chêne & de l'orme.

La Figure 7, eft celle d'une crifalide de la belle chenille du titimale, qui a été groffie.

a a, a a, les aîlés.

b c, b c, les antennes.

i, l; i, l, quatre jambes.

t o; la trompe.

q, pointe fourchée qui est au derriere de la crisalide.

La Figure 8, est celle de la crisalide de la Fig. 6, prise dans l'instant où elle venoit de se tirer du fourreau de chenille, & dont on a separé les differentes parties les unes des autres, avant qu'elles eussent eu le temps de se coller ensemble.

A, a; A, a, sont les quatre aîles.

La Figure 9, est celle de la partie superieure de la Figure 8, grossie.

A, a; A, a, les quatre aîles.

b, b, les antennes.

l, i, k, les trois jambes d'un côté.

Les parties oblongues, comme les jambes, mais plus courtes, sont les barbes. Vers l'origine des antennes, on voit une partie des yeux.

La Figure 10, est celle de la crisalide de la Fig. 8, vûë du côté du dos.

La Figure 11, est celle d'une dépouille d'où est sortie une crisalide. Cette dépouille donnoit ci-devant la forme de chenille à une grande & belle chenille à corne sur le derriere, qui vit des feuilles du troesne, & dont on aura l'histoire dans la suite.

Cette figure sert à faire voir ce que je n'ai pas pû observer sur les dépouilles des chenilles qui sont plus petites; que la dépouille est composée de deux peaux, de deux membranes bien distinctes. La seconde peau est mince &

tranfparente: je l'ai trouvée en beaucoup d'endroits feparée de la premiere, en quelques-uns elle en étoit éloignée de plufieurs lignes. Mais où les deux peaux étoient appliquées l'une contre l'autre, je les feparois très-facilement.

a a a, la peau exterieure, qui eft très-épaiffe.

b b b, &c. endroits où la peau interieure étoit détachée, & feparée de l'exterieure.

c c, & tout ce qui eft de cette nuance, eft la peau interieure.

t t, &c. paquets de trachées qui partent de chaque ftigmate, & qui font couchés le long des côtés; fur chacun defquels ils forment un cordon blanc & continu. Les trachées ont pris cette direction, lorfque la crifalide s'eft tirée du fourreau de chenille où elle les a laiffées. Elles font par-tout couchées entre la membrane exterieure & l'interieure.

PLANCHE XXIII.

La Figure 1, eft celle d'un papillon diurne de la 2.me claffe. *pp,* deux des quatre jambes fur lefquelles il fe pofe. Il vient de la chenille épineufe, Fig. 8. la plus commune fur l'orme dans ce pays. On parlera plus au long de cette chenille & de fon papillon dans le 10.me Memoire.

La Figure 2, eft celle du même papillon vû par-deffus, ayant les aîles ouvertes, ou paralleles au plan de pofition. Le fond de leur couleur eft un auroré brun, fur lequel font des taches noires. Il eft un de ceux à qui on a donné le nom de *tortuë,* à caufe de la diftribution de fes couleurs, qui imite en quelque forte celles des taches de l'écaille. Le bordé qui fuit le contour de l'aîle eft formé de taches noires, de taches aurores & de taches d'un fort beau bleu.

La Figure 3, eſt celle d'une des aîles inferieures de ce papillon. La partie *a b a* de l'aîle, fait un angle avec le reſte; elle eſt une eſpece de moule qui embraſſe la moitié du corps du papillon.

La Figure 4, eſt celle de la criſalide d'où ſort ce papillon, vûë de côté. Elle eſt de celles dont le corcelet a la figure d'une eſpece de maſque, *n*.

La Figure 5, eſt celle de la même criſalide vûë du côté du ventre.

La Figure 6, eſt la Figure 5. groſſie, pour faire mieux diſtinguer les parties du papillon.

a a, a a, les aîles.
b c, b c, les antennes.
e e, les deux eſpeces de cornes de cette criſalide, qui
  ſont les étuis des barbes.
t o, la trompe allongée le long du milieu du ventre.

La Figure 7, eſt celle de la même criſalide, dont on a écarté les differentes parties les unes des autres, avant qu'elles euſſent eu le temps de ſe coller.

A, A, a, a, les quatre aîles.
b c, b c, les antennes.
e, e, ces éminences qui font deux eſpeces de cornes à
  la tête de la criſalide.
i, l, k, les ſix jambes.
t o, la trompe.

La Figure 8, eſt celle de la chenille épineuſe qui donne la criſalide & le papillon des Figures 4, 5, 1 & 2.

La Figure 9, eſt celle de la coupe d'un des anneaux de

Bbb iij

cette chenille, qui donne le nombre de ſes épines & leur arrangement.

La Figure 10, eſt celle d'une des épines en grand.

La Figure 11, eſt celle d'une des épines encore plus en grand, pour faire voir comment les pointes *p*, ſont comme emmanchées en *m*.

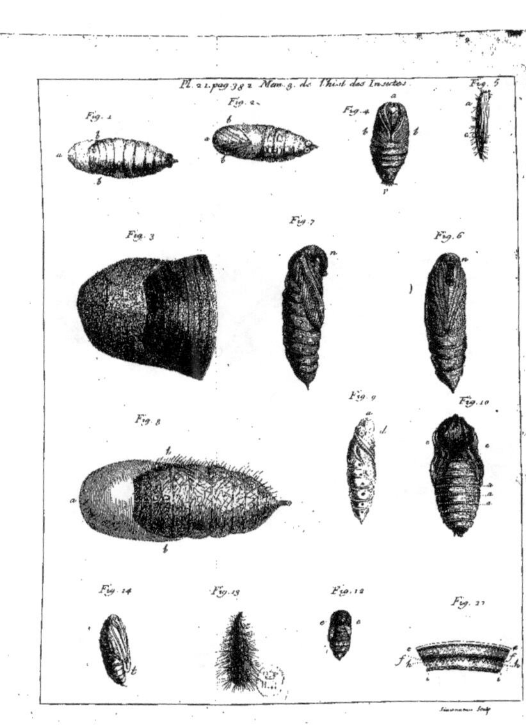

Pl. 21. pag. 382. Mem. g. de l'Hist. des Insectes.
Fig. 1.
Fig. 2.
Fig. 4.
Fig. 5.
Fig. 3.
Fig. 7.
Fig. 6.
Fig. 8.
Fig. 9.
Fig. 10.
Fig. 14.
Fig. 13.
Fig. 12.
Fig. 11.

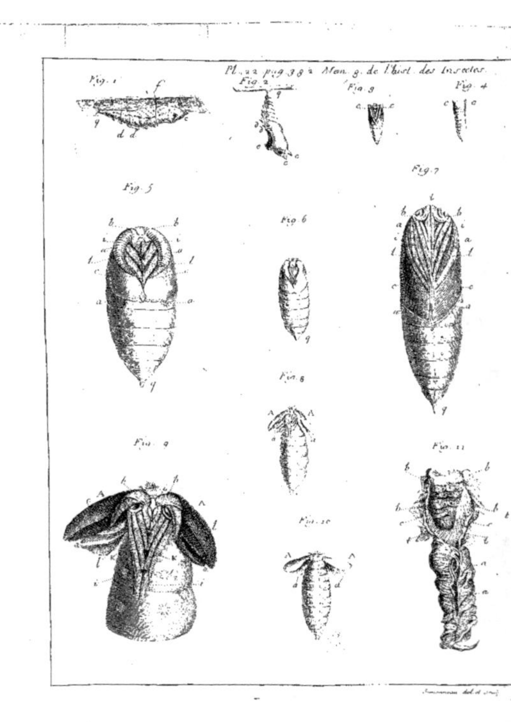

Pl. 22 pag 382 Man. g. de l'hist. des Insectes.
Fig. 1
Fig. 2
Fig. 3
Fig. 4
Fig. 5
Fig. 6
Fig. 7
Fig. 8
Fig. 9
Fig. 10
Fig. 11

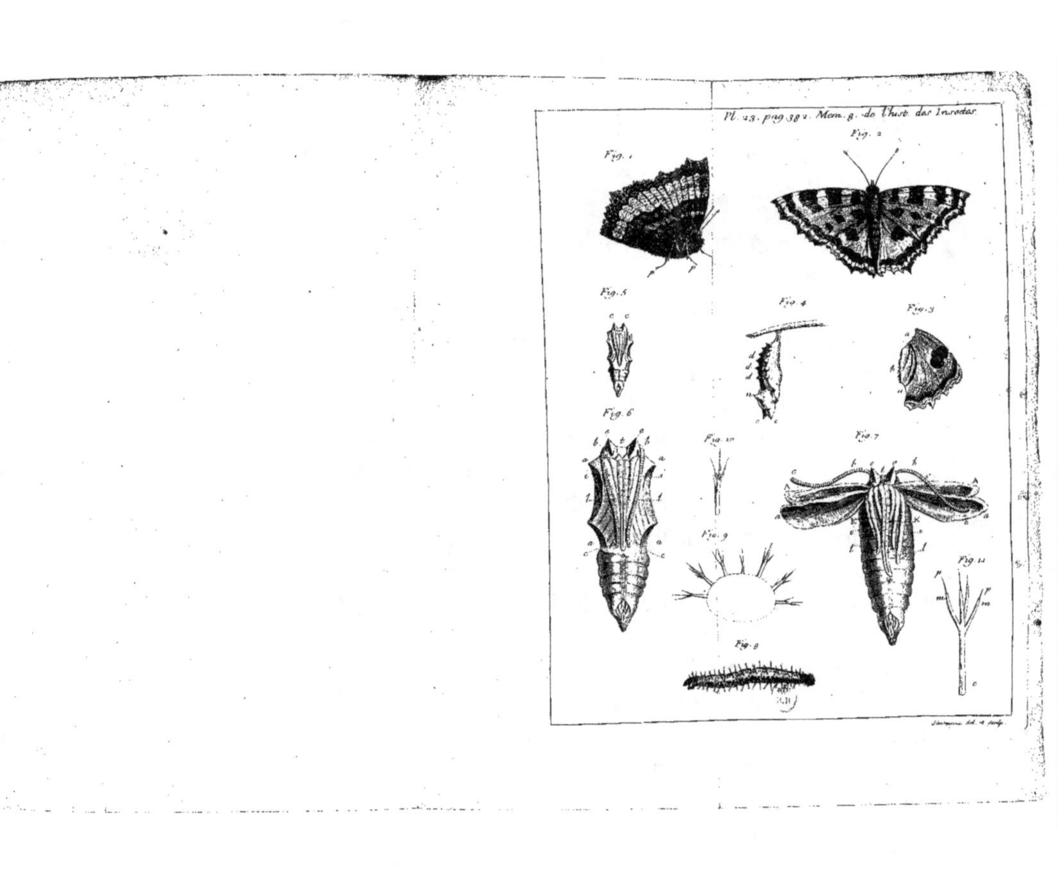

Pl. 23. pag 381. Mem. 8. de l'hist. des Insectes.
Fig. 1
Fig. 2
Fig. 5
Fig. 4
Fig. 3
Fig. 6
Fig. 10
Fig. 7
Fig. 9
Fig. 11
Fig. 8

NEUVIEME MEMOIRE.

IDÉE GENERALE
DES PRECAUTIONS
ET DES INDUSTRIES

Employées par diverses especes de Chenilles pour se metamorphoser en Crisalides. Comment les Crisalides se tirent du fourreau de Chenille; & de la respiration des Crisalides.

CE font de grands évenemens pour un insecte, que ces transformations, qui, dans un temps affés court, le font paroître totalement different de ce qu'il étoit auparavant. De tels changemens ne se font point sans que sa vie coure de grands risques. S'il prevoit les efforts qu'il aura à faire pour se dépouiller de la forme de chenille, l'état de foiblesse & d'impuissance où il restera sous celle de crisalide, il doit songer à choisir les endroits les plus commodes, les situations les plus avantageuses à une operation si considerable. Il doit songer à choisir les endroits où il sera exposé à moins de dangers, pendant le temps qu'il vivra sous une forme qui ne lui permettra ni de se deffendre ni de fuir. Dans les approches de ce temps critique, toutes les chenilles agissent comme si elles sçavoient quelles en doivent être les suites; mais differentes especes ont recours à differents moyens pour se préparer à cette metamorphose, pour se mettre en état de l'executer sûrement, & pour se précautionner contre les accidens qui la peuvent suivre.

L'industrie de celles qui se filent des coques de soye où elles se renferment pour subir leur transformation en sûreté,

est generalement connuë; à qui les vers à soye ne l'ont-ils pas
apprise! Mais il y a bien des varietés dans la structure, dans
la figure des coques de differentes chenilles, dans la maniere
de les suspendre, de les attacher, de les travailler, qui n'ont
encore été ni assés expliquées ni assés observées, & dont
nous traiterons dans des Memoires particuliers.

D'autres chenilles ignorent l'art de se faire des coques
de pure soye, elles s'en bâtissent de terre & soye, ou de
terre seule. Lorsque le temps de leur transformation approche, elles vont se cacher sous terre, c'est-là qu'elles
quittent leur forme de chenille, & que les crisalides restent
tranquilles jusqu'à ce qu'elles soient prestes à paroître avec
des aîles. Elles n'ont point à craindre, sous terre, autant
d'ennemis qu'elles en auroient à craindre si elles fussent
restées au-dessus de sa surface, & peut-être y trouvent-
elles une humidité qui leur est necessaire.

Enfin, plusieurs especes de chenilles ne sçavent ni se
faire des coques ni s'aller cacher sous terre; pour l'ordinaire elles s'éloignent néanmoins des endroits où elles ont
vêcu; c'est souvent dans des trous de murs, sous des en-
tablemens d'édifices, dans des creux d'arbres, contre de
petites branches assés cachées, qu'elles vont se changer
en crisalides. Sans avoir songé à observer les insectes, on
a pû voir cent & cent fois de ces differentes crisalides immobiles dans des lieux écartés. On a pû remarquer les
differentes positions dans lesquelles elles se trouvent, &
comment elles sont retenuës dans ces positions. Les unes
sont penduës en l'air verticalement, la tête en bas; le
seul bout de leur queuë est attaché contre quelque corps
élevé *. D'autres au contraire sont attachées contre des
murs, ayant la tête plus haute que la queuë; il s'en presente de celles-ci sous toutes sortes d'inclinaisons. D'autres
sont posées horisontalement, leur ventre est appliqué

contre

* Pl. 23.
Fig. 4.

contre le deſſous de quelqu'eſpece de voute, ou de quelque corps ſaillant *. Les differentes manieres dont elles * Pl. 22.
ſont aſſujetties dans ces ſituations differentes, ont été re- Fig. 1.
marquées en partie, & meritoient de l'être. La plûpart de
celles qui ſont appliquées contre des murs ſous differentes inclinaiſons, y ſont fixées par le bout de leur queuë *; * q.
cette ſeule attache ne ſuffiroit pas pour retenir leur corps,
un lien ſingulier * embraſſe leur dos; c'eſt une ceinture * f.
qui le ſoûtient bien. Chacun de ſes bouts eſt collé contre
le bois, ou contre la pierre, à quelque diſtance de la criſalide. La force de cette eſpece de petit cable eſt bien ſuperieure à celle qui eſt neceſſaire pour tenir ſuſpendu le
poids de l'inſecte, dont il eſt chargé; il eſt compoſé d'un
grand nombre de fils de ſoye très-rapprochés les uns des
autres. D'autres criſalides ſemblent s'attacher avec moins
d'artifice, elles paroiſſent collées par quelque partie de leur
ventre, contre le corps ſur lequel elles ſont fixées. Ces faits
ſont connus, & ont dû exciter la curioſité des obſervateurs;
car, pour peu qu'on y penſe, on voit qu'il doit y avoir
en tout cela bien de l'induſtrie. Comment une criſalide
ou une chenille vient-elle à bout de s'entourer le corps
en partie, d'une ceinture qui ſert à la ſoûtenir! Qu'on ne
conſidere même que les ſuſpenſions les plus ſimples,
celles des criſalides collées contre des corps ſolides, ou
ſeulement retenuës par la queuë *, & on verra qu'elles ſup- * Pl. 23.
poſent des manœuvres qui ne ſont pas aiſées à deviner: Fig. 4.
nous les décrirons chacune en particulier, après que nous
aurons vû comment la criſalide ſe dépouille du fourreau
de chenille dans le cas le plus ſimple & le plus general.

Les préparatifs de cette operation ſont ſouvent aſſés
longs, mais l'operation elle-même, quoique difficile, eſt toûjours très-prompte; auſſi a-t-elle échappé à la plûpart des
obſervateurs. Ceux qui l'ont vûë, comme M.rs Malpighi &

Tome I.   . C c c

Rhedi, ne semblent l'avoir vûë qu'en passant ; aucun d'eux ne nous en a rapporté les circonstances avec assés de détail. Swammerdam qui pourroit l'avoir mieux suivie, parce qu'il avoit observé plus de chenilles, ne l'a décrite nulle part.

Lorsque le temps de la metamorphose approche, les chenilles quittent souvent les plantes, ou les arbres sur lesquels elles ont vêcu, au moins s'attachent-elles plus volontiers aux tiges & aux branches qu'aux feuilles qu'elles rongeoient auparavant. Celles qu'on voyoit manger pendant les jours précedents, & qui sont tranquilles aux heures où elles avoient coûtume de manger ; & qui d'ailleurs sont parvenuës à la grosseur ordinaire à leur espece, se préparent à la transformation par la diette. Goedaert a très-bien remarqué qu'après avoir cessé de prendre des alimens, elles se vuident copieusement. Il semble qu'il ne doive rien rester de solide dans leur estomach & dans leurs intestins. Nous avons même vû dans le Memoire précedent, qu'elles rejettent la membrane qui double, pour ainsi dire, tout le canal de leur estomach & de leurs intestins.

Le second Memoire nous a encore appris que quand le temps de la transformation approche, il y en a qui changent totalement de couleur ; mais ce qui est plus ordinaire, c'est que leurs couleurs deviennent plus ternes, qu'elles s'effacent, & qu'elles perdent leur vivacité. Alors celles qui sçavent se filer des coques se mettent à y travailler. La coque a souvent une épaisseur qui ne permet pas de voir la chenille qui s'y est renfermée. On ne sçauroit appercevoir au travers de ses parois, comment l'insecte quitte sa premiere forme pour en prendre une nouvelle, mais il est aisé d'ouvrir sa coque sans le blesser, & de l'en tirer. La transformation de la chenille en crisalide, & celle de la crisalide en papillon, ne s'en feront pas moins, fur-tout fi on a attention de mettre dans une boîfte la chenille qui a été tirée de fa coque, afin que la crifalide qui en doit naître ne foit pas trop expofée aux impreffions de l'air exterieur. Cette précaution n'eft pourtant au plus neceffaire que pour conferver les crifalides qui font renfermées dans des coques épaiffes & bien clofes, où elles doivent refter pendant plufieurs mois.

Pour faire mes obfervations, je me fuis fourni de chenilles qui n'ont pas befoin d'être deffenduës contre les impreffions de l'air pendant qu'elles font en crifalide; l'affemblage des fils qu'elles filent pour fe préparer à leur premiere metamorphofe, ne merite pas le nom de *coque;* les fils, qui fe croifent, laiffent entr'eux tant de vuides, qu'à exactement parler, ils ne compofent pas un tiffu*; auffi ne cachent-ils nullement la chenille; ils ne femblent deftinés qu'à la foûtenir, & à tenir un peu recourbées quelques feuilles autour de l'endroit où elle s'eft fixée. Cette efpece de chenille eft celle à oreilles*, dont j'ai déja parlé plufieurs fois. Il y a des années où il feroit aifé d'en ramaffer bien des milliers. En 1731. elles avoient rongé les feuilles des grands chênes de certains cantons du bois de Boulogne, au point que dans le mois de Juillet on n'y trouvoit pas à fe mettre à l'abri des rayons du foleil. Pour faire commodement & affés d'obfervations à mon gré, je fis prendre bien des centaines de ces chenilles, de celles que je jugeois n'avoir plus befoin de nourriture, & être prêtes à fe transformer, & de celles même qui avoient déja commencé à filer leur efpece de coque. C'eft l'expedient fimple & neceffaire auquel il faut avoir recours pour bien voir & revoir un paffage affés fubit, fans mettre fa patience à de longues épreuves. J'avois une très-grande table toute couverte de ces chenilles; auffi ne fe paffoitil gueres de quarts d'heure où je n'en puffe furprendre

* Pl. 24.
Fig. 2.

* Fig. 1.

Ccc ij

quelqu'une dans le fort de l'operation. Divers fignes annoncent le temps où elle fe doit faire; les uns le font juger plus éloigné, & les autres l'apprennent plus prochain. Quand les chenilles, que nous voulons donner ici pour exemple, ont achevé de filer, fi on les retire de leur efpece de coque, elles paroiffent dans un état de langueur, incapables de fe donner des mouvemens; elles ne cherchent point à marcher; elles reftent dans les endroits où on les pofe. On en trouve de la même efpece, qui, quoique groffes, font languiffantes, fans pourtant avoir filé fenfiblement comme les autres; elles ne tâchent point de s'éloigner des lieux où on les a placées, elles fe difpofent de même à fe transformer.

Il y en a qui ne reftent dans cet état de foibleffe, que pendant vingt-quatre heures, & d'autres y reftent plus de deux jours. Je n'avois fur ma table que de ces chenilles foibles, que de celles qui ne cherchoient point à fuir. L'operation à laquelle elles fe préparent eft dans le fond femblable à celles qu'elles ont fubie toutes les fois qu'elles ont changé de peau: c'eft encore ici une dépouille que l'infecte a à quitter; mais, à la verité, c'eft une dépouille plus confiderable. Il ne parviendra à s'en défaire, que par des mouvemens femblables à ceux dont nous avons parlé dans le quatrieme Memoire, mais par de plus grands mouvemens, qui demanderont plus de force de fa part, & qui nous offriront auffi quelques circonftances de plus. Les chenilles dont la transformation eft encore éloignée de plufieurs heures, font pour la plûpart du temps parfaitement tranquilles; leur corps eft un peu plié en arc *, il femble d'ailleurs raccourci; leur tête eft recourbée & ramenée fur le ventre; de fois à autres elles s'étendent pourtant, mais bientôt après elles fe recourbent. La partie la plus proche de la tête eft celle qui eft la plus

* Pl. 24.
Fig. 2.

recourbée *. Quelquefois elles se renversent d'un côté sur   * Pl. 24.
l'autre. Si quelquefois elles changent de place, ce n'est   Fig. 2.
pas pour aller loin; elles se tirent alors avec leur tête, & se
poussent avec leur derriere, lorsqu'elles tendent à aller en
avant, & au contraire elles se poussent avec leur tête, & se
tirent avec leur partie posterieure pour aller en arriere. Alors
elles ne font aucun usage de leurs jambes, il semble qu'elles ne peuvent plus s'en servir. Les jambes membraneuses
commencent déja apparemment à se tirer de leurs fourreaux, & les jambes écailleuses sont trop pressées dans les
leurs. Le plus vif de tous les mouvemens qu'elles font
voir dans cet état, est celui de leur partie posterieure; il
y a des momens où elles l'élevent & l'abaissent pour en
fraper le plan, sur lequel elles sont posées, trois à quatre
fois de suite très-prestement. Ces derniers mouvemens
sont rares; elles sont souvent des heures entieres sans s'en
donner aucun de bien sensible. Leur attitude, d'avoir le
corps recourbé, est ce qui semble de plus necessaire pour
les disposer à la metamorphose; aussi plus elle est prochaine, & plus leur tête avance vers le dessous du ventre;
quelquefois leur partie posterieure est étenduë, & alors
leur corps forme une espece de crochet dont la tête est
le bout, la partie propre à accrocher. Enfin, plus la chenille se raccourcit & se recourbe, & plus le moment de
la transformation approche; les mouvemens de sa queuë,
les allongemens & les contractions alternatives deviennent aussi plus frequentes. Elle ne semble plus être dans
un si grand état de foiblesse, elle est bientôt prête à faire
des actions qui demandent beaucoup de vigueur.

Le derriere & les deux dernieres jambes sont les premieres parties que l'insecte dégage du fourreau de chenille; il les retire vers la tête. La portion du fourreau qu'elles
occupoient reste vuide, & n'étant plus soûtenuë, elle se

* Pl. 24.
Fig. 3. *qp.*

contracte; elle a alors très-peu de diametre *. La mechanique que la crisalide employe pour commencer à dégager du fourreau de chenille ses parties posterieures, est
la meilleure qui puisse être choisie pour parvenir à cette
fin, & aisée à observer dès qu'on l'a vûë une fois. Elle
gonfle & allonge en même temps les deux ou trois derniers anneaux de son enveloppe; l'augmentation qu'elle
leur fait prendre en grosseur est considerable, mais celle
de leur longueur est plus remarquable encore; ces deux
ou trois anneaux, quoique renflés, ont alors plus de longueur que les neuf ou dix anneaux restans; elle raccourcit
tous les anterieurs, pour avoir de quoi forcer les posterieurs à s'étendre en tout sens. Les parties anterieures pous-
sées & pressées vers le derriere, y font l'office de coin contre
le fourreau de chenille; il est forcé à s'élargir, comme un
soulier l'est par la forme brisée. Dans l'instant suivant, ce
sont ces mêmes anneaux posterieurs qu'elle a tenus dis-
tendus en tout sens, qu'elle contracte en tout sens; l'effet
qui en doit suivre est aisé à appercevoir, sur-tout si on
veut bien se prêter pour un moment à considerer le fourreau de chenille, comme simplement appliqué sur l'enveloppe immediate de la crisalide, comme ne lui étant
point, ou presque point adherant. Dans cette supposi-
tion, quand elle diminuëra en tout sens les dimensions
de ses derniers anneaux, elle les séparera des parties de
l'enveloppe de la chenille, contre lesquelles elles étoient
appliquées: les parties de cette enveloppe, prêtes à perir, &
qui ont été trop forcées, n'ont plus un ressort capable de
les ramener vîte sur les anneaux, capable de leur faire suivre
les mouvemens de ces anneaux; ainsi, dans la portion du
corps que nous considerons, la peau de la crisalide se séparera réellement de celle de la chenille. Que la crisalide
fasse encore plus alors que nous n'avons supposé, comme

elle le fait réellement; qu'elle retire le bout de fon derriere vers la tête, elle le dégagera du fourreau, elle en dégagera en même temps fes quatre dernieres jambes membraneufes *.

Dans la fuppofition que nous avons faite, que l'enveloppe immediate de la crifalide ne tient point, ou prefque point au fourreau de chenille, il n'y a donc nulle difficulté à ce qu'une portion du corps de la crifalide gliffe le long des parois de ce fourreau; mais pour cela, il faut que deux membranes, qui autrefois ont été unies, fe trouvent détachées l'une de l'autre. Cette difficulté, grande en foi, n'en eft plus une, fi on fe rappelle ce que nous avons dit à l'occafion des divers changemens de peaux des chenilles; alors elle a été refoluë d'avance pour toutes les crifalides veluës, & pour celles dont la peau eft chagrinée ou heriffée de mamelons; car ces poils, ces mamelons, qui tirent leur origine de la membrane propre à la crifalide, la féparent, en croiffant, de celle qui eft propre à la chenille. La nature employe encore vifiblement un autre moyen, dans la plûpart des crifalides, pour faire cette féparation; dans l'inftant où elles viennent de rejetter leurs dépouilles, elles ont pour la plûpart le corps tout humide, tout mouillé. Or il y a grande apparence que la liqueur qui fuinte de la membrane propre à la crifalide, s'introduit entr'elle & la furface interieure du fourreau de chenille; qu'elle fépare peu à peu ces deux enveloppes l'une de l'autre. Les differents mouvemens que l'infecte fe donne, expriment, pour ainfi dire, cette liqueur, & la contraignent à s'échapper, & à aller fe chercher place entre les deux membranes. Cette liqueur met d'ailleurs en état une des deux membranes feparées, de gliffer le long de l'autre avec moins de frotement. Si on picque une chenille prête à fe metamorphofer, quelque

* Pl. 24.
Fig. 3. p 9.

legere que soit la picquure, il en sort plus d'eau qu'il n'en sortiroit en d'autre temps par une playe semblable, & beaucoup plus qu'il ne sembleroit en devoir sortir par une si petite playe.

La manœuvre que la crisalide a employée pour se retirer des deux ou trois derniers anneaux, est celle dont elle se sert pour se dégager des deux ou trois anneaux suivans; elle les gonfle & elle les allonge en même temps, & ensuite elle s'en retire; de sorte qu'alors la partie anterieure du fourreau de chenille loge seul, ce qui peu auparavant étoit logé dans le fourreau entier. La moitié qui a été abandonnée est flasque, raccourcie, telle, en un mot, qu'elle doit être n'étant plus soûtenuë interieurement. La partie anterieure, au contraire, est alors très-renflée, & furieusement distenduë. La crisalide qui l'occupe y a presqu'alors la forme avec laquelle elle doit paroître au jour; car l'insecte, sous celle de chenille, est considerablement plus allongé & moins gros que sous celle de crisalide.

Quand la crisalide est parvenuë à ne plus occuper que la moitié du fourreau de chenille, elle doit le distendre considerablement; pour le distendre encore davantage, elle se gonfle plus qu'ailleurs vers les premiers anneaux; quoique l'enveloppe ait de la force & de l'épaisseur, elle n'en a pas assés pour resister à de pareils efforts, elle se fend en dessus, vers le troisieme anneau *. La direction de la fente est la même que celle de la longueur du corps. Elle n'est pas plûtôt ouverte, que la portion du corps de la crisalide qui y répond, s'éleve au-dessus de ses bords; là elle cesse d'être comprimée. Ensuite la crisalide renfle encore davantage cette même partie, & les parties voisines; aussi dans un clin d'œil, la fente s'agrandit, elle laisse sortir une plus grande portion du corps. Enfin, quand l'ouverture est agrandie jusqu'à un certain point, la crisalide retire sa partie

anterieure

* Pl. 24. Fig. 3. Ff.

anterieure du côté de cette ouverture, par où elle la fait fortir; enfin elle retire de même fa queuë, & elle fe trouve hors de ce fourreau, dont elle a eu tant de peine à fe défaire.

Outre le gonflement general qui force le fourreau de la chenille à s'entrouvrir, j'ai obfervé, dans l'inftant où la fente étoit prête à fe faire, des gonflements, & des contractions alternatives & très-promptes d'une petite portion du corps, qui répondoit à celle où l'enveloppe s'ouvroit enfuite: là cette portion du deffus du corps s'abaiffoit, & s'élevoit enfuite fubitement, & par confequent la membrane étoit attaquée en cet endroit par des coups réïterés.

Il y a quelques petites varietés dans les manœuvres des crifalides de chenilles de differentes efpeces, pour fe dégager de leur fourreau, dont nous aurons occafion de parler ailleurs; nous remarquerons feulement ici que quelques-unes, après avoir affés aggrandi la fente, & après avoir fait fortir leur tête par cette fente, fe recourbent pour faire fortir leur queuë par cette même ouverture; au lieu que d'autres crifalides, après qu'elles ont dégagé leur tête, & la partie anterieure de leur corps, pouffent fucceffivement la dépouille, d'où elles veulent achever de fe tirer, vers leur derriere *, au bout duquel elle fe trouve en peu réduite en un petit paquet pliffé, & comme chiffonné *. Des contractions, & des allongements alternatifs de fon corps, produifent neceffairement cet effet, la figure de la crifalide étant conique.

* Pl. 24.
Fig. 6 & 7,
b b, q.
* Fig. 8,
p p, q.

L'intervalle eft bien court entre le moment où la crifalide a commencé à dégager fa queuë du fourreau de chenille, & celui où elle fait fortir fa tête, & tout fon corps de ce fourreau; il eft au plus d'une minute. On peut prendre hardiment l'infecte entre fes doigts quand l'operation eft commencée, on ne l'arrêtera pas; on n'y apportera même aucun retardement. C'eft un inftant bien important

Tome I.　　　　　　　　　　　　　　Ddd

pour lui, il n'y fait pas voir les craintes qu'il pourroit montrer en d'autres temps ; il a même alors une force dont il est difficile d'arrêter l'effet. Dans l'inftant où la metamorphofe commençoit à fe faire, j'ai fouvent pris la chenille, & je l'ai jettée dans l'efprit de vin pour l'y faire périr ; j'ai voulu faifir, par ce moyen, quelques-uns de ces infectes dans les differents états de leur transformation, pour les y confiderer enfuite plus à loifir. Pour peu que la fente de deffus le dos fût grande, la crifalide achevoit de fe dépouiller au milieu de l'efprit de vin, qui pourtant la faifoit périr bientôt après. Celles que j'y ai jettées dans l'inftant où elles ne faifoient que commencer à dégager leur queuë, ne fe font pas dépouillées entierement, mais elles n'ont pas laiffé d'avancer l'operation ; prefque toutes ont forcé le fourreau de chenille à fe fendre, les unes font prefque entierement forties par cette ouverture, & toutes les autres ont fait fortir par cette ouverture une portion confiderable de leur corps.

Les crifalides qu'on a mifes dans la néceffité d'achever de quitter leur dépouille dans l'efprit de vin, & qui y ont péri enfuite, font celles où il eft le plus aifé de voir diftinctement qu'elles ne font que des papillons emmaillotés. Les mouvements que fe donne l'infecte, qui y meurt d'une mort violente, redreffent fon corps, ils feparent les parties qui étoient appliquées les unes contre les autres. Les jambes, les aîles, dirigées en differents fens, flottent dans la liqueur, & ne s'y collent point les unes aux autres *.

* Pl. 22. Fig. 8, 9 & 10, & Pl. 23. Fig. 7.

Nous nous fommes affés arrêtés dans le Memoire précedent, à confiderer comment les aîles, les antennes, les jambes du papillon & fa trompe, s'il en doit avoir une, font arrangées & étenduës les unes auprès des autres fur la crifalide, dans un affés petit efpace ; qu'elles font toutes, pour ainfi dire, ramenées fur la poitrine. Nous avons vû auffi que ces mêmes parties font tout autrement placées

sur le papillon renfermé dans le fourreau de chenille *;
qu'alors les aîles sont plissées de maniere qu'elles forment
une espece de cordon qui se loge dans l'entaille qui est
entre deux articulations *; que les antennes * & la trompe
sont roulées & appliquées à plat sur le crâne. Enfin, nous
avons vû que les six jambes du papillon sont alors contenuës dans les six premieres jambes de la chenille. Tant que
l'insecte paroît sous la forme de chenille, lors même que
la peau de chenille a commencé à se fendre, les parties
dont nous venons de parler sont encore dans leur premier
arrangement, elles ne prennent celui où nous les voyons
sur la crisalide, que dans l'instant où elle acheve de se tirer
de sa dépouille. Ce ne sont point ces parties elles-mêmes
qui vont chercher la situation qui leur convient le mieux;
elles sont incapables de tout mouvement, & elles le seront
pendant long-temps; elles sont trop foibles, trop molles
pour se mouvoir, elles ne peuvent pas se soûtenir elles-
mêmes. Comment sont-elles donc toutes ramenées en
devant sur la poitrine, comment sont-elles si bien étenduës
les unes à côté des autres en ligne droite! Tout cet arrangement se fait sans que la crisalide semble chercher à le
faire; il est l'effet des mouvements qu'elle se donne pour
sortir du fourreau de chenille. Representons-nous le ventre de la chenille, dont la metamorphose est prochaine,
posé sur un plan horisontal, & que la peau de cette chenille ait déja commencé à se fendre sur le dos, qu'une
partie du dos ou du corcelet de la crisalide commence à
s'élever au-dessus des bords de cette fente. Voyons faire à
la crisalide de nouveaux efforts pour aggrandir la fente,
& pour faire sortir par son ouverture une plus grande portion de son corcelet; elle le recourbe, elle l'éleve en haut;
les frottements du fourreau de chenille, sont une des ré-
sistances qu'elle a alors à vaincre, & ce sont ces frottements

* Pl. 24.
Fig. 5.

* A a, A a.
* b, b.

Ddd ij

qui déplient les aîles, & qui les tirent en bas, qui les obligent à s'étendre, & à refter étenduës du côté du ventre.
Lorfque l'operation eft plus avancée, lorfque la crifalide
tire fa partie anterieure hors du fourreau, pour la faire
paroître au jour; des frottements de la dépouille qu'elle
quitte, doivent de même tirer en-deffous de fon corps les
antennes & la trompe. Enfin, fi elle porte en avant fa
partie anterieure, fortie du fourreau, elle obligera ces mêmes parties à s'étendre, & à s'appliquer fur fa poitrine;
les jambes qui fe dégagent alors de celles de la chenille,
doivent prendre la même direction; le fourreau pouffé
en arriere *, produira le même effet. On voit affés comment des frottements peuvent agir fuffifamment fur des
parties délicates & molles, pour les déplacer & les mettre
dans un certain arrangement; mais on ne voit pas fi bien
comment cet arrangement, que la crifalide fait pour ainfi
dire à l'aveugle, fe trouve fi exact, que la trompe eft étenduë en ligne droite précifement au milieu du corps & de
toutes les autres parties; que les aîles font étenduës autant
qu'elles le font & fi également, & que les jambes & les
antennes rempliffent fi exactement l'efpace compris entre
les aîles & la trompe, qui n'eft précifement que ce qu'il
faut pour les contenir; comment quelques-unes de ces
parties ne s'inclinent pas trop, qu'elles ne vont pas croifer
fur les autres. Lorfque la crifalide fe tire de fon fourreau,
lorfqu'elle porte la partie anterieure en avant, ou lorfqu'elle
pouffe fon fourreau en arriere, il faut que ce foit dans une
ligne bien droite, & qui foit exactement dans la direction
de la longueur du corps, & de la dépouille.

    Une crifalide qui vient de paroître au jour eft fi molle,
qu'on la bleffe fi on ne la touche pas avec grande précaution; ce font des frottements qui ont mis en leurs
places les parties que nous venons de confiderer; fi alors

* Pl. 24.
Fig. 7.

on les frotte un peu, on trouble leur arrangement, & on ne vient point à bout de le rétablir. Mais après quelques heures, ces mêmes parties sont toutes liées ensemble, de maniere qu'on ne peut plus les separer les unes des autres, sans avoir recours à des pointes dures ou à des instruments tranchants. La liqueur qui suinte du corps de l'insecte, & celle que ces parties elles-mêmes laissent échapper, leur forme à toutes un enduit commun, qui devient une espece de membrane lorsqu'il s'est bien desseché. Tous les anneaux de la crisalide, en un mot, tout son exterieur se desseche, & s'affermit aussi peu à peu: en moins de vingt-quatre heures elle devient dans un état où on peut la manier hardiment, sans risque de l'offenser.

Entre les chenilles que j'avois fait ramasser en grand nombre, pour voir le moment de la transformation, il y en avoit qui en étoient plus éloignées que les autres, & qui auroient eu besoin de prendre encore des aliments pendant plusieurs jours. Un jeûne prématuré les a fait diminuer considerablement de volume; il y en a eu qui sont devenuës si petites, qu'elles étoient méconnoissables; à peine avoient-elles la moitié de leur premiere longueur. Il y en a pourtant eu très-peu de celles-ci qui ayent péri, la plûpart se sont transformées en crisalides, mais plusieurs jours plûtard que les autres : leurs crisalides ont aussi été plus petites que celles des autres. Enfin, il en est sorti des papillons, qui ne differoient que par leur grandeur, de ceux qui venoient des chenilles de même espece qui avoient été mieux nourries. Quand on ne souftrait la nourriture aux chenilles que quelques jours avant le temps où elles se l'interdiroient elles-mêmes, on ne les empêche donc pas de se metamorphoser; il en arrive seulement qu'elles donnent de plus petits papillons.

Les manœuvres que nous venons de voir employer aux

crifalides pour fe dépouiller, font les manœuvres de celles de toutes les chenilles qui fe renferment dans des coques; immédiatement après s'y être renfermées, toutes tombent dans l'état de langueur qui les prépare à leur transformation; mais cette transformation fe fait bien plus tard dans certaines efpeces que dans d'autres. Les chenilles de l'efpece que nous venons de fuivre, & celles d'un très-grand nombre d'autres efpeces, fubiffent leur premiere metamorphofe un jour ou deux après avoir ceffé de filer; il y en a de celles-ci, qui au bout de 15 à 16 jours, paroiffent fous la forme de papillon. Mais plufieurs autres efpeces de chenilles qui fe filent des coques où elles fe renferment dans la même faifon, y reftent plus de quinze jours à trois femaines fans fe metamorphofer: ce n'eft, par exemple, qu'après ce terme que j'ai trouvé la crifalide dans la coque de la groffe & belle chenille du poirier à tubercules en grains de turquoifes; auffi y doit-elle refter renfermée pendant plufieurs mois, elle y paffe l'hyver entier, & au moins une partie du printemps. Il eft affés naturel que la premiere transformation fe faffe plûtard dans les efpeces où la derniere eft fi long-temps à fe faire. Ceci pourtant ne peut pas être pris pour une regle generale. Nous parlerons même dans la fuite de chenilles qui reftent plufieurs mois dans leur coque fous cette forme, & dont les crifalides n'y confervent la leur que deux ou trois femaines.

Des chenilles qui portent une corne fur le derriere, telles que la belle du titimale & une verte du tilleul, fe font metamorphofées fous mes yeux, & cela après les préludes ordinaires; mais pour celles-ci il y a un figne certain, qui avertit que le moment de la transformation eft proche. Si on eft attentif à obferver leur corne, on remarque, que d'opaque qu'elle étoit, elle devient tranfparente; phénomene, dont la caufe n'eft pas difficile à trouver. Quand

les parties charnuës qui rempliſſoient l'interieur de la corne
s'en ſont retirées, le paſſage de la lumiere n'eſt plus arrêté
que par les parois de cette corne. Encore un autre ſigne,
& plus aiſé à obſerver, c'eſt que peu après que la corne
eſt devenuë tranſparente, elle tombe ſur le corps de la
chenille, au-deſſus duquel elle étoit élevée auparavant;
les muſcles neceſſaires pour la ſoûtenir l'ont abandonnée.
J'en ai vû qui ſe ſont metamorphoſées un quart-d'heure
après la chûte de la corne.

Les ſtigmates, ces dix-huit bouches qui donnent entrée
à l'air que les chenilles reſpirent, ſemblent ſe fermer
quand l'inſtant de la transformation approche ; alors les
deux demi-circonferences du cordon qui marquent le
contour de l'oval ſe redreſſent, elles forment un oval plus
étroit & plus allongé: ces ſtigmates reſtent bien entiers
ſur la dépouille. Une des meilleures manieres même de ſe
convaincre de la réalité de la fente, dirigée ſelon le grand
diametre de chaque ſtigmate, qui ſemble les partager chacun en deux parties égales, c'eſt d'obſerver une dépouille
d'une groſſe chenille du côté interieur. J'ai obſervé celle
de la groſſe & belle chenille du poirier, de ce côté là, &
j'ai très-bien vû l'ouverture ou la fente en queſtion. Mais
ce qui m'a paru de plus alors, c'eſt que les deux lames
égales, ſeparées par cette fente, tendoient à ſe rencontrer
ſous un angle, dont la convexité étoit vers l'interieur
du corps de la chenille; ce qui s'accorde très-bien avec
ce que nous avons voulu établir ailleurs, par rapport à
la reſpiration des chenilles. Les deux lames qui compoſent le fond du ſtigmate, ſont diſpoſées comme ces portes d'écluſe, qui permettent l'entrée à l'eau qui vient
d'un certain côté, & qui s'oppoſeroient à la ſortie de
celle qui voudroit retourner d'où elle eſt venuë. Nos deux
lames ſont deux valvules, qui laiſſent un libre paſſage à

l'air qui se presente pour entrer dans le corps de la chenille, & qui par leur disposition, semblent le devoir refuser à celui qui feroit effort pour en sortir.

Malgré les stigmates qui sont restés sur la dépouille de chenille, si on examine une crisalide de plusieurs jours, on y retrouve encore les stigmates semblables à ceux qu'on a vûs à la chenille dans les derniers temps; à cela près, qu'ils ont plus de relief, que les bords interieurs & opposés du cordon se sont plus rapprochés, & presque jusqu'à se toucher: le vuide qui reste dans l'interieur du cordon est si peu considerable, qu'il ne devient souvent sensible, que quand on observe un stigmate avec la loupe. Reste-t-il alors des ouvertures réelles aux stigmates, capables de donner des passages à l'air! En un mot, la crisalide, dans cet état d'engourdissement, respire-t-elle encore! On ne trouveroit pas étrange qu'alors le papillon, qui, comme le fœtus, est tout baigné d'eau, ne respirât pas. Mais si il respire, est-ce par les stigmates!

Pour commencer à éclaircir ces questions, j'ai entouré une crisalide d'un fil, avec lequel je l'ai suspenduë verticalement le derriere en bas; le bout superieur du fil étoit arrêté avec un peu de cire contre la partie saillante d'une corniche de cheminée. J'ai ensuite placé un vase plein d'huile au-dessous de cette crisalide, à telle hauteur que la partie posterieure de la crisalide étoit plongée dans l'huile jusques à l'endroit où les aîles se terminent. Cette crisalide étoit née depuis plusieurs jours, & étoit de celles d'où le papillon n'en est que 15 à 16 à sortir. J'ai laissé ainsi sa partie posterieure dans l'huile pendant plus d'une heure; quand je l'en ai eû retirée, elle avoit sa premiere vigueur, c'est-à-dire, que lorsqu'on inquietoit cette crisalide, elle agitoit sa partie posterieure; d'où il suit, que les ouvertures des stigmates de cette partie étoient alors bien

bouchées;

bouchées; fi elles euffent fubfifté, fi elles euffent été néceffaires à la refpiration, l'infecte eût été étouffé, ou au
moins fa partie pofterieure fût devenuë paralytique, comme il arrive à celle des chenilles en pareil cas.

J'ai de même tenu dans l'huile, & pendant le même
temps, la partie pofterieure d'une crifalide de l'efpece de
la précedente, qui n'étoit éclofe que depuis quelques
heures; je l'en ai tirée mourante ou morte. D'où il fuit
qu'elle a été étouffée par l'huile, & que les ouvertures des
ftigmates fubfiftent dans la crifalide nouvellement née, &
qu'elles lui fourniffent un air, dont elle ne peut être privée,
fans perdre la vie.

Voilà donc des ftigmates ouverts dans la nouvelle
crifalide, qui lui font effentiels dans les premiers temps,
& qui dans la fuite lui deviennent inutiles. Eft-ce qu'il y
auroit un temps où la crifalide cefferoit d'avoir befoin de
refpirer! Une troifiéme experience, femblable aux deux
premieres, excepté que la crifalide a été plongée dans
l'huile dans une pofition contraire, c'eft-à-dire, la tête en
bas, & jufques un peu par-delà l'origine des aîles, a décidé
cette nouvelle queftion. La crifalide étoit de celles dont
la partie pofterieure eût été tenuë dans l'huile fans qu'elles
en euffent fouffert; cependant la partie anterieure y ayant
été plongée, elle y a été étouffée; elle y eft morte. De
ces trois experiences nous devons donc conclurre, que
tous les organes de la refpiration qui étoient néceffaires à
la chenille, le font encore au papillon dans les premiers
temps qu'il paroît fous la forme de crifalide; qu'une partie de ces organes fe bouche par la fuite; que lorfque le
papillon s'eft fortifié jufqu'à un certain point, il n'y a
plus d'ouvertures pour lui fournir de l'air qu'à la partie
anterieure de la crifalide. Auffi le papillon parfait, le papillon qui vole dans nos campagnes, ne refpire par aucun

Tome I.   . E e e

des anneaux de son corps: on peut les huiler tous sans lui nuire; mais on l'étouffe si on huile certains endroits de son corcelet ou de sa partie anterieure.

Quand nous ne le dirions point, on penseroit sans doute, que les stigmates qui doivent se fermer, se ferment plûtard dans les crisalides qui ont à rester plus long-temps crisalides. Celles, par exemple, qui sortent de la belle chenille du titimale, respirent l'air par tous leurs stigmates, au moins pendant trois mois & demi; c'est sur des crisalides de cet âge que j'ai fait les observations que je vais rapporter, qui nous apprendront, que malgré la ressemblance des organes exterieurs, le méchanisme de la respiration n'est pas le même dans les chenilles & dans les crisalides. Nous croyons avoir prouvé dans le troisiéme Memoire, que l'unique usage des stigmates des chenilles étoit de donner entrée à l'air, qu'ils ne servoient qu'à l'inspiration, mais que cet air, qui étoit entré par les stigmates, étoit porté par les bronches à toutes les parties de l'insecte où il trouvoit des ouvertures, par lesquelles il étoit forcé de s'échapper, & que c'étoit-là l'expiration; qu'une partie de cet air sortoit par la bouche, une autre par l'anus, & que la plus grande partie avoit ses issuës au travers de la peau même de la chenille; que cette peau étoit, pour ainsi dire, criblée d'une infinité de trous destinés à le laisser sortir. La premiere experience qui nous a forcé à reconnoître que la respiration des chenilles s'accomplit d'une façon si differente de celle des grands animaux, est simple; c'est de tenir une chenille sous l'eau: on ne voit point, ou on voit très-rarement, des bulles d'air sortir des stigmates, pendant que tout le reste du corps s'en couvre. Une semblable experience étoit également propre à nous éclaircir de la maniere dont se fait la respiration des crisalides. J'ai mis sous l'eau une de celles de la belle chenille du titimale,

née depuis plus de trois mois & demi *, & j'ai été attentif
à obferver fi il s'en éleveroit des bulles d'air, & d'où elles
partiroient. Il n'en a paru aucune fur les anneaux, fur le
corcelet, & fur tout ce qui peut être pris pour la peau, &
c'eft à quoi on devoit s'attendre; les anneaux font alors devenus comme cartilagineux, ils font de plus enduits d'une
efpece de vernis, formé par la liqueur vifqueufe qui s'eft
deffechée fur toute la furface du corps.

 Mais j'ai vû bien-tôt une bulle d'air s'élever, & quelquefois j'en ai vû partir plufieurs à la file les unes des autres, d'un des deux ftigmates les plus proches de la tête *,
c'eft-à-dire, d'un de ceux qui font à l'origine des aîles,
à leur jonction avec le corcelet. Apparemment que des
bulles d'air fortoient de même du ftigmate oppofé, que
je ne pouvois voir. Pendant une ou deux minutes aucunes bulles n'ont paru s'échapper des autres ftigmates;
mais après ce petit intervalle de temps, la crifalide a marqué qu'elle fe trouvoit mal à fon aife, en faifant mouvoir deux ou trois fois fa partie pofterieure dans des
fens oppofés, & cela avec viteffe. Pendant ces mouvements, tous les ftigmates qui étoient tournés vers mes
yeux *, m'ont paru s'ouvrir un peu; mais ce qui n'étoit
pas équivoque, c'eft que j'ai vû venir à l'orifice de chacun une bulle d'air: les fix ou fept ftigmates que je voyois
à la fois en avoient chacun une à peu-près également
groffe, & je les ai vû toutes s'en détacher enfuite & s'é-
lever dans l'eau.

 J'ai repeté cette experience fur plufieurs crifalides de
cette efpece, & fur d'autres de plufieurs efpeces differentes. Le fuccès en a toûjours été à peu-près le même; l'air
eft toûjours forti par les deux premiers ftigmates en plus
grande quantité que par les autres; ils ne fe bouchent
point, quelque prochaine que foit la transformation; &

* Pl. 24.
Fig. 9.

* Fig. 9. T.

* ſſſſ. &c.

E e e ij

de là vient, que, même, près de ce temps on étouffe une
crifalide, lorfqu'on plonge dans l'huile fa partie anterieure.
Ces premiers ftigmates font apparemment ceux qui com-
muniquent avec les ouvertures par où le papillon refpirera,
quand il fe fera dégagé de fa derniere enveloppe. Dans
nos crifalides de la belle chenille du titimale, j'ai vû par
les bulles d'air que rejettoient plufieurs ftigmates des côtés, qu'ils étoient encore ouverts un jour ou deux avant
que ces crifalides fe transformaffent en papillons, il n'y
avoit que les plus proches du derriere qui fuffent bouchés. Le 16. Juin plufieurs papillons fortirent des crifalides dans lefquelles des chenilles de la plus belle des efpeces du chou s'étoient transformées. Je mis quelques crifalides du même âge & de même efpece dans l'eau; je les
y tins plus d'un demi-quart d'heure, fans que les ftigmates
des côtés laiffaffent échapper d'air.

L'air fort donc par les ftigmates de la crifalide, au lieu
qu'il ne fort point par ceux de la chenille; comme il ne
paroît pas fur les crifalides d'autres ouvertures qu'on puiffe
foupçonner capables de donner entrée à l'air dans leur
corps, il y entre & il en fort par celles des ftigmates. La
refpiration fe fait donc alors, comme celle des plus grands
animaux, dans l'infecte en qui elle fe faifoit differemment
lorfqu'il étoit chenille.

C'eft de quoi j'ai eu des preuves completes, dans les
experiences que j'ai faites au moyen de la machine pneumatique. J'ai mis des crifalides de differentes efpeces dans
un petit récipient. J'étois curieux de voir ce qui arriveroit au volume de leurs corps; leur enveloppe exterieure,
cartilagineufe, ou plûtôt formée d'un enduit de vernis,
ne me paroiffoit pas propre à laiffer paffer l'air, mais il
ne me paroiffoit pas auffi qu'elle fût de nature à fe laiffer
étendre. Auffi les coups de pifton n'ont point fait gonfler

les corps des crifalides; ils ont pourtant augmenté le volume de chacune affés confiderablement : le corps s'eft
allongé, fes anneaux, qui font en recouvrement les uns
fur les autres dans l'état naturel, fe font déboités, fe font
écartés les uns des autres. L'air contenu dans le corps de
la crifalide qui n'avoit pas d'iffuë au travers de fa peau, &
qui n'en avoit pas de fuffifantes par les ftigmates, s'eft
dilaté, & a forcé le corps à s'étendre dans le fens où il y
avoit moins d'obftacle à l'extenfion. Il eft donc certain,
que lorfqu'on pompe l'air de la machine pneumatique,
le volume du corps des crifalides augmente, pendant que
celui du corps des chenilles refte le même. Le corps des
chenilles donne un très-grand nombre d'iffuës à l'air qui y
eft contenu, & le corps des crifalides ne donne que peu
d'iffuës à l'air qu'il renferme.

Enfin, j'ai mis fous le récipient un vafe de verre, qui
contenoit de l'eau qui avoit été purgée d'air, & dans ce
vafe, j'ai tenu une crifalide plongée dans l'eau; j'avois entouré fon corps d'un fil, & chargé d'un poids les bouts
de ce fil. Dès qu'on a eu donné un coup ou deux de
pifton, de groffes bulles d'air ont paru fur chaque ftigmate,
elles en font forties par jets; & il a paru peu, & de petites bulles fur les autres endroits du corps de la crifalide.
Tout au contraire de ce que les chenilles font voir en
pareil cas, où leurs ftigmates ne donnent point, ou peu
d'air, & où leur peau en donne beaucoup. J'ai pourtant vû des crifalides mifes dans l'eau ordinaire, qui ont
eu la peau toute couverte d'air; mais c'étoient des crifalides dont la peau ne s'étoit pas encore durcie.

Ces obfervations m'ont engagé à confiderer avec plus
d'attention qu'on ne l'a fait, les ftigmates de la crifalide;
ces organes ne font point fi petits, qu'on ne puiffe voir
avec une bonne loupe des differences entr'eux, & les

E e e iij

organes de la respiration des chenilles. Ce sont les deux stigmates les plus proches de la tête qu'on observera par préference sur la crisalide *, ils sont les plus grands & les plus ouverts; leur forme exterieure differe un peu de celle des autres; leur contour est assés semblable à celui d'un œil à demi ouvert *. Le cordon par lequel il est marqué, renferme un espace un peu évasé au milieu, & qui à chaque bout se termine par un angle aigu *. Vers la base du cordon, sur chacune de ses demi-circonferences interieures, on distingue deux petites lames qui ressemblent d'autant mieux à des paupieres, qu'elles paroissent bordées de poils; & observées avec des loupes fortes, elles paroissent uniquement composées de poils arrangés sur un même plan, & très-pressés les uns contre les autres. Entre ces deux lames de poils, entre ces deux paupieres, il reste un vuide assés sensible pour laisser voir au-dessous d'elles des parties qui sont dans le fond du stigmate. Jamais on ne voit mieux les deux paupieres, que lorsqu'on a mis une goute d'eau sur leur stigmate, elles paroissent s'approcher l'une de l'autre, comme pour fermer passage à la goute d'eau : je ne les ai pourtant jamais vû se rapprocher jusques à se toucher. Pendant que cette goute d'eau reste en place, on apperçoit de petites bulles d'air qui se détachent du fond du stigmate, & qui paroissent partir de chacun de ses angles.

Lorsqu'on met de l'huile sur ces stigmates, les bulles qui s'élevent sont considerablement plus petites, elles ne sont grosses que comme la pointe d'une épingle, l'huile s'y introduit apparemment plus aisement. Les paupieres ont été faites pour boucher l'entrée à l'eau qui peut tomber sur les crisalides, mais elles ne sont point faites pour boucher l'entrée à l'huile, que les crisalides n'ont pas à craindre dans la campagne. La structure des stigmates des côtés, est la même que celle du premier stigmate; celui-ci ne diffère des autres que par son contour : il y a des temps où l'on voit dans les autres un vuide entre leurs especes de paupieres *, & il y a des temps où les paupieres se touchent *.

La difference est sensible entre la structure de ces stigmates, & celle des stigmates des chenilles: dans ces derniers on ne voit jamais d'ouvertures; il y a à la verité une fente tout du long du grand diametre, qui marque la separation des deux membranes qui remplissent l'oval, mais ces deux membranes paroissent se toucher; chacune d'elles paroît composée de fibres cilaires, mais qui forment une membrane continuë; au lieu que les paupieres des stigmates de la crisalide, ne sont faites que de poils pressés les uns contre les autres.

Mais pour voir davantage encore sur la structure de cet organe, il faut considerer les stigmates d'une crisalide qui vient de se tirer du fourreau de chenille. J'en avertis, afin qu'on profite mieux de ce moment, que je n'ai fait, lorsqu'on saisira celui de la metamorphose des grosses chenilles. Une infinité de choses curieuses qui se présentent dans un temps très-court, ne m'ont pas laissé penser que les stigmates étoient des parties qui méritoient alors le plus d'attention; je ne me suis avisé de leur en donner, que sur des crisalides d'une médiocre grosseur, sur les crisalides angulaires de la plus belle chenille du chou; j'y ai pourtant vû distinctement ce que je vais rapporter, mais on en verroit apparemment encore davantage sur de plus grosses crisalides.

J'ai donc observé les stigmates sur une, & ensuite sur plusieurs autres de ces crisalides qui venoient de se dépouiller. Dans ces premiers instants ils sembloient plus grands que ne l'étoient ceux de la chenille; ce qui étoit plus remarquable, c'est que l'interieur de l'espace renfermé par le cordon, n'étoit ni rempli par les deux membranes qui y sont sur la chenille, ni occupé en partie par les paupieres dont nous avons parlé ci-dessus, qui peut-être n'étoient pas encore dépliées. Le cordon, en un mot, ne paroissoit entourer qu'un vrai trou de forme d'entonnoir tronqué & oval; sa profondeur ne sembloit guéres moindre que le plus grand diametre de l'ouverture exterieure. Le fond de ce trou paroissoit occupé par une membrane blanche, percée au milieu par une ouverture ovale, par laquelle on voyoit quelque partie du papillon, de couleur verte. Tout cela étoit assés sensible pour être apperçû par de bons yeux, & lorsqu'on leur donnoit le secours de la loupe, la membrane du fond du stigmate paroissoit composée de fibres cilaires; le trou percé au milieu de cette membrane, peut augmenter ou diminuer comme celui de la prunelle. J'ai plongé une de ces crisalides dans l'eau, & pendant que je l'y tenois, j'ai vû que les bords du trou de cette membrane se sont approchés jusqu'à se toucher; j'ai tiré la crisalide hors de l'eau, l'ouverture a reparu, & a repris son premier diametre.

L'usage de cette ouverture, dans une partie destinée à donner passage à l'air en differents temps, & à le lui fermer ensuite, est aisé à imaginer. Mais j'ai vû de plus très-distinctement le jeu d'une autre membrane située au-dessous de celle qui est percée, elle venoit couvrir en tout ou en partie, l'ouverture de la premiere; elle se retiroit ensuite pour revenir s'appliquer à peu-près devant la même ouverture; mouvements que j'ai vû se repeter pendant plusieurs minutes, & ces mouvements n'étoient point équivoques; toutes les fois que cette espece de soupape, ou peut-être cette espece de volant de soufflet s'étoit retirée, on voyoit par le trou, du verd, & on ne voyoit que du blanc,

blanc, quand le trou avoit été bouché par une soupape
blanche.

Au reste, on n'a au plus qu'un quart d'heure pour observer tout cela; car peu à peu le diametre de l'ouverture
des stigmates diminuë, les deux bords interieurs du cordon
se redressent & s'approchent l'un de l'autre, au point de
paroître presque se rencontrer sur le grand diametre de
l'oval, & de ne laisser voir entr'eux aucun vuide bien sensible; il n'y a qu'entre les deux premiers stigmates, où,
comme nous l'avons dit, le vuide reste plus grand, & où
l'on voit mieux ces parties que nous avons nommées les
paupieres.

Il est assûrement singulier, que la circulation de l'air se
fasse si differemment dans le même insecte, selon qu'il est
sous la forme de chenille ou sous celle de crisalide; mais il
paroîtra peut-être encore plus singulier que, dans ces deux
états, la circulation du sang se fasse en des sens directement contraires. La grande artere, ce gros vaisseau, que
M. Malpighi a regardé comme le cœur de la chenille, ou
comme une suite de cœurs, & qui regne tout du long
de son dos, pousse dans la chenille la liqueur du derriere
vers la tête: ce même vaisseau, au contraire, pousse dans
la crisalide la liqueur de la tête vers la queuë. C'est ce
qu'on peut observer dans les crisalides qui sont encore
transparentes, parce qu'elles se font nouvellement dépouillées. La direction du cours de cette liqueur, qui tient
lieu de sang, est la même dans le papillon sorti de la crisalide, c'est-à-dire, que le sang continuë de circuler dans un
sens contraire à celui où il circuloit dans la chenille; mais
c'est de quoi nous aurons encore occasion de parler, lorsque nous nous arrêterons à examiner la structure interieure du papillon.

EXPLICATION DES FIGURES

DU NEUVIEME MEMOIRE.

PLANCHE XXIV.

LA Figure 1, est celle d'une chenille que nous avons nommée *chenille à oreilles*, du chêne & de l'orme; elle est déja representée, mais dans un âge moins avancé, Pl. 4. Fig. 1.

    o, o, les houppes de poils qui lui font des especes d'oreilles.

La Figure 2, est celle de la même chenille prête à se metamorphoser, & qui est entourée de quelques fils de soye, qui lui font une très-mauvaise coque.

La Figure 3, fait voir cette chenille dans l'instant où elle est près de cesser de paroître chenille, dans l'instant où la crisalide se défait du fourreau de chenille.

    Ff, l'endroit où la peau est fenduë, & où une partie du dessus du dos de la crisalide est à découvert. Ce qu'on doit encore remarquer dans cette figure, c'est que la partie *p q,* de la peau de la chenille est actuellement vuide; le derriere de la crisalide s'en est retiré.

La Figure 4, est celle de la crisalide de cette chenille, vûë du côté du dos.

La Figure 5, est celle d'une crisalide de la chenille appellée *livrée,* grossie à la loupe. Elle a été retirée du fourreau de chenille un peu avant le temps où elle s'en seroit tirée elle-même, afin de voir comment sont placées les parties de la crifalide, ou, ce qui eſt la même choſe, celles du papillon, pendant qu'il eſt caché ſous l'habit de chenille.

A a, A a, les quatre aîles, qui, quelque choſe que j'aie fait, ſe ſont un peu étenduës, pendant que je retirois le fourreau.

b b, les antennes.

Les Figures 6, 7 & 8, ont été priſes dans l'inſtant où une criſalide ſe tiroit d'une dépouille de chenille raſe. Celle-ci, après avoir fait ſortir ſa partie anterieure hors du fourreau, le pouſſoit en paquet au bout de ſon derriere.

a b b, Fig. 6. eſt la criſalide vûë du côté du dos, qui a pouſſé ſa dépouille vers *p.*

p q, portion de la peau de chenille réduite à un petit paquet, comme chifonné.

La Figure 7, eſt celle de la criſalide vûë du côté du ventre, dont la partie *a b b,* eſt hors de la dépouille.

q, portion de la dépouille qui a été quittée.

La Figure 8, vûë du même côté que la Fig. 7. eſt celle de la criſalide qui s'eſt encore plus tirée de ſon fourreau. Les anneaux *b b, p p,* ſe ſont nouvellement dégagés.

q, partie de la dépouille qui a été pouſſée au bout du derriere.

La Figure 9, eſt celle d'une criſalide de la belle chenille du *titimale,* groſſie, & repreſentée ſur le côté, pour faire voir ſes ſtigmates.

ſſſ, &c. huit des ſtigmates.

T, le neuvieme ſtigmate, le plus proche de la tête, qui eſt le plus grand de tous.

La Figure 10, eſt celle du ſtigmate *T,* extremement grandie. On voit au-deſſous de ſon rebord deux eſpeces de paupieres formées de poils, posés très-proche les uns des autres.

La Figure 11, est en grand, celle d'un des stigmates des côtés, qui est ouvert. Alors les fibres ciliaires, qui occupent le fond de cette espece d'entonnoir à base elliptique, laissent entr'elles un vuide.

La Figure 12, est celle du même stigmate de la Figure 11, dont les fibres ciliaires se sont rapprochées jusques à se toucher.

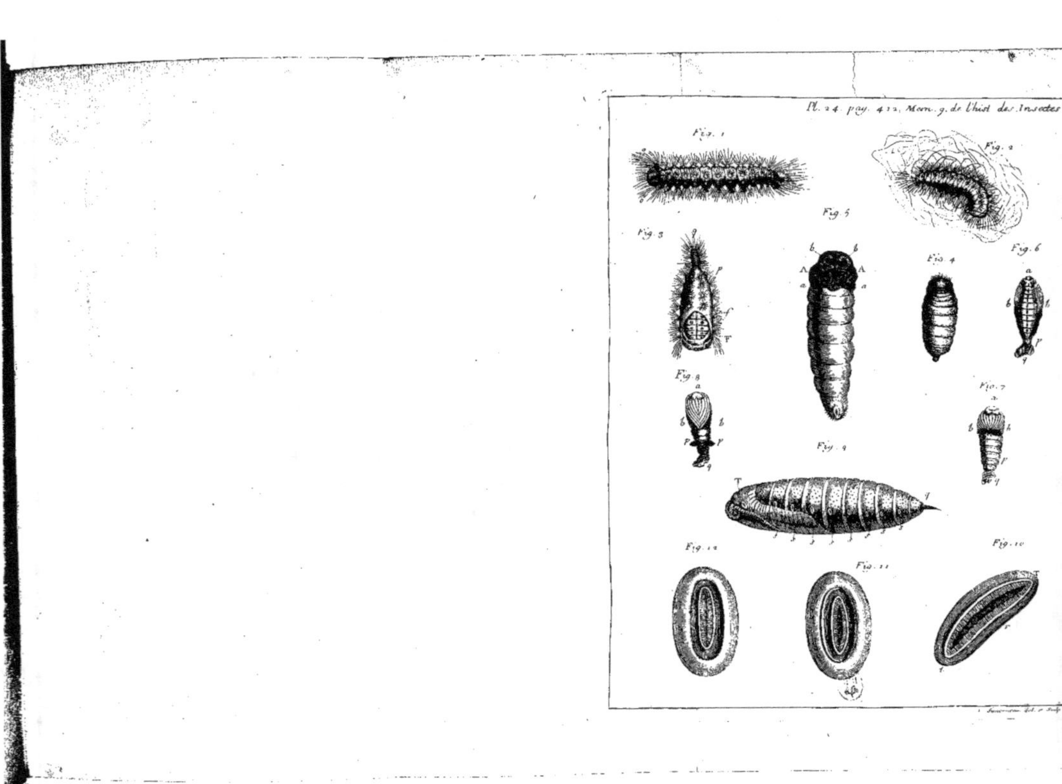

Pl. 24. pag. 412. Mem. 9. de l'hist. des Insectes
Fig. 1
Fig. 2
Fig. 3
Fig. 4
Fig. 5
Fig. 6
Fig. 7
Fig. 8
Fig. 9
Fig. 10
Fig. 11
Fig. 12

DIXIEME MEMOIRE.

DE L'INDUSTRIE
DES CHENILLES

*Qui se pendent verticalement par le derriere la tête en
bas pour se metamorphoser. Comment la Crisalide
se trouve penduë par la queuë dans la place où étoit
la Chenille. Et de quoi dépend la belle couleur d'or
de plusieurs especes de Crisalides.*

APRES avoir vû l'essentiel de la mécanique qui met
les crisalides en état de se tirer de leur fourreau de
chenille, il nous reste à present à observer les industries
qui donnent à celles de plusieurs especes des facilités pour
executer cette grande operation. Nous avons dit, qu'entre
les chenilles qui ne se filent point de coques, il y en a qui,
lorsque le temps de la transformation approche, se pendent la tête en bas; elles sont uniquement arrêtées par
l'extremité posterieure de leur corps: la crisalide se trouve
ensuite penduë la tête en bas, précisement dans la même
place où étoit la chenille. Tout cela n'est peut-être pas
aussi simple qu'on le croiroit d'abord.

La premiere difficulté, est de sçavoir comment la chenille parvient à se pendre ainsi. Toutes sçavent filer des fils
qui sont encore gluants dans le premier instant qu'ils sortent de la filiere, mais ils sortent de la tête, & on ne voit
pas trop comment la chenille colleroit son derriere avec des
fils tirés d'auprès de sa tête; aussi n'est-ce pas là comment
elle s'y prend. Mais ignorons encore pour un moment, les
moyens qu'elle employe pour y parvenir; representons-

F ff iij

nous la chenille pendante en l'air : comment dans cette situation l'insecte va-t-il se dépouiller de cette peau, & des parties qui lui donnent & la forme & l'état de chenille! Comment encore, & c'est ce qui est le plus difficile à imaginer, voit-on la crisalide penduë précisément dans la même place où on a vû pendre la chenille? Quand la chenille s'est attachée, tout ce qui appartient à la crisalide étoit recouvert par la peau de chenille, c'est donc une partie propre à la chenille qui a été attachée; comment donc la queuë de la crisalide se trouve-t-elle par la suite arrêtée dans le même endroit où l'étoit une partie propre à la chenille? Enfin il est à remarquer que la dépouille, la peau de chenille n'est plus dans la place où elle étoit attachée lorsqu'elle renfermoit la crisalide, on ne la retrouve plus, c'est même envain qu'on la cherche; qu'est-elle devenuë?

Ce n'est qu'en voyant operer ces insectes qu'on peut découvrir leurs mysteres, mais les momens de les voir operer sont difficiles à saisir. Swammerdam, qui avoit tant observé les plus petits animaux, parle avec admiration de la maniere dont les chenilles se pendent, de la maniere dont ces insectes quittent alors leurs dépouilles; mais il en parle comme d'operations qu'il n'avoit jamais vû executer. Ce qui lui paroît surprenant, c'est que la chenille sache choisir pour s'attacher la seule partie de son corps qui ne se doit point dépouiller. Mais ce n'est point là du tout ce qu'il y a ici d'admirable, la dépouille de la chenille, qui est rejettée, est absolument complete; la partie qui a servi à attacher la chenille, ne sert aucunement à attacher la crisalide.

Ces manœuvres de nos chenilles, comme celles de se lier au travers du corps, ont generalement échappé à ceux qui ont le plus étudié les insectes, à ceux qui se sont fait un amusement de nourrir des chenilles de toutes especes pour en avoir des papillons. M. Valisnieri mérite pourtant d’être excepté, il a vû une partie des procedés que nous voulons expliquer, mais il ne paroît pas les avoir vû bien complets, quelques-uns même des plus curieux; ne font pas du nombre de ceux qu’il a indiqués.

Aussi, entre ces procedés, les plus dignes de notre admiration font quelquefois si prompts, qu’il n’est qu’un hazard heureux qui puisse les faire voir, lorsqu’on ne nourrit qu’une ou deux chenilles de la même espece; ce qui suffit souvent à ceux qui ne veulent que connoître les papillons des differentes chenilles. Comme j’avois un autre objet dans mes observations, j’ai eu recours à l’expedient simple dont j’ai parlé dans le huitiéme Memoire, au moyen duquel on multiplie à son gré des évenements, qui autrement seroient très-rares, & on les multiplie à un point où il n’est presque pas possible qu’on puisse manquer de les voir. J’ai rassemblé un bon nombre de chenilles d’une de ces especes à qui je sçavois l’industrie de se pendre par le derriere. Je les ai prises dans un temps où les unes n’avoient plus besoin d’être nourries, & où les autres ne demandoient à l’être que pendant peu de jours. J’ai choisi par préference celles d’une espece très-commune, afin d’en avoir autant que j’en aurois besoin, & afin qu’on pût plus commodement repeter mes observations, si l’on en avoit envie. Des chenilles de plusieurs autres especes ont dans la suite executé sous mes yeux les manœuvres singulieres que les premieres m’avoient montrées; car il y en a beaucoup d’espe ces à qui cette façon de se mettre en état de se metamorphoser est commune : elle l’est generalement à toutes les chenilles épineuses que je connois, & elle n’est pas particuliere à celles qui font épineuses; il y en a de rases qui font semblablement posées lorsqu’elles se transforment.

Des chenilles noires & épineuses, de médiocre grandeur*, assés communes sur l’ortie, où elles vivent en societé, * Pl. 25. Fig. 3.

font celles dont je fis une grande provifion, & celles auffi aufquelles nous allons nous fixer. Au premier coup d'œil cette chenille paroît entierement noire, & d'un très-beau noir; mais fi on la confidere de près, on apperçoit qu'elle eft toute picquée de points blancs, diftribués fur chaque anneau en deux rangs qui fuivent fa courbure. Chaque anneau du milieu du corps porte fix épines; elle n'en a que deux fur le fecond, & elle n'en a point fur le premier. Le deffous de fon ventre, & fes jambes inter-mediaires font d'une couleur rougeâtre, tant qu'elle eft petite, & même jufques à ce qu'elle ait changé de peau pour la derniere fois. Elles vivent enfemble; c'eft dans des toiles, qu'elles ont filées en commun, qu'elles changent de peau.

Lorfque le temps approche où les chenilles de cette efpece doivent ceffer d'être chenilles, elles quittent ordinairement la plante qui les a fourni jufques-là d'aliment. Après avoir un peu erré, elles fe fixent quelquepart; & enfin elles fe pendent de façon que leur tête eft en bas, & que leur corps allongé fe trouve dans une pofition verti-cale. Une de ces chenilles eft ainfi penduë dans la Fig. 4. Pl. 25. elle l'eft à une feuille d'ortie; ce n'eft pourtant pas là la place qu'elles choififfent ordinairement, elles veulent de plus folides appuis, tels que font ceux des chenilles ou des crifalides des autres figures de la même Planche.

L'induftrie à laquelle elles ont recours pour fe pendre de la forte, eft plus fimple que tout ce que j'avois ima-giné, & plus convenable à la fuite des manœuvres qu'elles auront à faire. Quand la foye vient de fortir des filieres des infectes, elle eft gluante, & s'attache par fa vifcofité à tous les corps fur lefquels elle eft appliquée. J'avois crû que c'étoit avec de ces fils gluants, des fils récemment filés, que la chenille colloit fon derriere contre quelque

corps

corps folide: des fils fervent auffi à la tenir, mais ils ne
font nullement gluants, lorfqu'elle s'y attache. Elle commence par couvrir de fils tirés en differents fens une affés
grande étenduë de la furface du corps contre lequel elle
veut fe fixer. Après l'avoir tapiffée d'une efpece de toile
mince, elle ajoûte differentes couches de fils fur une petite
portion de cette furface; la difpofition des nouvelles couches eft telle, que la fuperieure eft toûjours plus petite que
celle fur laquelle elle eft appliquée; ainfi toutes enfemble, forment une efpece de monticule de foye, de figure
à peu-près conique, & tel qu'il eft reprefenté vû au microfcope Pl. 25. Fig. 18 *. Des chenilles de quelques au · * *m m.*
tres efpeces, m'ont même fait voir une petite pratique pour
parvenir à la conftruction de ce monticule de foye, qui m'a-
voit échappé lorfque j'obfervois celles de l'ortie. Quand
il s'agit fimplement de tapiffer de foye une furface, la chenille étend fimplement fur cette furface le fil qu'elle tire
de fa filiere; mais quand elle en eft à l'endroit où elle veut
faire le monticule de foye renverfé, ce monticule qui def-
cend au-deffous du plan, après avoir appliqué fa tête, ou
ce qui eft la même chofe, fa filiere, contre un des endroits
où doit être la bafe de ce petit tas de fils de foye, elle
éloigne fa tête de cet endroit, elle la ramene enfuite pour
l'appliquer affés proche de l'endroit où elle étoit d'abord;
c'eft une manœuvre qu'elle repete un grand nombre de
fois, & l'effet qu'elle produit eft aifé à voir. La tête en
s'éloignant file; ainfi en éloignant fa tête du plan, & la
rappliquant enfuite contre ce plan, elle met en deffous de
ce plan un fil plié en double; d'un grand nombre de pareils fils il fe forme donc une maffe de foye qui pend au-
deffous du plan. Une autre circonftance à remarquer, &
importante pour la fuite, c'eft que cette maffe eft un
affemblage de fils qui ne compofent pas un tiffu ferré, un

Tome I. Ggg

aſſemblage de fils qui ſont comme flottants, ou mal entrelacés les uns avec les autres ; enfin chacun de ces fils eſt
une eſpece de boucle.

Le monticule de ſoye étant fini, la chenille eſt en état
de ſe pendre, & elle ne tarde pas à le faire. Celles dont
nous parlons ont ſeize jambes. Nous avons aſſés expliqué
ailleurs la ſtructure de l'eſpece de pied qui termine chacune des membraneuſes ; nous avons ſur-tout fait remarquer l'arrangement des crochets de differentes longueurs
dont les pieds ſont armés ; nous avons vû que chaque
pied eſt entouré d'une demi-couronne de deux rangs
de crochets, les uns plus grands, & les autres plus petits.
Au moyen de tant de crochets, il eſt bien facile à la chenille de s'accrocher, dès qu'elle a preparé, comme nous
venons de le voir, une petite maſſe de fils de ſoye. C'eſt
ſeulement avec ceux de ſes deux derniers pieds qu'elle s'y
cramponne ; elle n'a qu'à preſſer ces deux pieds contre le
petit monticule de ſoye, dans l'inſtant, pluſieurs des crochets dont ils ſont heriſſés s'y embarraſſent. On la voit qui
pouſſe ſes jambes poſterieures contre ce monticule de ſoye,
ſans les retirer, ou au moins leurs bouts, des endroits contre
leſquels elle les a fixés, elle étend ſon corps en avant, & le
retire enſuite en arriere. Par ces mouvements alternatifs de
contraction & d'allongement du corps, qu'elle repete ſept
à huit fois de ſuite, elle pouſſe ſes dernieres jambes contre
le monticule de ſoye, elle preſſe les crochets des pieds
pour les y mieux engager. Quand elle ſent que les crochets y ſont bien cramponnés, qu'elle y eſt ſolidement
arrêtée, elle laiſſe tomber ſon corps dans une poſition verticale *; ſa tête ſe trouve par conſequent en bas. Alors la
chenille ſemble n'être tenuë & attachée que par le derriere,
parce que les deux dernieres jambes l'excedent de peu, &
qu'elles partent du dernier anneau.

* Pl. 25.
Fig. 4.

Il m'eſt arrivé bien des fois, ſoit à deſſein, ſoit ſans le
vouloir, de décrocher une chenille; je la raccrochois ſur
le champ, il me ſuffiſoit d'appliquer ſes derniers pieds
contre le monticule de ſoye; armés d'autant de crochets
qu'ils le ſont chacun, & de crochets diſpoſés, comme ils
le ſont, ſur la circonference d'un demi-cercle, il n'eſt pas
poſſible qu'il n'y en ait un grand nombre qui ſaiſiſſent
des brins de ſoye, & un ſeul auroit la force de ſuſpendre
l'inſecte.

Notre chenille ayant donc bien accroché ſes pieds de
derriere, elle laiſſe tomber ſon corps, qui dans le premier
inſtant eſt dans une poſition verticale, & autant allongé
qu'il peut l'être *. Mais bien-tôt elle en courbe la partie   * Pl. 25.
qui eſt depuis la tête juſqu'auprès de l'origine des pre-   Fig. 4.
mieres jambes membraneuſes, de façon que la convexité
de la courbure eſt du côté du dos *; la tête, par conſe-   * Fig. 5.
quent, ſe remonte de quelque choſe vers la queuë. La
chenille a des muſcles que nous n'examinons pas, qui la
mettent en état d'executer ce mouvement; il ne ſe fait
pas bien vîte. Elle reſte quelquefois ainſi recourbée une
demie heure de ſuite & plus; elle laiſſe enſuite retomber
ſa tête, & quelque temps après elle la releve de nouveau,
toûjours en rendant ſon dos convexe, & même de plus
en plus, car par la ſuite elle courbe tous les anneaux d'où
partent les jambes écailleuſes, & quelques-uns de ceux qui
les ſuivent. Tout ce que nous avons vû ci-devant a aſſés
appris que la peau doit ſe fendre du côté du dos, & on penſe
bien que les inflexions, dont nous venons de parler, tendent
à l'y forcer, c'eſt par la fente qui s'y fera que la criſalide en
doit ſortir. Le rude & le long ouvrage eſt toûjours de parvenir à faire fendre la peau; une de ces chenilles eſt au
moins penduë par les pieds pendant 24 heures avant que
d'en venir à bout. J'en ai vû qui reſtoient dans ce travail

Ggg ij

plus de deux jours entiers. Dans ces chenilles, comme dans celles dont nous avons décrit ci-devant le changement, la queuë de la crisalide se dégage même du bout du fourreau, avant que la peau commence à se fendre.

Enfin, dès qu'il s'est fait une fente sur la peau du dos, quelque petite qu'elle soit, le moment est arrivé où va commencer un amusant spectacle pour l'observateur, mais qui lui échappera, pour peu qu'il differe d'observer. Par la fente qui s'est faite à la peau de la chenille, sort une partie du corps de la crisalide *; d'instant en instant une plus grande portion du corps de la crisalide paroît à découvert; la partie qui sort par la fente s'éleve au-dessus de ses bords; la crisalide gonfle cette partie, en la gonflant, elle lui fait faire la fonction d'un coin qui fend la peau plus qu'elle ne l'étoit : la fente, devenuë plus grande, laisse sortir une plus grande partie du corps de la crisalide, qui agit comme un plus gros coin. C'est ainsi que cette fente, dont l'origine est près de la tête, est poussée successivement jusques vis-à-vis la derniere des jambes écailleuses, & par-delà; en un mot, la fente ici est aggrandie comme l'a été celle de la peau des chenilles examinées ci-devant.

Alors l'ouverture est suffisante pour que la crisalide puisse retirer sa partie anterieure de dedans l'enveloppe de chenille; elle l'en retire aussi. L'extremité de cette partie est très-grosse, dès le premier instant où elle paroît *; on ne la voit point sans être surpris qu'elle ait pû être contenuë dans un tuyau aussi étroit que l'est le fourreau de la chenille; mais, comme nous l'avons déja remarqué, la crisalide sous l'enveloppe de chenille est extremement allongée, & dès qu'elle en sort, & lors même qu'elle tend à en sortir, elle tend à se racourcir & à se gonfler. Quoi qu'il en soit, la partie anterieure de la crisalide s'éleve au-dessus de la tête de la dépouille de la chenille, c'est-à-dire,

* Pl. 25.
Fig. 6.

* Fig. 7 & 8.

que l'enveloppe de la tête de chenille se trouve au-dessous
de la tête de la crisalide.

La crisalide parvenuë là, n'a plus à fendre le fourreau
pour achever de s'en dégager; elle change de mecanique.
Lorsqu'on veut se découvrir la jambe sans faire tirer son
bas par le pied, on le pousse à deux mains vers le talon,
en lui faisant faire un grand nombre de plis, on le réduit
à ne couvrir que les environs de la cheville du pied; c'est
ainsi qu'en use la crisalide pour se dégager davantage de
la peau de chenille, elle la pousse ainsi en haut vers son
derriere. La nouvelle forme qu'elle a déja presque acquise
favorise ce mouvement, elle est conique, depuis la tête ou
un peu par-delà, jusques vers la queuë, elle va en diminuant de grosseur. Il est donc certain que la dépouille a
une sorte de facilité à glisser vers le derriere. On voit alors
la crisalide s'allonger, & se racourcir alternativement; toutes les fois qu'elle se racourcit, & qu'elle gonfle par consequent la partie de son corps qui est en dehors de la dépouille, cette partie agit contre les bords de la fente, &
pousse toûjours de plus en plus la dépouille en haut *.   * Fig. 7 & 8.

Le seul frottement donneroit une prise suffisante, &
qui suffit aussi en pareil cas à bien d'autres crisalides, mais
celle-ci a encore un autre avantage; elle a cinq de ses anneaux, à commencer par le plus proche de la queuë, qui
ont chacun du côté du dos deux especes d'épines inclinées vers la queuë. Ces épines, ces crochets, lui servent
lorsqu'elle se gonfle, à pousser la peau, & servent ensuite
à l'empêcher de retomber; ce sont des arrêts semblables
à ceux qu'on employe dans tant de machines, pour empêcher les échappements. Au moyen de ces instruments,
& des mouvements qu'elle se donne, elle fait peu à peu,
mais pourtant assés vîte, remonter la peau de chenille; on
voit les plis de cette peau se rapprocher les uns des autres;

Ggg iij

enfin, la peau plissée comme un courcaillet, est toute poussée contre l'endroit où les deux dernieres jambes de la chenille ont été accrochées * : alors elle est réduite en un paquet si petit, qu'il ne couvre que le bout de la queuë de la crisalide.

Mais il reste à la crisalide à dégager sa queuë de ce paquet de peau plissée. C'est l'instant qui m'avoit paru le plus curieux à observer, parce qu'il devoit m'apprendre comment la crisalide pouvoit se trouver accrochée dans la même place où la chenille l'étoit auparavant. Son état me donnoit même pour elle une sorte d'inquiétude; il falloit qu'elle achevât de se tirer de son fourreau, & je n'imaginois pas comment elle pourroit se soûtenir, pour ainsi dire en l'air, dès qu'il cesseroit de la presser. La crisalide n'a ni bras ni jambes pour se soûtenir; le sort qui sembloit l'attendre, étoit de tomber à terre, & de s'y écraser. J'ai pourtant vû la crisalide achever de tirer la queuë de la dépouille, & se soûtenir en même-temps sur la dépouille même. L'état de roideur où elle sera dans la suite, ne m'avoit pas assés permis de penser que dans l'instant de la transformation tout son corps est extremement mol & flexible : alors ses anneaux peuvent faire, & font la fonction des bras & des jambes que je sçavois lui manquer. Entre deux des anneaux qui se sont dépouillés, comme avec une espece de pince, elle saisit une portion de la peau plissée, & serrant ces deux anneaux l'un contre l'autre, elle a un appuy capable de porter tout son corps. C'est alors qu'elle recourbe un peu sa partie posterieure, & qu'elle acheve de tirer sa queuë du fourreau, sur lequel elle l'applique ensuite.

Voilà donc la crisalide entierement hors de sa dépouille, contre laquelle elle se tient cramponnée. Son état est encore inquiétant, pour qui s'interesse à son sort; que va-t-elle devenir! La reſſource qu'elle a pour ſe ſoûtenir, va lui ſervir à ſe remonter plus haut; elle s'allonge, & elle ſaiſit entre deux anneaux ſuperieurs à ceux qui la retiennent, une partie plus élevée de la dépouille: les premiers abandonnent alors leur priſe; la criſalide ſe raccourcit, & elle ſe trouve montée d'un petit cran. Les anneaux qui ont été montés peuvent alors ſaiſir, & ſaiſiſſent une portion plus haute de la dépouille, & les autres anneaux lâchant enſuite priſe à leur tour, la criſalide s'allonge une ſeconde fois, & porte ſa queuë à une plus grande hauteur. Elle fait donc, pour ainſi dire, deux ou trois pas le long de ſa dépouille ſur laquelle elle ſe remonte; & cela, juſqu'à ce que le bout de la queuë ſoit à portée de toucher le corps contre lequel les crochets des dernieres jambes de la chenille ſont arrêtés, car ces crochets reſtent attachés à la dépouille des jambes. Elle tâte alors avec ſa queuë, pour chercher ce corps, ou plûtôt, pour chercher ce même paquet de fils, ce monticule de ſoye, où les jambes de la chenille ont été accrochées; dès qu'elle le rencontre, l'y voilà elle-même accrochée *.

   Celui qui a fait l'inſecte pour qu'il ſe dépouillât, lui a auſſi donné tout ce qu'il lui falloit pour ſe dépouiller ſûrement. Lorſque j'ai vû la queuë s'accrocher ſi vîte, je n'ai point douté que ce ne fût par la même mécanique qui ſert à accrocher les pieds de la chenille; & j'en ai été mieux convaincu après avoir examiné cette queuë au microſcope. Il m'a fait voir que près de ſon extremité, du côté du ventre, il y a un petit eſpace qui eſt entierement couvert de crochets; qu'il y a là une eſpece de petite rape *. Les doigts même, paſſés ſur cet endroit, ſentent les crochets, & font juger du côté vers lequel leurs pointes ſont tournées. D'ailleurs la figure de la queuë eſt telle, & l'endroit où ſont placés les crochets eſt tel auſſi, qu'il eſt aiſé à la

* Fig. 10.

* Fig. 15,
16, 17. R.

Fig. 5 crisalide d'appliquer contre quelque corps la partie où ils sont *, car cette partie déliée, saille par-delà celle qui la précede. Aussi quand on a décroché une crisalide, on la raccroche sur le champ, en appliquant le bout de sa queuë contre le paquet de fils de soye.

Les manœuvres pourtant de retirer sa queuë du fourreau, de se remonter sur le fourreau, & de parvenir à accrocher le bout de la queuë, sont des manœuvres bien délicates & bien périlleuses; on ne peut s'empêcher d'admirer qu'un insecte, qui ne les execute qu'une fois dans sa vie, les execute si bien; on en conclut necessairement qu'il a été instruit par un grand maître. Le vrai est que j'ai vû quelques crisalides, qui après des efforts redoublés, n'ont pû parvenir à s'accrocher, & qui sont tombées par terre; mais ce malheur n'est arrivé qu'à celles qui avoient filé peù de soye dans l'endroit où elles avoient accroché leurs jambes de chenilles, & qui y en avoient filé peu, parce que je les avois retirées de dessus des corps, où elles avoient presque employé toute leur matiere soyeuse.

Ce n'est pas assés pour notre crisalide, de s'être tirée de la peau de chenille, elle ne veut pas souffrir cette peau auprès d'elle; elle ne s'est pas plûtôt accrochée, qu'elle travaille à la faire tomber. La mécanique qu'elle y employe a encore sa singularité; elle courbe la partie qui est au-dessous de sa queuë en portion d's *, de maniere que cette *Fig. 11.* partie peut embrasser, & saisir en quelque sorte le paquet *q. s.* sur lequel elle s'applique. Alors elle se donne une secousse qui fait faire à tout son corps une vingtaine de tours de pirouette sur sa queuë, & cela avec une grande vîtesse: pendant tous ces tours elle agit contre la peau, les crochets des jambes tiraillent les fils, les cassent ou s'en dégagent; les crochets des jambes de la dépouille sont plus éloignés du centre du pirouettement, que ne le sont les crochets de la la queuë de la crisalide; ainsi les fils ausquels tiennent les premiers crochets, sont bien plus tiraillés que ceux ausquels tiennent les seconds. Si les premiers pirouettements n'ont pas détaché la dépouille, la crisalide, après s'être tenuë un instant en repos, recommence à pirouetter dans un sens contraire, contenant toûjours la dépouille dans l'espace autour duquel elle circule. Il est assés ordinaire que la dépouille tombe après les seconds pirouettements ; la crisalide est pourtant quelquefois obligée de recommencer à pirouetter quatre à cinq fois de suite. Enfin, j'ai vû quelquefois la peau de chenille si bien accrochée, que la crisalide, après s'être lassée inutilement pour la faire tomber, desesperoit d'y pouvoir parvenir, elle prenoit le parti de la laisser en une place où elle étoit trop cramponnée.

Notre crisalide se tient ensuite dans un grand repos pendant vingt & quelques jours ; ce temps expiré, le papillon est en état de se dégager de sa derniere enveloppe. Celui qui en sort est assés commun dans nos jardins; le dessous de ses aîles * est entierement noir, & d'un assés beau noir; il y a pourtant du brun & du jaunâtre, qui servent à faire paroître le noir de certains endroits plus vif, à le faire paroître appliqué par ondes, & comme le noir d'une étoffe tabisée. Le dessus des aîles * a des couleurs variées & belles; un rouge brun, semblable à celui de cette terre que nous appellons aussi du *rouge-brun*, est la couleur dominante; mais on y trouve de plus du noir, du jaune, du bleu, du violet. Sur chaque aîle, il y a une espece d'œil ou une tache circulaire; le rouge occupe une grande partie du milieu des yeux des aîles superieures, mais le milieu des yeux des aîles de dessous, est d'un beau bleu ou d'un beau violet, renfermé dans un cercle noir, qui est suivi d'un cercle blancheâtre: des cercles en partie jaunes, en partie blancs, entourent le centre de yeux des aîles superieures. Celles-ci ont près

Tome I.   . H h h

* Pl. 25. Fig. 1.

* Fig. 2.

de leur bord deux taches noires, feparées par du jaune.

J'ai vû pratiquer plufieurs fois tous les procedés dont nous avons parlé, par la plus commune, dans ce pays des chenilles épineufes de l'orme, par celle qui tout du long du dos a une raye feuille-morte, & de chaque côté une raye d'un bleu foncé, fuivie d'une raye feuille-morte; nous avons déja fait mention de cette chenille dans le 8ᵉ Memoire; elle eft reprefentée Pl. 23. Fig. 8. c'eft celle dont Goedaert a donné l'hiftoire, n. 3. édit. de Lifter. Il y rapporte comme une grande merveille, un fait à qui il ne manque, pour être merveilleux, que d'être vrai: il dit que le ventre de la crifalide eft où étoit le dos de la chenille, & qu'au contraire la partie où étoient le ventre & les jambes de la chenille, eft la même partie où eft le dos de la crifalide. Des mouvements que la crifalide s'étoit donnés en fe tirant de la peau de chenille, ou peut-être en fe remontant deffus, l'ont mife dans une fituation qui en avoit impofé à Goedaert ; c'eft une groffiere méprife que Swammerdam n'a pas manqué de relever. Lifter, dans fa note fur cet article, n'a eu garde de chercher à juftifier Goedaert, il avouë qu'il croit qu'il s'eft trompé. Dans une note fuivante, Lifter femble avoir voulu fuppléer à ce qui manque dans l'hiftoire de Goedaert, fur la maniere dont ces chenilles parviennent à fe pendre, & fur celle dont les crifalides fe tirent de leur fourreau. Ce qu'il en rapporte, il le rapporte comme témoin oculaire; mais fi on veut fe donner la peine de comparer fon courfe avec les procedés que nous avons expliqués, on jugera que des circonftances n'ont pas permis à Lifter de bien voir tout ce qui fe paffoit, & qu'il ne nous en a pas inftruit.

Outre la chenille noire & piquée de blanc, que nous avons fuivie ci-deffus dans toutes les manœuvres au moyen

defquelles la premiere transformation s'accomplit, l'ortie
nous fournit d'autres chenilles épineufes, qui, pour fe metamorphofer, fe pendent par les jambes pofterieures la tête
en bas. Nous avons déja vû une autre chenille de cette
plante dans le fecond Memoire, reprefentée Pl. 2. Fig. 4.
& dont la crifalide & le papillon font reprefentés Pl. 10.
Fig. 13, 8 & 9. Dans la même Planche Fig. 10. eft une
chenille de l'ortie, qui, quoique de couleur differente de
celle de la Fig. 4. Pl. 2. nous a donné un papillon femblable à celui de l'autre, & qui nous a paru le même.

    Mais on trouve fort communement fur l'ortie une ef-
pece de chenilles épineufes differente des précedentes.
Tant qu'elles font petites, & jufques à ce qu'elles foient
affés proches du temps de la metamorphofe, elles vivent
en focieté, plufieurs enfemble mangent la même feuille *.   * Pl. 26.
Cette chenille * a fur le corps de larges rayes d'un verd Fig. 5. a b.
un peu brun, & d'autres rayes brunes; ni les unes ni les   * Fig. 1.
autres ne font pourtant pas entierement d'une même couleur: on voit dans les vertes des taches de brun, de jaune
ou de citron, & les rayes brunes font piquées de verd.
Elle a huit épines fur chaque anneau du milieu du corps.
Quand on tient un bon nombre de ces chenilles dans un
poudrier, on s'apperçoit bien-tôt qu'elles font grandes
mangeufes, qu'il faut fouvent leur redonner des feuilles;
mais celles de l'ortie ne font pas rares. J'ai eu des focietés
de ces chenilles, qui fe font mifes en crifalides chés moi
vers la mi-Juillet, & j'en ai eu d'autres qui s'y font mifes
plus tard, & d'autres plûtôt.

    Affés communement leurs crifalides * font dorées. Le   * Pl. 26.
papillon ne refte fous une fi belle enveloppe qu'environ Fig. 2, 3, &
quinze jours; il appartient à la feconde claffe des diurnes *. 4.   * Fig. 6.
Tout ce qui paroît en noir, dans la Fig. 6. ou en noir clair
fur le deffous de fes aîles, eft brun ou noir. La grande place,

Hhh ij

plus blanche, & marquée *t*, qui paroît sur le dessous des aîles superieures, est d'une couleur passée de chamois; *mais la couleur qui domine sur le dessus des quatre aîles *,* est un aurore orangé : c'est par cette couleur que sont separées les unes des autres des taches, pour la plûpart noires. Les noires *, les plus proches du côté exterieur des aîles, sont separées par un jaune plus clair que celui des autres endroits. Les deux taches les plus proches de la tête *, qu'on a laissées en blanc, sont bleues. Ce que ces aîles ont de plus beau, c'est leur bordure, dont le fond est noir, mais sur lequel il y a des taches bleues de diverses figures; il y en a même de bleu nué qui forment de petits yeux. Ce papillon est encore un de ceux à qui on donne le nom de *tortuë*, parce que les distributions des couleurs jaunes & noires du dessus de ses aîles imitent celles de quelques écailles.

J'ai nourri avec les grandes feuilles d'une espece de chardon, qui imitent les feuilles d'acanthe, une chenille épineuse * qui mange aussi les feuilles de quelques autres especes de chardon. Sur chaque anneau * elle a sept épines blanches ou blanchâtres. Tout du long du dessus du dos elle a une raye jaunâtre, ses côtés & le dessous du corps sont d'un gris-brun. Elle ne cesse de prendre des aliments que quand elle est bien proche de se metamorphoser; celle qui est representée Figure 8. rongeoit tranquillement des feuilles sur les onze heures du matin, pendant qu'on la dessinoit; le soir elle se pendit par les pieds la tête en bas, & le lendemain au matin, la crisalide * sortit devant moi du fourreau de chenille. Cette crisalide devint d'une assés belle couleur d'or; le papillon ne resta qu'onze jours sous cette derniere forme, & c'est le 20. de Juillet qu'il parut au jour. Il est encore de la seconde classe des diurnes *, il ne s'appuye que sur quatre jambes. Les couleurs du

* Pl. 26.
Fig. 7.

* a a a.

* t t.

* Pl. 26.
Fig. 8.
* Fig. 9.

* Fig. 10.

* Fig. 12

deſſous de ſes aîles inferieures ſont tendres, elles ne frappent pas lorſqu'on regarde le papillon de quelque diſtance,
elles paroiſſent ſimplement griſâtres; mais ſi on le conſidere de près, on apperçoit ſur le deſſous de ſes aîles
inferieures un agréable mêlange d'un grand nombre de
couleurs douces; un gris-blanc, une eſpece de jaune plus
brun que le chamois, & du noir, ſont les dominantes, qui
ſont nuées & combinées enſemble avec art. A quelque
diſtance de la baſe de la même aîle, il y a cinq taches en
formes d'yeux; le milieu des trois plus proches du corps
eſt bleu, le bleu eſt entouré par un cercle jaunâtre, &
celui-ci par un cercle noir plus étroit; le milieu des deux
derniers yeux eſt blanc & noir.

Le deſſous * & le deſſus de ſes aîles ſuperieures *, ont
preſque les mêmes couleurs, & le même arrangement de
ces couleurs, elles y ſont diſtribuées par aſſés grandes plaques ou taches; les plus petites taches, & les plus proches
de la pointe exterieure, ou de l'angle exterieur de l'aîle *,
ſont blanches, & entourées d'un brun-clair. Tout le reſte
de ce qui paroît en blanc dans les Fig. 11 & 12. ſur les
aîles ſuperieures, eſt rouge, mais n'eſt pas pourtant d'un
même rouge; il y a des endroits du deſſous qui ſont d'un
beau couleur de roſe, & d'autres d'un rouge pâle & effacé:
le rouge du deſſus de l'aîle eſt une eſpece d'orangé; les
couleurs qui ſeparent les taches rouges, ſont des bruns ou
des gris.

La derniere des chenilles épineuſes dont nous parlerons dans ce Memoire, c'eſt celle que l'arrangement bizare
de ſes couleurs m'a fait nommer la *bedaude* *; elle vit de
feuilles d'ormes; elle eſt de grandeur mediocre. Sur le
deſſus de ſon corps, depuis ſon derriere juſques par-delà
la premiere paire des jambes membraneuſes, elle a une
large raye blanche qui finit là bruſquement *. Toute la

* Pl. 26.
Fig. 12.
* Fig. 11.

* Fig. 11.
e e.

* Pl. 27.
Fig. 1.

* d, b.

Hhh iij

b, a. partie anterieure de la chenille * eft d'une couleur de canelle clair; la partie anterieure de fon habit eft donc autrement colorée que la partie pofterieure : ce qui eft au-deffous de la bande blanche eft pourtant de l'efpece de brun
dont nous venons de parler. Elle a fept épines fur chaque
anneau.

Fig. 2. La tête de cette chenille a quelque chofe de fingulier *,
elle eft petite & triangulaire; fon deffus eft échancré en
cœur; elle tient par une efpece de col au premier anneau.
Elle a deux efpeces d'oreilles formées chacune par un
Fig. 2. paquet d'épines *; en un mot, elle a quelqu'air d'une
o o. tête de chat.

Vers la fin de May les chenilles de cette efpece, que
j'ai nourries, fe font penduës par les pieds de derriere, &
les crifalides fe font tirées du fourreau de chenille. Ces
crifalides font aifées à diftinguer des autres, par la figure
de deux efpeces de cornes contournées en croiffant qu'elles
Pl. 27. ont au bout de la tête *. Quelques-unes de ces crifalides
Fig. 7 & 8. font couleur d'or, mais d'autres font brunes, & ont fur le
c c. dos, où finit le corcelet, des taches qui femblent d'argent
ou de nacre; il y a quelquefois une partie dorée tout auprès de ce qui a ce blanc éclatant.

Le papillon refte 22 ou 23 jours fous la forme de crifalide; il eft de la feconde claffe des diurnes. La couleur
Fig. 10. du deffous de fes aîles * eft un jaune brun, mêlé avec des
taches, des ondes, & des traits noirs; il y a pourtant fur
le même côté de chaque aîle inferieure une tache prefqu'argentée, & qui tient un peu de la figure du croiffant.
Fig. 9. Le fond de la couleur du deffus de fes quatre aîles *, eft
un aurore un peu rougeâtre, fur lequel des taches noires
font jettées. Les contours de fes aîles font tels, qu'elles
femblent déchirées en certains endroits. Lorfqu'il les porte
Fig. 10. perpendiculairement au plan de pofition *, les fuperieures

laiſſent ſouvent un vuide entre leur côté interieur *, qui eſt
concave, & le côté exterieur * des inferieures.

Quand ce ne ſeroit que pour faire voir que les che-
nilles épineuſes ne ſont pas les ſeules dont les criſalides ſe
trouvent penduës par le derriere la tête en bas, nous par-
lerons ici d'une chenille *, qui a d'ailleurs des caracteres
auſquels on doit faire attention. Elle eſt au-deſſous de
celles de grandeur mediocre ; elle eſt d'un verd de pré ;
elle a pourtant tout du long du dos une raye d'un verd
plus brun, & de chaque côté une raye ou pluſieurs rayes
de verds plus clairs. Elle eſt raſe, chagrinée, ou pour parler
plus exactement, ſi on la regarde au travers d'une loupe *,
on lui voit quantité de petits tubercules, de chacun deſ-
quels il part un poil. Ce qui la caracteriſe le plus, ce ſont
deux cornes *, qui lui font une eſpece de queuë fourchuë ;
elles ſont toûjours dirigées dans le ſens de la longueur du
corps : leur ſubſtance eſt la même que celle de cette corne
dure qui s'éleve ſur le derriere de quelques autres eſpeces
de chenilles.

C'eſt de feuilles de gramen que vit celle que nous con-
ſiderons ; elle mange peu, auſſi croît-elle lentement : j'en
ai gardé une pendant pluſieurs mois chauds, ſans qu'elle
ait crû notablement ; elle ne fait qu'entailler legerement
le bord des feuilles du gramen, auſſi a-t-elle une bouche
plus petite que celle des chenilles ordinaires. La forme de
ſa tête eſt ſinguliere, en ce qu'elle eſt preſque ſpherique ;
en deſſous elle a une tache oblongue, comme un gros
trait brun *; cette tache eſt l'endroit où les deux dents ou
machoires, dont les bords ſont bruns, ſe rencontrent l'une
l'autre ; le reſte de ces dents eſt blanchâtre. Elles ſuffiroient
ſeules pour fermer la bouche, je veux dire, qu'elles ne
laiſſent pas d'ouvertures ſenſibles qui ayent beſoin d'être
bouchées par les levres ſuperieure & inferieure ; & cela,

* a.

* b.

* Pl. 27.
Fig. 11.

* Fig. 12.

* c c.

* Fig. 13.
d d.

parce que les dents ont la même courbure que la tête, aussi la levre superieure est-elle courte. La levre inferieure est composée des trois parties dont nous avons parlé à l'occasion de quelques autres chenilles, & que j'ai vûës dans celle-ci se mouvoir separement, comme feroient les doigts d'une main. Pendant que j'observois cette bouche, je l'ai souvent vû s'ouvrir, & j'ai apperçû plusieurs fois en dedans, une langue bien distincte, plus épaisse par rapport à sa longueur, que ne sont celles des grands animaux, & terminée par une pointe mousse.

J'ai eu une de ces chenilles, qui, pour se metamorphoser, se pendit par ses jambes posterieures à une feuille de gramen *; elle recourboit beaucoup plus son corps, que les chenilles ordinaires ne recourbent le leur pour se disposer à la transformation; elle élevoit quelquefois sa tête assés proche du point d'attache : je l'ai vûë aussi se donner alors des mouvements que les autres chenilles ne se donnent pas. Après avoir laissé tomber sa tête, & s'être mise verticalement dans une position renversée, elle se relevoit brusquement, & par une espece de secousse, comme si elle avoit voulu aller frapper avec son corps étendu, la surface de l'appuy contre lequel son derriere étoit arrêté. D'autres fois elle se recourboit aussi brusquement en anneau, comme si ç'eût été avec sa tête seulement qu'elle eût voulu atteindre ce même appui. Au bout de vingt-quatre heures, le 19. Juin, la crisalide * se tira du fourreau de chenille.

Cette crisalide étoit angulaire, verte alors, & est toûjours restée verte; elle étoit plus courte par rapport à sa grosseur, que ne le sont les crisalides ordinaires. Le papillon ne resta que 10 jours sous l'enveloppe de crisalide, il parut le 29. Juin; il ne s'appuie que sur quatre jambes *. Il est plus grand que sa crisalide ne l'eut fait attendre; aussi la
grandeur

grandeur du papillon n'est-elle pas toûjours proportionnée à la grandeur de la crisalide ; telle crisalide plus
grande qu'une autre, donne quelquefois un plus petit
papillon ; nous en avons déja averti dans un autre Memoire. Les couleurs du dessous des aîles inferieures de
celui-ci sont un jaune pâle, & du brun, mêlés par ondes,
& souvent fondus ensemble. La couleur du fond du dessus
des quatre aîles * est un brun dans lequel il semble y avoir
une legere teinte de couleur d'olive. Sur chacune des aîles
superieures, il y a huit à neuf taches d'un jaune pâle, &
sur chacune des aîles inferieures, il y a trois yeux, dont le
cercle exterieur est d'un assés beau jaune, la prunelle, ou
le milieu est noir. Chacune de ces dernieres aîles a de plus
deux taches d'un jaune pâle.

* Pl. 27.
Fig. 16.

L'estat où sont quelques crisalides angulaires, à la sortie
de leur dépouille, nous a fourni quelques remarques qui
ne doivent pas être obmises, mais qui seront mieux placées dans le Memoire suivant, que dans celui-ci : il trai-
tera encore des differentes industries employées par des
chenilles, pour se préparer à une metamorphose en crisalides du même genre. Nous nous bornerons actuellement
à considerer la couleur d'or éclatante, si propre à attirer
des regards à plusieurs de ces crisalides. Elle merite d'autant plus que nous nous arrêtions à en parler, & à chercher à quoi elle est dûë, que je ne sçais point qu'on l'ait
encore examiné. D'ailleurs, en expliquant en quoi consiste la dorure de nos crisalides, nous expliquerons apparemment en quoi consiste celle qui pare si superbement
tant d'autres insectes.

C'est encore de plusieurs especes de nos chenilles épineuses, que sortent les crisalides les mieux dorées ; mais
il arrive souvent qu'une espece qui en donne, en quelques
circonstances, dont la dorure est très-belle, en donne,

Tome I.   Iii

dans d'autres circonſtances, de couleurs très-communes, où on ne trouve rien qui reſſemble à de l'or. Auſſi quoique l'eſpece des chenilles noires de l'ortie, picquées de blanc, ne m'ait jamais fait voir de criſalides dorées, je n'aſſurerois pas que celles de ces chenilles ne le ſoient jamais. Il y a pourtant des eſpeces de chenilles dont les criſalides, quoiqu'angulaires, ne ſont jamais dorées; & il y a au contraire des chenilles de pluſieurs eſpeces, à qui il eſt aſſés ordinaire de ſe transformer en criſalides dorées. La derniere des eſpeces des chenilles de l'ortie, que nous avons décrite, & ſuivie dans ce Memoire, celle qui a des rayes d'un verd foncé, tachetées de brun, & des rayes brunes picquées de verd, eſt une de celles d'où j'ai vû ſortir plus de criſalides dorées, & ce ſont les criſalides que j'ai le plus obſervées, pour m'inſtruire ſur la cauſe de leur riche couleur.

Un grand nombre de ces chenilles, que je faiſois bien fournir de feuilles de la plante qu'elles aiment, ſe ſont penduës par leurs jambes poſterieures contre les couvercles des poudriers de verre où je les tenois renfermées, & cela, vers la mi-Juin. Entre les criſalides qui en ſont ſorties, les unes étoient entierement griſes, d'autres moitié rougeâtres, d'autres étoient parfaitement dorées ſur tout leur corps, d'autres n'avoient que de petites plaques dorées; la dorure de quelques autres étoit terne & comme effacée. Quand nous aurons vû d'où dépend la dorure des criſalides, on imaginera aſſés les circonſtances qui la font paroître plus ou moins belle, qui font que telle criſalide n'en a point du tout, & qu'une autre n'a que quelques parties dorées.

La criſalide qui vient de ſortir de ſa dépouille, n'eſt nullement dorée, quelque parfaitement qu'elle le doive être par la ſuite: celles que nous examinons actuellement

font alors d'un gris verdâtre, qui ne difpofe pas à croire
qu'elles paroîtront dans peu très-chargées d'or. A mefure
que la peau fe deffeche & s'affermit, on lui voit prendre
des nuances qui tirent fur le jaune, & qui ont quelque
brillant. Peu à peu ces nuances montent, & deviennent
de plus en plus éclatantes; enfin, en moins de vingt-quatre
heures, & quelquefois au bout de dix à douze, la crifalide
paroît toute couverte du plus bel or; tant que la crifalide
refte crifalide, elle refte ainfi fuperbement vêtuë. On devroit donc s'attendre à trouver une belle & riche dépouille,
lorfque le papillon s'en eft retiré. Cependant, cet habit qui
fembloit or pur un inftant auparavant, dès que le papillon
l'a quitté, eft d'une couleur très-commune, & qui ne reffemble en rien à celle de l'or.

C'eft auffi ici le cas où fe verifie phyfiquement le pro-
verbe, *que tout ce qui paroît or ne l'eft pas.* L'art de faire
des tapifferies de cuir doré, nous apprend le fecret de
dorer fans or; la dorure de ces cuirs, qui quelquefois eft
très-belle, dépend d'un vernis qui, en maffe, a une couleur brune. Si on étendoit fimplement ce vernis fur du
bois, fur des peaux, il ne leur donneroit aucune couleur
d'or, & même il les coloreroit peu; mais fi le bois, fi les
peaux font couvertes de feuilles d'un blanc éclatant, telles
que font des feuilles d'argent, ou même des feuilles d'étain
poli & bruni, & qu'on étende deffus le vernis dont il
s'agit, la couleur blanche qui perce au travers, & qui fe
mêle avec la fienne, en compofe une éclatante qui imite
fort celle de l'or, fi on a employé & bien employé un
bon vernis.

Dès que j'eus vû que les dépouilles que ces papillons
avoient quittées, n'avoient plus aucune couleur d'or,
quoique les crifalides euffent été très-bien dorées jufqu'à
la fortie du papillon, je penfai que la dorure de nos cri-

ſalides étoit ſemblable à celle des cuirs dorés ; que leur derniere peau, qui eſt mince, avoit une tranſparence, & de plus, une couleur, qui la rendoient propre à produire l'effet des vernis des cuirs dorés, lorſqu'elle etoit appliquée ſur quelque corps d'un blanc éclatant. L'experience propre à verifier cette idée, ou à en deſabuſer, étoit ſimple, & elle fut faite ſur le champ. Je pris une dépouille qui, avant que le papillon l'eût quittée, étoit de couleur d'or ; j'en détachai une portion, & je l'appliquai ſur une piece d'argent poli ; pour même l'y appliquer plus exactement, je la mouillai un peu. L'endroit recouvert parut doré ſur le champ ; il étoit d'autant mieux doré, que le morceau de peau de criſalide étoit mieux étendu deſſus.

Nous avons donc déja la moitié de la compoſition de notre dorure ; la peau de la criſalide tient lieu du vernis des faiſeurs de cuirs dorés, & il ſeroit à ſouhaiter qu'ils ſçuſſent réuſſir à faire un vernis qui valût cette peau. Il ne nous reſte plus qu'à trouver dans la criſalide, la couleur d'un blanc éclatant, qui doit être appliquée ſous la peau. Nous n'y devons pas chercher des feuilles d'argent, pour produire cet effet ; l'argent n'entre pas plus que l'or dans la compoſition de l'inſecte ; mais toute matiere, une liqueur même qui auroit le blanc & le brillant de l'argent, ſeroit également propre à faire paroître une couleur d'or. Du vif argent, par exemple, ſur lequel le vernis des cuirs ſeroit étendu, ſeroit bien doré ; il vient d'Allemagne des globes de verre qui ſont étamés comme nos miroirs : ces globes, quoiqu'à un vil prix, paroiſſent ſinguliers à ceux qui ignorent qu'on fait entrer dans le globe, un amalgame de mercure, dont nous donnerons la compoſition dans un autre ouvrage ; que cet amalgame, qui a un certain degré de liquidité, s'attache aux parois interieures du verre, qu'on lui fait parcourir en

tournant & retournant les globes en tout sens. Il y a de
ces mêmes globes qui paroissent dorés, & ils le paroissent quand on a enduit leurs parois interieures d'une couche d'un vernis convenable, & que c'est sur cette couche
qu'on a étendu l'amalgame; alors la couleur du mercure,
vûë au travers du vernis, paroît dorée.

Mais, pour venir à un exemple qui nous rapproche
plus de notre sujet, le dessous des écailles des poissons
est couvert d'une matiere d'une couleur argentée; on la
trouve aussi en grande quantité sur plusieurs de leurs parties interieures. Nous avons parlé au long de la beauté &
de la vivacité de la couleur de cette matiere, dans les Memoires de l'Academie de 1716. pag. 229. nous y avons
décrit l'usage que l'art sçait faire de celle qu'on tire de dessous les écailles de certains poissons, pour imiter les vrayes
perles, aussi parfaitement qu'il est possible, en vernissant
avec cette matiere à demi liquide, les parois interieures
de grains de verre; les faiseurs de perles l'appellent de
l'*essence d'Orient*. La dorure des écailles de quelques poif-
sons est dûë à cette même matiere; & si les écailles de la
plûpart des poissons étoient moins épaisses, & que le
fond de leur couleur fût d'un brun un peu rougeâtre,
ou que leur couleur fût telle que celle des beaux vernis
des cuirs dorés, ils paroîtroient tout or; car il n'est point
d'argent bruni aussi propre à prendre une belle couleur
d'or, que la matiere dont les écailles de quelques poissons
sont couvertes pardessous.

Pour que nos crisalides soient bien dorées, elles n'ont
donc besoin que d'avoir au-dessous de leur peau transparente, une matiere de la couleur de celle qui est au-dessous des écailles des poissons. Pour sçavoir si elles l'ont
réellement, j'ai pris une crisalide des mieux dorées, j'ai
enlevé avec un canif, une portion de sa peau, aussi mince

qu'il m'a été poffible, c'eft-à-dire, que j'ai enlevé le morceau de peau, fans emporter la partie qu'elle recouvroit.
J'ai enfuite obfervé le deffous, la furface interieure de ce
morceau de peau, & j'ai vû, comme je m'y attendois, que
fa couleur étoit d'un blanc brillant, telle que celle de la
matiere ou efpece de liqueur qui eft fous les écailles de
certains poiffons, & qu'on appelle *effence d'Orient* ; cette
couleur, en un mot, étoit femblable à celle des perles d'une
belle eau.

La couche de matiere argentée eft mince, elle eft
appliquée fur le deffous de la peau, comme le feroit
une membrane. Mais eft-elle réellement une membrane,
ou n'eft-elle produite que par une liqueur qui s'eft
échappée des parties du papillon, & qui enfuite s'eft
épaiffie ; c'eft fur quoi je ne fçaurois décider, & qui n'a-
joûteroit rien à ce que nous venons de voir fur la caufe
de la couleur dorée des crifalides.

On enleve aifement de deffus une crifalide des morceaux
de peau qui ont toute leur dorure, fi on les enleve avec
la matiere blanche qui y eft attachée. Si on les garde pendant quelques heures, ils perdent leur éclat & la plus grande
partie de leur couleur ; la couche de matiere blanche expofée à l'air fe deffeche, & fe ride en même-temps ; elle perd
fon poli & fon luifant, & n'eft plus en état de faire briller
la couche exterieure. Mais j'ai éprouvé que fi on mouille
cette couche de matiere blanche, tout auffi-tôt on la rend
brillante & argentée, & que le deffus reprend la couleur
d'or. J'ai continué à faire cette experience pendant huit à
dix jours, je crois que je l'aurois faite pendant un temps
beaucoup plus long avec le même fuccès.

Mais inutilement ai-je mouillé des morceaux des dépouilles que les papillons avoient quittées, elles ne font
redevenuës ni dorées, ni brillantes ; auffi ne les ai-je point

vû tapiſſées par deſſous de la matiere blanche. Peut-être
que la liqueur, qui humecte le papillon lorſqu'il eſt près
de ſortir de cette eſpece de coque, humecte cette matiere, & qu'elle eſt entraînée par les frottemens de toutes
les parties, dans l'inſtant où il les dégage du fourreau.
Je n'ai pourtant pas obſervé ſi ce n'eſt preciſement que
dans l'inſtant que le papillon ſort que la dorure diſparoît,
ou ſi ce n'eſt point quelques inſtans auparavant, car le hazard n'a pas voulu que j'en aye ſaiſi dans le moment de la
ſortie de ceux qui avoient été emmaillotés ſous des enveloppes dorées ; mais il y a grande apparence que c'eſt alors
préciſement que la dorure diſparoît.

On entrevoit aſſés que diverſes circonſtances peuvent
contribuer à rendre cette couleur d'or plus ou moins
belle ſur differentes criſalides, qu'elles peuvent faire
qu'elle ne paroîtra quelquefois que ſur quelques endroits
de la peau, & que quelquefois elle n'y paroîtra nulle
part. Le plus ou moins d'épaiſſeur de la peau exterieure,
& les varietés qu'il peut y avoir dans les nuances de ſa
couleur, produiront ces differents effets. D'ailleurs, la
matiere argentée, qui la vernit par deſſous, pourroit n'être
pas ſi belle, ni en ſi grande quantité dans toutes les
criſalides de même eſpece. Quand la peau exterieure eſt
trop épaiſſe, & n'a qu'un certain degré de tranſparence,
l'or paroît terne ; ſi cette peau eſt encore plus épaiſſe
ou preſque opaque, elle ne paroîtra aucunement dorée.
Enfin, cette peau n'eſt pas d'une égale épaiſſeur par
tout, où elle ſera ſuffiſamment mince, elle ſera dorée
quoiqu'elle ne le ſoit pas, où elle eſt plus épaiſſe. L'endroit où elle eſt ordinairement le plus mince eſt ſur le
dos vers la jonction du corcelet avec le corps, c'eſt là
un des endroits où elle ſe briſe lorſque le papillon s'en
débaraſſe, & c'eſt là où il eſt ordinaire de voir deux ou

trois petites plaques d'une très-belle couleur d'or fur des crifalides qui n'ont aucune dorure par tout ailleurs. Il y a même des crifalides qui ne font prefque jamais voir de l'or que dans cet endroit, comme font celles de l'efpece des chenilles épineufes, la plus commune fur l'orme *.

* Pl. 23.
Fig. 8.

Au lieu de taches d'or, on voit des taches d'argent au même endroit fur plufieurs crifalides ; celles-là ont dans cet endroit une peau encore plus mince & moins colorée, qui laiffe voir la couleur de la matiere argentée qui eft deffous, fans l'alterer. Des crifalides de la même efpece que celles qui ont ordinairement des plaques argentées, en ont de dorées quand leur peau eft plus épaiffe & plus colorée.

L'état de l'air, qui fait que la peau de la crifalide fe deffeche plus ou moins vîte, peut encore contribuer à les rendre plus ou moins dorées. Quelques experiences m'ont paru prouver que celles qui fe deffechent trop promptement, ne prennent pas une belle couleur d'or: j'en ay expofé au Soleil qui venoient de fortir du fourreau de chenille, & je les y ai laiffées pendant plufieurs heures; toutes ont efté affés mal dorées : le vrai eft qu'il refte douteux, fi elles l'euffent été mieux, fi elles euffent été tenues à l'ombre ou dans quelque endroit humide.

Je reviendrai encore à dire que la couleur de quelques crifalides eft fi belle, fi éclatante, fi haute, qu'il n'y a pas d'or poli plus beau, leur couleur furpaffe extremement toutes celles de nos dorures faites fans or, comme font celles de nos cuirs dorés. Mais ne feroit-on pas quelque chofe de plus beau dans ce genre de dorure, fi au lieu d'employer l'argent, on employoit cette même matiere colorée, qui réuffit pour les perles fauffes tout autrement que l'argent! c'eft à quoi il y a apparence, & ce qui meriteroit d'eftre éprouvé.

EXPLICATION

EXPLICATION DES FIGURES
DU DIXIEME MEMOIRE.

P L A N C H E XXV.

LA Figure 1, eſt celle d'un papillon de la ſeconde claſſe des diurnes, qui tient ſes aîles perpendiculaires au plan de poſition, & qui n'eſt appuyé que ſur quatre jambes, dont les deux d'un même côté ſont *p p*. Ce papillon vient de la chenille de l'ortie, repreſentée Figure 3.

La Figure 2, eſt celle du même papillon, qui tient ſes aîles ouvertes, & qui montre le deſſus de toutes les quatre. Elles ont chacune une belle tache en œil de plume de paon. Il eſt deſſiné un peu trop grand.

La Figure 3, eſt celle d'une chenille épineuſe de l'ortie, qui eſt d'un noir velouté, & picquée de très-petits points blancs. C'eſt la même qui eſt repreſentée Planche 2. Figure 6. moins près de ſe metamorphoſer.

La Figure 4, fait voir cette chenille penduë par les pieds de derriere à une feuille d'ortie, ayant le corps étendu.

La Figure 5, fait voir une pareille chenille penduë à un pedicule de feuille, qui a le dos courbé en *d*, & dont la tête s'eſt remontée en *t*.

La Figure 6, nous montre en *c*, une criſalide qui commence à ſortir du fourreau de chenille.

La Figure 7, eſt celle de la même criſalide *c*, qui a pouſſé juſqu'en *f* la fente de la peau, & qui, à meſure

Tome I. .Kkk

qu'elle s'eft tirée de la peau, l'a obligée de s'approcher de la branche à laquelle elle eft accrochée.

Dans la Figure 8, nous voyons l'operation encore plus avancée. La fente fe trouve en *f*, plus près de la branche à laquelle tiennent les derniers pieds du fourreau. La peau eft pliffée en *p*.

La Figure 9, reprefente la crifalide *e*, dans le moment où il ne lui refte plus qu'à tirer fa queuë *q* de la dépouille. Prefque toute la dépouille eft pouffée auprès de la tige.

Dans la Figure 10, il paroît que la crifalide a entierement retiré fon derriere *q* de la dépouille, mais il n'eft encore que cramponné fur cette dépouille; il n'a pas encore atteint le monticule de fils de foye dans lequel les dernieres jambes du fourreau font accrochées.

Enfin, dans la Figure 11, le derriere de la crifalide paroît accroché en *q*. Au-deffous de *q*, en *s*, le corps de la crifalide s'eft contourné pour mieux embraffer la dépouille *p*, autour de laquelle il va pirouetter pour l'arracher & la faire tomber.

Les Figures 12 & 13, font voir la crifalide, l'une la montre de côté, & l'autre la montre de face. Il ne paroît point de dépouille auprès d'elle.

La Fig. 14, eft celle d'une peau de chenille, pliffée, & reduite en un petit paquet, qu'une crifalide a fait tomber.

Les Figures 15 & 16, font celles du bout du derriere ou de la queuë de la crifalide, reprefenté très en grand. Dans la premiere, il eft vû un peu plus de côté que dans la feconde, toutes deux pourtant le font voir du côté du ventre. *R*, la rape de petits crochets dont eft armé le bout de ce derriere.

La Figure 17, represente cette rape de petits crochets separement.

La Fig. 18, fait voir, en grand, un monticule de fils de soye *m m*, dans lequel le derriere d'une crisalide est accroché.

P L A N C H E XXVI.

La Figure 1, est celle d'une chenille épineuse de l'ortie, qui a des rayes d'un verd foncé, picquées de brun, & des rayes brunes picquées de verd. Les rayes blanches dans la Figure, sont les vertes. Cette chenille a huit épines sur chaque anneau.

La Figure 2, est celle d'une crisalide de cette chenille, vûë de côté.

La Figure 3, fait plus voir du dos de la même crisalide.

La Figure 4, est celle de la même crisalide, vûë du côté du ventre.

La Figure 5, represente un paquet de feuilles d'ortie, sur une des feuilles de laquelle, *a b*, sont plusieurs chenilles, telles que celles de la Figure 1. mais dessinées pendant qu'elles étoient petites, & qu'elles vivoient en societé.

La Figure 6, est celle du papillon de cette chenille, qui est de la seconde classe des diurnes. *p p*, deux des quatre jambes sur lesquelles il se pose.

La Figure 7, montre le dessus des aîles du même papillon, qui sont étalées.

La Figure 8, est celle d'une chenille épineuse que j'ai nourrie des grandes feuilles d'une espece de chardon, qui ressemblent à celles d'acanthe. Tout le long du dos elle a une raye jaunâtre; les côtés sont d'un brun gris.

K k k ij

La Figure 9, fait voir en grand un des anneaux de cette chenille, avec les épines dont il eſt chargé.

La Figure 10, au haut de la Planche, eſt celle de la criſalide de cette chenille. Elle eſt épineuſe. Celle que j'ai eûë avoit une aſſés belle couleur d'or.

La Figure 11, eſt celle du papillon de cette chenille, vû par-deſſus.

La Figure 12, eſt celle du même papillon, ayant ſes aîles droites, & poſé ſur quatre jambes. *p p,* deux de ſes jambes. Il eſt de la ſeconde claſſe des diurnes.

PLANCHE XXVII.

La Figure 1, eſt celle d'une chenille épineuſe de l'orme, appellée *la bedaude.* Le deſſus de ſon corps eſt de deux couleurs. Depuis *b* juſqu'en *d,* il eſt blanc, & depuis *b* juſqu'en *a,* il eſt de couleur claire de tabac ou canelle. Le reſte du corps, ce qui eſt au-deſſus de la bande blanche, eſt auſſi de couleur de tabac, ou de feuille-morte.

a, la tête qui eſt petite, & qui a une ſorte d'air de tête de chat.

La Figure 2, eſt celle de la tête en grand, & vûë de face. *e,* échancrure qui eſt au haut de la tête.

o o, deux petits corps, qui par leur poſition ſemblent deux oreilles.

La Figure 3, eſt celle de plus de la moitié d'un anneau repreſenté en grand, avec quatre épines; l'anneau entier en a ſept.

Les Figures 4, 5 & 6, font voir en grand differentes épines de cette chenille.

La Figure 7, eſt celle d'une criſalide de cette chenille,

penduë à un morceau de bois, & vûë du côté du ventre. *c c*, deux cornes en croiſſant, par leſquelles ſe termine la tête de la criſalide. Les criſalides de cette eſpece de chenilles ſont ſouvent bien dorées.

La Figure 8, eſt celle de la criſalide de la Figure 7, vûë du côté du dos.

La Figure 9, fait voir par-deſſus le papillon qui ſort de cette chenille, ayant les aîles étalées.

La Figure 10, eſt celle du même papillon, poſé ſur quatre jambes, dont deux ſont marquées *p p;* il eſt de la ſeconde claſſe des diurnes. Le côté interieur de chaque aîle ſuperieure eſt concave & échancré, ce qui peut ſervir de caractere d'un genre. Les papillons repreſentés Pl. 26. Fig. 6, 7, 11 & 12, ſont de la même claſſe que celui-ci, mais les contours de leurs aîles ſont differents, & demandent qu'on les mette en des genres differents.

La Figure 11, eſt celle d'une chenille, au-deſſous de la grandeur mediocre, qui eſt verte & chagrinée; elle a pluſieurs caracteres particuliers, dont il a été fait mention ci-devant, Memoire 10.

La Figure 12, repreſente cette chenille groſſie à la loupe. *c c,* deux cornes de même ſubſtance que la corne des chenilles qui n'en ont qu'une. Celles-ci ſont toûjours dans la direction de la longueur du corps, je veux dire qu'elles ne ſont jamais redreſſées. La tête *t,* eſt preſque ſpherique.

La Figure 13, repreſente cette tête en grand, vûë par-deſſous. La partie brune & oblongue qui y paroît, eſt la bouche; ce ſont les deux bouts des dents *d d,* qui ont cette couleur.

K k k iij

La Figure 14, fait voir la chenille de la Figure 11, penduë en *q*, par ſes jambes poſterieures à une feuille de gramen, pour ſe metamorphoſer. Son corps eſt recourbé, ſa tête eſt en *t*.

La Figure 15, eſt celle de la criſalide de cette chenille, qui eſt de la claſſe des criſalides angulaires, mais plus courte, par rapport à ſa groſſeur, que ne ſont ordinairement les criſalides angulaires.

La Figure 16, eſt celle du papillon ſorti de cette criſalide, vû par-deſſus, ayant les aîles étalées.

La Figure 17, eſt celle du papillon de la même chenille, poſé ſur quatre jambes. Je ne ſçai pourtant ſi ce papillon eſt de la ſeconde, ou de la troiſieme claſſe; il avoit été très maltraité, quand j'ai voulu obſerver ſes jambes.

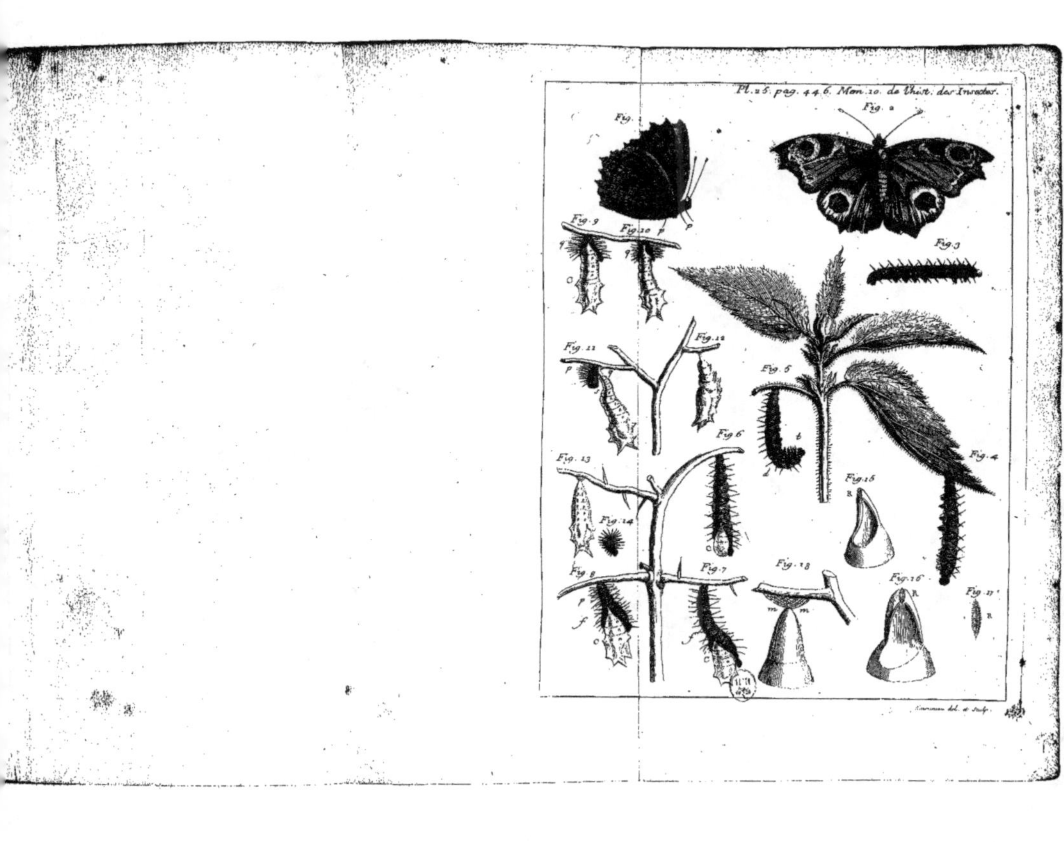

Pl. 25. pag. 446. Mem. 10. de l'hist. des Insectes.
Fig. 2
Fig.
Fig. 9
Fig. 10
Fig. 11
Fig. 12
Fig. 5
Fig. 3
Fig. 6
Fig. 4
Fig. 13
Fig. 15
Fig. 14
Fig. 8
Fig. 7
Fig. 18
Fig. 16
Fig. 17

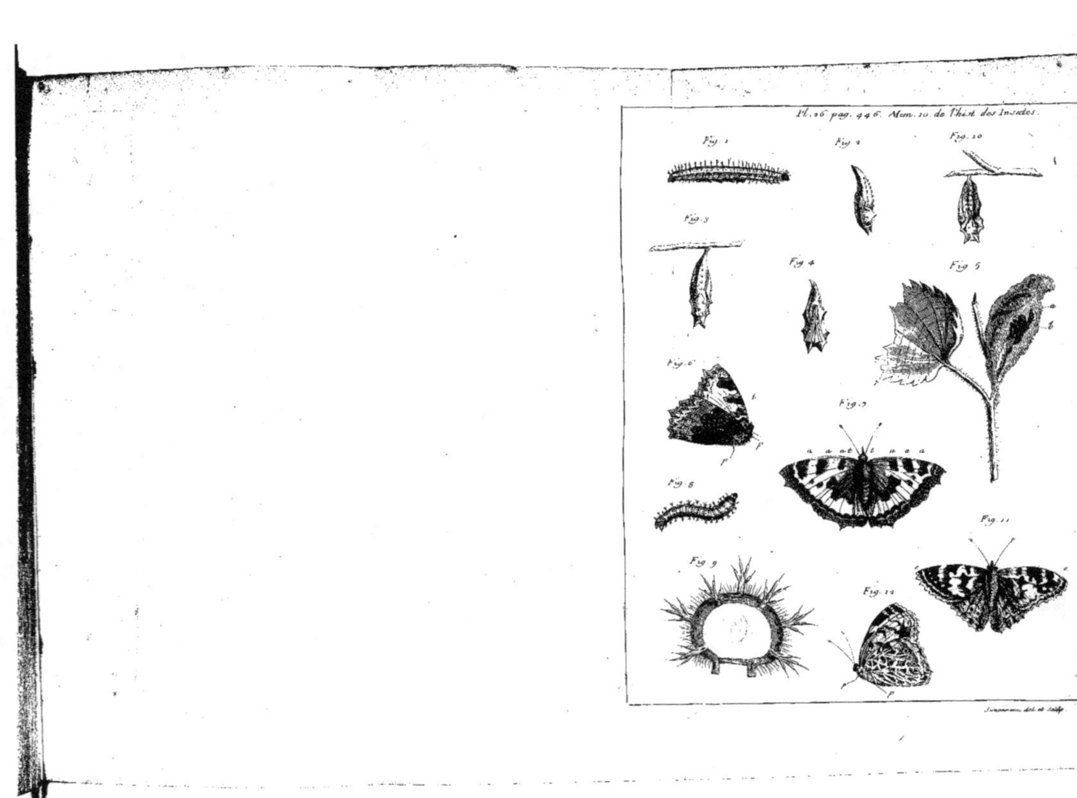

Pl. 26 pag. 446. Mem. 10 de l'hist. des Insectes.
Fig. 1
Fig. 2
Fig. 10
Fig. 3
Fig. 4
Fig. 5
Fig. 6
Fig. 7
Fig. 8
Fig. 9
Fig. 11
Fig. 12

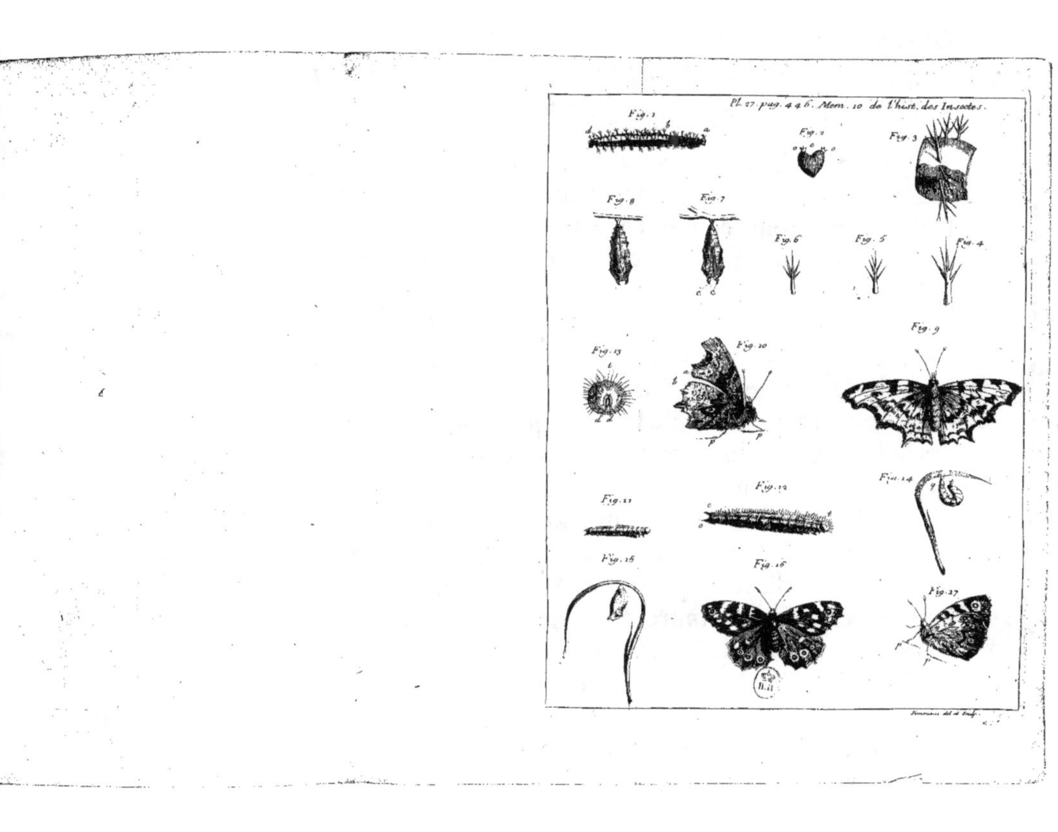

Pl. 27. pag. 446. Mem. 10 de l'hist. des Insectes.
Fig. 1
Fig. 2
Fig. 3
Fig. 8
Fig. 7
Fig. 6
Fig. 5
Fig. 4
Fig. 13
Fig. 10
Fig. 9
Fig. 11
Fig. 12
Fig. 14
Fig. 15
Fig. 16
Fig. 17

ONZIEME MEMOIRE.

DE L'INDUSTRIE
DES CHENILLES,

Qui, pour se metamorphoser, se suspendent par un lien qui leur embrasse le dessus du corps; Et des crisalides qui sont suspenduës par le même lien.

LA position la plus convenable à certaines crisalides, pour se tirer de leur fourreau de chenille, & pour se metamorphoser ensuite en papillon, est apparemment celle d'être penduë la tête enbas; dans cette situation, le poids même de l'insecte l'aide à se défaire de sa dépouille : mais d'avoir la tête en bas, est peut-être une situation incommode pour d'autres ; quand elles executent la même operation, elles ont toûjours la tête plus élevée que la queuë, ou au moins elles ne l'ont pas plus basse. On voit de ces dernieres crisalides appliquées sous differentes inclinaisons contre des murs *, contre des branches d'arbres ou de plantes *; on en rencontre qui sont posées horisontalement contre le dessous des entablements d'édifices, & on en rencontre d'autres qui sont dans une position verticale contre des murs ou contre des troncs d'arbres. C'est toûjours leur ventre qui touche le corps contre lequel elles se sont fixées. Quelque position que la crisalide ait choisie, soit horisontale, soit verticale, soit inclinée, elle est retenuë en partie par sa queuë, & cela, au moyen d'un expedient qui n'aura à present rien de nouveau; la queuë de celles ci est herissée de petits crochets, comme l'est la queuë des crisalides, qui se contentent de se pendre

* Pl. 29.
Fig. 5 & 6.
* Pl. 29.
Fig. 3. & Pl.
28. Fig. 13
& 14.

la tête en bas; les crochets font de même embarraffés dans
un monticule de fils de foye attaché fur le corps contre
lequel elle eft appliquée *.

Voilà un point d'appui, mais il faut un autre foûtien
pour retenir le corps de la crifalide, foit dans une pofition horifontale, foit dans quelque pofition inclinée, où
la tête ne fe trouve pas précifement en bas. Un lien de

fils de foye *, comme une efpece de ceinture, embraffe
le dos de la crifalide, au-deffous de l'origine de fes aîles,
ou même quelquefois au-deffous de l'endroit où elle eft
le plus renflée. Chacun des bouts de ce lien eft collé affés
proche de la crifalide, fur le corps contre lequel elle a
voulu fe fixer.

A la vûë fimple, ce lien ne paroît qu'un feul fil, mais
fi on l'obferve à la loupe, on apperçoit qu'il eft un affemblage d'un grand nombre de fils extremement déliés,
couchés les uns auprès des autres, qui ne font ni collés
enfemble, ni entrelacés les uns avec les autres. Il foûtient
la crifalide, mais il ne la gêne pas affés pour l'empêcher
de fe donner tout mouvement; elle peut fe jetter un peu
plus à droite ou un peu plus à gauche, elle peut un peu
fe mouvoir fur fa queuë: l'état où elle eft ne demande
pas qu'elle en faffe davantage.

Tout ce qui a précedé a affés fait connoître les crifalides, pour avoir appris qu'elles font incapables de filer;
on juge affés que le lien eft l'ouvrage de la chenille; auffi
fi on fait provifion de ces chenilles, dont les crifalides doivent fe trouver affujetties par un lien, & qu'on les obferve
peu de jours avant que leur metamorphofe arrive, on
en verra qui feront fixées précifement dans la même
place où le feront dans la fuite leurs crifalides. Leurs
deux jambes de la derniere paire feront cramponnées
dans des fils de foye, & le deffus de leur corps fera bridé
par

par le lien pofé dans l'intervalle qui eft entre les jambes écailleufes & les premieres jambes membraneufes *; le lien qui retient alors la chenille, eft le même qui dans la fuite retiendra la crifalide.

* Pl. 28. Fig. 12. & Pl. 30. Fig. 11.

On parvient aifement à trouver des chenilles ainfi liées, & cela, parce qu'après avoir fini de fe lier, elles reftent encore au moins vingt-quatre heures, & quelquefois plus de deux jours, fous leur premiere forme. Swammerdam en a fait reprefenter une dans cet état. Mais il faut être plus attentif à épier ces infectes, pour parvenir à voir comment ils s'y prennent pour fe mettre ce lien vers le milieu de leur dos. Quelques efpeces de chenilles que j'ai nourries uniquement dans la vûë de les furprendre dans ce travail, & que je tenois à deffein dans les endroits où j'étois le plus fouvent, ont toûjours fi mal pris leur temps pour moi, que je ne fuis jamais parvenu à les voir fe lier. Si celles-là ont trompé mon attente, d'autres efpeces ont, en revanche, pleinement fatisfait ma curiofité; je ne cherchois qu'à obferver un procedé, & elles m'en ont montré plufieurs. Elles m'ont appris, ce que je n'avois pas foupçonné, que leurs pratiques pour fe faire un lien femblable, & le placer femblablement, ne font pas uniformes; qu'elles en ont trois differentes; & que la conformation du corps de celles de differentes efpeces exigeoit qu'elles fe ferviffent de moyens differents pour executer le même ouvrage. C'eft ce qu'il fera aifé de remarquer, lorfque nous aurons décrit les trois manieres differentes de fe lier, employées par les chenilles. Ces trois manieres ont bien l'air d'être tout ce qu'elles fçavent fur cela, parce qu'il ne paroît pas qu'elles ayent befoin d'en fçavoir davantage.

Les premieres chenilles que j'aye vû fe lier, meriteroient même que nous en parlaffions, par la fingularité de leur forme *. Elle approche presque plus de celle des cloportes que de celle des chenilles ordinaires. Ray en a fait mention dans son histoire des Insectes. Il y en décrit deux especes, qui me paroissent être les mêmes que les deux que j'ai observées. Il nomme la premiere *eruca parva, hirsuta, millepedis seu aselli forma & magnitudine*. Cette chenille n'est gueres plus grande que le sont les cloportes ordinaires *; le contour de son corps est à peu-près arrondi comme l'est celui du leur; son ventre est applati *, il n'a pas la rondeur ordinaire à celui des chenilles. Le dessus du corps est formé par deux plans qui se rencontreroient sous un angle obtus, mais avant la rencontre de ces deux plans, il y a une canelure qui va tout du long du milieu du dos *. Diverses éminences angulaires sont disposées regulierement de part & d'autre de la canelure; leur arrangement ne se voit bien qu'à la loupe. Le bout de la queuë se termine à peu-près comme celui de la queuë des écrevisses. J'ai trouvé l'espece dont je viens de parler, sur l'orme, & c'est sur le chêne que j'ai trouvé l'autre espece, qui differe principalement de la premiere, en ce qu'elle n'a pas la canelure du dessus du dos. Quand le temps de leur metamorphose est proche, leur couleur est un brun-clair roussâtre, mais quand elles sont plus jeunes, elles sont entierement vertes. Les nuances de verd s'affoiblissent quand elles sont parvenuës à leur dernier terme d'accroissement; & par la suite, ces chenilles deviennent entierement brunes : le dessous du ventre commence le premier à brunir, il est quelquefois tout brun, quoique le dos soit encore verd. Celles de l'une & de l'autre espece sont couvertes de poils courts, très-serrés les uns auprès des autres. Elles ont seize jambes.

Vers la fin de Juin 1730. plusieurs de ces chenilles

s'attacherent chez moi, soit contre des feuilles, soit contre
les parois des bouteilles où je les avois renfermées, avec
le lien de fils de soye que j'avois tant envie de leur voir
travailler, & ce fut devant moi que plusieurs s'attacherent.
Pour entendre comment elles en viennent à bout, on se
rappellera que les chenilles peuvent allonger & raccourcir
leur corps, qu'elles peuvent gonfler certaines parties aux
dépens des autres, c'est de là que dépend toute la mécanique que nous avons à faire entendre ; elle n'offre rien
que de simple, lorsqu'on voit l'insecte dans le travail, mais
nous craignons que nôtre explication ne la fasse paroître
plus composée & plus embarrassée qu'elle ne l'est. Suppo-
sons qu'une de nos chenilles a déja fait une partie de son
lien, qu'il ne s'agit que d'ajoûter des fils à ceux qui embrassent déja son dos, & qui y sont si près les uns des
autres qu'ils se touchent. Pour y en ajoûter un nouveau,
elle raccourcit la partie de son corps, qui est depuis la tête
jusqu'au lien commencé * ; mais elle la raccourcit plus
d'un côté que de l'autre ; que ce soit en *l* qu'elle veuille
coller le bout du nouveau fil, c'est du côté d'*l* qu'elle
raccourcit le plus son corps ; elle l'incline vers ce côté,
jusqu'à ce qu'elle ait porté la filiere, qui est au-dessous
de sa bouche, sur l'endroit où sont attachez les bouts
des autres fils. La filiere, l'ouverture par où le fil sort,
colle le bout d'un fil sur l'endroit sur lequel elle s'applique. Voilà le commencement de l'operation ; pour la
continuer, la chenille retire sa tête, elle la ramene insensiblement à être sur une même ligne droite avec le reste
du corps. Si on l'observe avec une loupe pendant qu'elle
est en route, on découvre un fil délié, qui devient de plus
long en plus long, à mesure que la tête de l'insecte s'éloigne de l'endroit où son bout a été collé ; de nouvelle liqueur est tirée continuellement hors de la filiere, par la

* Pl. 28.
Fig. 5.

L ll ij

partie du fil déja formée ; elle en fort, elle fe deffeche à mefure, & devient en état de tirer d'autre liqueur. Ceci eft commun à la formation de tous les fils ; ce qui eft de particulier à ceux-ci, c'eft que leur ufage demande qu'ils ayent une longueur déterminée ; s'ils étoient longs jufqu'à un certain point, ils feroient un lien trop lâche qui foû-tiendroit mal le corps de la chenille, & auffi mal enfuite celui de la crifalide ; il y feroit flottant. Lors donc que la chenille éloigne fa tête de l'origine du lien, elle tient la partie anterieure de fon corps raccourcie ; fi elle l'allongeoit autant qu'elle la peut allonger, le fil devien-droit la corde d'un arc plus confiderable. La partie ante-rieure eft donc toûjours raccourcie, & même fe rac-courcit de plus en plus, à mefure que la tête eft plus proche du milieu de fa route, l'arc qu'elle décrit en de-vient plus petit. Quand elle y eft arrivée, c'eft vers l'autre bout du lien qu'elle s'incline, & cela de plus en plus, juf-qu'à ce qu'ayant pofé la filiere en *b* *, où les bouts des fils font attachez, elle y colle le dernier bout du fil qu'elle a fini, qui eft en même temps le bout du nouveau fil qu'elle va commencer. Un fil doublé plufieurs fois, & qui a été attaché chaque fois qu'il a efté doublé, eft ce que nous avons appellé jufqu'ici *differents fils*, parce qu'il eft plus commode de confiderer fes differentes portions, comme des fils differents.

Ce que la manœuvre de la chenille a ici de plus délicat, femble être de conduire ce fil en place, de le faire paffer fur fon dos jufqu'où il doit aller. Pour y réuffir elle prend fes mefures avant qu'il foit filé en entier à beaucoup près, & lors même que la moitié de la longueur eft à peine fi-lée, il fort d'au-deffous de fa tête, là eft l'ouverture de la filiere. Lorfque la tête eft proche du milieu de fa route, la chenille l'incline en enbas, & la courbe de façon qu'elle

la fait passer sous ce fil ; desorte que le nouveau fil qui se
devide va toûjours se trouver sur le bout écailleux de la
tête. Pour nous faire une image de sa route, prenons un
peloton de fil entre le pouce & le doigt index, & que
l'index soit en dessus ; qu'un bout du fil du peloton ait
été devidé & attaché fixement quelque part, mais que le
fil, qui du point fixe vient se rendre au peloton, passe
sur l'ongle de l'index ; si on devide de nouveau fil en
tenant toûjours tendu celui qui est devidé, ou, ce qui revient au même, en éloignant le peloton du point fixe ;
celui qui se devidera de nouveau viendra successivement
se rendre sur l'ongle de l'index. La filiere de la chenille
est ici le peloton du fil qui se devide & qui se recourbe
pour monter sur la partie superieure de la pointe de la
tête, pour s'y appliquer & glisser dessus, comme le fil du
peloton monte & glisse sur l'ongle. Ce fil ne doit pas
rester là, mais le voilà à portée d'être poussé plus loin ;
la chenille n'y songe pourtant que lorsqu'il est entierement fini, que lorsqu'il est attaché par les deux bouts.
Pendant qu'elle retourne par sa route precedente pour
former un second fil, elle se donne les mouvemens propres à faire passer le premier jusqu'au lien commencé ;
ils se réduisent tous à faire glisser le fil sur un plan incliné.
Elle éleve d'abord le bout de sa tête, & comprime l'anneau
qui la suit : voilà donc une pente le long de laquelle le fil
peut descendre sur le premier anneau. La tête s'abbaisse
ensuite un peu, elle se releve ensuite, elle se meut un peu
à droite, & après un peu à gauche. Toutes ces agitations
tendent à déterminer le fil à glisser ; aussi glisse-t-il, il
arrive sur le premier anneau, & jusques vers le milieu
du premier anneau. Y est-il arrivé, c'est cet anneau que
la chenille éleve, & qu'elle gonfle en même temps,
pendant qu'elle abbaisse & applatit l'anneau qui le suit.

L l l iij

Des mouvemens pareils à ceux que nous venons de
décrire forcent ce fil à couler sur le second anneau. Ainsi
d'anneau en anneau il est conduit à la place pour laquelle
il est destiné ; il est conduit à s'appliquer contre les autres.
Le vrai est que pour l'y faire arriver, il faut que l'insecte
se donne bien des contorsions ; malgré la flexibilité de
son corps, il est étonnant qu'il puisse pousser le fil si loin,
il est prodigieusement fin, à peine les yeux seuls le peuvent-
ils appercevoir. Nous avons dit ci-dessus que le corps de
la chenille est tout herissé de poils roides, ils sont courts à
la verité, mais ils sont cependant des colomnes d'une hauteur prodigieuse par rapport à un fil si fin, c'est sur une
forest de pareilles colomnes qu'il faut qu'il passe, sans rester
accroché & sans se casser.

J'ignore le nombre des fils dont chaque lien est composé, mais je lui en crois plus de cinquante ou soixante ;
malgré les difficultez qu'il y a à les conduire en place,
tout l'ouvrage est pourtant fini en moins d'une heure.
L'insecte alors reste tranquille, il ne se donne de mouvements que ceux qui lui aident à prendre la forme de crisalide, sous laquelle il paroît ordinairement au bout de
vingt-quatre heures*. La crisalide est soûtenuë par le même
lien qui la soûtenoit lorsqu'elle étoit sous l'enveloppe de
chenille. Je n'ai point surpris celles-ci dans le temps
qu'elles se tiroient de cette enveloppe, mais c'est une opération sur laquelle j'ai été assés instruit par d'autres chenilles à liens. Ces crisalides sont de celles qui n'ont point
une figure conique ; leurs deux bouts sont arrondis, &
celui de la queuë *, qui se termine en pointe dans les autres, est dans celles-ci plus gros que celui de la tête.

Trois semaines ou environ étant écoulées, l'enveloppe des
crisalides venuës des chenilles cloportes de l'orme, se brise ;
il sort de chacune un petit papillon diurne de la première

*Pl. 28.
Fig. *C, D.*

* *q.*

claffe, il a des antennes en maffe, il fe tient & marche fur fix jambes femblables, & il porte fes aîles perpendiculaires au plan fur lequel il eft pofé. Huit à dix de ces papillons font nés chés moi le même jour, qui tous étoient parfaitement femblables pour les nuances, & pour les diftributions des couleurs. Leurs aîles étoient d'un brun clair, legerement rougeâtre; le deffous de l'aîle inferieure, c'eft-à-dire, la fur- face de cette aîle, qui eft vûë lorfque le papillon la tient droite *, a une bande de petites taches rouges arrondies en œil, vers le milieu defquelles eft un petit cercle noir. Cette bande de taches commence à l'angle interieur de la bafe, jufques vers le milieu de laquelle elle va. Deux bandes de taches plus petites, & de couleurs moins claires, font pla- cées du même côté vers le milieu de chaque aîle. A l'angle interieur de la bafe de l'aîle il y a une petite partie qui forme une efpece de crochet.

* Pl. 28.
Fig. 7.

Les crifalides qui viennent des chenilles cloportes du chêne, n'ont pas le ventre fi applati que les precedentes. J'en ai eu qui font reftées crifalides pendant plus de fix femaines ; elles avoient pris cette forme dès le mois de May. Les papillons qui en font fortis font femblables à ceux des chenilles cloportes de l'orme par les caracteres ge- neriques, mais ils en different par les couleurs. Leurs aîles qui ne font pas du même brun, n'ont pas les taches dont nous venons de parler ; enfin ces aîles qui, lorfqu'elles font droites, montrent un côté brun, ont l'autre côté d'un beau bleu foncé, ou d'un beau violet. J'ai pourtant vû des papillons de ces chenilles dont les aîles eftoient brunes des deux côtez, mais peut-être ai-je vû plus d'efpe- ces de chenilles cloportes que je n'en ay diftingué, ou peut- être auffi font-ce des varietés de couleurs qui fe trouvent fur les papillons venus de chenilles de la même efpece.

Une chenille du chou, que j'ai déja appellée plufieurs

fois *la plus belle de celles du chou*, & qui eſt extremement
commune, merite au moins par cette derniere circonſtance que nous la choiſiſſions pour expliquer un procedé
different de celui que nous venons de voir, au moyen
duquel elle & pluſieurs autres chenilles parviennent à s'entourer d'un ſemblable lien. Elle* eſt de la claſſe de celles
à ſeize jambes, & du genre des raſes à petits tubercules,
les ſiens ſont noirs. C'eſt la même que Swammerdam a fait
repreſenter liée, & qu'il a choiſie pour expliquer ce qui
ſe paſſe dans la transformation ; mais il ne nous a point
appris comment elle s'entoure d'une eſpece de ceinture
de fils. Il a tranſcrit, & en a averti, la deſcription que
Ray a donnée de cette chenille, & nous n'en ſçaurions
donner une plus courte & une meilleure. Elle a des poils
blancs, courts (qui ne l'empêchent pas de paroître raſe
lorſqu'on ne la regarde pas de près,) ils ſont diſperſez &
nulle part ramaſſez en tas. Le noir, le jaune, le bleu ſont
differemment combinés ſur ſon corps. Le jaune y forme
trois rayes longitudinales ; une de ces rayes eſt tout du
long du milieu du dos, & les deux autres ſont ſur les deux
côtés. Entre ces rayes jaunes il y en a de chaque côté
une peinte de noir & de bleu. Le bleu en fait le fond,
ſur lequel le noir eſt jetté par points ou par taches; ces
points ou ces taches ſont des tubercules, du centre de
chacun deſquels un poil part. Les trois couleurs precedentes ſe trouvent ſur la tête, ſes côtés ſont bleus, le triangle eſt jaune, & les eſpaces intermediaires ſont noirs,
elle a des poils ſemblables à ceux du reſte du corps. C'eſt
là preſque mot à mot la deſcription de Ray, à laquelle
j'adjoûterai ſeulement que le bleu eſt pâle, & que le jaune
eſt citron.

  Quand le temps de ſa metamorphoſe n'eſt plus éloigné
que de deux ou trois jours, on la voit occupée à étendre
des

des fils sur differents endroits du vase, dans lequel on la tient renfermée. Ensuite elle en choisit un qu'elle tapisse entierement de fils plus pressés les uns contre les autres, & disposés par couches, qui se croisent en differens sens. Ils forment une toile très-mince & très-blanche, contre laquelle son ventre & celui de la crisalide doivent par la suite être appliqués. Quelquefois pourtant, après avoir couvert suffisamment de fils un endroit, la chenille l'abandonne ; mais on peut s'assûrer qu'elle ne quittera point celui où elle est, & que l'instant où elle va se lier est proche, quand on voit qu'elle y éleve un petit monticule de soye, au moyen de plusieurs couches successivement appliquées les unes sur les autres. Elle le prepare pour y accrocher les ongles de ses deux derniers pieds ; dès qu'il est fini elle les y cramponne, & ne tarde pas ensuite à travailler à se lier. Nous ne pouvons nous empêcher de faire remarquer que si elles se mettent un lien, ce n'est pas pour le besoin qu'elles en ont tant qu'elles restent chenilles, ni même pendant le temps de la metamorphose ; au moyen de la toile dont elles ont couvert la surface contre laquelle elles veulent s'arrêter, il leur seroit aisé de se fixer solidement ; elles n'ont qu'à y cramponner les ongles de tous leurs pieds. L'insecte agit comme s'il sçavoit que lorsqu'il sera dépouillé de la forme de chenille, il aura perdu ses pieds & les ongles dont ils sont armés ; qu'alors il n'aura d'autres crochets que ceux de sa queuë ; & que pour être soûtenu sous sa nouvelle forme, il sera necessaire qu'une ceinture embrasse son corps.

Des trois façons dont les differentes chenilles s'y prennent pour se faire & se mettre cette ceinture, la plus simple & la moins sujette à accidens, c'est celle qui est pratiquée par nostre chenille du chou. Pour entendre son procedé il suffit presque de sçavoir qu'après avoir allongé son

Tome I. .Mmm

corps jufqu'à un certain point, elle peut renverfer fa tête fur fon dos, la porter même jufques fur le cinquieme anneau, ayant fes trois jambes écailleufes en l'air *; c'eft-à-dire que fon corps eft fi flexible, qu'elle peut le plier en deux, en renverfant en-deffus fa partie anterieure, qu'elle la peut conduire jufqu'à s'appliquer & à fe coucher fur la partie qui fuit le ply; alors deux parties du dos peuvent eftre l'une fur l'autre & fe toucher. Ne mettons pourtant pas encore notre chenille dans cette pofition fi forcée, prenons la d'abord dans une autre plus ordinaire à ces infectes & moins incommode, c'eft-à-dire, dans une pofition où elle eft fimplement recourbée fur le côté, & de façon que fa tête, ou, ce qui eft la même chofe, que la filiere qui eft deffous, peut s'appliquer vis-à-vis, & affés proche d'une des jambes de la premiere paire des membraneufes *. Que la filiere colle là le bout d'un fil, qui va être le premier de ceux dont le lien fera compofé. Ce fil doit paffer fur le corps de la chenille, & être attaché par fon autre bout auprès de la jambe correfpondante à celle près de laquelle le premier bout a été collé. Pour filer le fil de longueur convenable & le mettre en même temps en place, la chenille n'a donc qu'à conduire circulaire-ment fa tête autour de fon cinquieme anneau. Le fil fera tiré de la filiere à mefure que la tête avancera fur la demi-circonference du cercle qu'elle a à décrire, & quand elle l'aura décrite, il ne lui reftera qu'à coller fixement contre le plan immobile le fecond bout du fil. Ainfi la tête, que nous avons d'abord pofée contre une des jambes, avance peu à peu fur le contour du cinquieme anneau jufques à fon milieu *. Ceft la facilité que la chenille a à renverfer fon corps, qui lui permet de faire faire cette route à fa tête; à mefure qu'elle la conduit fur la circonference de l'anneau elle contourne fon corps; & enfin lorfqu'elle

* Pl. 28.
Fig. 11.

* Fig. 9. l.

* Fig. 10
& 11. t.

l'a portée sur la sommité de l'anneau, son corps est précisement plié en deux : alors ses jambes écailleuses & la
partie anterieure sont entierement renversées *. Elle la   * Fig. 2.
tire peu à peu de cette situation, en contournant son
corps vers l'autre côté, & en faisant parcourir doucement à sa tête le dernier quart de cercle. Enfin la chenille
se trouve pliée vers le second côté, comme elle l'étoit au
commencement de sa marche vers le premier; la tête rencontre le plan tapissé de toiles, elle y colle le second
bout du fil.

La chenille n'a qu'à faire retourner sa tête par la même
route, par laquelle elle vient de la conduire, pour filer &
attacher en place un second fil; & elle n'a par consequent
qu'à repeter la même manœuvre autant de fois qu'il faut
de fils pour composer un lien assés solide. De la position
dans laquelle elle est pendant ce travail, il suit que chaque
fil embrasse la tête par-dessous *; à mesure qu'elle en a   * Fig. 10
filé un nouveau, elle se donne un petit mouvement de   & 11.
tête qui le fait glisser dans le pli du col, la distance du
col à la filiere n'est pas grande. C'est donc dans ce ply
du col que s'accumulent les fils destinés à composer le
lien complet; alors ils passent tous un peu au-dessous de
la tête; ainsi lorsqu'elle se trouve sur le milieu de l'anneau, il y a entre l'anneau & le paquet de fils la tête de
la chenille.

Le nombre des fils estant devenu complet, il ne reste
donc à la chenille qu'à dégager sa teste de dessous le lien,
& ce ne lui est pas chose difficile; après qu'elle a attaché le
second bout du dernier fil, elle la retire tout doucement
en avant, elle la fait glisser le long des fils près d'un des
endroits où ils sont tous fixés*, & où par consequent il   * Fig. 9. l.
n'y a pas à craindre que les frottemens les écartent les
uns des autres, ce qui pourroit arriver si elle tentoit de

Mmm ij

la retirer pendant qu'elle eft fur le milieu de l'anneau.
Le lien alors n'entoure plus précifement que le corps de
la chenille, & il eft dans fa véritable place *. Il pourroit
fembler qu'il feroit beaucoup trop lâche, ci-devant il em-
braffoit le corps en double. Les mouvemens que la chenille, & même ceux que la crifalide aura à fe donner par
la fuite, demandent que ce lien foûtienne le corps fans
le trop ferrer, qu'il lui permette un peu de jeu en differents fens. Il n'eft pourtant pas auffi lâche qu'on pourroit
fe l'imaginer ; quand il entouroit le corps en double, le
corps étoit allongé, & en avoit moins de diametre; dès
que la tête eft fortie de deffous le lien, la chenille fe redreffe & fe raccourcit, elle devient même alors plus
courte & plus groffe qu'elle ne l'étoit avant que de fonger
à fe lier.

Le lien eft compofé d'environ cinquante fils, je ne
les ay jamais comptés exactement, mais j'en ay compté
trente-huit que fila devant moi une chenille qui en avoit
peut-être déja filé une douzaine, lorfque je commençai
à compter. Le milieu du lien eft à peu près fur le milieu
du cinquieme anneau, & de là il fe rend de chaque côté
dans l'efpece de fillon, qui eft entre ce même anneau &
le fixieme.

Les manœuvres des chenilles de cette efpece demandent qu'elles allongent extremement la tête, & c'eft pendant qu'elles l'allongeoient que j'ai vû qu'elles ont un
col entr'elle & le premier anneau, qui dans les autres
temps fe replie fi fort, que le premier anneau femble joint
immediatement à la tête.

Si on fait attention à la conftitution du corps de nos
chenilles cloportes du chêne & de l'orme, & à la conftitution de celui de notre chenille du chou, on verra affés
pourquoi elles s'y prennent differemment pour executer le

même ouvrage. Le toucher apprend que le corps de la derniere est mol, flasque, il peut aisement se plier; le corps des autres est plus ferme, plus dur, & par conse-quent il n'a pas la même flexibilité: il ne seroit pas pos-sible à ces chenilles de renverser leur tête sur leur dos, & de la porter jusques sur le cinquieme anneau; elles ne peuvent se recourber que sur les côtés, que gonfler ou allonger successivement leurs differents anneaux; en un mot, que se donner les mouvemens au moyen desquels elles conduisent chacun des fils du lien en place, les uns après les autres; au lieu que la flexibilité du corps de notre chenille du chou lui permet de les filer au-dessus de l'anneau-même qu'ils doivent embrasser.

La crisalide dans laquelle cette derniere se metamor-phose est angulaire, & de celles dont la partie anterieure se termine en maniere de prouë, c'est-à-dire, par une seule pointe *. Le fond de sa couleur est un jaune pâle, un peu verdâtre, sur lequel sont jettés beaucoup de points noirs. Il y a de ces chenilles qui ne perdent leur forme que vers la fin de Septembre ou vers la mi-Octo-bre, j'en ai eu même qui ne se font metamorphosées qu'au commencement de Decembre. Ce n'est que vers le 15. de Juin que les papillons sont sortis chés moi de ces crisalides tardives. D'autres chenilles de la même es-pece se metamorphosent au printemps ou au commen-cement de l'esté : je ne sçais pas précisément combien le papillon de celles-ci reste sous sa derniere enveloppe, mais il en sort d'assés bonne heure pour faire des œufs, d'où naissent des chenilles en état elles-mêmes de prendre la forme de crisalides avant l'hiver.

Le papillon qui vient de cette espece de chenille est très-commun dans nos jardins; il est de la premiere classe des diurnes; le dessous de ses aîles inferieures* est d'un citron

* Fig. 13 & 14. p.

* Pl. 29. Fig. 2.

extrememement clair, prefque blanc, picqué de points noirs quafi imperceptibles. Le blanc-citron du deffus des aîles inferieures eft la couleur de l'autre côté des mêmes aîles, & celle qui domine tant fur le deffus que fur le deffous des aîles fuperieures. Dans une de ces pofitions où il tient fes aîles droites, mais où il n'éleve pas beaucoup les fuperieures, il paroît tout blanc-citron *; mais dans une autre pofition où il éleve plus les aîles fuperieures *, on voit fur chacune de ces dernieres, deux taches noires. Il montre les deux mêmes taches, & encore mieux marquées, lorfqu'il ouvre toutes fes aîles, & qu'il les tient paralleles au plan fur lequel il eft pofé *; on voit de plus alors que la bafe de chacune des fuperieures eft bordée de noir, & que cette bordure eft plus large que par tout ailleurs, qu'elle forme une plus large tache, à la jonction du côté exterieur avec la bafe.

Enfin, il nous refte à parler d'une troifieme maniere tout-à-fait differente de celles que nous avons expliquées, dont fe fervent certaines chenilles pour fe mettre fur le dos un lien femblable aux précedents, & femblablement pofé. L'efpece qui nous a fait voir cette derniere façon d'y proceder, eft digne, d'ailleurs, d'être connuë par quelques autres particularités. Cette chenille * eft d'une longueur, & fur tout d'une groffeur au-deffus de la mediocre; car elle eft groffe par rapport à fa longueur. Le fenouil eft de toutes les plantes celle qu'elle paroît aimer le mieux: Mme Merian, qui nous en a donné la figure, dit qu'elle a une bonne odeur; elle fent effectivement le fenouil, comme le fentiroient des doigts qui auroient touché fes feuilles. Il femble, en general, que les plantes umbeliferes font du goût de cette chenille; dans des jours où le fenouil me manquoit, je l'ai nourrie avec des feuilles de carotte, dont elle s'accommodoit fort bien. M. Bernard

* Pl. 29.
Fig. 2.
* Pl. 10.
Fig. 7.

* Pl. 29.
Fig. 1.

* Pl. 30.
Fig. 2, 3 &
4.

de Juſſieu m'a donné de ces chenilles qu'il avoit trouvées ſur la ciguë, & qui en rongeoient les feuilles. Elle eſt de la premiere claſſe des chenilles, ou de celles à ſeize jambes, & d'un des genres des raſes. Le fond de la couleur de ſon corps eſt un beau verd, plus jaune ou plus foncé neantmoins, ſelon l'âge où on la prend. Mais ce qui l'embellit, c'eſt une raye tranſverſale qu'elle a ſur chaque anneau, & qui en fait le contour. Toutes ces rayes ſont noires, & coupées chacune en ſix endroits par des taches d'un rouge-orangé. Au reſte, ces couleurs, & le noir ſur tout, ont un œil velouté. Cette chenille a pourtant un air lourd, elle ſe donne peu de mouvemens; ſouvent elle tient ſa tête preſ-que retirée ſous ſon premier anneau *, elle rend alors ſa partie anterieure très-raccourcie.

* Pl. 30.
Fig. 2.

   Ce qu'elle a de plus remarquable, ce ſont deux cornes *, ou, pour en donner une idée plus juſte que celle que preſentent les figures qui en ont été gravées ci-devant, & les explications de ces figures, c'eſt une corne * qui a été priſe pour deux, parce qu'elle a deux branches, & que ſouvent on ne voit pas la tige commune * d'où elles partent. La forme de cette corne n'eſt pourtant pas conſ-tante, mais celle qui lui eſt la plus ordinaire, & qu'on peut appeller la plus complete, eſt celle d'un Y *. Elle eſt placée vers le commencement du premier anneau, ſur le milieu de ſa demi-circonference ſuperieure, c'eſt-à-dire, ſi proche de la tête, qu'elle paroît en partir *. Elle eſt d'une couleur rou-geâtre, & de ſubſtance charnuë; elle ſemble être de même nature que celles des limaçons, elle eſt capable à peu près des mêmes mouvemens. Quoique dans certains temps la chenille porte ſes deux branches aſſés haut, elle la retire tel-lement, dans d'autres temps, qu'on ne ſoupçonneroit pas qu'elle eût cette corne branchuë *. Elle ne la montre que quand il lui plaît; elle la tient quelquefois cachée pendant

* Fig. 3. c c.

* Fig. 4. c c
Y.

* Y.

* Fig. 4.

* Fig. 5. o o,

* Fig. 2.

des heures entieres. Quand on manie la chenille, quand on l'incommode, on la détermine affés fouvent à la faire fortir, mais j'en ai manié pendant des demi-heures qui ne laiffoient pas de la tenir obftinement cachée. C'eft quand elle la fait fortir entierement qu'on lui voit la forme d'un Y. Quelquefois elle n'en laiffe paroître que les deux *Fig. 3. branches, & retient leur tige en dedans de fon corps*; c'eft alors qu'on lui juge deux cornes feparées. Au refte, elle n'allonge pas toûjours également l'une & l'autre de ces branches, elle donne quelquefois à l'une une grande partie de la longueur qu'elle peut avoir, pendant qu'elle *Fig. 6. tient l'autre très-raccourcie*, & cela alternativement. Les
C t D. branches & la tige même femblent creufes, comme le font les cornes d'un limaçon, ou comme le font les doigts *Fig. 6. d'un gant*. Quand on tire le gant de deffus une main
& 7. dont il preffoit trop les bouts des doigts, les doigts du gant fe replient, ils rentrent en dedans; c'eft ainfi que fe raccourciffent les branches de cette corne, & que la tige elle-même fe raccourcit lorfque la chenille la fait rentrer entierement dans fon corps: lorfqu'elle la veut faire fortir, il fe forme une longue & large ouverture près du bord *Fig. 5.00. anterieur du premier anneau*. Cette ouverture difparoît dès que la corne eft tout-à-fait rentrée; mais fi on fçait où elle doit être, on reconnoît aifement les deux plis de l'anneau qui la bouchent en s'approchant l'un de l'autre, & on voit l'étenduë de la circonference qu'elle doit occuper fur cet anneau.

La pofition horifontale paroît être celle que les che- nilles de cette efpece choififfent plus volontiers pour fe *Fig. 11. metamorphofer*, au moins le plus grand nombre de celles qui fe font transformées dans les poudriers de verre où je les nourriffois, fe font fixées contre leurs couvercles, le dos en bas. Quelques-unes pourtant fe font attachées

contre

contre les parois du poudrier. Elles ont, comme toutes
les autres, commencé par tapiffer de foye la place où elles
vouloient s'affujettir; elles ont de même accroché leurs
jambes dans un petit monticule de foye. Elles font même
ce monticule de foye avec un art dont j'ai déja parlé dans
le Memoire précedent, quoiqu'elles foient les premieres
chenilles qui m'ayent donné occafion de l'obferver. Après
qu'une de celles-ci eut tapiffé de foye une certaine étenduë, celle contre laquelle elle vouloit s'appliquer, & fe
fixer, je remarquai que la tête reftoit vis-à-vis le même
endroit; mais elle n'y étoit pas tranquille; elle s'appliquoit
contre la furface du couvercle, elle s'en éloignoit enfuite
un peu; un inftant après elle fe rapprochoit de la même
furface jufqu'à la toucher : un fil fuivoit la tête dans fa
route, d'où il eft aifé de juger à quoi tendoient de pareils
mouvemens, que la tête repeta bien des fois. C'étoit à faire
un petit tas, un petit cone compofé d'un grand nombre
d'efpeces de boucles ou de mailles *. Le petit cone de
foye étoit compofé d'un grand nombre de fils pliés en double les uns auprès des autres, & par confequent très-propres à donner de la prife aux crochets des pieds de derriere de la chenille, & à ceux de la queuë de la crifalide.

   Auffi dès que ce petit tas de foye fut fini, la chenille
fe retourna bout par bout; elle chercha à pofer deffus
fes jambes pofterieures. Quand elles l'eurent rencontré,
elles ne l'abandonnerent plus. Mais pour mieux engager
leurs crochets dans ces fils de foye, la chenille s'allongeoit, portoit fes anneaux en avant, & fe raccourciffoit
enfuite brufquement. Ce raccourciffement fubit donnoit
des efpeces de coups à la partie pofterieure, qui tendoient
à faire avancer les crochets entre les fils du monticule.
Le lien que cette chenille fe fila enfuite, étoit compofé à
peu près du même nombre de fils dont font compofés

*Pl. 30.
Fig. 9, 10
& 11. q.

Tome I.   . N n n

ceux des autres chenilles, mais de fils plus gros & plus
forts*. Elle le place dans l'espece de renure qui est à la
jonction du cinquieme anneau avec le sixieme, ou, ce qui
est la même chose, il est précisement posé entre l'anneau
de la premiere paire des jambes intermediaires & l'anneau
sans jambes, qui le precede; il trouve là une cavité où il
est bien retenu, il ne sçauroit glisser ni en devant ni en
arriere; une grande partie de sa circonference y est même
cachée; on n'en voit de chaque côté qu'un bout, qui va
s'attacher auprès d'une des jambes de la premiere paire
des membraneuses. On ne voit gueres de plus grandes
portions du même lien sur les crisalides*, il y est de même
caché en grande partie dans une espece de renure. J'in-
siste sur cette remarque, parce qu'on est porté à croire que
la chenille & la crisalide sont suspenduës par deux cordons, attachés chacun par un de leurs bouts à un des
côtés de la chenille ou de la crisalide; cela paroît même
ainsi lorsqu'on ne cherche pas à s'assûrer que ces deux cordons sont deux portions du lien qui embrasse le dessus du
corps. Un grand peintre de plantes, de papillons & de chenilles, qui avoit peint celle-ci liée, & qui croyoit avoir bien
observé comment elle l'étoit, ne pût même être détrompé
par tout ce que je lui pûs dire, lorsque je l'assûrai que le
lien de cette chenille étoit parfaitement semblable à celui
des autres.

Mais quoiqu'il ne differe en rien de ceux des autres
chenilles par rapport à sa composition, & à sa forme,
celles-ci s'y prennent tout autrement que les autres pour
se le passer sur le corps. Des trois procedés, le leur approche le plus de celui auquel j'avois imaginé que les
chenilles devoient avoir recours, avant que je les eusse
vûës dans l'opération. J'avois pensé, & c'est ce qui étoit
le plus naturel à imaginer, qu'elles filoient le lien, &

qu'après l'avoir fini elles se glissoient dessous jusqu'à ce
qu'il fût rendu à la place où elles le vouloient. Mais ce
qui m'embarrassoit, étoit de sçavoir comment les fils du
lien se soûtenoient en arcade, avant que la chenille les
passât sur son corps ; comment la chenille pouvoit passer
sous cette espece d'arcade étroite, & composée de tant
de fils nullement joints ensemble, sans en mêler un très-
grand nombre. Ces difficultés m'avoient même paru plus
grandes, depuis que j'avois vû des chenilles avoir recours
aux procedés que nous avons décrits. Mais celles-ci sçavent les surmonter, elles filent leur lien en entier avant
que de songer à le conduire sur leur corps ; voyons d'abord
comment elles le filent.

Considerons-en une qui est à la renverse *, ayant ses
deux derniers pieds cramponnés dans le monticule de
soye *, & qui a encore accroché, mais plus legerement, les
pieds de ses jambes intermediaires * dans la toile qui couvre
le plan vers lequel le ventre est tourné. Le lien complet peut
être regardé comme un écheveau plié en deux, & dont les
deux bouts seroient fixement attachés à quelque distance
l'un de l'autre *. Notre chenille va aussi travailler en quelque sorte, comme nous ferions pour faire passer le fil d'un
peloton, ou d'une bobine, sur un devidoir, ou sur un
rouet. Sa filiere peut être regardée, & nous l'avons déja
regardée ailleurs, comme le peloton de fil de soye ; ses
premieres jambes écailleuses & lès côtes de son corps sont
le devidoir sur lequel elle conduira celui qui en sera tiré ;
elle ne l'y disposera pourtant qu'en demi écheveau, qu'en
écheveau plié *. Pour commencer à travailler elle recourbe vers un côté la partie anterieure de son corps,
comme nous l'avons vû faire à d'autres chenilles ; elle porte
de même sa tête assés proche d'une des jambes de la premiere paire des membraneuses * ; & elle applique sa filiere

* Pl. 30.
Fig. 9.

* q.
* ii.

* Fig. 12.
L l.

* Fig. 10.
L i k l.

Fig. 9.

N n n ij

fur la furface du corps contre laquelle fes jambes font arrêtées ; elle y colle le bout ou le commencement du fil.
Elle redreffe enfuite peu à peu fa partie anterieure, peu à
peu elle ramene fa tête en avant ; à mefure qu'elle éloigne
fa tête de l'endroit où elle a collé le bout du fil, de nouveau fil fort de la filiere. Mais le mouvement de la tête en
avant n'eft pas le feul que nous devions faire remarquer ;
pendant fa route elle s'en donne d'autres, qui confiftent
en diverfes inflexions, qui toutes tendent à conduire le
fil, à mefure qu'il fe forme, fur la partie exterieure de fon
corps, qui eft un peu au-deffus des deux dernieres paires
des jambes écailleufes, & de là fur la premiere paire de ces
mêmes jambes * ; c'eft la moitié du devidoir que le fil doit
entourer. La tête parvenuë à être en ligne droite avec la
longueur du dos, s'incline enfuite peu à peu vers le côté
oppofé à celui d'où nous l'avons fait partir. Le fil, qui fort
alors de la filiere, eft par fes mouvemens conduit deffus la
feconde jambe de la premiere paire des écailleufes ; enfuite un peu au-deffus de l'origine de la feconde jambe de
la feconde paire, & de là au-deffus de l'origine de la fé-
conde jambe de la troifieme paire. Enfin la tête de la chenille avance plus loin, & va coller l'autre bout du fil tout
auprès de la feconde jambe de la premiere paire des membraneufes. Alors un fil ou un des tours du fil eft fini ; en
faifant retourner fa tête par la même route par laquelle
elle l'a amenée, & la conduifant de la même maniere, la
chenille filera un fecond fil, ou un fecond tour de fil, qui
de même paffera fucceffivement fur fes côtes, & fur fes
deux premieres jambes écailleufes. Ainfi elle multipliera à
fon gré le nombre des fils, ou des tours de fil ; & à mefure
qu'elle les multipliera elle groffira l'écheveau, que fes deux
premieres jambes écailleufes font chargées de foûtenir.
Cet ouvrage, auquel la chenille n'eft nullement exercée,

puisqu'elle ne le fait qu'une fois dans sa vie, demande cependant dans ses premieres jambes, une sorte de dexterité qui nous sembleroit ne pouvoir être acquise que par l'exercice. Lorsque le nombre des fils est devenu grand, lorsque l'écheveau est bien fourni, les premieres jambes ont à se donner des mouvements très-adroits pour retenir tous les fils, pour empêcher qu'il ne s'en échappe pendant que la chenille est obligée de donner une infinité d'inflexions & de contorsions differentes à la partie anterieure de son corps, pour filer un tour de fil complet; plusieurs de ces mouvemens tendent à faire glisser les fils hors de dessus les jambes. Aussi voit-on les jambes anterieures s'allonger, se raccourcir, se recourber, s'incliner plus ou moins vers la tête, selon qu'il est necessaire, par rapport aux differents mouvements du corps, pour retenir tous les fils du paquet.

Malgré l'adresse de ces jambes, quoique la chenille fasse tout ce qui lui est possible pour qu'elles ne laissent pas échapper les fils, il arrive quelquefois que l'écheveau s'échappe en entier ou en partie ; peut-être même que cet accident n'est pas rare, puisque dans le petit nombre de chenilles de cette espece que j'ai pû suivre dans ce travail, il y en eut une de dessus les jambes de laquelle l'écheveau glissa tout entier sous mes yeux, lorsqu'il étoit près d'être complet. C'est un grand accident pour une chenille ; aussi-tôt tous les fils s'écarterent les uns des autres ; de les reprendre, de les réunir, de les remettre dans leur premiere place, étoit un furieux ouvrage. La chenille fit devant moi cent & cent tentatives pour en venir à bout ; elle inclinoit vers le derriere ses deux premieres jambes, elle les allongeoit & les redressoit autant qu'il lui étoit possible pour les faire passer sous cet écheveau devenu trop large, parce que ses fils s'étoient éparpillés. Son

adreſſe & ſes efforts ne pûrent la faire réuſſir à les reprendre
tous ; à peine en pût-elle faire paſſer la quatrieme partie
ſur ſes jambes ; le reſte ſe mêla. Elle n'entreprit pas
de filer de nouveaux fils, pour remplacer ceux qui lui
avoient échappé ; peut-être que ſa proviſion de liqueur
ſoyeuſe étoit épuiſée, ou que trop fatiguée des travaux
precedens, & dégoûtée par leur mauvais ſuccès, elle ne
pût ou ne voulut plus ſe remettre à filer. Elle ſe contenta
d'un lien compoſé des fils qu'elle avoit pû rattraper ; mais
il ſe trouva trop foible, il laiſſa tomber la criſalide, lorſqu'elle ſe donna les derniers mouvemens qu'elle ſe donne
pour ſe tirer de ſa dépouille.

Lorſqu'il n'arrive pas que la chenille ait le malheur de
laiſſer échapper le paquet de fils deſtiné à lui ſervir de lien,
ou lorſqu'elle a reparé ce malheur en les reprenant tous
ou en grande partie, il lui eſt facile d'achever le reſte de
l'ouvrage ; il ne s'agit plus que de faire gliſſer tous ces fils
enſemble ſur ſon dos, juſqu'à la place qui leur eſt le plus
convenable. Pour y parvenir elle incline ſa tête, & elle
la conduit entre ſes deux jambes anterieures : pour peu
qu'elle la porte alors en avant, & qu'elle la releve, c'eſt
ſur elle que poſera le lien qui poſoit ſur les deux premieres jambes, qui peuvent enſuite ſe retirer & l'en laiſſer
chargée, ſans qu'il y ait à craindre que les fils deviennent
lâches, & puiſſent ſe mêler. Qu'alors la chenille releve encore davantage ſa tête, & elle ne manque pas de le faire,
elle déterminera le paquet à gliſſer vers le premier anneau. Enfin elle le conduira en place par des élevations &
des gonflemens, des contractions & des abbaiſſemens ſuc-
ceſſifs de ſes anneaux, que nous avons aſſés expliqués en
rapportant les procedés qu'employent les chenilles cloportes pour ſe lier. Ces dernieres chenilles ne font marcher ſur leur dos qu'un fil à la fois : heriſſées de poils,

comme elles le font, il ne leur feroit pas apparemment poffible de faire gliffer enfemble tous ceux d'un même paquet, comme le font nos chenilles du fenouil, dont la peau eft liffe. Il ne feroit pas poffible auffi à nos chenilles du fenouil, de fe lier en fuivant les procedés employés par les belles chenilles du chou ; le corps de ces dernieres ayant une moleffe & une foupleffe que celui des autres n'a pas.

Les crifalides, dans lefquelles ces chenilles fe transfor-ment, font angulaires ; elles ont deux efpeces de cornes *, en devant de la tête, ou deux éminences angulaires imi-tant les cornes. Leur couleur eft verte ; le verd du deffus du dos eft un peu lavé de jaune : elles font plus ventruës que les autres crifalides ; c'eft-à-dire, que le côté du ventre eft moins applati, qu'il a une forte de faillie. Celles qui paroif-fent dans le commencement de Septembre reftent crifalides pendant tout l'hiver, & il en fort au printemps un beau pa-pillon de la quatrieme claffe des diurnes, ou de ceux dont les aîles inferieures embraffent le deffus du corps *, & qui lui forment une efpece de queuë *. J'ai eu de ces chenilles qui fe font mifes en crifalides le huit & le neuf de Juillet, d'où le papillon fortit au bout de treize jours. Il y a donc tel papillon qui ne vit fous la forme de crifalide que treize jours, pendant qu'un autre de la même efpece vit plus de neuf mois fous la même forme. Treize jours font la jufte durée d'une vie de crifalide, & neuf mois ne font que la jufte durée de la vie d'une crifalide toute fembla-ble. Elles fe trouvent peut-être vivre également, dès que l'une fait en treize jours, ce que l'autre ne fait qu'en neuf mois.

Ce papillon de la chenille du fenouil merite une place parmi les plus beaux ; un jaune citron, & du noir font pour-tant prefque les feules couleurs qui fe trouvent fur le deffus

* Fig. 12 & 13. *cc.*

* Pl. 30.
Fig. 1.
* *q q.*

& fur le deffous de fes aîles fuperieures *. Mais la nuance
du citron eft belle, & le noir eft du plus beau noir velouté;
d'ailleurs ces deux couleurs font diftribuées par des efpeces d'aires, de taches, chacune bien formées, & arrangées
d'une maniere agréable, dont les Fig. des Pl. 29 & 30,
donnent affés d'idée. Le même jaune, & le même noir
font encore les couleurs qui dominent, tant fur le deffous
que fur le deffus des aîles inferieures; mais l'un & l'autre
côté de chacune de ces dernieres aîles a de plus un œil
feuille-morte nué, à moitié entouré de bleu *, pofé affés
près de la jonction du côté interieur avec la bafe. A cet
œil commence un rang de fix taches, les unes rondes &
les autres en croiffant *, qui font du plus beau bleu. Ces
taches font fur une ligne à peu près parallele à la bafe de
l'aîle; celles qui font fur le deffus de l'aîle font plus grandes, & plus rondes, que celles qui font fur le deffous.

Le plus grand nombre de chenilles qui fe lient fe transforment en crifalides angulaires; ce n'eft pourtant pas une
regle generale. Les chenilles cloportes nous en fourniffent
de fimplement arrondies. Il y a même des chenilles d'où
fortent des papillons à aîles en plumes, qui fe lient & qui
fe transforment enfuite en crifalides coniques *. Le lien
de ces dernieres m'a paru conftamment mis plus proche
de la tête de la chenille, & de celle de la crifalide, que ne le
font les liens des autres. Sous la tête d'une de ces crifalides de papillon en plume, que je rencontrai fur des feuilles
d'arricot, j'obfervai une couche affés épaiffe d'une efpece
de colle feche & fi tranfparente, qu'avant que de la toucher je la croyois une eau limpide.

Jufqu'ici nous nous fommes bornés à obferver nos
chenilles de differentes efpeces, pendant qu'elles fe
lioient, nous les avons laiffées bien fufpenduës; mais nous
devons d'autant plus les fuivre jufques à la fin de leur
metamorphofe,

metamorphose, que ce lien neceſſaire pour ſoûtenir l'inſecte ſous la forme de chenille & ſous celle de criſalide,
ſemble lui devoir être très-incommode pendant le paſſage
de la premiere à la ſeconde, du moins l'avois-je crû ainſi.
D'ailleurs, nous aurons en même-temps occaſion de faire
quelques remarques, qui ne doivent pas être obmiſes, ſur
ce qui ſe paſſe dans quelques-unes des transformations qui
donnent des criſalides angulaires.

Une chenille du chou, très-commune, mais aſſés petite, car elle eſt au-deſſous de la grandeur mediocre, qui
ſe paſſe ſur le corps un lien ſemblable à ceux dont nous
avons tant parlé, eſt une de celles que je ne ſuis point
parvenu à voir pendant qu'elles ſe lioient; mais c'eſt celle
de toutes qu'il m'eſt arrivé d'obſerver plus de fois, pendant que la criſalide ſe tiroit du fourreau de chenille. Le
haſard veut ſouvent que ce ſoit un inſecte qui nous
mette ſous les yeux ce que nous avions inutilement cherché à voir dans d'autres. J'ai pourtant obſervé auſſi, &
pluſieurs fois, la chenille du chou de l'eſpece qui eſt plus
belle & plus grande, pendant ſa transformation; mais je
m'arrêterai ici à celle de notre petite chenille, parce que
je l'ai encore, & plus, & mieux vûë. Cette chenille * a ſeize   * Pl. 29.
jambes, & eſt raſe; elle a pourtant quand elle eſt jeune,   Fig. 4.
quelques poils ſemés ſur ſon corps. Sa couleur eſt un aſſés
beau verd. Si on la conſidere avec quelqu'attention, on
remarque qu'elle a tout du long du milieu du dos une
raye d'un verd plus jaune, & même quelquefois preſque
jaune: elle a auſſi quelques points jaunes allignés de chaque côté, tout du long du corps au-deſſus des jambes.
Sa peau n'a pas un air liſſe, elle ſemble un peu grainée;
ſi on conſidere cette chenille à la loupe, on voit que ce
n'eſt que ſa petiteſſe qui empêche qu'on la mette dans
le genre des chenilles chagrinées, car la loupe montre

Tome I.   . O o o

qu'elle eſt picquée ſur tout le corps de points noirs, qui ſont autant de petits tubercules. Fixons-nous à une de ces chenilles qui a ſes jambes poſterieures cramponnées dans des fils de ſoye, & le corps entouré d'une ceinture de fils; cette ceinture eſt ordinairement logée en grande partie, entre le 4.me & le 5.me anneau. J'ai pourtant vû, ſur quelques-unes de ces chenilles, le milieu du lien dans la couliſſe qui fait la ſeparation du cinquieme & du ſixieme anneau, & qui de là remontoit ſur le ſixieme anneau, pour ſe rendre dans la couliſſe qui eſt entre celui-ci & le ſeptieme. Ses bouts étoient attachés vis-à-vis la ſeconde paire des jambes intermediaires. Mais la poſition préciſe du lien importe peu ici; ce que nous avons à obſerver, c'eſt ce qui va ſe paſſer pendant la metamorphoſe, ce qui la précedera, & ce qui la ſuivra.

Dès que la chenille eſt une fois attachée, elle reſte tranquille pendant quelque temps ; la partie la plus proche de la tête ſe recourbe un peu en arc ; le recourbement de cette partie lui eſt eſſentiel, comme il l'eſt à toutes les autres chenilles dont nous avons parlé. Dans la ſuite, on lui voit faire quelques mouvemens prompts & vifs, deux ou trois vibrations en des ſens oppoſés, à droite & à gauche, à peu-près comme celles d'un pendule. Le lien ne lui permet pas de les faire bien grandes, elles vont pourtant plus loin que le lien ne ſemble le permettre, parce qu'elle courbe ſucceſſivement en des ſens oppoſés, la partie compriſe entre le lien & la queuë. D'autres mouvemens ſont moins ſenſibles, & échappent, ſi on n'y regarde de près ; de temps en temps elle redreſſe un peu la partie qui eſt proche de la tête, & elle la recourbe enſuite. Indépendamment du changement de courbure, on apperçoit auſſi que cette partie ſe gonfle de temps en temps, & qu'enſuite elle s'applatit. Mais les mouvemens les plus finguliers que j'aye obfervés, font des battemens vifs & prompts que j'ai vûs dans une petite portion du corps, proche de la tête; il fembloit que les fibres qui la compofoient fuffent en convulfion: ces battemens partoient de deffous la peau. Peut-être s'en fait-il de pareils fucceffivement dans differentes parties du corps, ou au moins dans les endroits où la peau eft le plus adherante. Ils font très-propres à la forcer de fe détacher, car dans ces battemens, il me paroiffoit que la partie où ils fe faifoient s'applatiffoit fans que la peau exterieure la fuivît. Cette partie, après s'être applatie, fe relevoit brufquement avec vîteffe, elle venoit donc frapper la peau, & l'effet de plufieurs coups pareils contre la peau, devoit être de la détacher des endroits voifins où elle pouvoit être encore adherante. De pareils coups donnés vis-à-vis l'endroit où elle doit fe fendre, font auffi très-propres à l'y forcer. Ce n'eft, au refte, que quand la chenille étoit près de fe dépouiller, que j'ai vû de ces fortes de mouvemens, & la loupe m'a aidé à les voir.

Ce n'eft qu'environ trente heures après que nos chenilles fe font attachées, qu'elles doivent perdre leur forme. Il y en a dont les crifalides fortent 2 ou 3 heures plûtôt, & d'autres dont les crifalides fortent 2 ou 3 heures plûtard du fourreau de chenille; mais toutes en fortent extrememcnt vîte, & plus vîte encore que celles dont nous avons parlé ci-devant ne fortent des leurs; c'eft l'affaire d'un inftant, il échappe, fi on n'eft très-attentif à le faifir. Il ne faut pourtant qu'une demi-heure de patience, au plus, à l'obfervateur; on peut prévoir cet inftant une demi-heure avant qu'il arrive. Nos chenilles étoient d'un affés beau verd quand elles fe font attachées, ce beau verd s'affoiblit peu à peu en differents endroits de la peau; à cette couleur verte il en fuccede une blancheâtre. Quand la peau de la

chenille a perdu prefque par tout fa couleur verte, le moment où la crifalide va fortir n'eft pas éloigné. Cette peau
ne paroît avoir changé de couleur que parce qu'elle s'eft
en quelque forte deffechée, ou plûtôt, que parce qu'elle
s'eft détachée de celle de la crifalide, qu'elle n'y eft plus
appliquée auffi immediatement qu'elle l'avoit été. Ce qui
le prouve, c'eft que la chenille n'a jamais paru d'un auffi
beau verd que l'eft celui de la crifalide dans l'inftant de fa
fortie.

La peau commence à fe fendre, comme celle des autres
chenilles, dont nous avons parlé, fur le dos, affés proche
de la tête ; c'eft auffi par la mécanique que nous avons
décrite de refte, que la crifalide aggrandit cette fente,
qu'elle la rend une ouverture capable de laiffer fortir tout
fon corps. Elle fait auffi, comme les autres, fortir fa partie
anterieure la premiere ; après l'avoir un peu retirée du
côté de la queuë, elle l'éleve dans l'ouverture, & elle la
pofe en dehors au-deffus de la partie du fourreau où eft
le crane de la chenille. Il ne lui refte plus alors qu'à retirer
fa partie pofterieure du fourreau, ou, ce qui revient au
même, qu'à pouffer fon fourreau jufqu'à ce qu'il foit plié
ou chiffonné en un petit paquet, affés près de l'endroit où
les deux dernieres jambes font accrochées ; des raccourcif-
femens & des allongemens alternatifs de la partie pofterieure de la crifalide ont bien-tôt produit cet effet.

La difficulté à furmonter, que j'avois crû la plus grande, le frottement du lien contre la peau, en eft une peu
confiderable, moindre que celle qui naît du frottement de
la peau contre la furface, fur laquelle le ventre de la chenille étoit appliqué. Le lien fert à foûtenir la crifalide, mais
il ne la gêne pas ; quand fes anneaux pouffent la dépouille
du côté de la queuë, le frottement du lien s'oppofe foi-
blement à la force qui tend à la faire gliffer.

Dès que la dépouille a été conduite par de-là le lien,
quand elle ne couvre au plus que le tiers de la longueur
du corps de la crifalide, la crifalide ceffe de la pouffer en
arriere; il eft plus commode & plus court pour elle de
retirer fa queuë vers la tête en la pliant en un arc, dont la
convexité eft du côté du dos. La dépouille, cramponnée
comme elle l'eft par les deux derniers pieds, refte fixe, elle
ne fuit point la queuë qui vient en avant. La queuë arrivée
à l'endroit où la dépouille eft ouverte, acheve de s'en dégager; elle fe pofe fur le bord fuperieur de l'ouverture,
enfuite elle s'étend autant qu'elle peut s'étendre; alors le
bout de la queuë fe trouve vers le même endroit où il
étoit, lorfqu'il étoit renfermé fous la peau de chenille.
Cet endroit eft tapiffé des fils dans lefquels la chenille
avoit accroché fes dernieres jambes. C'eft dans ces mêmes
fils que la crifalide accroche le bout de fa queuë, par la
même mécanique que nous avons expliquée dans le Memoire précedent. Le bout de fa queuë étant ainfi bien arrêté,
la crifalide a prefque fini fon opération. La dépouille qu'elle
vient de quitter, & qui la touche, femble pourtant l'incommoder; elle fe donne quelques mouvements pour la faire
tomber, & ordinairement elle en vient bien-tôt à bout.

Sa manœuvre revient à celle que nous avons vû pratiquer ci-devant par les chenilles de l'ortie, qui fe pendent
en l'air la tête en bas. Il eft vrai qu'il femble plus aifé à
ces dernieres, qui font libres, de pirouetter, qu'il ne l'eft à
nos crifalides liées. Auffi tout le corps de celles-ci ne pirouette pas, le lien y mettroit obftacle; mais il n'empêche pas leur partie pofterieure de fe mouvoir fur l'anterieure, comme nous faifons mouvoir notre main circulairement fur le poignet. Le bout du derriere de la crifalide tend à décrire & décrit un cercle, comme nous en
pouvons faire décrire un par les doigts de notre main, &

O o o iij

tend en même temps à ramener la dépouille vers le centre de ce cercle; les fils dans lesquels les pieds étoient cramponnés sont donc tiraillés, ils se cassent, & la dépouille tombe.

La crisalide reste alors tranquille, & elle est précisément dans la même position où elle étoit sous la forme de chenille, soûtenuë de même par le lien, & soûtenuë par sa queuë d'une maniere équivalente à celle dont elle l'étoit par ses jambes de derriere. Son nouvel état nous fournit quelques observations.

Dans le premier instant de sa sortie toutes ses parties paroissent mouillées par une liqueur gluante. Ce n'est pas seulement autour & au-dessus de ses aîles, & de son corps, que cette liqueur est épanchée, tous les anneaux en paroissent couverts, au lieu que dans un pareil instant certaines crisalides, comme celles de notre chenille à oreilles du chêne & de l'orme, sont à peine humides. Nous avons déja dit ailleurs que l'humidité qui s'épanche entre l'enveloppe de la chenille & l'enveloppe immediate de la crisalide, contribuoit à les détacher l'une de l'autre, la quantité de liqueur dont sont mouillées nos crisalides des chenilles du chou appuye bien cette idée. Nous sommes conduits à penser qu'il arrive à ces insectes, avant leur transformation, quelque chose de semblable à ce qui arrive aux arbres dans le printemps, lorsque la séve y monte abondamment, alors l'écorce est peu adhérente au bois. Les enfans réussissent sans peine à tirer de dessus de longues baguettes de hou' & de coudrier, des tuyaux d'écorce bien entiers, & aussi longs que les baguettes qui en sont sorties ; ils les en tirent comme on tire les épées de leur fourreau ; la séve qui s'est accumulée entre le bois & l'écorce, a affoibli l'union qui s'y trouvoit en d'autres temps.

Nous devons aussi remarquer que les crisalides veluës, ou qui ont des paquets de poils, & celles qui sont comme chagrinées, dont la peau est garnie de mamelons, ne paroissent pas, à beaucoup près, aussi mouillées à leur sortie du fourreau, que le sont nos crisalides des chenilles du chou ; dans celles-ci la liqueur épanchée doit produire presqu'en entier la separation de la peau de chenille, & de la peau de crisalide ; l'accroissement des poils ou celui des mamelons, n'y aident point à faire cette separation.

La liqueur dont sont couvertes nos crisalides, ne contribuë pas peu à fortifier leur enveloppe, bien-tôt elle s'épaissit, elle se desseche, & elle forme un enduit qui a quelque solidité. Les parties du papillon étoient extremement distinctes, lorsque la crisalide a commencé à paroître, mais elles deviennent de moins sensibles en moins sensibles, à mesure que la liqueur qui les couvre se desseche ; à mesure qu'elle acquiert de la consistence, sa transparence diminuë comme nous l'avons dit ailleurs.

Les figures des crisalides angulaires sont assés differentes de celles des crisalides coniques, pour avoir merité que nous les missions dans une classe particuliere. Dans l'instant même que les crisalides coniques viennent de se tirer de leur dépouille, elles ont la forme qu'elles conserveront tant qu'elles seront crisalides ; & cette forme, qui est seulement plus grosse & plus raccourcie que celle de la chenille, il n'est pas étonnant qu'elles l'ayent en sortant du fourreau ; pendant qu'il les gênoit, il les contraignoit seulement à être plus allongées. Mais les crisalides angulaires avoient-elles sous le fourreau de chenille toutes ces parties saillantes terminées angulairement, qu'on leur voit dans la suite ! Ces especes de bosses, qui forment des irregularités singulieres sur leur corps, n'y pouvoient pas être quand le corps étoit contenu dans un étuy prefque cylindrique. Quand les prennent-elles! c'eft ce que je ne fçais pas avoir encore été examiné, & fur quoi il y a des varietés. On pourroit avoir crû que dans l'inftant même qu'elles fe font débarraffées de leur fourreau, elles paroiffent comme les autres, avec la forme qui leur eft ordinaire. Mais les crifalides de nos petites chenilles du chou, obfervées dans ces premiers inftans, font tout autrement faites qu'elles le feront dans la fuite; alors leur figure eft femblable, ou prefque femblable à celle des crifalides coniques; elles n'ont alors nulles éminences, nulles parties angulaires bien fenfibles; leur bout anterieur eft prefque arrondi en genou.

Mais par la fuite il fe fait des changemens dans leur figure. Si on eft attentif à obferver une de nos crifalides de chenilles du chou nouvellement fortie, on remarque bien-tôt que fon bout anterieur s'allonge infenfiblement, de maniere que peu à peu il devient une pointe affés déliée, qui imite la prouë des galeres *.

* Pl. 29. Fig. 5 & 6.

Pendant que le bout anterieur s'allonge, il fe fait auffi des changemens fur le dos; la partie qui en couvre le deffus, c'eft-à-dire, celle qui eft à peu près à même hauteur que l'origine des aîles, s'éleve bien-tôt un peu plus que le refte; elle forme peu à peu une boffe affés arrondie. Dans la fuite le milieu de cette boffe s'éleve en pointe, & devient le fommet d'un angle folide. En même temps que cette pointe s'éleve, les côtés de la boffe s'applatiffent, deforte que l'angle devient prefqu'un angle plan, du moins ce petit folide a-t-il une bafe peu large, par rapport à fa longueur; c'eft cette partie qui a la figure d'un nés fur diverfes crifalides. Il fe forme auffi de chaque côté deux élevations angulaires; l'origine de chacune de celles-ci eft peu éloignée de l'endroit, vis-à-vis lequel fe termine celle qui eft au milieu du dos. Au lieu que le

plan

plan de la premiere eſt perpendiculaire au dos, les plans de celles-ci lui ſont inclinés, de façon qu'elles laiſſent en-tr'elles plus d'eſpace vers leurs ſommités qu'à leurs baſes; elles ont deux ou trois dentelures; leur forme & leur poſition leur donnent quelque reſſemblance avec des aîlerons de poiſſons; depuis l'endroit où elles ceſſent d'avoir une élévation ſenſible, elles ſemblent ſe continuer juſqu'à la queuë par une legere arrête. Il y a auſſi une arrête au milieu du dos, depuis le bout de la queuë juſques vis-à-vis le milieu des aîlerons precedens. Au reſte, il y a telle criſalide qui n'a bien pris les éminences que nous venons de décrire, que dix à douze, & même vingt-quatre heures après ſa ſortie. Quelques parties du papillon qui demandent à s'étendre plus que les autres, forcent les parties de la membrane qui les couvre, de s'élever. De jour en jour la nuance verte de ces criſalides s'affoiblit, elles deviennent plus blanchâtres ou plus jaunâtres, & enfin elles paroiſſent ou toutes blanches d'un blanc ſale, ou jaunâtres.

Celles qui n'ont quitté leurs dépouilles que vers la fin d'Octobre, reſtent criſalides pendant tout l'hyver; il en ſort au printemps un papillon blanc, fort commun dans nos jardins. Les papillons ne ſont pas auſſi long-temps renfermés dans les criſalides de cette eſpece, qui ſe ſont dépouillées en eſté. Ce papillon * eſt encore une des eſpeces des diurnes de la premiere claſſe. Il eſt blanc, & regardé groſſierement, il ne ſemble differer que par ſa grandeur, de celui qui eſt repreſenté Pl. 29. Fig. 2. Lorſqu'il tient ſes aîles droites *, il paroît preſque tout blanc. Son blanc, pour l'ordinaire, tire ſur le citron. Quand il tient ſes aîles ouvertes *, il fait voir deux grandes taches noires, une ſur chacune des aîles ſuperieures, qui occupe l'angle formé par la rencontre du côté exterieur, & de la baſe; il y a de plus, au moins une autre petite tache noire ſur

* Pl. 29.
Fig. 8.

* Fig. 8.

* Fig. 7.

<table>
<tr><td>Tome I.</td><td>. Ppp</td></tr>
</table>

chaque aîle. Mais quelques - uns ont fur chacune deux de ces petites taches, & ceux-là m'ont paru être conftamment les femelles, au lieu que celui de la Fig. 7. eft un mâle.

Les crifalides angulaires de quelques autres chenilles, comme font celles des chenilles épineufes de l'orme, paroiffent au jour avec leurs éminences angulaires, mais plus courtes qu'elles ne le font au bout de quelques minutes. Dès que la peau de la chenille ceffe de comprimer les endroits de la peau de la crifalide, qui couvrent des parties qui tendent à s'allonger , les efforts qu'elles font contre la peau la contraignent à ceder, à prendre la forme qui leur eft la plus convenable. Jamais pourtant les éminences angulaires ne font auffi - bien marquées fur la crifalide qui vient de naître, qu'elles le font au bout de quelques heures.

EXPLICATION DES FIGURES
DU ONZIEME MEMOIRE.
PLANCHE XXVIII.

LA Figure 1 , eft celle d'une chenille cloporte de l'orme, vûë par-deffus.

La Figure 2, eft celle de la même chenille, groffie à la loupe , & vûë du même côté.

La Figure 3 , fait voir la chenille cloporte par-deffous.

La Figure 4, eft la Figure 3. groffie à la loupe.

La Figure 5, eft celle de la chenille cloporte, qui travaille à fe lier.

La Figure 6, fait voir deux crifalides de la chenille précedente, attachées fur deux feuilles d'orme en *C* & en *D*.

La Figure 7, eft celle d'un papillon forti d'une crifalide telle que les précedentes.

La Figure 8, eft celle d'une chenille que nous avons nommée *la plus belle* de celles du chou.

La Figure 9, fait voir cette chenille qui commence à
se lier contre une queuë de feuille de chou. Son derriere
est cramponné en *q* par ses jambes posterieures. Sa tête
attache en *l*, le fil dont les tours & retours circulaires doivent composer le lien.

La Figure 10, nous montre la même chenille dans un
autre moment. Sa tête a quitté l'endroit *l*, où elle a collé
le fil. Elle est actuellement renversée sur le côté; elle est en
route pour filer un tour de fil.

La Figure 11, represente la tête de la chenille, plus
avancée dans sa route qu'elle ne l'est dans la Figure 10,
elle se trouve ici vis-à-vis le milieu du dos.

Dans la Figure 12, le lien *L l* est fini, & la chenille
raccourcie se prepare à la metamorphose.

Les Figures 13 & 14, montrent la crisalide de la chenille précedente, dans deux points de vûë differents, & retenuë par le même lien *L l*, qui assujettit la chenille dans
la Figure 12.

P L A N C H E   XXIX.

La Figure 1, est celle du papillon de la chenille representée Pl. 28, Fig. 8. qui montre le dessus de ses quatre
aîles.

La Figure 2, est celle du même papillon posé sur une
branche, ayant ses aîles droites, & appuyé sur six jambes,
dont trois sont marquées *p p p*. On voit qu'il est de la premiere classe des diurnes.

La Figure 3, fait voir une crisalide retenuë contre une
tige d'épine, dans une position verticale. *q*, l'endroit où
sa queuë est accrochée dans un monticule de fils de soye.
L l, le lien qui l'assujettit. Toute la partie de la tige contre
laquelle elle est appliquée, est tapissée de soye.

La Figure 4, est celle d'une chenille verte du chou, qui

eſt au-deſſous de la grandeur mediocre. Son corps eſt cha-
griné à grains fins.

Les Figures 5 & 6, ſont celles de deux criſalides de
cette chenille, retenuës par un lien *L l*, l'une dans un plan
incliné, & l'autre horiſontalement.

La Figure 7, fait voir par-deſſus le papillon de cette chenille, ayant ſes aîles étalées.

La Figure 8, repreſente le même papillon ayant ſes aîles
droites, & poſé ſur ſix jambes, dont trois ſont *p p p*. Il eſt de
la premiere claſſe des diurnes.

La Figure 9, eſt celle d'un papillon à queuë, qui vient
de la chenille du fenouil, qui eſt repreſentée dans la Planche ſuivante.

PLANCHE XXX.

La Figure 1, eſt celle du papillon à queuë de la belle
chenille du fenouil, poſé ſur ſix jambes, dont trois ſont
marquées *p p p*. Il tient ici ſes aîles perpendiculaires au plan
de poſition. On voit que les inferieures *b q o* font un pli,
& ſe recourbent pour embraſſer le deſſus du corps du
papillon; d'où il ſuit que ce papillon eſt de la troiſieme
claſſe des diurnes.

a , a b, les aîles ſuperieures.

b q o, les aîles inferieures.

q, q, les appendices des aîles inferieures, qui forment
une eſpece de queuë.

La Figure 2, eſt celle de la belle chenille du fenouil,
qui tient ſes cornes cachées.

La Figure 3, fait voir la même chenille, dont les cornes
font un peu ſorties.

c c, ces cornes.

Dans la Figure 4, la même chenille a allongé ſes cornes
autant qu'elle peut les allonger.

c c, les deux cornes, qui sont comme deux branches formées par la division d'une tige.

Y, marque la tige d'où partent les deux cornes.

La Figure 5, représente la tête en grand, & vûë par-devant. Il paroît pourtant une partie du premier anneau derriere cette tête, & qui s'éleve au-dessus.

o o, marquent, dans le premier anneau, une fente quar-rée, par laquelle sort la corne en *Y*. L'anneau fait un pli par-devant; il en fait un autre par-derriere; les deux ensemble couvrent entierement cette ouverture, quand la corne est rentrée.

e, est l'entaille de la levre superieure.

La Figure 6, fait voir en grand, la partie qui forme les deux cornes.

t, sa tige.

t c, une des branches.

t D, l'autre branche, qui, ici, n'est pas aussi allongée que la premiere.

Dans la Figure 7, les deux branches sont encore inéga-lement allongées, mais moins inégalement que dans la Figure 6.

Dans la Figure 8, les deux branches sont également allongées, mais elles le sont peu, aussi-bien que dans les Figures précedentes, en comparaison de ce qu'elles le peu-vent être.

La Figure 9, représente une de ces chenilles, dont les jambes posterieures sont accrochées en *q*, contre une tige de fenouil. Les crochets des pieds de ses jambes interme-diaires, sont aussi engagés dans les fils qui tapissent la tige en *i i*. En *L*, est une des attaches du lien, & la tête va y coller un bout d'un tour de fil.

La Figure 10, fait voir la même chenille, qui, ayant collé le commencement d'un tour de fil en *L*, acheve de

filer ce tour de fil ; elle eſt en mouvement pour en aller coller l'autre bout en *l*. Ce qu'on doit le plus remarquer dans
cette Figure, c'eſt la poſition du lien commencé *L i k l*. Il
part d'*L*, paſſe ſur le côté de la chenille en *i*, il vient ſe rendre ſur la premiere paire des jambes écailleuſes en *k*, & de
là, paſſant ſur l'autre côté de la chenille, il ſe rend en *l*.

La Figure 11, eſt celle de la chenille retenuë en *q* par
ſes jambes poſterieures, & par le lien *L*, qui eſt entierement fini.

La Figure 12, eſt celle d'une criſalide de la chenille
précedente, ſuſpenduë par le lien *L l*, & dont la queuë
eſt accrochée en *q*.

La Figure 13, eſt celle de la même criſalide, vûë du
côté du ventre.

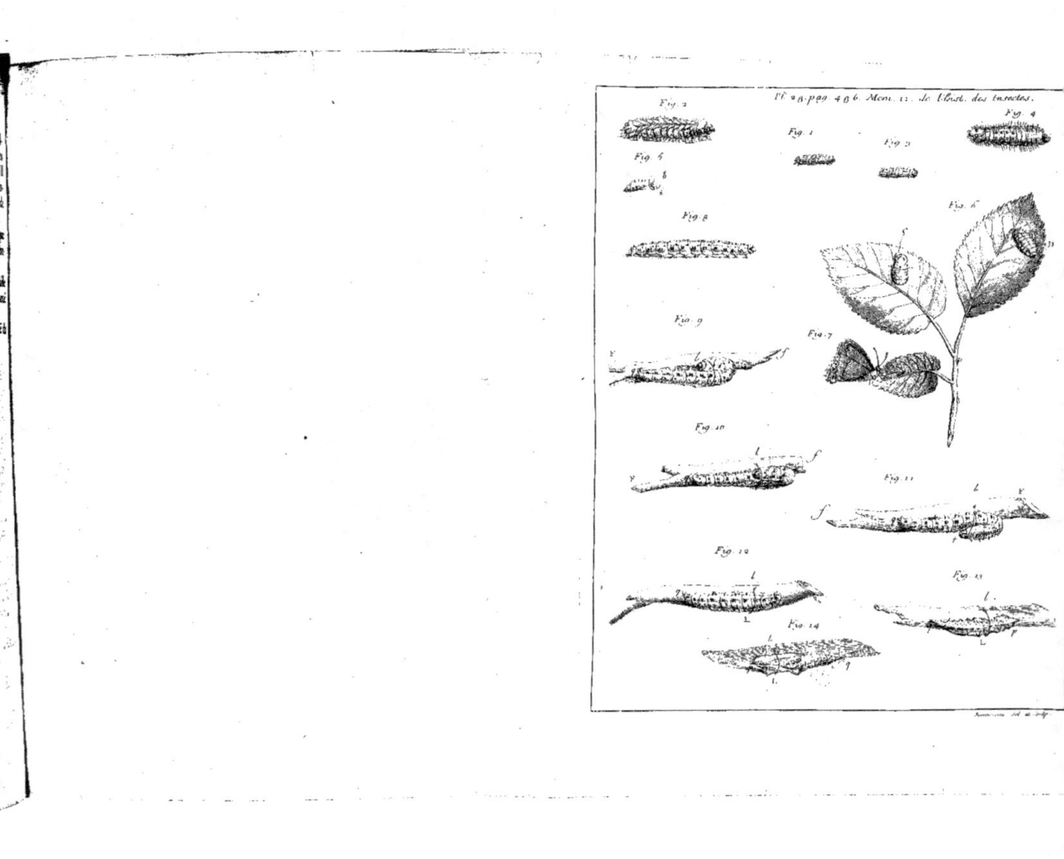

Pl. 28. pag. 486. Mem. 11. de l'hist. des insectes.

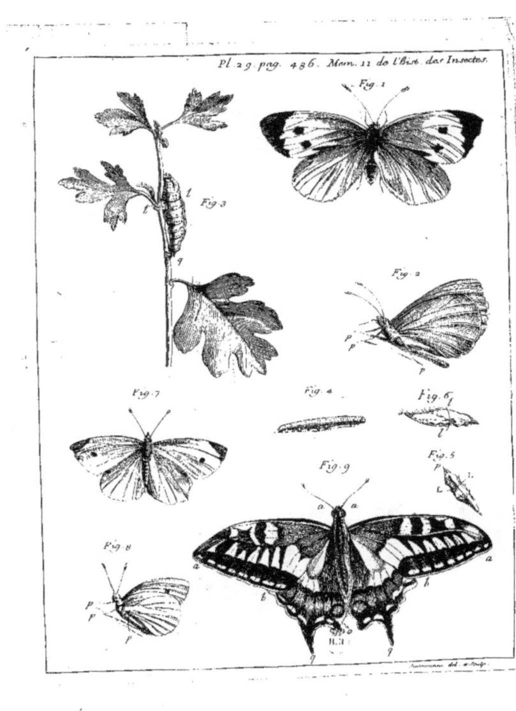

Pl. 29. pag. 486. Mem. 11 de l'Hist. des Insectes.
Fig. 1
Fig. 2
Fig. 3
Fig. 4
Fig. 5
Fig. 6
Fig. 7
Fig. 8
Fig. 9

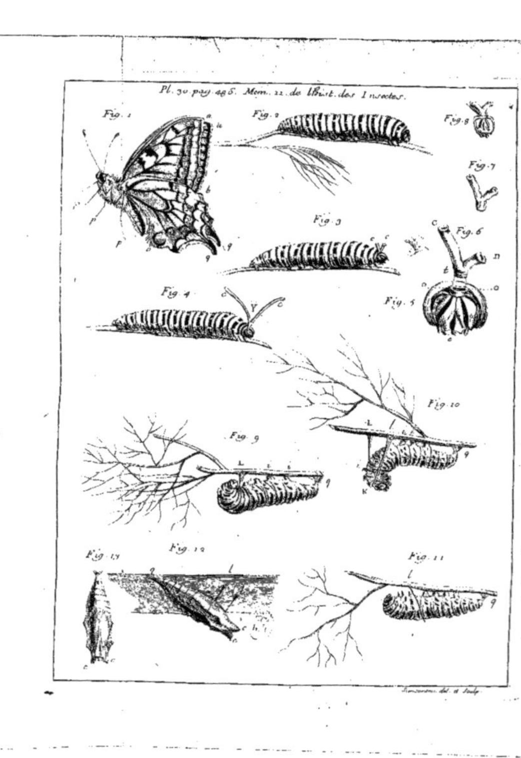

Pl. 30. pag. 495. Mem. 22. de l'Hist. des Insectes.
Fig. 1
Fig. 2
Fig. 8
Fig. 7
Fig. 3
Fig. 6
Fig. 4
Fig. 5
Fig. 10
Fig. 9
Fig. 13
Fig. 12
Fig. 11

DOUZIEME MEMOIRE.

DE LA CONSTRUCTION
DES COQUES,

De formes arrondies, soit de pure soye, soit de soye &
poils, où differentes especes de chenilles se metamor-
phosent en crisalides.

DE toutes les industries ausquelles les chenilles ont
recours pour se metamorphoser plus commodement,
& pour être plus en sûreté dans l'état de foiblesse où elles
restent après leur metamorphose, la plus generalement
connuë est celle qu'elles ont de se faire des coques où elles
se renferment. C'est même la plus connuë de toutes les
industries des insectes; aussi tous ensemble ne font-ils peut-
être rien de si utile pour nous que les coques que nous file
une seule espece de chenille, que nous appellons *ver à soye.*
Si les animaux tiroient gloire des avantages qu'ils nous
procurent, les vers à soye pourroient disputer aux plus
grands animaux le premier dégré de cette espece de gloire.
On peut, avec raison, déclamer contre les usages que le
luxe fait de la soye, mais notre amour pour les superflui-
tés étant devenu tel qu'il est, si la soye nous manquoit, s'il
falloit faire en laine tout ce qu'on fait en soye, où trou-
veroit-on assés de laine pour y suffire! Les malheureux ne
pourroient plus s'en vêtir. La soye d'ailleurs a des beautés
particulieres, & des avantages réels sur la laine, pour des
ouvrages de plusieurs genres.

Les coques des vers à soye sont aussi des plus belles de
celles que les chenilles nous font voir, soit par rapport à
la matiere dont elles sont composées, soit par rapport à la

maniere dont elle est mise en œuvre. D'autres chenilles
pourtant en fabriquent de moins utiles, mais plus remarquables par leur forme & par l'intelligence que leur construction
semble supposer dans les ouvrieres. C'est ce que nous verrons dans ce Memoire & dans le suivant, où nous nous
sommes proposé de rassembler ce que les differentes especes de coques de ces insectes nous ont offert de plus
digne d'être observé, soit par rapport à leur matiere, car
toutes ne sont pas de pure soye, à beaucoup près, soit par
rapport à l'art avec lequel le travail est conduit.

Il est dommage que ce soit inutilement pour nous que
tant de chenilles filent, que nous ne sçachions pas mettre
à profit les coques qui nous seroient fournies abondamment par plusieurs especes communes, & prodigieusement
fecondes; peut-être y a-t-il de notre faute. Il est vrai pourtant qu'il y a des coques dont la soye est trop fine & trop
foible; mais il m'a paru qu'on neglige de faire des épreuves,
qui apprendroient qu'il y en a des especes qui pourroient
être mises en œuvre, si on les cardoit avec certaines précautions. Nous ne manquerons pas d'indiquer ici, ou dans d'autres Memoires, quelles sont les chenilles dont les coques
semblent meriter ces essais. Il y a même des soyes de chenilles
qui ne sont que trop grosses; elles pourroient être travaillées, mais les tissus que l'on en feroit seroient grossiers:
telle est celle des coques des grandes chenilles du poirier,
à tubercules, qui imitent les turquoises; elle est brune,
très-forte, elle est presqu'aussi grosse que des cheveux ordinaires. Mais n'y a-t-il point des usages pour lesquels il conviendroit d'avoir une soye extremement forte! Si on vouloit faire des especes de draps de soye qui imitassent ceux
de laine, notre grosse soye y seroit peut-être propre. J'ai
souhaité en avoir assés pour fournir à des épreuves qui paroissent meriter d'être faites; c'est dans cette vûë que j'ai

tenté

tenté d'élever un affés grand nombre de ces chenilles;
elles ont peri chés moi de bonne heure, par des accidents
qu'on pourra peut-être prévenir. Une feule de leurs coques
pefe plus que trois de célles des vers à foye.

Quelques efpeces de chenilles fe contentent de remplir un certain efpace de fils qui fe croifent en differents
fens, mais qui laiffent entr'eux beaucoup de vuides. La
chenille occupe le centre de cet efpace; les fils fervent à
la foûtenir, mais ils ne la cachent pas. C'eft au milieu d'un
pareil tas de fils que fe transforme en crifalide la chenille
du chêne, que nous avons nommée *à oreilles* *. D'autres   * Pl. 24.
Fig. 2.
chenilles fe font des coques un peu mieux formées, mais
dont le tiffu peu fourni de fils, laiffe appercevoir la crifalide, ou la chenille qu'il recouvre. Nous avons, Pl. 31.
Fig. 3, ne de ces coques où la foye eft épargnée. Elle eft
l'ouvrage d'une chenille * des mieux pourvuë d'aigrettes   * Pl. 31.
Fig. 1.
de poils; elle en a douze fur chaque anneau *; ils y font bien   * Fig. 2.
difpofés en rayons; ils font roux, & ce n'eft prefque qu'au-
travers de ces aigrettes de poils qu'on apperçoit la peau de
la chenille, qui eft d'un beau noir velouté. Sa tête eft petite par rapport à la groffeur du corps; elle eft rouge. Ses
huit jambes intermediaires, qui font cachées ici, font de
même couleur que la tête. Cette chenille eft de celles qui
fe roulent volontiers pour peu qu'on les touche. J'en ai
nourri plufieurs avec des feuilles d'orme. Quelques-unes
fe font mifes en crifalides vers la mi-May, & les autres à
la fin du même mois; & ç'a été vers la fin de Juin que
m'eft né le premier des papillons qu'elles m'ont donné, &
qui eft reprefenté Pl. 31. Le fond de la couleur du deffus
de fes aîles fuperieures *, eft un beau noir velouté, fur le-   * Fig. 4.
quel font des taches d'un jaune plus pâle que la couleur
de paille. Le fond de la couleur, tant du deffus * que du   * Fig. 5.
deffous * des aîles inferieures, eft une haute nuance de   * Fig. 6.

Tome I.   Qqq

jaune, fur laquelle il y a des taches noires. Mais ce que le deffous des quatre aîles offre de plus que le deffus, c'eft que leur côté exterieur a une bordure d'un beau rouge de carmin. Celle des aîles inferieures eft plus large que celle des aîles fuperieures. Le deffus du corps & fes côtés font peints du même rouge; mais le deffous du corps eft noir. Le deffus du corcelet eft auffi très fourni de poils du plus beau noir. Ce papillon eft de la feconde claffe des phalenes, il a une trompe & des antennes en filets grainés, & il eft du genre de ceux qui laiffent un peu pendre leurs aîles, ou qui les portent en toit écrafé. Celui qui eft repre-

Fig. 7 & 8. fenté ici, eft la femelle, qui pond des œufs * qui ont la couleur & le brillant de la nacre.

La plûpart des chenilles qui font entrer peu de fils, & écartés les uns des autres, dans la conftruction de leurs coques, qui y feroient prefqu'à découvert, femblent pourtant n'aimer pas à y être en vûë, & elles réuffiffent à fe cacher affés bien. Tantôt elles attachent leurs fils à plufieurs feuilles affés proches les unes des autres, & qu'elles rapprochent encore davantage. Tantôt c'eft entre deux ou trois feuilles feulement, qu'elles forcent à venir fe toucher par leurs bords, qu'eft le tas même de fils qui les a contraintes à prendre & à garder cette pofition. Tantôt ce tas de fils eft couvert par une feule feuille qu'il a obligée à fe courber & à fe contourner. Quelquefois fous le même paquet de feuilles, il y a plufieurs coques de chenilles de la même

Pl. 31. *Fig. 9.* efpece *.

Quelques-unes même, qui arrangent leurs fils avec plus d'ordre, qui les preffent davantage les uns contre les autres, en un mot, qui en font une coque bien arrondie, la recouvrent des feuilles de l'arbre, ou de la plante fur laquelle elles ont vêcu. La chenille qu'on peut appeller *la lichenée du chêne*, parce qu'elle vit fur cet arbre, & qu'elle a la couleur d’un lichen, qui couvre souvent sa tige, cette chenille *, dis-je, dont la grandeur est au-dessus de la médiocre, fait quelquefois prendre la figure d’une boule assés bien faite à deux ou trois feuilles qu’elle contourne en croix, pour former l’enveloppe de sa coque *. Quoique cette chenille soit grande, elle est quelquefois sous les yeux sans qu’on l’apperçoive; lorsqu’elle n’a pas besoin d’être auprès des feuilles du chêne pour les ronger, elle se tient tranquille & étenduë sur la tige de l’arbre, qui est souvent couverte d’un lichen gris blanc, qui differe peu de la couleur de la chenille. Elle a une démarche qui n’est pas ordinaire à celles, qui comme elle, ont seize jambes, & qui est propre aux arpenteuses. Pour faire un pas en avant elle se forme une bosse * des deux anneaux qui sont entre les jambes écailleuses, & les intermediaires. Elle a un ornement qui lui est particulier; un peu au-dessus des jambes, à la separation de la partie superieure & de l’inferieure on voit, tout du long de son corps, une espece de frange * formée par de petits corps charnus, découpés en crête de coq. Les chenilles de cette espece que j’ay nourries se font mises en crisalides vers la fin de May, & il en est sorti des papillons * vers les premiers jours de Juillet. Ils font de la seconde classe des phalenes, ayant une trompe, & des antennes en filets coniques, & du genre de ceux qui portent leurs aîles parallelement au plan de position : car ce port d’aîles est même celui de la femelle. Le dessus des superieures * est travaillé en point de Hongrie, formé par des mêlanges de gris & de noir. Lorsque le papillon écarte ses aîles superieures, il paroît, pour ainsi dire, beaucoup mieux vêtu. Le dessus des inferieures, qui est alors à découvert, est en grande partie d’un beau rouge couleur de cerise, sur lequel il se trouve une bande d’un beau noir velouté, posée vers le milieu de

*Pl. 32.
Fig. 1 & 2.

* Fig. 4.

*Fig. 2, B.

* Fig. 3.
ƒ ƒ ƒ.

* Fig. 6 &
7.

* Fig. 6.

l'aîle, & parallele à sa base : le côté interieur de chaque aîle a une large bordure du même noir. Ce papillon vû par-dessous paroît encore beau. Tout ce que les aîles font voir en blanc * dans la Fig. 7, est d'un rouge couleur de cerise, & le reste est gris ou noir.

* Pl. 32.

Nous avons déja vû que la guimauve nourrit une chenille * assés petite, qui recourbe avec art le bout d'une des feuilles * de cette plante pour couvrir entierement sa coque, & qu'il sort de cette coque un papillon diurne.

* Pl. 11.
Fig. 9.
* Fig. 8.

Les chenilles qui employent plus de soye que les precedentes dans la construction de leurs coques, qui les font plus fortes & plus serrées, ne cherchent pas de même à les couvrir, ou au moins à les couvrir de toutes parts avec des corps étrangers. Mais il y a des especes de chenilles qui font entrer de ces sortes de corps dans la composition même de leurs coques, qui ne les font pas purement de soye. Celles de pure soye sont les plus communes, ou plus exactement celles qui sont plus souvent exposées à nos yeux. Leurs figures ordinaires sont des ellipsoides, des especes de boules plus ou moins allongées *. Entre celles-ci quelques-unes ont des figures assés regulieres, leurs deux bouts sont à peu près de même grosseur, mais d'autres ont un de leurs bouts plus gros, plus raccourci, & l'autre bout un peu plus allongé & plus menu. Telle est la forme de ces coques que nous avons déja citées, par rapport à la force de leur fil. Il y en a d'autres qui sont presque des cylindres, ou de petits fusts de colonnes arrondis par les bouts *. Les coques de pure soye & de figures arrondies, sont les premieres auxquelles nous nous arrêterons.

* Pl. 31.
Fig. 13.
Pl. 32. Fig.
8. & Pl. 33.
Fig. 16.

* Pl. 35.
Fig. 3 & 12.

Entre celles-ci, les unes ne semblent formées que d'une toile fine, mince & très-serrée. Telles sont celles que se font quantité d'especes de chenilles de grandeur au-dessous

de la médiocre. D'autres plus épaiſſes & plus ſoyeuſes,
reſſemblent à de bonnes étoffes de ſoye. Telle eſt la coque
du ver à ſoye. D'autres, quoiqu'aſſés fermes & épaiſſes
paroiſſent des eſpeces de reſeaux. Ce n'eſt pourtant qu'en
apparence que ces tiſſus reſſemblent aux nôtres ; nous
n'avons pas cherché à nous exprimer exactement, quand
nous avons parlé des differents fils qui entrent dans la compoſition de ces coques imparfaites, qui ſont les premieres
dont nous avons fait mention ; les plus groſſieres, comme
les mieux finies, ne ſont compoſées que d'un ſeul fil continu, s'il n'eſt point arrivé à l'ouvriere de le caſſer pendant
qu'elle l'employoit, & c'eſt ce qui ne lui arrive gueres.
Nos tiſſus doivent leur ſolidité à l'entrelacement du fil
de la trême avec ceux de la chaîne ; le fil qui forme le
tiſſu des coques n'en rencontre pas d'autres avec qui il
puiſſe s'entrelacer, ce ne ſont que differents tours & retours de ce même fil, appliqués les uns contre les autres,
qui compoſent le tiſſu. A meſure qu'une nouvelle portion
de fil eſt tirée de la filiere, la chenille la poſe dans la place
qui lui eſt convenable, & elle l'y attache en même temps ;
le fil nouvellement ſorti eſt toûjours en état d'être attaché
au corps, contre lequel elle l'applique ; il s'y colle, parce
qu'alors il eſt encore gluant.

Les tiſſus des coques ne ſont donc faits que par differents tours & contours d'un même fil appliqués & collés
les uns contre les autres, & les uns au-deſſous des autres.
C'eſt là en general la fabrique de toutes les étoffes de ſoye
travaillées par des inſectes, qui reſſemble peu à celles des
nôtres. La Rubanerie néantmoins, entre tant d'eſpeces
de rubans qu'elle execute ſi bien, nous en fournit une
de rubans très-étroits, qui ſont, pour ainſi dire, de même
fabrique que les coques de nos chenilles. Les petits rubans
dont je veux parler ſont très-connus ſous le nom de non-

pareilles. Les Dames en employoient autrefois beaucoup pour leur parure, elles en faisoient des touffes. Ces rubans n'ont point de trême, ils ne sont précisément faits que de fils posés dans toute leur longueur, les uns contre les autres, & retenus dans cette position par de la colle; ce sont les fils de la chaîne d'un ruban ordinaire collés ensemble. Tous les fils étant bien arrangés & bien pressés les uns auprès des autres, on les conduit d'une espece de devidoir sur un autre; dans leur route on les oblige de passer au milieu d'une gomme liquide, qui est contenuë dans une terrine. Des réchaux de feu, disposés entre cette terrine à gomme & le devidoir sur lequel ils se rendent, sechent la legere couche de gomme, & empêchent que les differents tours du ruban ne se collent ensemble. Mais ce n'est pas ici le lieu de décrire aussi au long que nous l'avons fait dans l'art de la rubanerie, les procedés qui donnent des rubans sans trême, à bon marché, très-bien lustrés, & si ressemblans aux autres rubans, que la plûpart de ceux qui en font usage ne s'avisent pas de soupçonner que la trême leur manque; le vrai est qu'ils s'en appercevroient bien-tôt s'ils les portoient à la pluye, elle détruiroit la liaison qui est entre les fils.

Il est heureux pour nous que les differents tours du fil dont est faite la coque d'un ver à soye, quoique retenus les uns contre les autres par de la colle, & par une colle de meilleure qualité que la gomme des nonpareilles, soient pourtant aussi peu, & même moins adhérants entr'eux, que le sont les fils de ces petits rubans. Si leur union étoit plus parfaite, il ne seroit pas possible de devider ce fil, qui se devide comme celui d'un peloton, sur-tout si on a la précaution de tenir la coque dans l'eau chaude. Mais nous avons remarqué ailleurs que l'espece de gomme, dont la soye est formée, a pour une de ses qualités admirables &

effentielles, de fecher très promptement; quoique la chenille étende la portion de fil nouvellement fortie de la filiere fur d'autres fils, prefque dans l'inftant même qu'elle
vient de fortir, il ne lui refte affés de vifcofité que pour
s'attacher legerement aux fils qu'elle touche. Il y a des
coques de diverfes efpeces de chenilles dont il n'eft pas
poffible de devider le fil : le leur eft apparemment formé
d'une matiere qui feche moins vîte que celle des vers à
foye. La reffource eft de carder les coques qu'on ne peut
devider. Mais il y a des coques dont les differents tours du
fil font fi parfaitement collés les uns contre les autres, qu'on
les réduiroit en fragments trop courts en les cardant.

Dans chaque coque de chenilles de plufieurs efpeces
differentes, il y a deux arrangements du fil fenfiblement
differents. Les tours & les retours de celui qui eft le plus
proche de la furface exterieure *, ne forment point un tout *Pl. 31.
qui reffemble à un tiffu; ils ne forment qu'une ou plu- Fig. 13.
fieurs couches affés femblables à celles d'une matiere co- *ffff.*
tonneufe, d'une efpece de charpie *; c'eft ce que les co- *Pl. 33.
ques du ver à foye font affés voir. Avant que de parvenir à Fig. 6. *ffff.*
l'endroit où le fil peut être devidé, on enleve une foye
qui n'eft propre qu'à être cardée. La coque ne commence,
à proprement parler, qu'où le tiffu devient ferré, le refte
lui fert d'enveloppe. Quelquefois le tiffu exterieur eft plus
ferré, il eft lui-même une premiere coque * qui renfer- *Pl. 33.
me la feconde. Tout ce qui eft comme cotonneux, eft Fig. 7.
l'efpece d'échafaudage que la chenille a été obligée de faire
pour conftruire fa coque. On renferme affés fouvent dans
un cornet de papier des vers à foye qu'on voit près de
faire leurs coques; fuppofons que nous en avons mis un
dans une bouteille de verre cylindrique; s'il veut, comme ils le veulent quelquefois, fe faire une coque qui ne
touche nulle part les parois du vafe où il eft renfermé,

il faut qu'il difpofe des appuis qui la puiffent foûtenir en
l'air. Il doit auffi fonger à menager la foye, dont il n'a
qu'une certaine provifion, de maniere qu'il lui en refte
affés pour donner à fa coque toute l'épaiffeur & toute la
folidité convenables. Pour remplir ces differentes vûës,
il colle le bout du fil contre les parois du verre, il attache
enfuite un peu plus loin une portion du même fil. Après
avoir legerement tapiffé une petite partie de la furface, il
fonge à remplir de foye une partie de la capacité interieure; il applique fa filiere contre quelque fil, il la tire
enfuite en arriere, & après il la ramene en avant, pour
appliquer fa filiere affés proche de l'endroit où il l'avoit
appliquée d'abord. Il eft vifible que la portion de fil qui
a été filée pendant ces mouvements de la tefte, a dû être
pliée par les mêmes mouvements en forme d'anneau applati, en forme de maille qui s'étend vers l'interieur du
vafe *. On voit bien que cette maille peut fervir enfuite
d'appuy à une autre maille qui s'approchera encore plus
du centre; & fans que nous fuivions davantage le refte
du travail, il eft aifé de concevoir que le ver à foye, cramponné fur les derniers tours du fil, en difpofera d'autres
toûjours de plus en plus éloignés des parois. Enfin, il
eft aifé d'imaginer comment avec des efpeces de mailles
plus ou moins grandes, differemment contournées & dirigées en differents fens, il remplira l'efpace qui doit entourer celui qu'occupera la vraye coque; & que les tours
de ce fil, quoique peu preffés les uns contre les autres,
quoiqu'ils laiffent par tout entr'eux des vuides, fourniront
tous les appuis neceffaires à une coque dont la tiffure fera
plus ferrée; ils la fufpendront de tous côtés. Ce que notre
ver à foye a fait dans fa bouteille de verre, d'autres le font
dans des cornets, entre de petites branches, entre des feuilles d'arbres.

* Pl. 34.
Fig. 14.

Plufieurs

Plufieurs efpeces de chenilles, qui conftruifent leur
coque fur une feuille, s'y prennent de la même maniere,
elles choififfent quelque feuille un peu courbée, n'importe en quel fens, qu'elles obligent encore à fe courber davantage, & cette feuille eft pour elles, ce qu'eft
le cornet de papier pour le ver à foye. Des fourches formées par plufieurs petites branches, fourniffent également
des appuis *.

    La facilité avec laquelle on devide le fil des coques des
vers à foye, pourroit faire prendre une fauffe idée de
leur conftruction; elle difpofe à les regarder comme une
efpece de peloton creux, dont le vuide eft occupé par la
chenille ou par la crifalide. Si pourtant on obferve l'ordre
dans lequel le fil fe détache, on fe fera une idée plus jufte
de fon arrangement; on verra bien-tôt que chaque tour
du fil n'entoure pas la circonference entiere de la coque,
comme chaque tour du fil d'un peloton entoure celle du
peloton; que le fil de foye forme des efpeces de ziczacs *
fur la furface de la coque; qu'après avoir fait plufieurs de
ces ziczacs affés ferrés les uns contre les autres dans un
petit efpace, près d'un bout ou du milieu, il va fubitement en faire de pareilles, à quelque diftance de là *, &
quelquefois à l'autre bout. De ce bout il prend fouvent
fa route vers quelqu'endroit de la furface oppofée. Il ne
paroît aucun ordre dans la façon dont le fil eft conduit
pour former des ziczacs. Des circonftances dont nous ne
pouvons pas juger, déterminent la chenille à en remplir
certains endroits avant les autres, fçavoir, apparemment
ceux qui préfentent des appuis plus commodes. Le ver
à foye ou la chenille obfervée pendant fon travail, ne
fçauroit nous montrer auffi-bien la vraie difpofition du fil,
qu'on la voit lorfqu'on le devide de deffus la coque; mais
la chenille obfervée alors, confirmeroit, s'il en étoit befoin,

Tome I.   .R r r

* Pl. 34. Fig. 14.

* Pl. 34. Fig. 12 & 13.

* Pl. 34. Fig. 13.

dans l'idée que le devidement du fil a fait prendre. Qu'elle ne soit encore que cramponnée dans ces fils lâches qui doivent servir d'enveloppe & de soûtien à la coque qu'elle va commencer à construire; on voit sa tête se porter & s'appuyer successivement sur des côtés opposés, & cela, au plus, jusqu'aux distances où il lui est permis d'aller, en faisant décrire des arcs de cercle à la partie anterieure, qui est depuis la tête jusqu'à la premiere paire des jambes intermediaires. Chaque arc que la tête décrit fait sortir de la filiere une portion de fil qui est à peu près la corde de cet arc *. La chenille allonge un peu son corps, lorsqu'elle décrit un second arc, sans quitter la même place, & fait sortir de la filiere une seconde portion de fil plus longue que la premiere; elle trouve des fils, dans le tissu lâche, contre lesquels elle colle ces nouvelles portions de fils. Il est donc clair qu'elle file des portions de fils qui forment des especes de ziczacs, tant qu'elle reste en place, & qu'en s'allongeant, ou en se recourbant, elle fait mouvoir sa tête successivement en differents sens. De là elle va dans un autre endroit, pour le remplir de pareils ziczacs *. Quand elle a rempli de tours de fils cette surface concave qui doit terminer celle de la coque, la premiere couche de la coque est faite, & tout le travail qui reste se reduit à la fortifier, à l'épaissir, & cela, en repetant la même manœuvre, c'est-à-dire, en mettant une seconde couche de fil plié & replié en ziczacs sous la premiere, & une troisieme sous la seconde, &c.

M. Malpighi prétend qu'on distingue six couches differentes à la coque du ver à soye; je n'oserois assûrer qu'il n'y en a pas un plus grand nombre. Il a eu la curiosité de mesurer la longueur du fil qui se peut dévider de dessus une coque, & il l'a trouvée de neuf cens trente pieds de Boulogne.

Lorſque nous avons examiné les reſervoirs de la matiere ſoyeuſe dans le 3.ᵐᵉ Memoire *, nous avons vû que chaque chenille en a deux ſemblables & égaux, qui tous deux vont aboutir par un filet délié, à la filiere. Tous deux contribuent, pour l'ordinaire, à la formation de chaque fil de ſoye. On en a une preuve, ſi on obſerve au microſcope un brin de ſoye, comme Leeuwenhoek l'a fait avant moi. Les contours des bouts des vaiſſeaux à ſoye ſont à peu-près ronds, comme le ſont en general ceux des autres vaiſſeaux; ils ſe terminent apparemment à la filiere par des ouvertures rondes. Si le fil étoit fourni par un ſeul vaiſſeau, & que la filiere ne changeât pas la figure qu'il a en ſortant du vaiſſeau, le fil ſeroit rond, comme le ſont les fils ordinaires. Mais le microſcope nous met en état de voir que ce fil eſt en quelque ſorte plat, qu'il a au moins plus de largeur que d'épaiſſeur. Le microſcope nous fait voir plus encore, il nous fait découvrir que le milieu de chaque fil eſt comme creuſé en goutiere, c'eſt-à-dire, qu'on voit que le fil eſt comme formé par deux cylindres, ou par deux cylindres applatis *, collés l'un contre l'autre. D'où il eſt naturel de conclurre que le fil eſt compoſé de deux brins, chacun deſquels eſt fourni par un des reſervoirs, ou vaiſſeaux à ſoye.

*PI. 5. Fig. 4.

*PI. 32. Fig. 13, 14 & 15. & PI. 33. Fig. 1, 2 & 3.

Il y a même des fils de ſoye où l'on voit la ſeparation des deux brins qui les compoſent *. Il arrive apparemment quelquefois que les deux fils qui devoient ſe coller l'un contre l'autre, ne ſe ſont pas aſſés bien ajuſtés, ou que quelque frottement les a ſeparés lorſqu'ils ſortoient de la filiere. On croit reconnoître au microſcope les portions de fils à qui cet accident eſt arrivé, lorſqu'on voit des fils dont un des bouts eſt fourchu, & que chacun des brins qui forment la fourche paroît préciſement ſemblable à une des moitiés du fil conſideré avant la bifurcation.

*PI. 32. Fig. 15.

Rrr ij

* Pl. 33.
Fig. 3. *bbep*.

C'eſt ſur tout quand un fil ſe place * heureuſement dans le microſcope, de façon qu'on en puiſſe voir la tranche, qu'on reconnoît bien qu'il eſt moins épais que large. La ſtructure des fils de toutes les chenilles, ni même celle de tout le fil d'une même coque, ne ſont pas parfaitement ſemblables. J'ai obſervé de très-gros fils, qui paroiſſoient viſiblement compoſés de deux cylindres appliqués l'un contre l'autre *.

* Pl. 32.
Fig. 13.

J'ai obſervé d'autres fils beaucoup plus plats, & qui ſembloient formés par la réunion de deux cylindres applatis *.

* Pl. 32.
Fig. 14. &
Pl. 33. Fig.
1 & 2.

Quelquefois on obſerve de très-grandes portions de fils qui paroiſſent cylindriques, qui, dans le microſcope, ſont telles que des cheveux, ou des poils de quadrupedes. Le fil alors n'a été fourni que par un des vaiſſeaux, à moins qu'on n'aimât mieux croire qu'ils ont tous deux donné une matiere plus fluide qu'à l'ordinaire, & que les deux cylindriques ſe ſont preſque réunis en un. Sur chaque moitié d'un fil ordinaire, ſur chaque fil compoſé, on apperçoit ſouvent pluſieurs lignes legerement ondées, qui, toutes paralleles les unes aux autres, ſont dirigées ſelon la longueur du fil *.

* Pl. 33.
Fig. 1 & 2.

Elles ſemblent être differentes fibres qui entrent dans la compoſition de chacune de ſes moitiés. La matiere du fil de ſoye, comme nous l'avons vû ailleurs, eſt une gomme qui a été tirée par la filiere, & tout fil fait d'une gomme qui a été allongée, ſe trouvera compoſé de différents filamens, ſi toutes les parties de la gomme n'étoient pas parfaitement égales, & ſur tout ſi elles n'étoient pas liquides, ou ramollies au même point.

Ordinairement le milieu du fil, l'endroit où s'eſt fait la réunion des deux cylindres, eſt très-tranſparent, beaucoup plus que tout le reſte; il le doit être, parce qu'il eſt l'endroit le plus mince. Quelquefois pourtant le même endroit eſt opaque. Cette exception eſt produite par des circonſtances

qui ont empêché la réunion de se bien faire, par des circonstances où des bulles d'air ont pû être renfermées entre
les parties liquides de la gomme soyeuse. L'air, ici, doit produire le même effet que dans les bulles qui forment une
écume d'eau, qui n'a plus la transparence de l'eau. Il y a
des fils qui sont si applatis dans certains endroits *, qu'ils paroissent des rubans. Dans d'autres endroits ils sont plus
épais. Enfin, il y a des endroits où l'on voit des especes de
nœuds *, des tubercules formés par un plus grand amas de
matiere.

* Pl. 33.
Fig. 3. b b e.

* Fig. 3. n.

Une remarque, que nous ont fournie encore les reservoirs de matiere à soye, dans le troisieme Memoire, nous
apprend pourquoi il arrive assés souvent que le fil d'une
même coque est de differentes couleurs, ou au moins de
très-differentes nuances de couleur; pourquoi une partie
de ce fil est d'un beau jaune, pendant que le reste est d'un
jaune pâle presque blanc; car nous avons vû qu'une partie
d'un reservoir est souvent remplie d'une gomme soyeuse,
de couleur differente de la couleur de celle qui remplit le
reste du même reservoir.

Les couleurs les plus ordinaires des coques des differentes especes de chenilles, sont le blanc, le jaune, le brun
ou le roux; mais on leur trouve des nuances de toutes ces
couleurs extremement variées. Il y en a pourtant dont la
soye est d'un bleu qui tire sur le bleu celeste, & d'autres
dont la soye est verdâtre.

Le ver à soye employe quelquefois deux jours, & quelquefois trois à finir sa coque; mais il y a des chenilles qui
font les leurs en un seul jour, d'autres en font de très-bien
travaillées, en quelques heures.

Des chenilles de plusieurs especes ne recouvrent point
leurs coques d'une bourre, d'une espece de cotton de soye;
elles en font le tissu si serré, qu'on les croiroit plûtôt com-

Rrr iij

potées d'une membrane bien continuë, d'une forte de cuir,
que de fils appliqués les uns contre les autres. Une chenille*
de la premiere claffe, demi-veluë, qui n'a point d'aigrettes
de poils, ou d'aigrettes bien fenfibles, & que j'ai nourrie
de feuilles d'aube-épine; & de celles d'abricotier, fe renferme dans une coque de l'efpece de celles dont nous venons de parler. La couleur de cette chenille peut aider à la
faire reconnoître; celle du deffus de fon corps eft, dans certains temps, un noir-violet, & dans d'autres temps, elle eft
prefque violette. A l'endroit où eft à peu-près la feparation
de la moitié fuperieure, & de la moitié inferieure de chaque anneau, le bout de la moitié fuperieure eft bordé de
jaune; cette bordure remonte un peu vers le dos. Enfin,
dans le petit arc renfermé par cette bordure, il y a une
tache à peu-près du même jaune. Cette chenille fe fit,
en Juillet, une coque*, qu'elle attacha contre une feuille;
cette coque étoit plus petite que celle que la grandeur de
la chenille auroit fait attendre. Auffi avertirons-nous que
les grandeurs des coques ne font nullement proportion-
nées à celles des chenilles. De petites chenilles fe conftruifent quelquefois des coques qui ont bien plus de volume
que celles que fe conftruifent des chenilles confiderablement plus groffes. Il convient aux unes d'avoir des logemens plus fpacieux, & des logemens plus étroits valent
mieux pour d'autres. Mais c'eft fur tout le tiffu ferré de
notre petite coque que nous voulons faire remarquer; elle
avoit à l'exterieur un poli, qui eût pû la faire prendre pour
un gland tiré de fon calice; elle avoit le luifant d'un pareil
gland, & la couleur qu'il prend, lorfqu'il brunit en vieilliffant. Le papillon n'eft pas encore forti, chés moi, des
coques de cette efpece; il a peri dans quelques-unes.

Je foupçonne qu'il y a des chenilles qui, pour rendre
leurs coques plus fermes, les mouillent d'une liqueur gom-

meufe, differente de celle de la foye, & qu'elles la jettent par l'ânus. On trouve dans l'interieur de quelques-unes, près du derriere, des vaiffeaux qui femblent être les refervoirs de cette efpece de colle. Les coques des groffes chenilles du poirier à tubercules, & celles de quelques autres chenilles à tubercules, paroiffent avoir été mouillées par cette gomme, après qu'elles ont été finies. Leur fermeté eft telle que celle d'un bougran, & leur luifant femble prouver qu'elle eft dûë à une caufe pareille à celle à qui le bougran doit la fienne.

Une des chenilles les plus communes * dans nos jardins, qui fçait s'accommoder des feuilles de la plûpart des arbres fruitiers, & de celles de plufieurs autres arbres, eft nommée *la livrée* par les jardiniers, parce que les differentes rayes bleuës-celeftes, jaunàtres, brunes, qui font tout du long de fon corps, leur ont paru imiter ces touffes de rubans qu'on porte aux villages pour livrées de nôces. Sa tête eft bleuë. Cette chenille m'a montré un procedé analogue à celui que nous foupçonnons être pratiqué par plufieurs autres chenilles. Celui de la livrée merite d'être détaillé. Elle fe fait une coque d'une foye prefque blanche, de forme approchante de celle du ver à foye *. La vraye coque eft logée au milieu d'une enveloppe moins cottonneufe * que celle de la coque de ce ver; l'enveloppe elle-même a quelqu'air d'une coque. La foye, foit de l'enveloppe, foit de la coque, me paroît de celles qu'on a tort de negliger; on en pourroit faire de grandes recoltes dans certaines années, & je penfe que cardée, elle pourroit être employée pour des tiffus. Ces coques font, à la verité, plus legeres que celles des vers à foye, mais on en pourroit ramaffer beaucoup fans frais. Ce que nous voulons faire remarquer actuellement, c'eft que lorfqu'on en déchire quelqu'une, on voit un nuage de poudre qui s'en éleve.

* Pl. 5.
Fig. 7.

* Pl. 31.
Fig. 13.

* Fig. 13.
ffff.

Averti par la quantité de poudre qui s'étoit envolée de celles que j'avois cardées entre mes doigts, j'en ai observé avec plus d'attention, diverses coques de cette espece bien entieres. Je n'ai pas eu de peine à reconnoître que leur soye est poudrée presque par tout d'une poudre d'un jaune-citron, comme les cheveux des perruques le sont d'une poudre blanche. Il y a pourtant quantité d'endroits où cette poudre est en petits tas, en petits grumeaux, comme l'est la poudre des perruques dans les endroits où il est resté trop d'essence. La soye de ces coques est par elle-même blanche, ou presque blanche; cependant elles paroissent d'un jaune tirant sur le citron. C'est à leur poudre qu'elles doivent cette couleur. Les Dames qui cherchent avec des soins, pour lesquels nous manquons souvent de reconnoissance, à ajoûter aux agrémens qu'elles tiennent de la nature, ont imaginé, dans ces derniers temps, de se servir d'une poudre couleur de rose; si la poudre des coques de nos livrées pouvoit heureusement leur paroître propre à donner une agreable nuance de couleur à leurs cheveux, ces coques seroient bientôt tirées de l'obscurité où elles sont; on ne les laisseroit pas perir dans la campagne.

Quoi qu'il en soit de la fortune que je souhaiterois à ces coques, je ne connois qu'un usage à la poudre par rapport aux coques mêmes. Le tissu de chaque coque est mince & peu serré, il ne sçauroit empêcher la chenille, ou la crisalide, d'être vûë. La poudre jaune qui est repanduë dans tout le tissu, le rend opaque; la chenille, ou la crisalide, se trouve aussi-bien cachée, au moyen de cette poudre, que d'autres le sont dans des coques plus épaisses. Si on me demandoit pourquoi il est necessaire que ces chenilles repandent une poudre qui rende leurs coques opaques, pendant que tant d'autres ont des coques qui ne les derobent nullement à nos yeux, j'avoüerois que je l'ignore,

comme

comme j'ignore pourquoi tant d'especes de chenilles ne
se font point de coques, & pourquoi tant d'autres s'en
font. Nous ne pouvons pas sçavoir ce qu'éxige la constitution de leur corps; mais s'il y a des chenilles à qui il faille
des coques, il doit y en avoir qui ayent besoin d'être renfermées dans des cellules plus closes; & s'il y en a qui n'ont
point assés de soye pour fournir à la construction de la coque épaisse ou opaque qui leur seroit necessaire, la nature
leur a donné une autre ressource; elles font avec une poudre jaune, ce que d'autres font avec plus de soye.

La chenille ne songe à penetrer toute sa coque de cette
poudre, que lorsqu'elle n'a plus aucun tour de fil à y
ajoûter. On a beau charpir, carder une coque qui n'est
pas entierement finie, il n'en sort pas la moindre poudre.
J'ai été curieux d'observer le temps où la chenille la ré-
pandoit, & comment elle s'y prenoit pour la faire penetrer entre tous les fils. J'ai rassemblé un grand nombre de
coques que ces chenilles n'avoient que commencées, je
les ai laissé les finir en repos. Quand elles ont été entierement finies, j'ai coupé avec des ciseaux, toute la soye
de la premiere enveloppe, je n'ai conservé que le tissu de
la vraie coque, à qui même j'ai ôté tout ce que j'ai pû,
sans lui faire perdre sa forme. En cet état elle me laissoit voir
assés distinctement la chenille qu'elle renfermoit. Malgré
ces soins, le procedé qui attiroit mon attention m'a souvent échappé; telle chenille poudre sa coque presqu'aussi-
tôt qu'elle l'a finie, & d'autres ne la poudrent qu'au bout
de plusieurs heures; c'est l'affaire de peu de minutes; je
suis pourtant parvenu à voir & revoir leur manœuvre autant
de fois que je le souhaitois. J'ai vû que la chenille jettoit
par l'anus une matiere jaune, molle, & liquide même,
comme une bouillie épaisse; elle avoit au plus, assés de consistance pour garder la forme de l'ouverture, par laquelle

Tome I. S ss

elle étoit sortie. La chenille sur le champ recourboit son corps, elle portoit sa tête sur le petit tas de matiere; elle en prenoit une portion entre ses dents. Elle redressoit ensuite son corps peu à peu, en conduisant sa tête sur la surface interieure de la coque. La tête paroissoit la frotter de temps en temps; aussi la coque se coloroit-elle, & devenoit-elle opaque dans tous les endroits sur lesquels la tête avoit passé. L'anus jette de cette matiere jaune à trois ou quatre reprises differentes, & la tête en enduit successivement tout l'interieur de la coque. Cette matiere, en partie liquide, pressée par la tête, entre dans les vuides des especes de mailles que le fil forme, & imbibe, pour ainsi dire, toute l'épaisseur de la vraye coque; car elle ne va pas jusqu'au tissu lâche qui lui sert d'enveloppe. Cette matiere ainsi distribuée en petites parcelles, seche vîte, & est bientôt en état de paroître une poudre legere, parce qu'elle est composée de grains extremement fins, qui ne tiennent point ensemble.

J'ai ouvert des coques dans l'instant où les chenilles venoient de jetter la matiere jaune; dans le peu de temps que je mettois à en ouvrir une, les dents de la chenille avoient eu celui de se charger d'une petite pelote de cette matiere. Celles qui ne s'étoient encore défait que d'une partie de celle qui doit sortir de leur corps, continuoient à la jetter devant moi, & je la voyois se secher en quelques instans.

Il semble d'abord que cette matiere ne doit être regardée que comme un reste d'excrémens que la chenille n'avoit pas rejettés avant que de travailler à faire sa coque; mais elle ne ressemble en rien aux excrémens ordinaires de cette espece de chenille, ni d'aucune autre. Ce n'est pas aussi de l'estomach & des intestins qu'elle vient; elle est formée avec plus d'appareil, que les usages que nous lui connoissons ne semblent le meriter; mais elle en a apparemment, à nous inconnus, dignes de l'attention que la nature apporte à la preparer. Dans le troisieme Memoire *, où nous avons examiné les parties interieures des chenilles, nous avons parlé de quatre gros troncs de vaisseaux *, qui, après avoir été droits & cylindriques, deviennent tortueux, ondés, & comme variqueux *. Ces vaisseaux variqueux forment une espece de lacis autour des intestins, près du derriere. Nous n'avons rien osé décider sur le veritable usage de ces vaisseaux dans la plûpart des chenilles; au moins leur en connoissons-nous un dans notre livrée; ce sont les reservoirs de la matiere qui forme ensuite la poudre jaune. On en a plus de preuves qu'il n'en est besoin; leur couleur jaune en seroit une; si on les écrase entre les doigts, on en fait sortir une matiere jaune pareille à celle dont la chenille enduit sa coque. Enfin, si on ouvre une chenille, qui a fini sa coque, mais qui n'a pas encore jetté la matiere jaune, les vaisseaux tortueux sont gros, bien distincts, ils sont alors bien remplis; & si on ouvre une autre chenille qui a jetté la matiere jaune, les mêmes vaisseaux sont plus petits, peu colorés, en un mot, ils paroissent presque vuides. Nous avons dit dans le même Memoire que nous venons de citer, qu'ils s'inserent dans le rectum, & c'est là qu'ils jettent la matiere de la poudre.

Je pense que dans des chenilles de plusieurs autres especes, les mêmes vaisseaux ne contiennent qu'une matiere visqueuse, qui est celle que nous avons soupçonné être employée par quelques-unes pour donner plus de consistance au tissu soyeux.

Nous ferons encore connoître ici une autre chenille *, qui, comme la précedente, repand dans sa coque une matiere jaune qui en penetre le tissu, & qui y devient ensuite une poudre citron. Cette chenille se tient quelquefois sur le saule, mais je l'ai trouvée plus souvent sur le peuplier

* Pl. 5.
Fig. 5.

* L L L L.

* x x.

* Pl. 34.
Fig. 1.

S ss ij

blanc. Elle eſt aſſés belle; ſa grandeur eſt un peu au-deſſus de la mediocre. Le deſſus de ſon corps eſt ras; il eſt orné de taches d'un jaune - citron, ſeparées par des taches d'un beau noir, qui tiennent de la figure quarrée. Au-deſſous de cette partie raſe eſt, de chaque côté, un rang de tubercules roux d'où partent des poils de même couleur, & aſſés courts. Mais au-deſſous de ce rang, il y en a un ſecond dont les tubercules ſont chargés de poils beaucoup plus longs que les premiers, & qui ont une direction qui caracteriſe le genre à qui cette chenille appartient. Ils s'inclinent un peu en bas, ou ſe dirigent horiſontalement; ils donnent à cette chenille quelqu'air d'un mille-pied. Leur couleur eſt aſſés claire, elle eſt compoſée de citron & de roux. Pluſieurs de ces chenilles ont fait leurs coques chés moi vers la mi-Juin, & avant la fin du même mois, j'ai eu des papillons de celles qui s'étoient miſes en criſalides à la campagne, quelques jours plûtôt. Leurs coques * ſont peu fournies de ſoye; ſi les vuides du tiſſu n'étoient remplis par la poudre jaune, la criſalide y ſeroit très-aiſée à voir. Elle eſt *, cette criſalide, d'un noir luiſant, & de celles qui ſont les plus veluës; les poils qui la couvrent ſont blancs & citron. Les papillons qui ſortent de ces criſalides ſont de la 4.ᵐᵉ claſſe des phalenes. Le mâle * a de très-belles antennes en plumes; on apperçoit auſſi fort bien les barbes de celles de la femelle *; quand l'un & l'autre ſont en repos *, leurs aîles ſont un toit à vive-arête. Elles ſont d'un beau blanc, & très-luiſant. Le corps eſt auſſi couvert de poils & d'écailles blanches; mais dans les endroits où il n'a ni poils ni écailles, il eſt d'un noir de jais; cette couleur eſt auſſi celle des antennes & des jambes, qui ſont pourtant garnies en differents endroits de poils & d'écailles blanches. La femelle n'eſt pas ſenſiblement plus grande que le mâle. Les œufs qu'elle dépoſe ſont bien ſpheriques; ils ſont verds.

* Pl. 34.
Fig. 2.

* Fig. 3.

* Fig. 4 &
5.

* Fig. 6.

* Fig. 4 &
6.

Il y a un grand nombre d'efpeces de chenilles qui n'ont
pas une affés grande provifion de matiere foyeufe pour
fournir à la conftruction d'une coque folide, & capable de
les bien cacher, & qui n'ont pas la reffource de la poudre
jaune employée par les chenilles livrées & les chenilles du
peuplier blanc, dont nous venons de parler. La nature
leur a appris à trouver fur elles-mêmes une autre reffource
pour ôter la tranfparence à leurs coques, & pour leur donner plus de folidité. Les chenilles dont je veux parler font
des efpeces de chenilles veluës qui font entrer leurs propres poils dans la compofition de leurs coques; elles fe les
arrachent & les employent pour fortifier leurs coques. Ces
poils, après avoir couvert l'infecte fous la forme de chenille, lui font donc encore utiles, ils le recouvrent encore
en partie fous celle de crifalide. Une efpece de chenille
dont nous avons déja parlé fous le nom de *chenille du mar-*
ronier d'inde *, & qui, lorfqu'elle s'eft établie fur ces arbres,   * Pl. 34.
les dépouille de leurs feuilles en peu de jours, nous four-   Fig. 7 & 8.
nira le premier exemple de celles qui font un pareil ufage
de leurs poils. Nous avons dit que les poils de celle-ci font
longs, jaunes, ou d'un jaune rougeâtre, diftribués par touffes; que chaque touffe part immediatement de la peau;
qu'elle n'a point pour bafe un tubercule charnu, comme
l'ont les touffes de la plûpart des autres chenilles veluës.
Leurs poils fe réuniffent dans un même paquet, ils ne tendent point à s'écarter les uns des autres, en s'éloignant de la
bafe, & chaque touffe, chaque pinceau de poils eft quelquefois formé par ceux qui partent de deux differents anneaux.
Leur peau paroît entre leurs pinceaux de poils, elle eft
d'une efpece de couleur de chair, excepté tout du long du
milieu du dos, où elle eft marquetée par un rang de taches
d'un beau noir, bordées de blanc. Quand celles-ci font près
de fe metamorphofer, ce qui arrive avant la fin de Juillet,

Sff iij

elles quittent les marroniers fur lefquels elles ont vêcu; elles vont chercher des trous de murs, des deffous d'entable-ments, pour y faire leur coque*. J'en ai mis chés moi dans des poudriers de verre, où elles ont travaillé. Elles font de pure foye la couche qui doit former la furface exterieure de leur coque; elles l'épaiffiffent même par des couches de fils qu'elles étendent deffous. Quand elles la jugent affés épaiffe, elles commencent à s'arracher les poils, tantôt d'un endroit, & tantôt d'un autre. Je n'ai pas remarqué qu'elles fuiviffent en cela d'ordre conftant; elles fe recour-bent vers un côté ou vers l'autre; elles élevent tantôt plus & tantôt moins leur tête; la flexibilité de leur corps leur permet de la porter par tout fur leur dos. Les deux dents font les pinces dont la chenille fe fert pour faifir partie des poils d'une touffe, & quelquefois pour faifir enfemble tous ceux d'une touffe; & dès qu'elle les a faifis, elle les ar-rache fans grand effort; alors ils tiennent peu. Sur le champ elle les porte contre le tiffu commencé, dans lequel elle les engage d'abord par la feule preffion; elle les y arrête en-fuite plus folidement, en filant deffus. Elle ne ceffe de s'ar-racher les poils que quand elle s'eft entierement épilée. Lorfque la chenille a pris entre fes dents, & qu'elle s'eft arraché une touffe de poils entiere, la tête la porte & la dépofe fur quelqu'endroit de la furface interieure de la co-que; mais elle ne laiffe pas enfemble les poils d'un fi gros paquet. Dans l'inftant fuivant, on voit que la tête fe donne des mouvements vifs, qu'elle va prendre une partie des poils du petit tas, pour les diftribuer fur les endroits voifins. Si on ouvre une de ces coques avant que la chenille fe foit metamorphofée en crifalide, cette chenille, qui eft toute nuë, & qu'on ne connoiffoit que par fes poils, n'eft plus connoiffable*.

Au bout de quelques jours, on trouve une crifalide qui

* Fig. 9.

* Pl. 34.
Fig. 10.

s'eſt tirée du fourreau de chenille; elle n'a rien de remarquable, ſoit pour ſa forme ſoit pour ſa couleur, qui devient
d'un brun rougeâtre. Le papillon * reſte ſous cette der- * Fig. 11.
niere enveloppe pendant tout l'hyver, & même juſques
vers la fin du printemps. Il eſt de la claſſe des phalenes qui
ont une trompe & les antennes à filets grainés, & du genre
de ceux qui portent leurs aîles ſuperieures paralleles au plan
ſur lequel ils ſont poſés, qui couvrent tout le corps, &
dont les deux baſes arrondies forment enſemble un angle
curviligne. Differentes nuances de gris & un peu de blanc,
differemment mêlangées & diſtribuées, forment les deſſeins du deſſus des aîles de ce papillon, aſſés ſemblables à
ceux que l'encre de la Chine, & la gravure, peuvent imiter.
J'ai vû ce papillon * étendre ſa trompe, & la tenir long- * Fig. 11.
temps étenduë. Je lui preſentai du ſucre, & il ſe mit à le
ſuccer devant moi.

Il y a beaucoup de chenilles veluës qui negligent de faire
entrer leurs poils dans la compoſition de leurs coques; telles
ſont la chenille que nous avons nommée *la commune*, & la
chenille *à oreilles* du chêne, &c. mais il y a peut-être encore
plus de chenilles veluës qui mettent leurs poils à profit.
Cette petite chenille à broſſes, qui porte près de la tête des
aigrettes compoſées de poils en plume *, & qui en a de pa- * Pl. 19.
reilles ſur les côtés, & une ſur le derriere, & toutes les autres Fig. 4 & 5.
eſpeces de chenilles à ſemblables aigrettes, que j'ai obſervées, engagent les poils de ces aigrettes dans les premieres
couches de ſoye de leur coque; de ſorte qu'en obſervant le
deſſus de la coque à la loupe, on peut ſçavoir de quel genre
eſt la chenille qui l'a faite *. Nous avons décrit dans le ſe- * Pl. 19.
cond Memoire, une autre chenille à broſſes, qui eſt repre- Fig. 14 &
ſentée Pl. 2. Fig. 21. dont la coque * paroît preſque toute 15.
de poils; il ſemble qu'il n'y a que peu de ſoye employée à * Pl. 32.
les lier. Cette chenille travailla à la faire chés moi le 21. Fig. 8.

Juin, & le papillon en fortit le 26. Juillet. Une de fes aîles fuperieures fe trouva contrefaite; il m'a pourtant paru du genre de ceux qui les portent en toit *. Elles font grifes, marquées de points noirs, & de quelques points jaunes. Ce papillon a des antennes en barbes de plume, & je crois qu'il n'a pas de trompe.

Vers la fin de Septembre, j'ai eu plufieurs chenilles à broffes *, toutes de la même efpece, trouvées fur le châtaigner, & que je n'ai été obligé de nourrir des feuilles de cet arbre que jufques aux premiers jours d'Octobre. Elles fe filerent alors des coques * qui, par leur figure, leur groffeur & leur couleur, reffembloient à celles des vers à foye, qui font d'un jaune pâle ou citron. On les eût prifes pour des coques faites uniquement d'une belle & bonne foye; mais en les obfervant de plus près, on reconnoiffoit que les poils de la chenille entroient pour beaucoup en chaque coque. Ces poils ont une couleur de foye blanche immediatement après la muë, enfuite ils deviennent blonds, pourtant tantôt d'un blond plus blanc, & tantôt d'un blond plus roux. Ceux qui font employés à former les broffes ont quelquefois leur pointe couleur de rofe. La chenille a auffi fur le derriere un pinceau de poils dont le bout eft couleur de rofe. Ces couleurs tendres, & la diftribution des poils, font un fort joli habit de chenille. Elle paroît encore mieux vêtuë, quand elle fe courbe un peu *, que quand elle eft allongée; alors les intervalles, au moins de trois anneaux, paroiffent; ils font du plus beau noir velouté. La peau des autres endroits du corps, qui eft vûë entre les aigrettes de poils, eft verte; quelques-unes ont tout le deffous du corps verd, & quelques autres l'ont noir. Les broffes de celles qui ont le ventre verd, ont pris plus de couleur de rofe que les broffes de celles dont le ventre eft noir. Elles ont chacune quatre de ces broffes, pofées fur 4. anneaux confecutifs, fçavoir,

fur

fur les deux qui feparent ceux des jambes écailleufes des jambes intermediaires, & fur les deux premiers anneaux des jambes intermediaires. Entre les broffes & les jambes elles ont de chaque côté, fur chaque anneau, trois aigrettes de poils.

Les papillons nocturnes que ces chenilles m'ont donnés l'année fuivante, tant la femelle* que le mâle*, ont le fond de la couleur de leurs aîles d'un blanc-fale, & c'eft prefque la feule couleur de celles de la femelle. Elle a feulement fur chacune des fuperieures, une raye tranfverfale un peu jaunâtre, & une petite tache de même couleur, & prefque ronde, & fous chaque aîle inferieure * une tache plus brune, & bien circulaire. Le mâle * a des taches ondées ou flambées fur fes aîles fuperieures. Ces papillons font de la cinquieme claffe des phalenes. Leurs antennes font à barbes. Ils ont une trompe extremement petite, compofée de deux corps feparés, qui m'ont paru fe rouler. Les barbes * entre lefquelles ils font placés, different de celles dont nous avons parlé jufques ici. Elles n'ont ni poils ni écailles fenfibles; elles font charnuës. Leur contour eft arrondi*; leur bout inferieur*, celui par lequel elles tiennent à la tête, eft pointu. En s'éloignant de là, elles groffiffent, elles diminuent enfuite pour fe terminer par une efpece de petit bouton, qui fort de leur gros bout *. Le mâle & la femelle laiffent ordinairement pendre leurs aîles, qui alors ne couvrent pas le deffus du corps. La femelle pond des œufs * d'un brun-clair, prefque fpheriques, qui ont une tache très-brune, circulaire, & un petit enfoncement dans l'endroit immediatement oppofé à celui qui touche le corps contre lequel l'œuf eft collé.

Nous avons dit que les poils de la chenille du marronier tiennent peu à fa peau lorfqu'elle s'en dépouille pour les employer à former une coque; quelque legerement qu'on

Tome I. . Ttt

* Pl. 33.
Fig. 10.
* Fig. 12.

* Fig. 11.
* Fig. 12.

* Fig. 16,

* Fig. 17.
* b.

* m.

* Fig. 13
& 14.

tire alors, avec les doigts, ceux d'une houppe, on les détache; elle en laiffe même fur les corps contre lefquels il lui
arrive de fe frotter. D'autres chenilles font entrer les leurs
dans la compofition de leur coque, quoiqu'ils foient bien
plus difficiles à arracher, & quoiqu'elles ne puiffent peut-
être fe les arracher fans douleur. Nous avons appellé l'he-
*Pl. 36. riffonne de l'orme, une chenille * qui eft très-couverte de
Fig. 1 & 2. longs poils, dirigés vers la queuë. Nous l'avons auffi nommée la marte, parce que fes longs poils font d'une couleur approchante de ceux d'une belle peau de marte.
Ceux d'auprès de la tête & des côtes, proche le ventre,
font pourtant d'une couleur plus fauve, ou caffé-clair, &
plus courts. Cette chenille fe fert auffi de fes poils pour
fortifier le tiffu de fa coque, mais apparemment qu'elle
auroit trop à fouffrir fi elle fe les arrachoit; elle prend un
autre parti; elle les coupe. Je ne l'ai point vûë dans cette
opération, qui ne demande aucun autre inftrument que
fes dents, & qui n'exige aucuns mouvements foit de la tête
foit du corps, differents de ceux dont nous avons parlé;
mais j'ai ouvert une coque qu'une chenille de cette efpece
avoit finie depuis peu. La quantité de poils dont le tiffu
étoit fourni, me fit croire que je trouverois la chenille bien
épilée; je trouvai qu'elle étoit feulement couverte de poils
Pl. 36. extremement courts.. On n'auroit pû mieux faire qu'elle
Fig. 4. avoit fait, quand on auroit pris plaifir à couper avec des cizeaux ceux de chaque houppe un peu au-deffus de cha-
cun des tubercules qui leur fervoient de bafe. En un mot, la
chenille paroiffoit avoir tous fes poils, mais au lieu de poils
extremement longs, elle n'en avoit plus que de très-courts;
il fembloit qu'on lui eût fait le crin, & elle fe l'étoit fait
elle-même. La crifalide en laquelle cette chenille fe trans-
*Fig. 5. forme eft d'un beau noir luftré *; elle a un paquet de petits
*9. crochets au derriere *. Un papillon m'eft né les 1.ers jours

d'Août, d'une de ces crisalides, sous le fourreau de laquelle il étoit resté environ un mois & demi. Il est * de la 4.me classe des phalenes, ou de la classe des phalenes qui ont les antennes à barbes de plumes, & qui ont une trompe; la sienne est courte, elle se roule au plus deux tours; ç'étoit une femelle. Ce papillon est du genre de ceux qui portent leurs aîles presqu'horisontalement, ou en toit très-ouvert. Il est d'ailleurs aisé à reconnoître par ses couleurs & par leur arrangement; le dessus des aîles superieures est d'un brun entre le canelle & le caffé; des taches, & quelques rayes qui sont contournées sur ce fond, sont d'un blanc qui a une legere teinte de jaunâtre; ces rayes se croisent, elles forment même une espece d'X, placé vers la base de chaque aîle. Le dessus des aîles inferieures * est d'un rouge de rocou, elles ont pourtant chacune quatre taches noires & circulaires. En dessus, tout près de la tête, il a un toupet du plus beau rouge de carmin; il est placé comme l'est le rouge auprès du bec de quelques perroquets. Le corps est aussi, par-dessous, d'un jaune rougeâtre, ou d'un rouge de rocou. Le dessus du corps est de la même couleur, mais il a de plus quelques taches noires.

Nous avons donné ailleurs pour caractere d'un genre de chenilles * veluës, qu'elles ont des poils qui se contournent sur les anneaux, qui les embrassent, & dont les uns se dirigent en bas, & les autres se dirigent en haut; une partie de ceux-ci s'éleve au-dessus du dos, ceux d'un côté s'y croisent avec ceux qui partent du côté opposé *. Ce genre comprend plusieurs grandes especes de chenilles, & très-veluës, qui font entrer leurs poils dans la composition de leurs coques, mais qui s'y prennent d'une façon particuliere pour se les arracher. Une chenille que j'ai nourrie plusieurs années de suite avec des feuilles d'orme & de charmille, que M. Bernard de Jussieu a nourrie

* Fig. 6 & 7.

* Fig. 7.

* Pl. 35. Fig. 1.

* Fig. 2. qqq.

Ttt ij

avec celles du cornouiller, que Mme Merian a nourrie avec celles du groseillier, & qu'on pourroit nourrir des feuilles de plufieurs autres arbres, eft la premiere qui m'a fait voir en quoi leur procedé differe de ceux dont nous avons parlé. Elle nous donne auffi occafion de faire remarquer une feconde fois, que la grandeur de la coque * n'eft pas toûjours proportionnée à celle de la chenille; qu'il y a des coques fi petites, qu'on ne conçoit pas trop comment une groffe chenille a pû fe renfermer dans une fi petite enceinte qu'elle a été obligée de fe filer; car il femble qu'une chenille doive être à fon aife, fe pouvoir contourner librement dans l'enveloppe qu'elle fe fait, qui, quand elle la commence, eft fi foible, fi mince, qu'elle femble devoir être dérangée & brifée par les plus legeres preffions; que la chenille étant maîtreffe de prendre ce qu'elle veut de terrein, elle en doit prendre affés pour fe mettre au large. Il y en a pourtant beaucoup d'efpeces, & entr'autres celles dont nous voulons parler, qui fe mettent très à l'étroit dans leur coque. La même efpece fervira encore à nous montrer comment la chenille fait prendre une figure plus ou moins arrondie, plus ou moins allongée à fa coque; que fon propre corps eft le moule fur lequel elle la forme.

    La chenille que nous voulons fuivre actuellement dans la fabrique de fa coque, eft fouvent au moins d'un quart plus longue & plus groffe que celle qui eft reprefentée dans la Figure 1. Quand elle s'allonge, les feparations de fes anneaux font marquées par des rayes tranfverfales d'un noir velouté, qui eft la couleur de fa peau dans ces endroits. Quand elle eft un peu raccourcie, on ne voit que la couleur de fes poils, qui, lorfquelle a tout fon accroiffement, font d'un fauve-clair, dans lequel il y a un peu d'olive & de gris-argenté mêlés; dans d'autres temps fes poils font d'un brun-noir.

La coque * que se fait cette chenille n'est point recou-   * Pl. 35.
verte de bourre de soye. Elle est d'une couleur brune, son   Fig. 3.
exterieur paroît assés uni ; si cependant on la touche on
sent qu'elle est herissée de poils durs. Sa figure est celle d'un
ellipsoïde allongé, presque celle d'un cylindre, dont les
deux bouts sont arrondis. Pour se faire une coque de cette
figure, la chenille tient son corps courbé de differentes
façons, en differents temps, mais toûjours raccourci, au
point d'avoir précisement, dans le sens où il est le plus long,
une longueur égale à celle du plus grand diametre interieur de la coque, & contourné de maniere que les deux
parties qui sont aux bouts de la plus grande longueur, ont
toûjours une courbure semblable à celle que doivent prendre les deux bouts de la coque. Assés souvent la chenille
est pliée en S *. Sa tête & son derriere sont quelquefois   * Fig. 5.
presque vis-à-vis l'un de l'autre, & vis-à-vis le milieu du
corps, mais placés de differents côtés ; quelquefois la tête
est placée plus près du milieu du corps que ne l'est la queuë.
Les deux portions du corps, qui representent celles où l'S
s'arrondit, où elle a exterieurement deux convexités, sont
les moules des bouts de la coque. Dans d'autres temps la
chenille est pliée en deux, de maniere qu'elle forme un
anneau applati & allongé *. Alors sa tête & son derriere sont   * Fig. 4.
du côté du ventre * ; & c'est tantôt l'un & tantôt l'autre   * P.
qui sont plus proches du milieu du corps. Elle varie de
mille manieres differentes, soit les figures d'S, soit celles
d'anneau applati qu'elle fait prendre à son corps ; mais
malgré ces varietés, il y a toûjours deux bouts diametralement opposés, qui ont la courbure de ceux de la coque.
C'est par degrés insensibles qu'elle échange chacune de
ces attitudes, & qu'elle passe d'une attitude à une autre.
C'est aussi peu à peu, lorsque sa tête a appliqué assés
de fils vers un des bouts de la coque, qu'elle la conduit

T t t iij

vers l'autre bout, pour y ajoûter des fils. Elle fait glisser
tout doucement son corps, contourné en anneau, le long
des parois interieures de la coque commencée, elle le fait
tourner, comme on feroit tourner un écheveau de fil sur
un devidoir, en le tirant avec la main, dans le sens où on
veut le faire tourner.

D'ailleurs sa maniere de travailler n'a rien de particulier;
la tête applique des tours de fil tantôt à un des bouts,
tantôt à l'autre, tantôt sur quelqu'autre partie de la circonference interieure; mais quand le tissu de la coque est
devenu une espece de reseau à mailles assés serrées, & qui
a de la consistance, c'est alors qu'on peut observer une
petite manœuvre qui lui est propre, & à quelques chenilles du même genre. On voit tout à coup une partie de la
coque devenir herissée de poils, qui s'élevent beaucoup
au-dessus de sa surface exterieure *. Ce sont ceux d'une
partie du dos qu'elle a fait passer au travers des mailles
de la coque. Elle se donne alors de petits mouvemens,
comme pour frotter cette partie de son dos successivement en des sens contraires, contre la surface interieure
de la coque. Quand l'œil ne pourroit pas suivre les petits
mouvemens de la chenille, les poils qui sont à l'exterieur
les apprendroient. On leur voit faire des vibrations, s'incliner successivement, & assés vîte, vers des côtés opposés.
Les frottements d'une portion du dos contre la coque, tendent à arracher les poils dont cette portion est couverte, &
qui étant passés dans les mailles, y sont retenus en quelque
sorte comme dans un étau. Les poils sont aussi bientôt détachés par cette manœuvre. Dès qu'ils le sont, la chenille se
retourne bout par bout, elle conduit sa tête à l'endroit où les
poils sont resté engagés en partie dans le tissu de la coque;
quoiqu'ils s'élevent là au-dessus de sa surface superieure, il y
a encore une longue portion de chacun en dedans de la

* Pl. 35.
Fig. 6. *pp*
pp.

coque; ils l'y heriffent comme par dehors, ce qui n'accommoderoit pas la chenille; elles veulent toutes que lorf-qu'elles feront en crifalide, leur corps foit touché par des furfaces liffes. La tête travaille donc à coucher fur les parois interieures, les bouts interieurs des poils, & à les retenir couchés par des fils qu'elle tire deffus. Les portions exterieures des mêmes poils fe couchent alors neceffairement, au moins en partie, fur la circonference de la coque, qui ceffe de paroître heriffée. Son tiffu fe fortifie & devient plus opaque. Enfin, quand la chenille s'eft entierement épilée, que tous fes poils ont été bien arrangés & bien attachés, on ne peut plus l'appercevoir au travers de la coque. L'ouvrage eft conduit à ce point en trois heures, mais il n'eft entierement fini qu'en neuf à dix heures; & alors l'interieur de la coque eft tapiffé d'une couche de foye bien luftrée.

Nous n'avons pas dit, & nous n'avons pû voir, comment la chenille fait paffer fes poils au travers des mailles de la coque commencée, lorfqu'elle veut fe les arracher. Mais il ne paroît pas qu'elle y doive trouver de la difficulté. Reprefentons-nous la chenille contournée dans fa coque *, ayant * Fig. 4. alors fes poils couchés fur fon corps, & dans une même direction, c'eft-à-dire, tous dirigés vers le derriere. Si la chenille avance, ou fe roule, ou fe contourne, en portant fa tête en avant, fes poils refteront toûjours couchés; mais fi la chenille veut aller à reculons, à rebrouffe poil, les poils feront pouffés contre les mailles de la coque, & tous ceux qui fe trouveront vis-à-vis les ouvertures de ces mailles, pafferont en dehors. Le même mouvement repeté, les y fera paffer tous fucceffivement.

Le papillon * refte au moins un mois dans cette coque * Pl. 35. fous la forme de crifalide. Quelques-uns font nés chés moi Fig. 7. les premiers jours d'Août, & d'autres vers la fin du même

mois. Le mâle porte ſes aîles en toit aſſés élevé, ſur tout
vers la partie poſterieure du corps *. La femelle* les porte
en toit un peu plus écraſé. La couleur du deſſus des ſuperieures eſt preſque chamois, un peu plus brune pourtant.
Il y a ſur chacune une eſpece de raye tranſverſale, ou parallele à la baſe, qui eſt d'une couleur plus foncée que le
reſte; & entre cette raye & l'origine de l'aîle, une tache
ronde, dont l'interieur eſt blanc, & qui eſt bordée d'un
brun noirâtre. Les écailles des aîles ſont recouvertes par
des poils. Les aîles inferieures ſont aſſés longues pour que
les ſuperieures en laiſſent une partie à découvert. Leur deſſous eſt de même couleur que le deſſous des ſuperieures,
& plus brun que le deſſus de ces dernieres. Près de la baſe,
elles ont une large bande plus claire que ce qui précede.
Ce papillon eſt de la 5.ᵐᵉ claſſe des phalenes. Je ne lui ai
point trouvé de trompe. Il a ſes antennes à barbes *, & à
barbes de ſtructure ſinguliere, qui ont été déja repreſentées,
vûës à la loupe, Pl. 20. Fig. 8. & dont des portions ſont repreſentées, vûës au microſcope, Pl. 35. Fig. 13 & 15.
Chaque barbe ſe termine par une eſpece de tête ou bouton,
d'où partent deux pointes inclinées ſur la barbe, dont l'une
eſt beaucoup plus grande que l'autre. La femelle a auſſi des
antennes à barbes *, mais dont les barbes ne ſont ni ſi longues, ni conformées comme celles des mâles. Nous avons
déja vû plus d'une fois, que les antennes à barbes des femelles ne ſont jamais auſſi belles que celles des mâles.

Une grande chenille que nous avons nommée ailleurs
chenille du gazon *, qui eſt du genre de la précedente, &
dont les poils ſont d'une couleur de chamois clair, ſe
conſtruit une coque * ſemblable à celle de la chenille dont
nous venons de parler, mais d'une couleur plus claire.
Quoique j'aye nourri beaucoup de ces chenilles, des tren-
taines, pendant pluſieurs années de ſuite, avec du gramen

ſur

* Pl. 35.
Fig. 7.
* Fig. 8.

* Fig. 13.

* Pl. 35.
Fig. 9.

*Pl. 2. Fig.
19.

* Pl. 35.
Fig. 12.

fur lequel je les avois trouvées, avec des feuilles d'orme, de
charme, & fur tout avec des feuilles de ronce, qu'elles m'ont
paru manger plus volontiers; il y en a eu peu qui foient
parvenuës à faire leurs coques; la plûpart ont peri, & les papillons qui font fortis des coques ont été prefque tous con-
trefaits. Je n'en ai eu qu'un qui foit bien venu; il étoit femelle. J'ai negligé de le faire deffiner, parce qu'il avoit
affés de reffemblance, même par la couleur, avec le papillon femelle de la chenille précedente. Les mâles dont
les aîles font reftées contrefaites, avoient de très-belles antennes à barbes * femblables à celles du papillon mâle de
la chenille précedente, & dont nous avons fait reprefenter
des portions, vûës au microfcope. De la principale tige,
de la côte de l'antenne *, partent les barbes *, qui font chargées d'un côté de bouquets de poils affés longs, & qui de
l'autre n'ont que des efpeces de courts crochets de poils.
La tête de la même barbe * porte une efpece de longue
épine dirigée vers le bout de l'antenne; & à chaque côté de
cette grande épine, il y en a une plus courte *.

Une efpece de chenille * à 16 jambes, à demi-couronne
de crochets, beaucoup plus petite que les précedentes, car
elle n'eft pas même de celles de grandeur mediocre, merite que nous la faffions connoître ici, parce qu'elle employe encore fes poils pour fe faire une coque d'une ftructure particuliere. Cette chenille d'ailleurs meriteroit d'être
connuë par fa fobrieté, & parce qu'elle fe nourrit de plantes fi petites, qu'elles font à peine fenfibles. C'eft M. de
Maupertuis qui me la fit obferver. Près de la falle du
vieux Louvre, dans laquelle l'Academie des Sciences tient
fes affemblées, il y a une porte qui permet de defcendre
fur une banquette ou terraffe de pierre qui regne fur cette
partie du mur de la cour, à la hauteur du premier étage.
M. de Maupertuis remarqua fur ce mur, des chenilles de

*Pl. 35.
Fig. 13.*

Fig. 14.
TTTT.
To.

*Fig. 14.
&15.e.*

*Fig. 15.
i. k.*
*Pl. 36.
Fig. 8.*

l'espece que nous voulons faire connoître, & me mena les voir bientôt après. Il y en avoit d'appliquées contre le mur, d'autres étoient sous des corniches, & sur tout dans l'angle que faisoient ces corniches avec le mur; toutes étoient tranquilles, & la plûpart comme immobiles. Elles étoient chargées de longs poils, disposés en six aigrettes sur chaque anneau *. La peau n'étoit pourtant pas cachée par les poils; sa couleur étoit par tout d'un blanc qui tiroit sur le cendré, excepté sur le haut de chaque anneau, où il y avoit deux taches jaunes. La tête étoit à peu-près du même blanc que le corps. Les poils étoient roux, mais leur couleur étoit adoucie par celle de la peau; les chenilles, au premier coup d'œil, paroissoient blondes. C'est vers le commencement de May que M. de Maupertuis les vit pour la premiere fois, & nous ne manquâmes pas depuis d'aller les visiter deux fois par semaine, c'est-à-dire chaque jour d'Academie. Nous les y trouvions toûjours tranquilles; nous y en trouvions pourtant tantôt plus & tantôt moins, quelquefois des centaines, quelquefois seulement une trentaine. Le mur où elles étoient regarde le Levant. Là elles paroissoient bien éloignées de toutes les plantes qui fournissent des aliments aux chenilles ordinaires. Y avoit-il apparence qu'elles descendissent toutes les nuits de si haut, dans la cour du Louvre, pour aller chercher quelques feuilles de gramen ou de renouée, ou de quelques autres plantes qu'elles n'auroient pû même trouver que dans des endroits assés éloignés du mur. Chaque nuit elles auroient eu à faire de furieux voyages. Les pierres des maisons de Paris, nouvellement bâties, sont d'un assés beau blanc, mais ce blanc n'est pas long-temps à s'alterer, à se salir. J'ai fait voir ailleurs * que cette alteration de couleur, qu'on étoit porté à attribuer aux vapeurs & aux exhalaisons qui s'élevent continuellement dans une grande

* Pl. 36.
Fig. 9.

* Memoires de l'Academie 1729. Page 185.

ville, étoit caufée par de petites plantes, des efpeces de lichens qui croiffent fur ces pierres, comme fur le terrein qui leur eft propre. Ces lichens ne s'élevent point, ils tapiffent la furface de la pierre. Il me parut probable que ces lichens étoient l'aliment des chenilles de l'efpece dont nous parlons; qu'elles grattoient le mur avec leurs dents, pour les détacher, & s'en nourrir. On croit bien que je ne me contentai pas de les obferver fur le mur où elles fe plaifoient. J'en portai chés moi, que je renfermai dans des poudriers. Je leur offris inutilement des feuilles d'un très-grand nombre d'efpeces de plantes; elles ne tâterent d'aucunes. Je détachai des morceaux minces, des efpeces de feuilles, des pierres qui étoient couvertes de nos lichens, qui rendoient leur furface noire, ou grife. Je mis de ces morceaux de pierre dans les poudriers. Je n'ai point vû les chenilles dans le temps qu'elles rongeoient la furface de ces pierres; mais j'ai vû que les furfaces, qui étoient noires ou grifes, étoient devenuës blanches, ce qui ne pouvoit être arrivé, fans que les chenilles euffent détaché de deffus, les plantes extremement petites qui les couvroient, & qui y étoient très-adherantes. Auffi ai-je gardé chés moi de ces chenilles, pendant plus de fix femaines, fans qu'elles y foient peries; elles n'y font pas non plus groffies fenfiblement, & elles ne le pouvoient pas, parce que celles que j'avois prifes étoient des plus grandes de celles du mur, & parvenuës à peu-près à leur dernier terme de grandeur. Il ne m'a pas paru qu'elles fe donnaffent plus de mouvements pendant la nuit que pendant le jour. Vers le fept ou le huit de Juillet, plufieurs de ces chenilles firent leurs coques dans les poudriers où elles étoient renfermées. Je ne reconnus peut-être pas ces coques la premiere fois que je les vis; je les pris peut-être pour les chenilles mêmes, & toutes les coques que s'étoient faites les mêmes chenilles fur le mur où elles s'étoient établies, ne me parurent des coques qu'après que j'eus vû celles des poudriers. Nous avons dit que ces chenilles font ordinairement tranquilles; la coque doit être prife, par qui n'y regarde pas de près, pour une chenille qui eft en repos. Le mur, les parois du poudrier, quelque morceau de pierre plate en font la bafe *. La chenille qui veut fe faire une coque, s'arrache les poils, mais ce n'eft pas pour les coucher & les faire entrer dans un tiffu. Elle les plante droits, comme des piquets de paliffades, fur la circonference d'un oval, dans lequel elle eft placée. Dans l'enceinte qui eft renfermée par cette paliffade, elle file pourtant une toile blanche, & fi mince, qu'elle eft à peine vifible; & qui, par confequent, cacheroit mal la chenille ou fa crifalide. Cette toile, cette mince coque foûtient les poils, elle en contraint même la plûpart à fe courber par leur bout fuperieur; de forte qu'ils forment une efpece de berceau.

La crifalide de chaque coque m'a donné vers le 25. de Juillet un papillon *, qui n'avoit rien de remarquable. Il eft de la feconde claffe des phalenes; il a des antennes à filets coniques, & une trompe. Il porte fes aîles en toit à vive-arête, mais écrafé. La couleur, tant du deffus que du deffous des aîles fuperieures & des aîles inferieures, eft un blanc-fale; celle du corps eft la même. Le papillon n'offre ni taches ni rayes diftinctes.

*Pl. 36. Fig. 10.

*Fig. 11. & 12.

EXPLICATION DES FIGURES

DU DOUZIEME MEMOIRE.

PLANCHE XXXI.

LA Figure 1, eft celle d'une chenille veluë, dont toute la peau eft d'un noir velouté, & dont les poils font roux.

Quand je l'ai eûë, les premiers jours de May, elle étoit déja grosse.

La Figure 2, fait voir la coupe d'un anneau de la chenille de la Figure 1, où il y a douze aigrettes de poils mediocrement longs, mais bien diſtribués en rayons. Les deux aigrettes ſuperieures ne ſont pas poſées ſur la même circonference ſur laquelle ſont les autres aigrettes.

La Figure 3, eſt celle de la coque de cette chenille, elle eſt peu fournie de ſoye; elle permet de voir la criſalide qui y eſt renfermée.

La Figure 4, eſt celle du papillon nocturne de cette chenille, vû par-deſſus. Il eſt de la ſeconde claſſe des phalenes; il a les antennes à filets grainés, & une trompe. Il eſt du genre de ceux qui laiſſent un peu pendre leurs aîles.

La Figure 5, fait voir encore ce papillon par-deſſus; mais ayant ſes aîles ſuperieures un peu écartées du corps, pour laiſſer paroître une partie du deſſus des aîles inferieures.

La Figure 6, repreſente ce papillon vû par-deſſous.

La Figure 7, eſt un tas d'œufs de ce papillon.

La Figure 8, repreſente un de ces œufs groſſi; ils ſont couleur de nacre. Le côté par lequel ils ſont appliqués ſur quelque corps, eſt plat, le reſte eſt ſpherique.

La Figure 9, fait voir deux coques entourées en partie d'un paquet de feuilles d'orme. Ces coques ſont de la chenille appellée *commune*.

La Figure 10, eſt celle d'une criſalide d'une de ces chenilles d'où doit ſortir un papillon mâle, ce qu'on connoît par le relief des antennes *a a*. Elle eſt repreſentée plus grande que nature.

Dans la Figure 11, la criſalide de la Figure 10. eſt vûë de grandeur naturelle.

La Fig. 12, eſt celle d'une criſalide de la même chenille,

d'où doit fortir un papillon femelle. Elle eft de grandeur naturelle, quoique plus grande que celle de la Figure 11. parce que le papillon femelle qu'elle renferme eft plus grand que le papillon mâle.

La Figure 13, reprefente une coque de cette chenille qui eft appellée *la livrée* par les jardiniers, attachée contre une feuille de poirier. *f f f f,* font des fils qui forment une efpece de coque exterieure d'un tiffu lâche, dans laquelle la coque d'un tiffu ferré eft renfermée.

La Figure 14, eft celle d'une crifalide tirée d'une coque telle que celle de la Figure 13.

PLANCHE XXXII.

La Figure 1, reprefente cette chenille rafe que fes couleurs & leurs diftributions, femblables à celles de certains lichens; m'ont fait nommer *la chenille lichennée*. Elle eft allongée dans cette Figure.

La Figure 2, fait voir la même chenille prête à faire un pas en avant; alors fon corps forme en *B* une efpece de boffe ou de boucle.

La Fig. 3, eft celle d'une portion d'anneau de la même chenille, vûë très en grand, pour rendre plus fenfible une efpece de frange en crête de coq, ou compofée de petits corps branchus *f f f,* qui regne tout du long de chaque côté de cette chenille, à la hauteur de l'origine des jambes. On a marqué auffi, Figure 1 & 2, par les mêmes lettres *f f,* quelques-uns des endroits où fe trouve cette efpece de frange.

La Figure 4, montre l'arrangement des feuilles entre lefquelles cette chenille a fait fa coque, & dans laquelle elle s'eft mife en crifalide.

La Figure 5, eft la Figure 4. ouverte, pour faire voir la crifalide qui y étoit renfermée, & les fils de foye qui formoient la coque, qui eſt briſée dans cette derniere figure.

La Figure 6, eſt celle du papillon de la chenille lichen-née, vû par-deſſus.

La Fig. 7, eſt celle du même papillon, vû par-deſſous.

La Figure 8, repreſente une coque faite partie de ſoye, & partie de poils, par une chenille à broſſes, gravée dans la Planche 2. Figure 21.

Les Figures 9 & 10, font voir le papillon de la chenille qui conſtruit la coque Figure 8, dans deux ſens differents.

La Figure 11, repreſente une chenille dont le deſſus du corps eſt d'un noir-violet, & quelquefois d'un violet plus clair, qui n'a point de houppes de poils, mais ſeule-ment des poils diſperſés ſur les côtés. Elle m'eſt venuë de Luçon. Je l'ai nourrie de feuilles d'aubépine, & de feuil-les d'abricotier.

La Figure 12, eſt celle de la coque de cette chenille, dont le tiſſu eſt ſi ſerré & ſi liſſe, qu'il ſemble être un cuir fort.

La Figure 13, repreſente un fil de ſoye vû au microſco-pe. Il a été pris d'une coque de chenille à tubercules; les fils des coques de ces eſpeces de chenilles ſont preſque auſſi gros que des cheveux. Ce fil paroît compoſé de deux cy-lindres collés l'un contre l'autre. Quelquefois le creux for-mé par leur réunion eſt très-tranſparent, & beaucoup plus que tout le reſte; & cela, parce que c'eſt l'endroit le plus mince. Quelquefois il eſt opaque, ce qui arrive apparem-ment quand la réunion eſt mal faite, que de petites bulles d'air s'y trouvent renfermées, & y font l'effet que produi-ſent de ſemblables bulles dans l'écume d'eau.

La Figure 14, fait voir en grand un fil plus plat que ce-lui de la Figure 13, & dont le milieu eſt tranſparent.

La Figure 15, eſt celle d'un fil fourchu, d'un fil dont les deux brins, ou cylindres, ſont ſeparés en *F*.

Planche XXXIII.

La Figure 1, est celle d'un fil de soye, vû au microscope, & représenté encore plus en grand que ceux des Figures 13, 14 & 15 de la Pl. 32. Sur chacun des deux cylindres applatis dont il est composé, on voit des traits paralleles les uns aux autres, & dirigés selon la longueur du fil, mais pourtant un peu ondés.

La Figure 2, est encore celle d'un fil de soye, où l'on voit des traits plus ondés que ceux de la Figure 1, & dont les côtés semblent ouvragés.

La Figure 3, represente moins en grand que les Figures précedentes, un autre fil de soye, mais elle en represente une plus grande longueur. Celui-ci est presque plat, il a l'air d'un petit ruban ; la canelure du milieu y est peu sensible. *b b,* un de ses bouts, où il est plus large qu'à l'autre bout *c,* qui est fourchu. Il est tortillé en *e,* & là on voit sa tranche, la face qui en marque l'épaisseur. *p,* est un endroit coudé. *n,* un endroit où il y a une espece de nœud, de bouton, ou une tuberosité formée par trop de matiere soyeuse qui y a été déposée.

Leewenhoek prétend que si l'éclat des fils de soye est superieur à celui des brins de laine, c'est que les premiers sont plats, & les autres cylindriques. Mais nous venons de voir que les fils de soye ont une canelure au milieu, & qu'ils paroissent quelquefois sillonnés. Leur lustre vient de la dureté & du poli de la matiere gommeuse dont ils sont faits. Il en est précisement des fils de soye comme des vernis. Les vernis faits des gommes les plus dures, & les plus brillantes, sont ceux qui ont le plus de brillant.

La Figure 4, est celle d'une chenille à poils blonds, & à brosses dont les sommités ont quelquefois une legere teinte de couleur de rose ; elle vit sur le châtaigner. Cette Figure la represente allongée.

La

La Figure 5, eſt celle de la même chenille, qui a ſa tête raccourcie, & un peu recourbée en deſſous, ce qui eſt ſon attitude la plus ordinaire. Alors elle montre les intervalles des anneaux, qui ſont d'un beau noir velouté.

La Figure 6, eſt celle d'une coque de cette chenille, qui eſt d'une belle ſoye d'un jaune-citron, & bien fournie des poils de la chenille. *ffff,* enveloppe cotonneuſe qui renferme la veritable coque.

La Figure 7, fait encore mieux voir comment la vraye coque eſt renfermée dans une enveloppe. *A,* feuille de châtaigner contre laquelle un des côtés de l'enveloppe étoit collé. *ffff,* bords de l'enveloppe, qui étoient ci-devant collés contre les parois d'un poudrier de verre.

La Fig. 8, eſt celle de la criſalide de la chenille Fig. 4 & 5, vûë du côté du ventre. Une partie de chaque anneau eſt d'abord verte; elle devient enſuite verdâtre, mais elle eſt toûjours d'une couleur plus claire que celle du reſte de l'anneau.

La Figure 9, eſt celle de la même criſalide, vûë du côté du dos. Elle eſt veluë de ce côté-là. Elle eſt de celles qui ont un étranglement à la fin du corcelet.

La Figure 10, eſt celle de la phalene femelle, ſortie d'une des criſalides précedentes, vers le quinze de Fevrier, dans la Serre du jardin du Roy, où je les avois miſes en Janvier. Ici elle eſt vûë du côté du dos.

La Figure 11, eſt celle de la même phalene, vûë du côté du ventre.

La Figure 12, eſt celle de la phalene mâle, vûë par-deſſus.

La Figure 13, fait voir un petit tas d'œufs, pondus par la femelle des Figures 10 & 11.

La Figure 14, repreſente quelques-uns de ces œufs plus en grand.

Tome I. . Xxx

La Figure 15, eſt, en grand, celle des antennes du papillon femelle des Figures 10 & 11.

La Figure 16, eſt celle de la tête du papillon mâle Fig. 12, deſſinée en grand. On a pourtant coupé ſes antennes, parce qu'on vouloit principalement faire voir la diſpoſition & la figure des deux barbes, ou barbillons ſans poils, poſés entre les yeux.

La Figure 17, repreſente en grand, & ſeparement, une de ces barbes. *b*, la pointe par laquelle elle eſt attachée à la tête, *b e*, corps de la barbe. *m*, mamelon qui la termine.

PLANCHE XXXIV.

La Figure 1, eſt celle d'une chenille qui vit ſur le peuplier blanc & ſur le ſaule. Elle a quatre tubercules, ou mamelons noirs, qui ne paroiſſent pas dans cette Figure, dont deux ſont poſés ſur chacun des deux anneaux qui ſeparent les jambes écailleuſes des intermediaires.

La Figure 2, eſt celle d'une coque dans laquelle une chenille de l'eſpece précedente s'eſt miſe en criſalide. Cette coque eſt blanche & tranſparente, juſques à ce qu'elle ait été poudrée de poudre d'un jaune-citron.

La Figure 3, fait voir une criſalide de cette chenille, qui a été tirée de ſa coque. Elle eſt des plus veluës.

La Figure 4, eſt celle du papillon mâle de cette chenille. Il tient ſes aîles en toit lorſqu'il eſt en repos, & paralleles au plan de poſition, lorſqu'il marche. (Je ne lui crois pas de trompe.)

La Fig. 5, montre le même papillon du côté du ventre.

La Figure 6, eſt celle de la femelle.

La Figure 7, repreſente une chenille qui ſe trouve à preſent communement ſur le marronier, & qui vit auſſi des feuilles de l'arbre que nous appellons à Paris ſicomore. Il lui eſt aſſés ordinaire de ſe tenir roulée, comme elle l'eſt dans cette Figure.

La Figure 8, fait voir la même chenille étenduë.

La Figure 9, est celle d'une coque de cette chenille, qui est composée de poils & de soye.

Dans la Figure 10, est representée une des chenilles des Figures 7 & 8, qui a été tirée d'une coque Fig. 9. Cette chenille est toute rase, parce qu'elle s'est épilée pour construire sa coque.

La Figure 11, est celle d'un papillon femelle de la chenille du marronier. Il est de la classe des phalenes qui ont une trompe & des antennes à filets coniques, & du genre de ceux qui portent leurs aîles horisontalement.

La Figure 12, represente en grand, comment les chenilles qui se font des coques de soye, conduisent leur fil sur la surface interieure d'une coque commencée. La tête qui a attaché le fil en *a*, avance jusques en *r*, en allant de *b* vers *d*, de *d* vers *c*; ainsi le fil est disposé, dans l'espace *a b d c e r*, en differents ziczacs.

La Figure 13, fait voir un nouveau ziczac de fils *r z z*, qui tient au premier *r a b d c e r*.

La Figure 14, donne une image grossiere des premieres mailles qui composent l'enveloppe cotonneuse de la veritable coque.

PLANCHE XXXV.

La Fig. 1, est celle d'une grande chenille veluë, dont partie des poils se couchent sur les anneaux, & les ceignent. Ceux de quelques houppes se dirigent en bas, & ceux d'autres houppes s'élevent au-dessus du dos; là se croisent ceux qui viennent des côtés opposés. Cette chenille vit de feuilles de charmille, d'orme, de noisettier, de cornouiller, &c.

La Figure 2, represente en grand un des anneaux de la chenille de la Figure 1. *p p*, poils qui se dirigent du côté du ventre. *q q q,* poils qui s'élevent du côté du dos. On y voit le croisement de ceux qui viennent des deux côtés opposés. *r r,* partie de l'anneau qui est rase & noire.

La Figure 3, est celle d'une coque de soye & poils, dans laquelle une des chenilles Fig. 1. s'est renfermée.

Les Figures 4 & 5, font voir la chenille occupée à filer le tissu de soye de sa coque, & montrent deux des attitudes dans lesquelles elle se tient pour faire prendre à cette coque une forme arrondie.

La Figure 6, montre la coque dans un état plus avancé. En *pppp,* elle est herissée de poils, qui tiennent encore au corps de la chenille, & qu'elle va s'arracher par le frotte-ment. Elle les obligera ensuite à se coucher, pour rendre cette coque telle que celle de la Figure 3.

La Figure 7, est celle du papillon mâle de cette che-nille, qui est de la 5.me classe des phalenes. Il a des antennes à barbes, & n'a point de trompe sensible.

La Figure 8, represente le papillon femelle de la même chenille, vû du côté du ventre.

La Figure 9, est celle de l'antenne du papillon, Fig. 8, representée en grand.

Dans la Figure 10, font plusieurs œufs de ce papillon, de grandeur naturelle. Ils font d'un brun-marbré.

La Figure 11, est celle d'un de ces œufs, grossi.

La Figure 12, est celle de la coque d'une chenille du gramen, du même genre que celle de la Figure 1, represen-tée Planche 2, Figure 19. La structure de cette coque est semblable à celle de la Figure 3, & il sort de chacune de ces coques, une phalène qui diffère peu de celles de la Fig. 7, ou de la Fig. 8, & qui a des antennes semblablement construites.

La Figure 13, represente une antenne du papillon mâle, qui sort de la coque 12, grossie à la loupe.

b, la base de l'antenne. *a*, le bout de l'antenne. *b a*, la côte, ou la principale tige de l'antenne.

La Figure 14, ne fait voir qu'une petite portion de l'antenne de la Figure 13, prise entre *b c*, vûë à un microscope qui grossit extremement.

T T T T, partie de la côte, ou tige principale de l'antenne.

To, To, To, To, barbes, ou petites tiges, qui d'un côté sont chargées de touffes de poils assés longs, & qui de l'autre n'ont que de petites touffes, & courtes.

La Figure 15, est celle d'une des tiges *To* de la Figure précedente, vûë separement. *e*, la grande épine qui part du bout de cette tige. *i, k,* petites épines qui sont à côté de la précedente.

PLANCHE XXXVI.

La Figure 1, est celle de la chenille que nous nommons *la marte,* ou *l'herisson.* Les longs poils dont elle est couverte sont tous inclinés vers le derriere, ce qui fait le caractere d'un genre particulier de chenilles.

La Figure 2, represente la même chenille roulée.

La Figure 3, fait voir une coque de cette chenille, d'une structure assés grossiere, mais pourtant soye & poils, appliquée sur une feuille d'orme.

La Figure 4, est celle d'une chenille pareille à celle des Figures 1 & 2, qui a été tirée de sa coque avant qu'elle se fût mise en crisalide. On voit ici que tous ses poils ont été coupés proche des tubercules d'où ils partent.

La Figure 5, est la crisalide de cette chenille, qui est d'un noir luisant. *q,* un paquet de petits crochets qu'elle a au derriere.

La Figure 6, est celle du papillon femelle de cette chenille, qui est de la quatrieme classe, ayant des antennes à barbes de plumes, & une trompe qui ne fe roule qu'en deux tours. Il porte un peu fes aîles en toit.

La Figure 7, reprefente le même papillon ayant fes aîles étalées. Les fuperieures laiffent ici les inferieures à découvert.

La Figure 8, eft celle de la petite chenille veluë, qui vit des lichens qui faliffent les murs.

La Figure 9, reprefente en grand, un des anneaux de cette chenille.

La Fig. 10, fait voir la coque de cette chenille. *mm,* petit fragment de pierre fur lequel la coque eft pofée. *ppp,* poils de la chenille, plantés en paliffade autour de la coque.

La Figure 11, eft celle du papillon de cette chenille, vû par-deffus. Il eft de la feconde claffe des phalenes, ayant des antennes à filets coniques, & une trompe; & du genre de ceux dont les aîles forment un toit à vive-arête, & à large bafe.

La Figure 12, eft celle du papillon femelle, vû du côté du ventre.

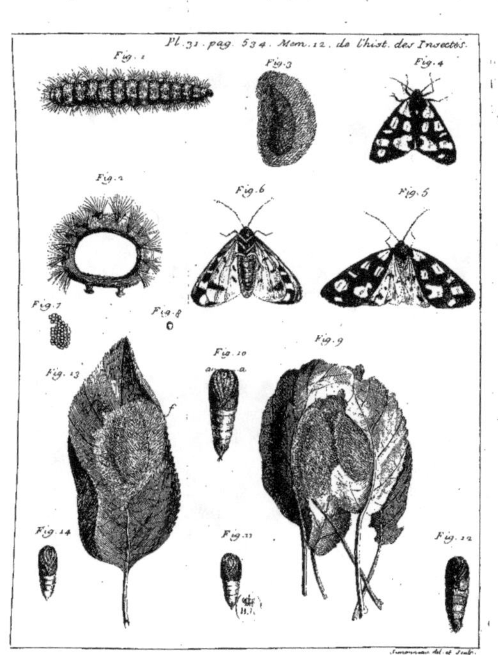

Pl. 31. pag. 534. Mem. 12. de l'hist. des Insectes.
Fig. 1
Fig. 2
Fig. 3
Fig. 4
Fig. 5
Fig. 6
Fig. 7
Fig. 8
Fig. 9
Fig. 10
Fig. 11
Fig. 12
Fig. 13
Fig. 14

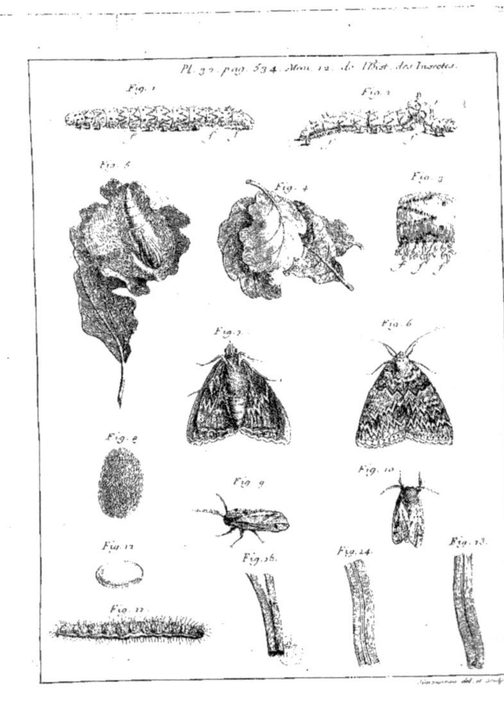

Pl. 32. pag. 534. Mem. 12. de l'Hist. des Insectes.

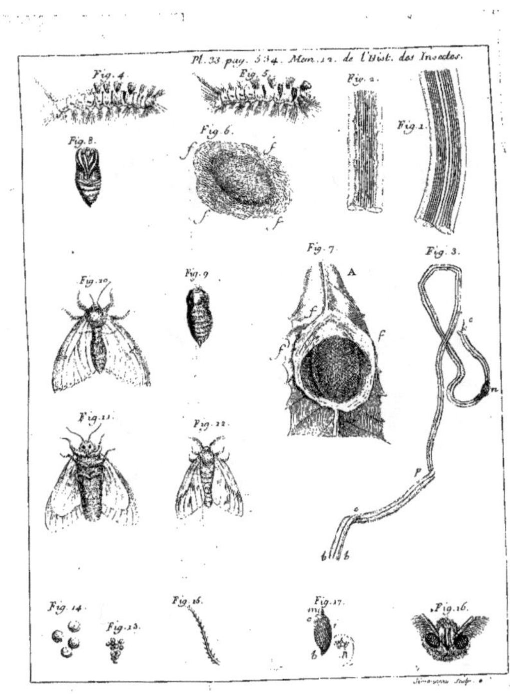

Pl. 33 pag. 534. Mem. 12. de l'Hist. des Insectes.
Fig. 4.
Fig. 5.
Fig. 2.
Fig. 1.
Fig. 8.
Fig. 6.
Fig. 7.
Fig. 3.
Fig. 10.
Fig. 9.
A
Fig. 11.
Fig. 12.
Fig. 14.
Fig. 16.
Fig. 17.
Fig. 18.
Fig. 13.

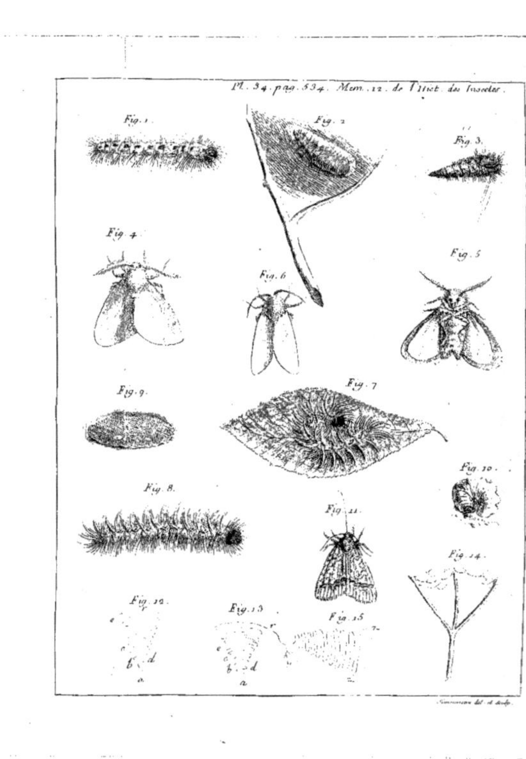

Pl. 34. pag. 534. Mem. 12. de l'Hist. des Insectes.
Fig. 1.
Fig. 2.
Fig. 3.
Fig. 4.
Fig. 5.
Fig. 6.
Fig. 7.
Fig. 8.
Fig. 9.
Fig. 10.
Fig. 11.
Fig. 12.
Fig. 13.
Fig. 14.
Fig. 15.

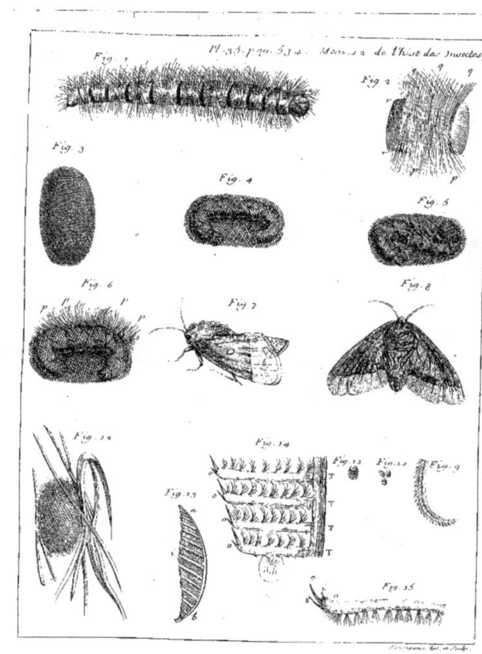
Pl. 35. pag. 534.   Mém. 3 de l'hist. des insectes.

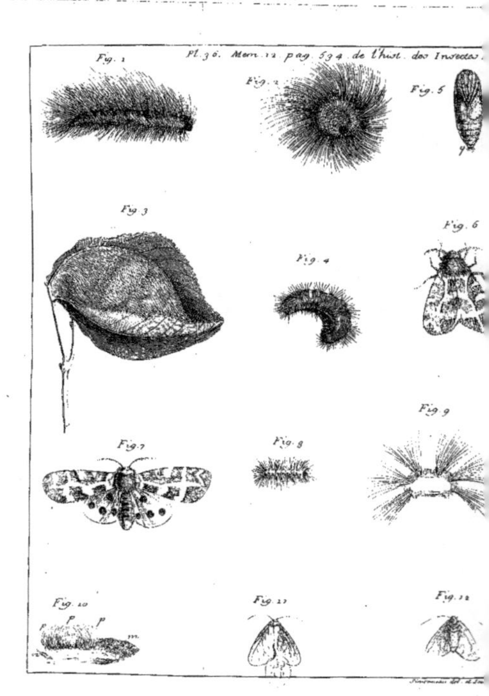

Fig. 1
Pl. 36. Mem. 12 pag. 594. de l'hist. des Insectes.
Fig. 2
Fig. 5
Fig. 3
Fig. 4
Fig. 6
Fig. 7
Fig. 8
Fig. 9
Fig. 10
Fig. 11
Fig. 12

TREIZIEME MEMOIRE.

DE LA CONSTRUCTION
DES COQUES DE SOYE
DE FORMES SINGULIERES,

*Et de la conſtruction de celles dans la compoſition
deſquelles il entre d'autres matieres que la ſoye.*

DEs chenilles qui n'ont ni aſſés de matiere ſoyeuſe
pour fournir à la conſtruction d'une coque auſſi
forte, & auſſi épaiſſe qu'elles la veulent, ni aſſés de poils
pour ſuppléer au manque de ſoye, ont recours à des matieres étrangeres. Quelques-unes lient enſemble les feuilles de la plante même ſur laquelle elles ont vêcu. Nous
allons en rapporter quelques exemples, dont le premier
ſera fourni par une chenille * de la premiere claſſe, où à   * Pl. 37.
ſeize jambes, qui avoit eſté trouvée ſur le mouron vers la   Fig. 1.
fin de Juillet, & que j'en ai nourrie. Elle eſt raſe, & elle
eſt au plus de celles de médiocre grandeur; ſa couleur eſt
verte, & ſon verd eſt blanchâtre en quelques endroits.
Elle a ſur le dos deux taches brunes bordées de blanchâtre, dont la figure approche d'un lozange, poſées ſur le
quatrieme anneau. Elle a auſſi ſur le penultieme anneau
une tache de même couleur, & bordée de même. Sa façon
de marcher tient de celle des arpenteuſes. Elle porte en
devant de la tête deux petites cornes, ou petites antennes. Elle a encore quelque choſe de particulier dans la
forme de ſes anneaux qui ne ſont pas cylindriques : ils ont
chacun ſur le milieu du dos une partie angulaire, où

comme en onglet qui avance en recouvrement fur l'anneau qui precede.

Cette chenille fit fa coque * vers le commencement d'Aouft, en ajuftant & en attachant les unes contre les autres des feuilles de mouron, & de petites branches de la même plante. De cet affemblage elle fe forma une enveloppe, au-deffous de laquelle elle étoit très-bien cachée. Pour mieux tenir le tout enfemble, elle fila par-deffous une coque mince de foye blanche. Un papillon * nocturne de la feconde claffe, c'eft-à-dire à trompe, & à antennes à filets coniques, fortit de cette coque vers la fin de Juillet de l'année fuivante. Il eftoit mort lorfque je le fis deffiner, & je n'avois point vû le port de fes aîles fuperieures, dont le deffus eft d'un brun qui tire fur l'agathe ; un peu de jaunâtre marque diverfes taches fur ce brun. Le deffous de chacune des quatre aîles a une bande brune près de la bafe, le refte eft jaunâtre. Ce papillon a une efpece de queuë.

Deux autres efpeces de chenilles nous feront voir encore des coques recouvertes de feuilles, mais arrangées avec plus de regularité que ne le font celles du mouron fur la coque precedente. Les feuilles que ces dernieres emploient étant plus étroites, plus longues, & plus fermes, font plus aifées à ajufter. La premiere efpece de ces chenilles * vit fur la linaire ; elle eft encore de la claffe de celles à feize jambes. Elle eft au moins de celles de médiocre grandeur ; elle eft rafe. Le fond de fa couleur eft un blanc gris de perle, mais ce fond paroît très-peu, à caufe des differentes rayes dirigées felon la longueur du corps. Une large raye jaune regne tout du long du milieu du dos ; après cette raye jaune, elle a de chaque côté une raye noire, ou, plus exactement une raye faite de taches noires, peu féparées par le gris de perle. Chacune de celles-ci eft fuivie

d'une

d'une raye jaune plus étroite, après laquelle vient une étroite raye noire. Elle a la tête petite & platte; la partie anterieure de son corps est plus déliée que la posterieure, ce qui lui donne quelqu'air d'une sang-sue, & lui en pourroit faire porter le nom. Au commencement de Septembre, plusieurs de ces chenilles firent des coques semblables * dans les poudriers où je les tenois. Elles en forment toute la couche exterieure avec des feuilles de linaire qu'elles détachent de la tige, & qu'elles ajustent dans toute leur longueur, les unes à côté des autres, en les contournant autant que l'exige la figure convexe de l'enveloppe qu'elles doivent former. Il y a des endroits où ce ne sont que des portions de la feuille qui peuvent trouver place, la chenille n'y met pas aussi des feuilles entieres; en un mot, tout est disposé avec simetrie, & d'une maniere agréable. Les papillons * de ces chenilles éclorent vers la fin de Juin de l'année suivante; ils sont de la seconde classe des phalenes, & du genre de ceux qui portent leurs aîles en toit. Le dessus des superieures est gris; un brun clair, & du blanc grisâtre, jettés par points, & par traits, leur donnent une couleur douce, & assés jolie.

 Une autre espece de chenille * qui vit sur une plante, dont les feuilles sont au moins aussi étroites que celles de la linaire, qui vit sur le titimale à feuilles de cyprès, se fait une coque * en arrangeant avec le même ordre les feuilles de cette plante, & cette coque est au moins aussi jolie que celle de la chenille de la linaire. La chenille du titimale dont je veux parler, n'est pas celle dont il a esté fait mention tant de fois ci-devant, sous le nom de *la belle chenille du titimale*, elle n'est pas à beaucoup près aussi grande; d'ailleurs, elle est veluë, du genre de celles qui ont dix touffes, ou aigrettes de poils * sur chaque anneau, dont les deux superieures ne se trouvent pas dans la

Tome I.   . Yyy

* Pl. 37.
Fig. 5.

* Fig. 6. & 7.

* Fig. 8.
& 15.

* Fig. 10.

* Fig. 9.

circonference du cercle qui paſſe par les huit autres. Ces houppes, qui ne ſont pas bien fournies de poils, n'empêchent pas de voir les rayes de differentes couleurs dont le corps eſt orné. Tout du long du milieu du dos il en regne une d'un beau noir, à chaque côté de laquelle il y en a une blanche ſur quelques-unes, & jaune ſur d'autres; au-deſſous de chacune de ces ſecondes rayes, il y a une autre raye noire, après celle-ci vient une raye d'un rouge de rocou, ſur lequel quelques taches noires ſont jettées; enfin une raye brune ſuit la precedente. Toute la partie ſupérieure du premier anneau eſt rouge. Ce n'eſt que vers la fin d'Octobre que j'ai eu cette eſpece de chenilles: on m'en ramaſſa quelques-unes deux années de ſuite, ſur la levée de la Loire, entre Tours & Langès. Il y en eut qui ſe firent des coques *, avant que d'être arrivées à Paris, contre le couvercle du poudrier où elles étoient ; elles y porterent les feuilles qu'elles avoient détachées aſſés près de là, & elles les arrangerent avec art les unes auprès des autres. La figure arrondie, formée par leur aſſemblage, eſt plus groſſe à un de ſes bouts * qu'à l'autre *, au lieu que les coques de la chenille de la linaire ont à chaque bout une groſſeur & une courbure aſſés ſemblables ; l'une & l'autre pourtant ſont plus oblongues que la coque de la chenille du mouron. Je n'ai point eû le papillon de cette chenille du titimale, les criſalides ſont peries dans leurs coques.

Quand on laiſſe les chenilles en liberté dans la campagne, quand on ne les obſerve que ſur les plantes qu'elles aiment, ce n'eſt que par des hazards heureux qu'on peut parvenir à leur voir faire des coques, & même ſouvent à trouver leurs coques, puiſque la plûpart abandonnent les plantes ſur leſquelles elles s'étoient toûjours tenuës, pour aller filer dans des endroits écartés. Pour les ſuivre dans leur travail, on n'a donc rien de mieux à

faire que de les nourrir dans des endroits clos, & fur-tout
dans des poudriers de verre, qui, à chaque inftant, permettent de les voir. On n'eft pourtant pas fûr alors que les
chenilles qui emploient d'autres matériaux que la foye
dans la conftruction de leur coque, trouvent dans le poudrier ceux dont elles fe fervent par preference; il eft aifé même d'avoir des preuves que fouvent elles ne les y trouvent
pas. Nous rapporterons d'abord celle que nous en a donnée une chenille veluë * qui a été prife fur l'ortie dans
le mois de Juillet. Je n'ai eu la peine de la nourrir que
cinq à fix jours, pendant lefquels elle n'a paru manger
que les graines ou que les grappes des graines de cette
plante. Elle n'a tenu aucun compte des feuilles. Elle eft
de la premiere claffe, peu au-deffus de la grandeur médiocre, & du genre de celles dont chaque anneau a huit
tubercules, d'où partent des poils, qui, en s'écartant de
leur bafe, forment des aigrettes affés courtes, & affés mal
fournies. Ils font d'un roux ardent, qui eft la couleur qui
frappe le plus, lorfqu'on voit cette chenille. Elle a de
chaque côté deux bandes de taches blanches qui lui donnent une forte de reffemblance avec la commune; elle en
differe pourtant par ces mêmes taches, qui dans la commune font faites par des poils, au lieu que dans notre chenille de l'ortie, ce font les taches de la peau même. J'ai eu
une pareille chenille trouvée fur l'ariftoloche, mais qui n'eft
pas parvenuë à faire fa coque, & j'en ai eu qui m'ont paru
les mêmes, trouvées fur le pourpier, & que j'en ai nourries.
Quand celle de l'ortie fe mit à travailler à fa coque, j'en
fus averti par le bruit que je lui entendis faire, & qu'elle
faifoit en rongeant le papier tendu qui bouchoit le poudrier. Bientôt elle parvint à le percer. Elle s'occupa enfuite à aggrandir le trou qu'elle avoit fait; ce n'étoit pas
dans la vûë de fe procurer une ouverture qui pût lui

* Pl. 37.
Fig. 11.

Y y y ij

permettre de s'échapper. Nous ferons même une remarque à laquelle je n'ai eu qu'une seule exception, c'eſt que les chenilles ne cherchent point à ronger les couvercles de papier de leur poudrier, pour ſe procurer la liberté, lors même qu'elles y jeûnent forcément. Un papier mince ne doit pourtant pas reſiſter à leurs dents autant qu'y reſiſtent certaines feuilles. Auroient-elles aſſés peu d'intelligence pour ne ſçavoir faire uſage de leurs dents que pour manger! il y a beaucoup plus d'apparence que c'eſt que leurs dents n'ont pas priſe ſur le papier tendu; peut-être qu'elles ne pourroient de même attaquer une grande feuille de plante * Mem. 3. qui ſerviroit de couvercle au poudrier. Nous avons vû * que la plûpart des eſpeces de chenilles, pour venir à bout de hacher une feuille, ont beſoin que la tranche de la feuille ſoit placée dans la couliſſe de leur levre ſuperieure, & entre leurs jambes écailleuſes.

Mais pour revenir au travail de notre chenille, qui avoit trouvé moyen de percer le couvercle du poudrier, quand elle eut donné à l'ouverture plus de diametre que n'en avoit ſon corps, elle ne ceſſa pas pour cela d'en ronger les bords, d'en détacher des fragmens. Dès qu'elles en avoit arraché un petit morceau, elle alloit le porter à quelque diſtance de là, c'eſt-à-dire, à l'endroit où elle avoit * Pl. 37. commencé à ſe faire une coque * qu'elle vouloit cou- Fig. 12. vrir de morceaux de papier bien arrangés, les uns auprès des autres, pour ſuppléer apparemment à la matiere que celles de ſon eſpece trouvent dans la campagne, & dont je n'avois pas ſçû la pourvoir. Au moins eus-je ſoin de la fournir de papier. Je craignis que le couvercle qu'elle attaquoit continuellement ne fût trop maltraité, & qu'alors la baſe de la coque ne s'écroulât; je fis entrer par l'ouverture du couvercle les bouts de pluſieurs morceaux de papier, pliés en long & chiffonnés, que j'arrêtai en dehors

par leur autre bout, au moyen d'une épingle. Ce furent
ces morceaux de papier que la chenille attaqua enfuite,
pour continuer de faire fa coque. Elle la couvrit par tout
d'une couche de fragments de papier. Il y avoit dans le
poudrier des feuilles & des tiges d'orties, mais ce n'étoient
pas là apparemment des matériaux à fon gré, le papier
approchoit plus de ceux qu'elle vouloit. Elle employa un
jour entier à finir cette coque, ou plûtôt à la couvrir de
papier.

Elle ne refta pas long-temps fans fe transformer en une
crifalide, que je n'ai point cherché à voir en ouvrant la
coque, mais qui, à en juger par ce qui en eft refté, lorfque le papillon eft forti, n'avoit rien de fingulier dans fa
forme. Ce qu'elle avoit apparemment de plus remarquable, c'eft que quand on touchoit la coque, ou qu'on la
remuoit, on déterminoit, fur le champ, cette crifalide à fe
mettre dans une agitation où elle reftoit pendant près d'un
quart d'heure; on entendoit alors un bruit de fremiffement
continuel & affés fort, qui venoit des coups qu'elle donnoit
contre fa coque.

C'étoit le 22 Juillet qu'elle s'étoit mife à y travailler, &
le 10 ou le 11 d'Août il en fortit un papillon * à antennes   * Pl. 15.
à filets grainés, ayant une trompe, ou un papillon de la   Fig. 6.
feconde claffe des phalenes, & du genre de ceux dont la
partie interieure des aîles fe moule fur le corps, & en laiffe
parfaitement voir la forme. Un brun-noir & du blanc mêlés enfemble, compofent la couleur, ou plûtôt les nuances
de couleurs grifes du deffus des aîles fuperieures. Les arran-
gemens de ces differents gris & le blanc font tels, qu'ils
imitent le point de Hongrie.

M. de Maupertuis trouva, les derniers jours du mois de
Juin 1733. fur un des murs des Tuilleries, plus d'une
vingtaine de petites chenilles *, dont quelques-unes avoient   * Pl. 39.
Fig. 1.

Y y y iij

déja fait leur coque, & dont les autres étoient près de la faire.
La pierre du mur où elles étoient est une pierre tendre. Elles
avoient couvert tous les dehors de la coque * de soye, dans
laquelle elles s'étoient renfermées, de fragments, de grains
de cette pierre, gros au plus comme des têtes de grosses
épingles. M. de Maupertuis me fit le plaisir de m'apporter
quelques-unes de ces coques, & quelques-unes de ces chenilles, qui n'avoient pas encore travaillé à se faire les leurs.
Je les mis dans des poudriers avec des fragments de la
pierre que les autres avoient employée. Elles s'y firent aussi
chacune une coque de soye qu'elles couvrirent de toutes
parts de pierre. Cette chenille a seize jambes, elle est d'un
gris un peu brun; elle a tout du long du dos une raye blanche; elle est assés chargée de poils en dehors de la raye
blanche. De chaque coque il sortit, au commencement du
mois d'Août, un papillon*, qui est de la 2.de classe des phalenes; il a des antennes coniques, grainées, & une trompe;
il porte ses aîles presqu'horisontalement. Les deux côtés
interieurs des superieures s'élevent pourtant un peu au-
dessus du dos. Les deux bords interieurs semblent se plier
pour s'appliquer l'un contre l'autre, & former ensemble
une lame étroite. Le fond de la couleur du dessus des aîles
est un gris verdâtre; un gris-blanc forme des taches &
des ondes entourées par le premier gris. Le dessous des
quatre aîles est un gris moins blanc que celui des aîles
superieures.

    Vers le milieu du mois d'Avril 1721, je trouvai plus de
vingt chenilles qui s'étoient établies, à Charenton, sur la
tablette exterieure de pierre d'une des fenêtres de mon cabinet, & que je n'ai retrouvées depuis ni là ni ailleurs. Leur
grandeur éto à peu-près la même que celle de la petite
chenille verte du chou, qui se passe un lien sur le corps
pour se metamorphoser. Elles étoient rases & bleuâtres.

* Pl. 39.
Fig. 2.

* Fig. 3 & 4.

Elles y firent leurs coques avec une matiere que je ne me
fuſſe pas aviſé de leur donner ſi je les euſſe tenu renfermées ; elles ſe couvrirent avec une mouſſe verte, qui avoit
crû ſur la pierre, & qui y étoit aſſés épaiſſe en quelques endroits. Elles coupoient avec leurs dents de petites mottes
de cette mouſſe ; elles les enlevoient avec le peu de terre
qui y étoit adherant, & chacune arrangeoit au-deſſus, &
autour d’elle ces petits gazons, dans une poſition ſemblable
à celle où ils étoient avant que d’être détachés, je veux dire
ſeulement, que les racines étoient de même en bas. Elle
les plaçoit de façon qu’ils formoient enſemble une petite
voute, ſous laquelle elle ſe trouvoit fort bien cachée. Tous
les petits gazons d’une coque étoient ſi bien ajuſtés les uns
contre les autres, & ſi bien liés enſemble, que la mouſſe
de l’enveloppe de la chenille faiſoit un corps auſſi continu
que celui de la mouſſe, qui n’avoit aucunement été re-
muée. Les endroits où elle couvroit une chenille n’étoient
reconnoiſſables que parce qu’ils avoient plus de hauteur,
qu’ils formoient de petites boſſes ; mais tout ce qu’on en
eût jugé, ſi on n’eût pas retiré des chenilles des nichés
qu’elles s’étoient faites, c’eſt que les touffes de mouſſe s’é-
toient plus épaiſſies & plus élevées là qu’ailleurs. Auſſi,
par tout où je voyois la mouſſe plus élevée, & qui formoit
une petite maſſe arrondie en goute de ſuif, j’étois ſûr de
trouver au-deſſous une cavité occupée par une chenille
pliée en rond. Celles que je retirois de leur eſpece de coque s’en faiſoient bientôt une ſemblable ſous mes yeux.
Je ne retournai pas à ma maiſon de campagne auſſi-tôt
que je me l’étois promis, ce qui m’empêcha d’avoir les papillons de ces chenilles.

   J’ai eu depuis des chenilles qui ont aſſés de reſſemblance
avec les précedentes, pour me faire douter ſi elles ne ſont
pas de la même eſpece *. Dans le poudrier que je leur avois   * Pl. 37.
                                                              Fig. 13.

donné pour logement, elles se firent des coques de mousse *. Chaque coque, à la verité, étoit de forme differente de celle de la coque dont je viens de parler. Elle étoit bien arrondie. Des brins de grande mousse avoient été liés & contournés de façon à former une espece de boule creuse. Aussi ces chenilles n'avoient-elles eu que de la grande mousse à leur disposition, de la mousse d'arbre, & je la leur avois donnée pour qu'elles s'en nourrissent. Elles avoient été trouvées dans de la mousse, & elles en vivoient. Elles avoient pris tout leur accroissement, lorsqu'elles m'arriverent ici de Luçon, le 30 May. Elles sont très-rases ; elles ont seize jambes. Le fond de leur couleur étoit alors un mêlange de violet un peu rouge, & de verd-foncé, ce qui composoit une couleur vineuse. De chaque côté, à la hauteur des stigmates, elles avoient une raye d'un verd-brun. Mais je n'ai point encore eu les papillons de ces chenilles, dont les crisalides sont peries dans leurs coques après l'hyver.

Nous avons composé la seconde classe des chenilles, de celles qui n'ont que 14. jambes en tout, sçavoir, seulement six intermediaires, & qui, entre la premiere paire de celles-ci & la derniere des écailleuses, ont trois anneaux sans jambes. Cette classe nous fournit une chenille plus petite que celles de grandeur mediocre, qui, de toutes celles que je connois, est peut-être la plus propre à nous faire voir jusqu'où ces insectes portent l'industrie dans la construction de leurs coques *, soit par rapport au choix des materiaux, soit par rapport à la maniere de les mettre en œuvre, soit enfin par rapport aux formes qu'elles sçavent leur faire prendre. On trouve cette chenille sur le chêne dans le mois de May ; le dessus de son corps est plus applati que ne l'est celui du commun des chenilles ; elle est veluë ; ses poils sont roux, disposés par houppes ou aigrettes. Quand

elle

* Pl. 37.
Fig. 14.

* Pl. 38.
Fig. 1. c d.

elle attira mon attention, je n'avois pas pensé qu'il feroit
commode de sçavoir le nombre des aigrettes de chaque anneau, pour caracterifer les genres de chenilles; je ne m'avifai
point de compter les fiennes; je crois pourtant qu'elle en a
fix par anneau, qui partent de tubercules affés élevés &
arrondis. Mais elle eft d'une claffe moins nombreufe que
la premiere, & voici quelques fignes qui aideront à la reconnoître. Ses poils roux, de grandeur mediocre, permettent de
voir la peau par tout, excepté dans les endroits d'où ils partent. Sa couleur eft d'un blanc-jaunâtre, dans lequel il entre
une legere teinte de couleur de chair. Je ne lui ai remarqué
que deux taches brunes, qui font autour de deux houppes
placées un peu plus près de la tête que du derriere, & qui
font les deux houppes, de l'anneau duquel elles partent,
les plus proches du deffus du dos; la couleur de fa peau
& fa forme applatie me l'ont fait retrouver quand je l'ai
cherchée.

Quelques chenilles de cette efpece, que j'ai nourries
chés moi, y ont peri fans faire leurs coques, & elles ne m'y
euffent peut-être pas montré l'art avec lequel elles les travaillent dans les bois, quand elles les euffent faites chés
moi; elles n'euffent pas trouvé dans les feules feuilles de
chêne que je leur faifois donner, ce dont elles ont befoin pour les conftruire. Je cherchois, & je faifois chercher de ces chenilles, vers la fin du mois de May, dans
le grand bois de Vincennes, qui fubfiftoit encore, pour
remplacer celles qui m'étoient mortes, lorfqu'un de mes
chaffeurs aux infectes m'en apporta une qui étoit pofée
fur une petite branche de chêne. J'apperçus fur la même
branche deux efpeces d'appendices membraneux, de chaque côté de la chenille *. Je foupçonnai que c'étoient les
commencemens d'une coque; & dès que je les eus confi-
derés davantage, je vis clairement que ce n'étoient pas des

* Pl. 38.
Fig. 3. a b e.

Tome I. . Z z z

parties naturelles à la branche, qu'ils ne pouvoient être que
l'ouvrage de la chenille. Je tins la petite branche sur laquelle
elle étoit, entre mes doigts, l'agitant le moins qu'il m'étoit
poſſible. La chenille reprit bientôt l'ouvrage commencé. Il
n'étoit remarquable ni par ſa grandeur ni par ſa forme; c'é-
toient deux petites lames, qui s'élevoient ſur la petite branche, en quelque ſorte comme les plumes s'élevent ſur les tiges des fleches, & de figure approchante de celle de ces plumes, mais poſées dans un ſens contraire à celui de ces mêmes
plumes, je veux dire que leur partie la plus large étoit vers le
haut de la petite tige; c'étoient de petites lames triangulaires,
dont un des côtés * étoit appliqué & collé contre la tige:
ce côté étoit de quelque choſe plus long que le corps allongé de la chenille. Ces lames triangulaires me parurent
très-remarquables, lorſque je les obſervai plus attentivement, & ſur tout lorſque j'eus donné à mes yeux le ſecours
d'une loupe; je vis que chacune * étoit compoſée d'un
grand nombre de petites pieces rectangulaires *, très minces, environ quatre à cinq fois plus longues que larges,
poſées bout à bout, & à côté les unes des autres, à peu-
près comme le ſont les carreaux des chambres. Leur couleur m'apprenoit de plus qu'elles avoient été priſes de l'é-
corce de la petite branche. Mais la chenille elle-même ne
fut pas long-temps à me montrer comment elle les en détachoit, & comment elle les mettoit en œuvre. Elle étoit
étenduë & appliquée ſur la petite branche entre les deux
lames compoſées de tant de petites pieces, qui lui faiſoient
une eſpece de berceau. Là elle étoit immobile lorſqu'on
me la remit, mais bientôt elle avança du côté vers lequel
ſa tête étoit tournée, qui étoit celui où les lames triangulaires s'élevoient le moins au-deſſus de la petite tige *. Il
ne reſta au plus que la moitié de ſon corps entre les lames.
La tête, qui en étoit dehors, s'appliqua contre la branche

* Pl. 38.
Fig. 3. *a e.*

* Fig. 3 &
4. *a b e.*
* Fig. 5.

* *e e.*

pendant quelques inftans; la chenille retourna enfuite à
reculons. Dès qu'elle fut entierement rentrée entre les
lames, elle fe courba, elle avança fur une d'elles, elle pofa
fa tête fur un endroit de fon bord; & après s'être donné
quelques mouvements, elle defcendit entre les deux lames. Elle en fortit enfuite en partie, elle alla encore appliquer fa tête contre la tige, & elle ne tarda pas à retourner
en arriere comme la premiere fois. Après lui avoir vû repeter ce manege, & après avoir choifi les pofitions les plus
favorables pour la bien obferver, je vis que toutes les fois
que la tête s'appliquoit immediatement contre la tige, elle
en détachoit une petite bande de peau * de la figure de
celles dont les lames triangulaires étoient compofées. Les
dents, qu'elle a, femblables à celles de tant d'autres chenilles, & femblablement pofées au-deffous de la tête, étoient
les inftrumens avec lefquels elle y parvenoit. Tenant enfuite
avec ces mêmes pinces, cette petite bande de peau par un
bout, & laiffant pendre l'autre bout en bas, elle retournoit entre les deux lames triangulaires; elle grimpoit enfuite le long d'une des lames, jufqu'à ce qu'elle eût conduit fa tête & fes premieres jambes affés haut pour être en
état de placer la tranche de la lame en deffous, & vis-à-vis
le milieu de fa tête, & entre fes deux premieres jambes.
La façon dont elle contournoit fon corps lui aidoit encore
à mettre fa partie anterieure dans cette pofition. C'eft alors
que la tête appliquoit la tranche de la petite bande, du
petit carreau de peau, dont elle étoit chargée, contre la
tranche de la grande lame. Ses jambes écailleufes faifoient
la fonction de mains pour la bien ajufter en place. Le bord
de la lame fe trouvoit entre deux jambes de la même paire,
qui donnoient alternativement des coups fur les endroits
du petit carreau de peau qui n'étoient pas bien placés. L'o-
peration d'ajufter le bord d'une bande fi fine contre le

* Pl. 38.
Fig. 5.

bord de la lame, doit paroître difficile ; ce n'eſt pourtant, par rapport à une chenille, qu'à peu-près ce que ce ſeroit pour nous de bien ajuſter un côté de la tranche d'une carte ſur un côté, ſur une tranche ſemblable d'une autre carte. Pour arrêter cette petite bande de peau, après l'avoir bien miſe en place, elle y attache des fils qu'elle colle ou attache de même ſur des bandes poſées ci-devant, qui portent la derniere, ou qui en ſont proche. On ne parvient pas à voir ces fils, on les reconnoît ſeulement par leur effet, & parce que la chenille en file dans d'autres circonſtances où ils ſont plus aiſés à appercevoir.

Pour étendre & pour élever chacune des grandes lames, la chenille repete continuellement la même manœuvre : elle leur veut à l'une & à l'autre preciſement la même grandeur & la même figure ; elle ſe conduit de la façon la plus ſûre pour y réuſſir. Après avoir ajoûté à l'une trois à quatre petits carreaux, elle va en attacher autant à la partie correſpondante de l'autre. Les endroits d'où elle a enlevé la peau de la branche ſont aiſés à connoître ; on voit de longues rayes *, paralleles à la longueur de la tige, d'une couleur plus fraîche que celle du reſte, c'eſt de là qu'ont été priſes les petites bandes, les petits carreaux. Tout le contour de la petite tige eſt ainſi dépouillé ſucceſſivement, & de plus loin en plus loin. La plus grande diſtance où la chenille ait beſoin d'aller eſt pourtant telle, que le bout de ſon derriere reſte toûjours vers le commencement des lames. Quoique nous n'ayons parlé que de la peau détachée du côté inferieur, elle en détache auſſi du côté ſuperieur, & cela principalement lorſqu'elle éleve la portion des lames qui eſt du même côté. La peau qu'elle enlevé eſt cette peau mince, l'eſpece d'épiderme qui couvre la veritable peau. Les deux lames que nous avons appellées *triangulaires*, ne ſont pas preciſement des

* Pl. 38.
Fig. 2, 3 &
4. rp.

triangles rectilignes; l'angle le plus élevé * est un peu arron- * Pl. 38.
Fig. 3. *b*.
di, les deux côtés qui le forment par leur rencontre ont un
peu de courbure. Au reste, l'intervalle qui est entre les deux
lames * est tout tapissé de petits carreaux de peau pareils à * Fig. 3.
a a e e.
ceux dont elles sont formées elles-mêmes.

Je vis travailler cette chenille à aggrandir & à élever ces
deux lames pendant plus d'une heure & demie, je la fis
voir, ainsi occupée à son ouvrage, à plusieurs personnes
qui étoient à la promenade avec moi. Comme on avoit
attention de ne pas agiter la petite branche sur laquelle
elle étoit, elle ne s'inquietoit point, elle alloit toûjours son
train sous nos yeux. L'heure de finir la promenade arriva;
la distance du grand bois de Vincennes à Charenton, est
celle d'une promenade d'une raisonnable longueur, en
faisant ce chemin en se promenant, on y employe près
d'une heure. Je tins pendant tout le retour la petite branche à ma main; j'étois attentif à ne lui point donner de
secousses, aussi la chenille continua-t-elle son ouvrage
pendant toute la route, & quand je fus rendu chés moi
il étoit fort avancé.

La nature ne semble pas avoir besoin de donner beaucoup d'intelligence, ni même d'en donner, à un insecte
de qui elle exige seulement qu'il se construise une coque de
figure arrondie, qu'il commence à lui faire prendre dès qu'il
commence à la construire. Les positions où se met successivement l'insecte lorsqu'il travaille à s'entourer de fils de
toutes parts, déterminent la forme de l'enveloppe composée
de tous ces fils, à avoir une rondeur, & une forme qui ne
variera que pour être plus ou moins allongée, & plus ou
moins applatie. Mais quand on voit un insecte, qui pour
se bâtir une coque, commence par assembler une infinité
de petits carreaux pour en composer deux lames plattes &
triangulaires; un insecte, qui pour arriver à une fin, prend

Zzz iij

des voyes qui femblent fi détournées, quoiqu'elles foient des plus commodes, & des plus courtes pour y arriver, on eft bien tenté de lui croire du genie; on le voit agir comme s'il en avoit. Il étoit hors de doute que le but du travail de notre chenille étoit de parvenir à fe faire une coque, mais il n'étoit pas aifé de deviner quelle forme elle lui donneroit; on ne voyoit que deux lames plattes qui s'écartoient de plus en plus l'une de l'autre par leurs bords fuperieurs, à mefure qu'elles s'élevoient davantage, ce qui étoit une fuite neceffaire de l'inclinaifon de leurs plans. Je n'imaginois pas quelle figure devoit avoir la coque à laquelle elles devoient fervir; je foupçonnois que d'autres lames feroient bâties fur celles-ci fous differents angles, pour fervir à former une efpece de toit. L'idée d'architecture de notre chenille étoit plus fimple que toutes celles qui m'étoient venuës; elle deftinoit ces deux lames à faire une coque très-bien fermée, très bien clofe de toutes parts, & elles devoient y fuffire. Son projet, s'il eft permis de parler de la forte d'un ouvrage, qui, quoique conduit par un infecte, femble fuppofer une fuite de vûës, fon projet, dis-je, étoit de réünir enfemble les bords exterieurs des deux lames, quelqu'écartés qu'ils fuffent les uns des autres.

Pour expliquer comment elle y parvient, nous ferons remarquer que le côté* de chacune de ces lames, qui eft appliqué contre le petit bâton, eft le plus long côté, il eft oppofé au plus grand angle, qui eft plus grand qu'un droit. Les deux autres côtés font inégaux; le plus grand de ceux-ci*, & le plus incliné à la tige, forme avec elle un affés petit angle vers fa partie inferieure*. Nous l'appellerons le premier ou le grand côté fuperieur; & nous appellerons le troifieme côté*, le fecond côté fuperieur ou le petit côté fuperieur. Il eft clair que c'eft où fe rencontrent ces

* Pl. 38.
Fig. 3. a e.

* b e.

* e.

* a b.

deux côtés* que la lame s'éleve le plus au-deſſus du bâton. ** Pl. 38. Fig. 3 & 4. b.*
Nous remarquerons encore que la partie du bois, qui eſt
compriſe entre les deux lames, eſt elle-même un peu triangulaire, de telle ſorte que quand les deux lames ont toute
leur longueur, elles ſont très-peu diſtantes l'une de l'autre,
vers leur bout le moins élevé*. Pour joindre enſemble ** Fig. 3. e e.*
ces deux lames, la chenille ſe propoſe de réünir d'abord
leurs deux grands côtés ſuperieurs*; à meſure qu'elle les ** Fig. 3. b e, b e.*
réünit, elle fait prendre à ces lames une ſorte de courbure,
de façon qu'après que leur réünion eſt faite, elles for-
ment une eſpece de cornet ouvert*. Voilà déja une for- ** Fig. 6. e e, b b, a a.*
me de coque, mais ouverte par un bout; pour la fermer
entierement, il ne reſte plus à la chenille qu'à réünir les
deux petits côtés ſuperieurs*, à ramener les deux parties ** Fig. 6. a b, a b.*
qu'ils terminent à venir chacune faire la moitié du cou-
vercle du gros bout de la coque*. Sa figure alors eſt à peu ** Fig. 2. a l l b.*
près celle d'une portion de cone à baſe elliptique, qui au-
roit été coupée par un plan conduit parallelement à l'axe
du cone, de maniere qu'il eût rencontré ſa baſe, ſur une
des lignes ou cordes paralleles au petit axe de cette baſe,
où ſa figure eſt celle d'une eſpece d'onglet. Elle a pourtant de plus que l'onglet ou que la portion de cone, à qui
nous la comparons, une petite pointe qui ſaille du bout
de ſa partie la plus groſſe, & la plus élevée ſur le reſte du
contour. La partie même qui ferme le gros bout n'eſt pas
abſolument plane, & elle eſt comme diviſée en deux par
une languette*, peu élevée, qui eſt un prolongement de ** Fig. 2. l l.*
la pointe dont nous venons de parler.

Voyons comment la chenille va travailler pour faire
prendre cette forme aux deux lames triangulaires. Nous
venons de faire remarquer que la partie du bois qui eſt
renfermée entr'elles* eſt un peu triangulaire elle-même, de ** Fig. 3 & 4. a a, e e.*
façon que ſi ces lames étoient prolongées, elle ſe ren-

contreroient. La chenille les prolonge auffi à un point où elles font près de fe rencontrer, & dans ce même endroit elle les éleve chacune un peu plus que la forme triangulaire ne le demande. Cela fait, la chenille qui eft entre les lames, & qui y va toûjours refter, attache un fil au bord d'une lame, & le tire jufqu'au bord de l'autre lame, en commençant à l'endroit où ils font tous deux moins élevés, & moins écartés, & où ils ont moins de chemin à faire pour venir fe réünir l'un contre l'autre. Là elle attache ainfi plufieurs fils qui vont de l'une à l'autre de ces lames. Elle n'a donc pas beaucoup à tirailler fur les fils, par lefquels elle vient de joindre les lames, pour obliger leurs bords à fe toucher. Après les avoir amenés là, l'un contre l'autre, elle les y affujettit par de nouveaux fils. Or, elle n'a pû forcer les lames à fe joindre dans cette partie de leur bord, fans forcer les parties qui les fuivent à fe rapprocher un peu. Les premieres étant donc réünies, elle attache des fils aux fecondes qui les contraignent à fe réünir à leur tour ; quand elles fe touchent, elle les arrête l'une contre l'autre par d'autres fils. On voit affés qu'à mefure que la chenille a forcé des endroits correfpondans des bords des lames à venir fe toucher, elle a contraint ceux qui fuivent à s'approcher ; mais plus les endroits à réünir font voifins de la partie la plus élevée, plus ils s'écartent les uns des autres, & plus le rapprochement eft difficile. Pour le faciliter, après que la chenille a réüni les bords d'environ le quart ou le tiers de la longueur des grands côtés fuperieurs *, elle pouffe en dehors avec fa tête les parties qui font au-deffous de celles qui font liées, ce qu'elle fait à un grand nombre de reprifes ; ainfi elle oblige les parties de ces deux lames, qui étoient planes auparavant, à prendre une courbure, à former le commencement du cornet. La partie inferieure & la plus étroite

de chaque

* *eb, eb.*

de chaque lame ne sçauroit prendre cette courbure, sans
que la partie qui la suit se courbe un peu dans le même sens,
& par consequent, sans que les deux bords des lames se
rapprochent de quelque chose. La chenille n'a donc pas
besoin de les tirailler autant avec des fils, pour les forcer à
venir se rencontrer. C'est ainsi qu'elle continuë de réunir
ensemble les bords des deux grands côtés, mais elle n'y
parvient qu'à bien des reprises; on voit sur tout, vers les
portions les plus élevées, des parties qui laissent encore du
vuide entr'elles, quoiqu'elles soient liées & tirées par des
fils. On voit ensuite la chenille frapper contre ces portions
de lames avec la tête, pour les obliger à se courber davantage; après quoi elle attache contre leurs bords des fils qui
vont de l'un à l'autre; elle charge ces fils du poids de son
corps, & ce poids force là les deux bords à venir s'appliquer
l'un contre l'autre. Il ne lui faut pourtant qu'environ une
demi-heure pour parvenir à réunir les deux grands côtés
dans toute leur longueur, & à les réunir si bien, que la
loupe ne fait pas distinguer des autres endroits, ceux où
ils sont appliqués l'un contre l'autre. A mesure aussi qu'elle
les a joints ensemble, & qu'elle a fait prendre de la rondeur aux lames, elle fortifie la coque, elle la tapisse interieurement de soye; tout cela s'apperçoit au travers du
transparent de cette coque, si on la considere au grand jour,
ou le soir, auprès d'une lumiere.

La coque ayant donc pris la forme de cornet *, il ne   * Pl. 38.
reste plus, pour la fermer, qu'à réunir les deux petits côtés * Fig. 6.
l'un contre l'autre. Ils se touchent déja par le bout *, où   * *a b, a b.*   * *b b.*
ils rencontrent chacun un grand côté; c'est aussi par là que
la chenille commence à les réunir avec des fils, & peu à peu
elle parvient à les joindre jusqu'à leur bout qui pose sur la
tige. Elle fait prendre une forme presque plate aux parties
terminées par ces mêmes côtés; elles font chacune une

Tome I.   . Aaaa

moitié de couvercle. La chenille a une prise commode pour les applatir, elle n'a qu'à les tirer en bas, & c'est ce qu'elle peut faire en chargeant du poids de son corps les fils qu'elle a attachés à leurs bords.

Ce n'est que par un très-grand hazard qu'on peut trouver de ces sortes de coques ; elles sont assés cachées par leur petitesse *, mais leur couleur les cache encore ; elles ont celle de la branche-même contre laquelle elles sont appliquées, puisqu'elles sont couvertes de la propre peau de cette branche : si on n'y regarde de près, on les prend pour quelque nœud , pour quelque tuberosité de cette branche. Je n'ai point eu le papillon qui sort de l'industrieuse chenille qui fait cette coque, mais il y a grande apparence qu'il vaut mieux connoître la chenille elle-même que son papillon. Le nombre de ses jambes & la couleur de sa peau d'un blanc-jaunâtre tirant sur la couleur de chair, jointe à la couleur rousse de ses poils, doivent aider à la faire connoître à ceux qui seront curieux de la trouver.

Au reste, la forme de cette coque ne lui est pas particuliere à elle seule ; tout ce qui lui est peut-être singulier, c'est de ce que son exterieur est composé d'un grand nombre de petits morceaux d'écorce coupés quarrément, & qui sont comme autant de petits carreaux, ou de petites pieces de parquet. Mais plusieurs autres especes de chenilles font des coques de pure soye, à qui elles donnent la même figure, & que nous pourrions designer toutes par le nom de *coques en onglet ;* nous aimons pourtant mieux leur donner celui de *coques en bateau,* parce qu'il est generalement connu , & que l'autre n'est familier qu'aux Geometres ; d'ailleurs ces coques ont toutes de la ressemblance avec un bateau renversé, bas & pointu par le devant, & dont le derriere est élevé & plat, ou comme coupé. J'ai trouvé sur une feuille de chêne une de ces

* Pl. 38. Fig. 1. *c d.*

coques en bateau * de pure soye blanche, d'où il sortit,
au commencement de Juillet, un petit papillon * dont la
couleur du dessus des aîles superieures est un mêlange de
gris & de brun, & qui porte ses aîles superieures roulées,
de façon qu'une des aîles passe vers le côté opposé à celui
de son origine, & couvre une grande partie de l'autre aîle
superieure.

    Vers la fin d'Octobre, l'imperiale de ma berline ayant
rencontré les branches d'un chêne, fit tomber, sur un de
mes gens, une chenille rase d'un beau verd; elle étoit de
la premiere classe, & de celles de grandeur mediocre; elle
me fut remise sur le champ, & sur le champ je la renfermai dans un poudrier de verre avec des feuilles de chêne.
Elles lui furent inutiles; elle n'avoit plus besoin de manger.
Au bout de deux jours, elle se fit, pendant la nuit, une
coque en bateau d'une soye d'un brun-caffé *. J'étois alors
en route; les secousses de la voiture l'empêcherent peut-
être de travailler pendant le jour. Je n'ai point eu le papillon qui en devoit sortir. Cette chenille étoit de celles qui
ne laissent pas d'avoir la force de se renfermer, quoiqu'elles
ayent, dans l'interieur de leur corps, un gros ver qui les
ronge. J'ai eu, dans le commencement de Mars, une grande mouche ichneumon, dans laquelle s'étoit transformé le
ver qui avoit dévoré la crisalide de cette chenille.

    J'ai pourtant eu peu de regret de ce que les dernieres
observations sur les coques en bateau, de pure soye, avoient
été imparfaites, de ce que je n'avois pas vû les chenilles
pendant qu'elles étoient occupées à les filer. Une chenille*
d'une assés petite espece, & aisée à trouver, m'a montré tout
ce que je pouvois souhaiter de voir sur ce travail, qui ne
devoit gueres differer de celui que la coque parquetée nous
a donné occasion de décrire, & qui, pour l'essentiel, revient aussi au même. Nous aurons encore à parler ailleurs

A a a a ij

* Pl. 38.
Fig. 7. g & h.
* Fig. 8 &
9.

* Pl. 39.
Fig. 7.

* Pl. 39.
Fig. 5.

* Pl. 39.
Fig. 5.
* Fig. 6.

de la petite chenille * à qui j'ai vû faire une coque en bateau, de pure foye *, lorſque nous examinerons dans un
Memoire particulier, l'artifice avec lequel certaines chenilles plient des feuilles, les roulent, & en réuniſſent pluſieurs dans un même paquet. Celle-ci ſe tient au milieu
d'un paquet de feuilles de ſaule, ou de feuilles d'oſier appliquées les unes contre les autres, ſuivant leur longueur.
Elle eſt de la premiere claſſe ; elle eſt raſe ; ſa couleur eſt
verdâtre. Ce n'eſt gueres que dans le mois d'Août qu'elle
fait ſa coque ; elle la fait contre les feuilles ou les branches
même de l'oſier ou du ſaule. J'en ai eu qui en ont fait chés
moi, & ſous mes yeux, contre les parois des poudriers où je
les tenois renfermées, & d'autres qui les ont faites ſur de petites branches que je pouvois tenir à la main ſans détour-
ner ces inſectes de leur travail. La chenille commence par
tapiſſer de ſoye la portion de la ſurface de la branche qu'elle
deſtine à ſervir de baſe à ſa coque. Le contour de cette
ſurface tapiſſée eſt à peu-près oval, plus aigu pourtant à
un bout qu'un oval ne le doit être ; par l'autre bout,
l'oval n'eſt pas complet ; il lui manque une portion d'arc
qui le devroit terminer. Sur cette enceinte, excepté ſur la
ligne où l'oval eſt tronqué, elle éleve perpendiculairement
un mur de ſoye. Ce mur, comme la circonference de
l'oval, peut être regardé comme compoſé de deux parties,
ou de deux murs differents, qui ſe rencontrent au bout

* Fig. 6. i.

fermé de la courbe * ; dans l'endroit où ils ſe rencontrent, la
chenille les tient l'un & l'autre très-bas, & de là elle les éleve

* o. p.

de plus en plus juſqu'à leur autre bout, juſqu'au bout * où
ils ſont diſtans l'un de l'autre. Quand elle s'occupe à élever davantage une partie du mur qui a déja quelque hauteur, ſon corps eſt dreſſé contre les parois interieures dans
leſquelles quelques-unes de ſes jambes membraneuſes ſont
cramponnées. La tête, qui ſe trouve alors au-deſſus du

mur, s'incline alternativement dans des sens opposés. Chacun de ses mouvements ajoûte quelque chose à l'élevation du mur; ils font chacun sortir une petite portion de fil de la filiere. Le travail seroit long, & demanderoit peut-être trop de soye, si les contours du fil de soye étoient simplement appliqués les uns contre les autres; elle fait prendre une petite courbure à la portion de fil qu'elle employe; elle en forme une espece de boucle ou de maille, au moyen de quoi l'élevation du mur se fait plus promptement & à moins de frais. Quand elle est occupée à l'élever dans un endroit, quoique ce même endroit doive être plus bas que celui qui le suit, elle lui donne plus de hauteur; mais lorsqu'elle passe à celui qui est resté trop bas, elle l'éleve plus que l'autre : en un mot, elle donne aux bords de nos lames ou petits murs de soye, l'inclinaison convenable. Quand elle a travaillé la lame d'un côté, elle la quitte, elle passe à celle qui lui est opposée. Jusqu'ici le fond du travail, comme nous l'avons déja dit, revient assés à celui de la coque parquetée, & ce qui reste à faire y revient encore davantage, & est plus aisé à executer dans cette coque que dans l'autre. Les deux lames se touchent ici par le bout le moins élevé *; la chenille commence à rapprocher le bord de l'une de celui de l'autre auprès de ce bout, & à les attacher de proche en proche, jusqu'où les lames sont le plus élevées. Il n'y a donc plus qu'à fermer l'ouverture que laissent entr'eux les deux petits côtés qui s'élevent presque perpendiculairement sur la tige; lorsqu'elle a réuni les deux longs côtés, les côtés inclinés, elle a déja attaché ensemble les deux bouts exterieurs des petits côtés; elle force peu à peu ces côtés à s'approcher l'un de l'autre, & à se toucher dans toute leur longueur, en les tiraillant avec des fils, comme nous l'avons assés expliqué, rapport au gros bout de la coque parquetée.

* Pl. 39.
Fig. 6. i.

A a a a iij

* Pl. 39.
Fig. 6. p o.

C'eſt par le gros bout * de la coque que ſort le papillon, après avoir reſté juſqu'aux 1.ers jours de Septembre ſous la forme d'une criſalide qui n'a rien de remarquable. J'ai eu de quelques-unes de ces chenilles, des papillons qui portoient leurs aîles en toit aſſés aigu, & dont le deſſus des ſuperieures étoit d'un beau verd-tendre, ayant ſeulement tout autour un rebord d'un blanc un peu verdâtre & ſatiné. De quelques autres de ces chenilles du ſaule qui font leur coque en bateau, j'ai eu auſſi des papillons qui portoient leurs aîles preſqu'horiſontalement, & dont celles de deſſus étoient colorées d'un brun couleur d'agathe, mêlé par ondes & taches, avec un blanc-jaunâtre. Je n'ai pas aſſés étudié ces chenilles & leurs papillons, pour ſçavoir ſi des papillons, ſi differents par les couleurs, ne differoient qu'en ſexe, ou ſi dans les chenilles que j'avois crû les mêmes, parce qu'elles lioient de la même maniere les feuilles du ſaule & celles de l'oſier, il n'y en avoit pas deux eſpeces differentes, qui, à cauſe de leur petiteſſe, auroient demandé, pour être diſtinguées, qu'on leur eût donné plus d'attention que je ne leur en avois donné. J'ai même remarqué des differences dans la couleur des coques; quelques-unes étoient d'une ſoye preſque blanche, & les autres d'une ſoye d'un jaunâtre tirant ſur le brun. Toutes ces differences ſont pourtant de celles qui n'ont pas de quoi nous intereſſer beaucoup.

Nous connoiſſons encore une eſpece de coque en ba-
* Pl. 39.
Fig. 8, 9, 11
& 12.
teau, de pure ſoye *, dont la forme eſt plus recherchée que les formes de celles que nous venons de voir; ſa conſtruction, plus compliquée, ſemble demander plus d'induſtrie dans la chenille; les procedés employés par les autres ne ſemblent pas ſuffire pour la mettre en état de finir
* Fig. 11
& 12.
cette coque *. La ſoye qui la compoſe eſt forte, comme l'eſt generalement celle des coques en bateau; ſa couleur eſt un jauné-pâle. On la trouve preſque toûjours appliquée

fur une feuille de chêne. Sa bafe eft une efpece de plan
oval, aigu pourtant à fes bouts, quoiqu'un des deux * le
foit moins que l'autre *. Les murs de foye s'élevent prefque perpendiculairement fur la circonference de cet oval,
ou en fe courbant doucement; ainfi ils ont, en tout endroit de leur hauteur, à peu-près la même courbure & le
même contour qu'à leur bafe; ils fe renflent pourtant un
peu en s'élevant, ils fe retreciffent enfuite un peu. Vers un
des bouts, qui eft le plus pointu *, ils s'élevent moins qu'ils
ne s'élevent à l'autre bout, & en s'approchant de l'autre
bout *. Le bord fuperieur de ces deux efpeces de murs eft
fortifié par une arête de foye; chaque demi-circonference
de cette arête eft ici ce que font les fablieres dans nos com-
bles de charpente, car de chaque moitié de la circonference fuperieure, il part un petit plan de foye. Ces deux
plans s'élevent un peu, ils fe dirigent l'un vers l'autre, &
par leur rencontre, ils forment le toit furbaiffé de notre
petit édifice. La ligne * où ils fe rencontrent eft vis-à-vis
le milieu du plan de la bafe, au-deffus du grand diametre
de l'oval. Cette ligne de leur réunion eft marquée par une
arête plus relevée que le refte, qui eft comme le tirant, ou
l'entrait de la charpente, ou, pour parler plus conforme-
ment à notre premiere comparaifon, qui eft comme la
quille du petit vaiffeau renverfé. Ces parois, ces murs courbes qui s'élevent prefque perpendiculairement, le toit qui
en part & qui eft compofé de deux moitiés, chacune un
peu inclinées aux parois, & un peu convexes, tout cela ne
peut être fait par deux lames triangulaires, comme celles de
nos premieres coques en bateau, dont les deux longs côtés
fuperieurs ont été d'abord réunis enfemble pour former
un cornet, & dont les deux petits côtés ont été réunis enfuite pour fermer la coque. Le travail de notre derniere
coque doit être conduit tout autrement.

* Pl. 39.
Fig. 11 &
12. or.
* p.

* Fig. 11
& 12. p.

* r o.

* Pl. 39.
Fig. 11 &
12. op.

J'ai eu pendant long-temps regret de ne pouvoir ſur-
prendre dans le travail, les chenilles qui ſe font de ces ſortes de coques. Une que je trouvai ſur le chêne vers la mi-
Avril, lorſque les feuilles ne commençoient qu'à pointer,
& qui alors étoit très-petite, ſatisfit enfin ma curioſité *.
Dans un mois ou environ, elle parvint à la groſſeur d'une
chenille mediocre. Cette eſpece a 16 jambes; elle eſt raſe;
ſa peau eſt d'un beau verd, ſur lequel on demêle des rayes
obliquement tranſverſales d'un verd un peu plus jaunâtre.
Sa partie poſterieure eſt plus déliée que ſa partie anterieure.
Sa tête eſt ſouvent retirée ſous les premiers anneaux, de
façon qu'on ne la voit point; le corps de cette chenille a
alors quelque choſe de celui d'un poiſſon. C'eſt même par
le nom de *chenille à forme de poiſſon* que je la déſignois,
avant que je ſçuſſe qu'elle étoit l'ouvriere de la belle coque
en bateau. Elle avoit déja commencé à y travailler, lorſque je l'obſervai un matin, le 20 de May; quoique l'ouvrage ne fût pas fort avancé, il l'étoit déja aſſés pour me
rendre attentif, pour me faire voir que cette chenille ſe filoit une coque, mais en s'y prenant tout autrement que
les autres s'y prennent. Elle étoit alors un peu raccourcie * entre deux eſpeces de coquilles de ſoye *, poſées chacune ſur le côté; elles ne tenoient enſemble que par un
bout *; par l'autre bout *, elles étoient un peu écartées
l'une de l'autre. Bientôt je vis cette chenille travailler avec
une grande activité à élever le bord d'une de ces coquilles,
à élargir & à allonger cette coquille *. Elle filoit ſur ſon
bord des mailles de ſoye très-petites & très-ſerrées les unes
contre les autres *. Elle quittoit enſuite cette coquille pour
paſſer à l'autre, pour l'aggrandir autant qu'elle avoit aggrandi la premiere. Elle ſe retournoit bout par bout *; elle
ſe mettoit en differentes ſituations, mais ſe tenant toûjours
entre les deux coquilles de ſoye; quoique déja grandes,

ces

* Pl. 39.
Fig. 10.

* Pl. 40.
Fig. 1.
* p c, p d.
* p.
* c d.

* Fig. 2.

* Fig. 10.

* Fig. 3.

ces coquilles étoient minces; elles cedoient souvent aux mouvements de la chenille; elles se chiffonnoient, elles s'applatissoient, & il me sembloit que l'insecte n'en pourroit faire que deux pieces assés informes; mais il me fit voir qu'il sçavoit les redresser. Il les fortifia ensuite, de façon qu'elles pouvoient tenir, sans se déranger, contre la plûpart de ses mouvements. On imagine assés que le bord inferieur de chacune étoit attaché contre le plan sur lequel il étoit posé; ces deux bords étoient distants l'un de l'autre dans une grande partie de leur longueur; les deux coquilles ne se touchoient l'une l'autre que par un de leurs bouts *. La chenille lia pourtant avec des fils, l'un contre l'autre une portion du bord superieur de chaque coquille, mais une portion proche des bouts qui se touchoient *. Cette réunion ne devoit pas être durable, elle ne devoit servir qu'à assujetir les coquilles, jusqu'à ce qu'elle les eût assés fortifiées. Quand elle les eut renduës assés solides, elle brisa les derniers fils dont nous venons de parler. Elle ne permit plus aux deux coquilles de se toucher que vers la partie inferieure de leur bout *. Elle écarta les bords superieurs l'un de l'autre, & la maniere dont elle étoit étenduë entre les deux coquilles, maintenoit l'écartement. Ce ne fut qu'alors que je commençai à entrevoir quel ouvrage elle se proposoit de faire, & les voyes qu'elle prenoit pour y parvenir. Je soupçonnai que la coque à laquelle elle travailloit pourroit bien être une coque en bateau, de l'espece de celles dont nous avons parlé *; que les deux coquilles *p c, p d* *, pourroient faire les murs de soye qui devoient renfermer cette petite enceinte; que les bords superieurs de chacune seroient ces cordons * que nous avons comparés aux sablieres, & qui devoient porter l'espece de toit qui couvre la coque. Je pensai donc que la chenille avoit écarté les deux bords superieurs des coquilles *, pour placer entr'eux la piece de soye qui devoit faire

Tome I.　　　　　　　　　　　　　　　　. Bbbb

* Pl. 40.
Fig. 1 & 2.

* Fig. 3.

* Fig. 4.

* Pl. 39.
Fig. 11 &
12.
* Pl. 40.
Fig. 4.
* Pl. 39.
Fig. 11 &
12.

* Pl. 40.
Fig. 4. *p c,
p a.*

le toit. Bientôt je fus confirmé dans cette idée; elle remplit d'un tiffu de foye l'efpace que nous venons de confiderer; elle fe retourna bout par bout plufieurs fois pour le fortifier, & pour lui faire prendre une certaine forme *. La coque n'avoit pourtant pas encore celle de coque en bateau; un de fes bouts ne s'élevoit pas plus que l'autre, d'autant qu'il devoit s'élever. Le tiffu de la coque n'avoit pas encore toute la folidité qu'il devoit avoir par la fuite; la chenille pouvoit, pour ainfi dire, lui faire prendre une autre forme au moyen d'un moule. Elle en employa un pour élever le bout qui devoit avoir de la hauteur; fon propre corps fut ce moule *. Elle plaça fa tête à plat vers le bout qui devoit refter bas *, & élevant & courbant fa partie pofterieure, de maniere qu'elle lui fit faire un angle prefque droit ou peu obtus, avec fes jambes pofterieures *, elle força le fecond bout de la coque à s'élever. C'eft ainfi que differents mouvements du corps, differentes inflexions furent employées à façonner la coque, qui fut enfuite affermie, & renduë plus folide par de nouvelles couches de foye, dont l'interieur fut tapiffé.

La coque finie n'eut pourtant pas une figure auffi parfaite que celles des coques en bateau des Figures 11 & 12. Planche 39. elle fut telle que celles des Figures 8 & 9 de la même Planche. Auffi ma curiofité, le befoin que la perfonne qui deffinoit la coque avoit de la voir fouvent, troublerent continuellement cette pauvre chenille pendant fon travail; plus à fon aife, elle en eût fait une telle que celles des Figures 11 & 12. Ce qui ne me permet pas d'en douter, c'eft qu'ayant ouvert de ces dernieres coques, lorfqu'elles ne venoient que d'être finies, j'y ai trouvé une chenille verte & rafe à feize jambes, & que de quelques autres de ces mêmes coques il m'étoit forti des papillons parfaitement femblables à celui qui fortit de la coque qui avoit été conftruite fous mes yeux.

Le papillon * reſte environ un mois dans cette coque   * Pl. 39.
ſous la forme de criſalide; il en ſort par le bout le plus éle- Fig. 13 &
vé *. Je l'ai eu avant la fin de Juin; il eſt de la ſeconde 14.
claſſe des phalenes, ayant une trompe blanche, & des an- * Fig. 12.
tennes à filets coniques, & du genre de ceux qui portent ro.
bien leurs aîles en toit élevé au-deſſus du corps; celui qui
eſt repreſenté Planche 39, eſt la femelle. Ses aîles ſuperieures couvrent entierement les aîles inferieures; par-deſſus, elles ſont d'un beau verd-tendre, tel qu'eſt celui de
Lorraine, ou le verd Tourville. Elles ont chacune deux
rayes, ou comme deux traits d'un blanc jaunâtre paralleles l'un à l'autre, qui les traverſent, & qui rencontrent obliquement leurs côtés, tant exterieur qu'interieur; tout le contour des aîles ſuperieures a un petit rebord de même couleur; le deſſous de ces mêmes aîles eſt
preſque blanc & ſatiné. Le deſſus des aîles inferieures eſt
d'un plus beau blanc, argenté & ſatiné; leur deſſous a, en
quelques endroits, une legere teinte de verd. Le corps du
papillon eſt d'un celadon preſque blanc. La criſalide d'où
ſort ce papillon eſt verte; ainſi la chenille, la criſalide & le
papillon ſont verds.

Vers la mi-Octobre, j'ai eu quelques chenilles *, dont   * Pl. 40.
une s'eſt faite devant moi, une coque en bateau * de forme Fig. 7.
un peu differente de la forme des dernieres dont nous ve- * Fig. 8.
nons de parler. Elle a pourtant en deſſus une eſpece de toit
plat ou peu arrondi. La chenille qui la conſtruiſit fut encore
trouvée ſur le chêne; elle eſt raſe, & elle a ſeize jambes; ſa
partie anterieure eſt plus groſſe que la poſterieure. Elle eſt
d'un beau verd. Elle a de chaque côté une étroite raye de
couleur de citron. Le contour du bord exterieur du premier anneau, de l'anneau le plus proche de la tête, eſt
bordé du même jaune. Je n'ai eu à la nourrir que pendant
quatre jours, pendant chacun deſquels elle ſe tint tranquille

Bbbb ij

& immobile, fans changer aucunement de place. Le premier jour je la crûs malade, mais l'appetit qu'elle montra les nuits fuivantes m'apprit qu'elle fe portoit bien. Elle mangea chaque nuit la valeur d'une bonne demi-feuille de chêne. Au bout de quatre jours, elle travailla à fe faire une coque, dont elle fit une grande partie fous mes yeux. Elle commença, comme celle dont nous avons décrit les procedés, par former deux coquilles de foye; ainfi on peut regarder cette pratique comme la pratique ordinaire des chenilles qui bâtiffent des coques qui ont une efpece de toit un peu applati. La foye de la coque de cette dernière eft d'un brun-rougeâtre. Lorfque la chenille la fila, elle avoit dans fon corps un ver, qui s'y nourriffoit & qui fit périr la crifalide dans laquelle elle fe transforma. Auffi, au lieu du papillon qui auroit dû fortir de cette coque, il en fortit, au printemps, une groffe mouche.

*Pl. 12.
Fig. 15, 16
& 17.

Un papillon * que nous avons décrit ailleurs, & qui nous a donné le caractere de la feptieme claffe des diurnes, parce qu'il porte fes aîles en toit, quoiqu'il ait des antennes d'une forme approchante de celle des cornes de belier, fort d'une chenille rafe dont nous avons parlé dans le 6.me Mémoire *, qui fe fait une jolie coque *, qu'elle ne cherche point à cacher; elle l'attache le long d'une tige de gramen.

*Pag. 279.
* Pl. 12.
Fig. 14.

Cette coque eft remarquable par fa figure, qui, regardée groffierement, reffemble affés à celle d'un grain d'orge, mais elle a deux ou trois fois plus de longueur & de diametre qu'un pareil grain. Son milieu eft l'endroit où elle eft le plus renflée; de là elle va en diminuant jufqu'à l'un & à l'autre de fes bouts; elle femble formée par diverfes côtes prefque plates, qui des bouts vont au milieu, en s'élargiffant infenfiblement. Son tiffu eft extremement ferré, & fa couleur eft précifement une belle couleur de paille.

* Pl. 43.
Fig. 1 & 2.

J'ai trouvé, fur un figuier, une coque* d'où le papillon

étoit forti, que j'ai eu regret de n'avoir pas vû conftruire. La foye n'entre pour rien, ou prefque pour rien dans fa compofition ; fa forme eft celle d'un long dé à coudre qui n'auroit point de rebord, mais dont l'ouverture feroit exactement fermée par un petit couvercle circulaire & de même diametre précifement que celui de l'ouverture. Une portion de feuille de figuier avoit été coupée & roulée enfuite en forme de dé à coudre, & un autre morceau avoit été coupé bien rond, & appliqué contre fon ouverture, pour la boucher.

Nous ne pouvons refufer place, parmi les coques fingulieres, à une * qui eft de forme arrondie, mais beaucoup plus allongée que ne le font toutes celles des coques que nous avons obfervées jufques ici. Je ne fçais fi dans la fuite nous trouverons, dans ce pays, des infectes qui en faffent de pareilles ; mais celle dont je veux parler a été conftruite en Arabie. Je la dois à M. de Juffieu l'aîné. On défaifoit devant lui des balles de fené, venuës de Moka ; il étoit attentif à chercher les plantes, ou fragments de plantes qui pourroient fe trouver mêlés avec ce fené, lorfqu'il vit fur differents brins de tragacantha, trois coques femblables. Leur figure, & fur tout leur grande blancheur, eût attiré l'attention même de quelqu'un qui n'eût pas été auffi grand obfervateur qu'il l'eft. Elles fembloient faites du carton le plus uni & le plus blanc. Un de leurs bouts *, plus gros que l'autre, s'arrondit, & fournit un court pedicule *, pareil à celui d'un fruit ; il s'applique fur la petite tige de l'arbufte, & l'embraffe. Depuis le gros bout d'où part ce pedicule, la tige va en diminuant, comme la partie d'un fufeau prife après le renflement. Le petit bout de la coque * n'étoit fermé que par une matiere cotonneufe. Le tiffu de ces coques paroiffoit très-ferré, &, comme je viens de le dire, tel que celui d'un carton. Si on les preffoit, on leur trouvoit la folidité d'un bon carton. Une

* Pl. 44.
Fig. 1, 2 & 3.

* Fig. 1. *b.*

* *p.*

* Fig. 1, 2
& 3. *C.*

Bbbb iij

forte preſſion des doigts ne ſuffiſoit pas pour les faire plier.
Celles qui furent ouvertes * montrerent auſſi que leur tiſſu
avoit plus d'épaiſſeur qu'une piece de vingt-quatre ſols, &
qu'il étoit extremement ſerré dans toute ſon épaiſſeur.
Lorſque nous ouvrîmes ces coques, M. de Juſſieu & moi,
c'étoit ſur tout pour voir ſi nous n'y trouverions pas l'inſecte qui les avoit conſtruites; mais nous n'y trouvâmes
qu'une dépouille, & cette dépouille nous apprit au moins
que ces coques ſont l'ouvrage d'une eſpece de chenille
raſe de la premiere claſſe, ou de celle à ſeize jambes. Je
vis même qu'elle étoit du genre de celles dont les jambes
membraneuſes ont des couronnes de crochets completes;
il nous faut contenter de ſçavoir cela, juſques à ce que
quelqu'autre haſard nous en apprenne davantage.

Quoique ces coques paruſſent faites de carton, les ayant
obſervées avec la loupe, ſoit dans leur état naturel, ſoit
après les avoir laiſſé tremper dans l'eau, il fut aiſé de reconnoître qu'elles ſont faites de ſoye, au moins en très-
grande partie; il fut aiſé de charpir la ſoye de leur tiſſu;
l'eau ne les ramollit point comme elle ramollit le carton.
Il m'a pourtant paru qu'une matiere analogue à celle du
papier, ou du carton, entroit pour quelque choſe dans
leur compoſition; j'ai crû voir des fragments de cette matiere, en défaiſant partie d'une coque qui avoit trempé
pendant plus d'un jour.

Pluſieurs eſpeces de chenilles ne ſçavent pas ſeulement
ſe cacher dans leurs coques, elles ſçavent cacher les coques-
mêmes, de façon que quoiqu'elles ſoient ſouvent très-
groſſes, il ne nous eſt preſque pas poſſible de les trouver;
je veux parler de ces chenilles qui, lorſqu'elles ſentent approcher le temps de leur metamorphoſe, s'enfoncent en
terre. Que des chenilles, trop connuës des jardiniers,
parce qu'elles mangent les racines des laituës, des chiçons,

* Pl. 44.
Fig. 4.

& celles de diverses autres plantes, prennent ce parti, il n'y a là rien d'étonnant; elles passent sous terre, ou à fleur de terre, une partie de leur vie. Il n'est pas étonnant non plus que quelques-unes, telles que celles du chou, dont nous avons parlé dans le second Memoire, qui ne viennent sur le chou que pendant la nuit, & qui entrent en terre dès que le jour paroît, aillent aussi se transformer sous terre; mais il est singulier que des chenilles qui sont nées, & qui ont passé toute leur vie sur des plantes, sur des arbres, aillent faire leurs coques assés avant en terre. Non-seulement il y a de ces chenilles, mais le nombre en est très-grand; & en general, il y a peut-être autant, & peut-être plus de chenilles qui font leurs coques en terre, qu'il n'y en a qui les font hors de terre.

Entre ceux qui ont pris des soins pour élever ces insectes, je ne vois qu'Albin qui ait songé à leur donner de la terre où ils pussent aller faire leurs coques. La plûpart de ceux qui ont nourri des chenilles n'ont songé qu'à les nourrir, qu'à leur donner les feuilles qu'elles aiment. Il y en a pourtant, comme nous l'avons dit dans le second Memoire, qui, pour vivre commodement, ont besoin de trouver de la terre dans le vase où on les tient, où elles puissent rentrer de temps en temps, sans quoi elles périssent : mais il est necessaire à beaucoup plus d'especes de chenilles d'avoir de la terre dans laquelle elles puissent aller se metamorphoser. Depuis que je l'ai sçû, j'ai toûjours fait remplir de terre, en partie, les poudriers dans lesquels j'en faisois nourrir, & c'est ce qui m'a appris que non-seulement un grand nombre de genres de chenilles rases, mais même que plusieurs genres de chenilles très-veluës vont faire leurs coques sous terre.

Quand la terre manque pourtant à des chenilles de plusieurs genres qui s'y enfoncent lorsque leur transformation est proche, elles ne laissent pas de se metamorphoser, soit sans coque, soit après avoir filé des coques imparfaites. Aussi avons-nous dans plusieurs ouvrages, des papillons gravés, qui sont éclos dans les boîtes où les chenilles avoient été nourries, & où elles s'étoient transformées, quoiqu'elles eussent dû se transformer en terre. Mais il est vrai aussi que plusieurs crisalides qui perissent dans des boîtes, donneroient des papillons, si elles étoient en terre.

Parmi les chenilles qui entrent en terre pour se metamorphoser, quelques-unes semblent negliger de s'y faire des coques. Il leur suffit d'être environnées de tous côtés d'une terre qui se soûtient, ou elles s'y font des coques très-imparfaites. Une chenille * que je trouvai sur la lucerne vers la mi-Juillet, entra en terre au bout de trois à quatre jours; elle s'y transforma en crisalide sans s'y être fait une coque qui pût être reconnuë. Cette chenille a 16 jambes; elle est d'un blanc-sale, ou jaunâtre. De petits traits noirs sont disposés de maniere à former plusieurs lignes tout du long de son corps. Le papillon * sortit de terre seize à dix-sept jours après que la chenille y fût entrée. Il est de la seconde classe des phalenes, & du genre de ceux qui portent leurs aîles superieures parallelement au plan de position. Les deux côtés interieurs des mêmes aîles s'appliquent l'un contre l'autre, de façon qu'ils se redressent un peu, & qu'ils forment ensemble un tranchant tout du long du corps. Differents bruns, dont quelques-uns sont de couleur de suye, & d'autres bruns plus clairs, forment sur le dessus des aîles superieures des taches nuées. On y voit aussi des taches & des points gris & d'autres jaunâtres. Les aîles inferieures sont plus courtes que les superieures. Le dessous de toutes les quatre * est d'un gris un peu jaunâtre. Il y a un gros point noir bien marqué sur chaque aîle inferieure, près de son côté interieur, & vers le milieu de sa longueur.

J'ai

* Pl. 40. Fig. 11.
* Fig. 12.
* Fig. 13.

J'ai eu un papillon nocturne, qui m'a paru précisement
semblable au précedent, d'une chenille à seize jambes,
rase & verdàtre, trouvée sur la poirée, & qui en avoit été
nourrie; elle entra en terre à peu-près en même temps que
la précedente; elle ne se fit point de coque reconnoiffable;
sa phalene sortit aussi de terre à peu-près en même temps
que la précedente.

J'ai encore eu dans le même temps plusieurs papillons
nocturnes, qui m'ont paru semblables aux derniers; ils
avoient jusqu'au point noir de l'aîle inferieure. Ils venoient
de chenilles qui avoient été trouvées nàissantes, sur une
plante dont le suc est très-cauftique, sur le titimale appellé
épurge; elles n'en mangeoient alors que le parenchime;
mais peu de jours après, elles mangeoient, & avec avidité,
toute l'épaisseur de la feuille. Elles avoient pris tout leur accroissement vers le 15 de Juillet. Elles étoient des chenilles
de grandeur mediocre & entierement vertes. On peut donc
soupçonner que les trois chenilles dont nous venons de
parler, malgré des differences de couleurs que nous avons
remarquées entr'elles, sont les mêmes, & qu'elles peuvent
vivre de plantes fort differentes. Il pourroit pourtant se faire
que les papillons de ces chenilles euffent entr'eux des differences qui, pour être trop legeres, m'ont échappé.

Nous citerons encore pour exmpele des chenilles qui
entrent en terre pour se metamorphoser, & qui ne s'y font
point de coque reconnoiffable, une chenille* rase, à 16 jam-   * Pl. 40.
bes, de l'ofeille; sa couleur est un blanc-sale, elle a des rayes   Fig. 14.
formées de points allongés d'un brun-clair. Elle est entrée
en terre le 20 Juillet, & le papillon nocturne * a paru au   * Fig. 15.
jour vers le 8 ou le 10 d'Août. Il étoit déja mort, la premiere fois que je le vis; aussi ne suis je pas sûr d'avoir fait reprefenter exactement le port de ses aîles, dont le dessus des
superieures est agréablement coloré. Un brun-noir, du

Tome I.   . Cccc

blanc - jaunâtre & un beau verd font les couleurs qui les ornent. Le verd occupe lui feul autant de place que les deux autres couleurs enfemble. Le deffus des aîles inferieures, & le deffous des quatre aîles, n'ont que des couleurs communes, un gris-jaunâtre. Le deffus des aîles inferieures a des nuances plus brunes. Ce papillon eft de la feconde claffe des phalenes.

Mais la plûpart des chenilles qui entrent en terre s'y font des coques; ce font des efpeces d'ouvrages de maçonnerie, qui tous fe reffemblent dans l'effentiel. A l'exterieur, toutes les coques de terre paroiffent une petite motte de terre, dont la figure approche de celle d'une boule, où d'une boule allongée. Il y en a pourtant dont l'exterieur eft très-informe *, & d'autres qui font mieux façonnées *. Au milieu de cette efpece de boule eft la cavité occupée par la chenille ou par la crifalide. La furface des parois de la cavité de toutes ces coques, eft liffe & polie *. Le poli, le liffe de quelques-unes eft précifement tel que celui d'une terre graffe, qui, après avoir été humectée & pétrie, a été unie avec foin, ce qui lui donne un luifant qu'a auffi l'interieur de ces coques. Si on obferve avec attention la furface interieure de quelques-unes, on apperçoit de plus qu'elle eft tapiffée de fils, mais qui y font fi bien appliqués, & qui forment une toile fi mince, qu'elle n'eft vifible que quand on cherche bien à la voir. L'interieur de quelques autres eft couvert d'une toile de fils de foye très-fenfible. L'épaiffeur de la couche de terre qui forme la coque, eft plus ou moins grande dans des coques differentes; mais communement elle paroît faite d'une terre bien pétrie, dont tous les grains ont été bien arrangés & bien preffés les uns contre les autres. Il y en a pourtant de plus mal faites, dont les grains de terre ne font pas arrangés avec tant de foin, & font mêlés avec plus de fable ou de gravier.

* Pl. 41.
Fig. 9.
* Pl. 42.
Fig. 9 & 10.
* Pl. 41.
Fig. 10.

Quoique la conſtruction de ces ſortes de coques ſoit ſimple en apparence, pour peu qu'on l'ait examinée, on n'imaginera pas qu'une chenille ou une criſalide s'en puiſ-ſent faire de pareilles, par la groſſiere mechanique qu'on leur a fait employer dans quelques traités ſur les Inſectes. On les fait s'agiter, ſe mettre en ſueur; après quoi on ſuppoſe qu'el-les ſe roulent dans le ſable, dans la terre dont elles raſſem-blent & réuniſſent les grains par le moyen de la colle dont elles ſont couvertes, & qui n'eſt autre choſe que leur ſueur. Les coques qu'elles ſe feroient de la ſorte, ſeroient des eſpe-ces d'habits moulés ſur leur corps; il n'y auroit point dans l'interieur de ces coques, un eſpace vuide plus conſidera-ble que le volume du corps de l'inſecte, & il faut qu'il y ſoit. Il ſuffit d'examiner ces coques, pour voir que les grains qui les compoſent ſont liés par des fils de ſoye. Si même on fait attention au travail auquel elles engagent les chenilles, elles paroîtront ſuppoſer une ſuite de proce-dés aſſés induſtrieuſe, dont on peut voir quelques-uns, & dont on ne peut que deviner les autres. On a beau mettre la chenille dans un poudrier tranſparent, elle travaille au milieu d'une terre opaque; & lors même qu'elle bâtit ſa coque auprès de la ſurface du poudrier, elle eſt encore cachée, ou au moins la voit-on très-mal; des grains de terre qui s'attachent toûjours à la ſurface interieure du verre, lui ôtent beaucoup de ſa tranſparence. Dès que la chenille s'eſt enfoncée ſous terre, & qu'elle eſt arrivée à l'endroit qu'il lui a plû de choiſir pour y conſtruire ſa co-que, le premier travail doit être d'aggrandir le vuide qui eſt tout autour d'elle, ce qu'elle ne peut ou qu'en ſoule-vant la terre, ou qu'en la preſſant. Le premier parti n'eſt praticable que lorſqu'elle ne s'enfonce pas bien avant. Le ſecond parti, celui de preſſer la terre, repond mieux d'ail-leurs à toutes ſes vûës. La terre doit faire autour d'elle une voute qui se soûtienne, & la terre qui a été bien pressée forme cette voute. Pour la solidité de cette voute, la chenille ne s'en repose pourtant pas à la seule viscosité d'une terre humide ; cette terre pourroit se dessecher par la suite, ou, au contraire, s'humecter trop ; car une coque qui doit rester neuf à dix mois en terre, est exposée à bien des vicissitudes de secheresse & d'humidité. La voute s'ébouleroit peut-être, il seroit au moins presque impossible qu'il ne s'en détachât des grains qui tomberoient dans l'espace que la crisalide habite, & qui l'y incommoderoient. Quoiqu'une coque ne paroisse faite que de pure terre & bien compacte, les grains de cette terre sont liés ensemble par des fils de soye. On n'a qu'à la briser doucement, & qu'à observer les fragments au microscope, pour appercevoir ces fils ; on les apperçoit même assés souvent à la vûë simple. Mais pour les mieux voir encore, on mettra une de ces coques dans l'eau ; quand elle en aura été bien penetrée, on la maniera doucement ; les grains qui se dissoudront, qui seront emportés par l'eau, laisseront observer ceux qui sont tenus par des fils.

Qu'on ne croye pas que les fils ne sont employés que pour tapisser la surface interieure de la voute, qui ne lui donnent de la liaison que parce qu'ils retiennent les grains de terre de la derniere couche. Ceux de la couche exterieure sont de même liés ensemble ; j'en ai eu souvent des preuves. Souvent j'ai tiré des chenilles d'une terre seche & friable, que je leur avois donnée, avant qu'elles eussent le temps d'y finir leur coque, & quelquefois lorsqu'elles l'avoient très-peu avancée ; alors je trouvois une espece de reseau de grains de terre, qui étoit trop mince pour conserver la forme de coque, mais dont les grains restoient dans les distances où ils étoient les uns des autres, parce que deux grains, écartés l'un de l'autre, étoient tenus par des fils attachés à tous les deux.

Quelquefois je n'ai fait que découvrir legerement ces coques commencées, la chenille a continué à les fortifier, à les épaiffir; elle a rendu leurs parois compactes. Ce que nous venons de dire de la terre feche, dans laquelle fe font trouvées quelques-unes de nos chenilles, nous apprend encore que leurs manœuvres ne fe reduifent pas à lier avec des fils de foye, des grains de terre; elles n'en feroient pas un tout affés ferré, & dont la furface interieure feroit luifante. Ces coques font des efpeces d'ouvrages de torchis, mais moins groffiers que les nôtres. La chenille, pour affembler les grains de terre de façon qu'il refte entr'eux le moins de vuide qu'il eft poffible, eft obligée de pétrir la terre, & pour pétrir une terre qui eft feche, elle eft dans la neceffité de l'humecter; c'eft avec fes dents qu'elle la manie, qu'elle la preffe, & la bouche fournit la liqueur qui la ramollit.

Dès que les obfervations nous ont appris que la chenille lie d'abord la premiere couche exterieure de l'enceinte avec des fils, il refte à fçavoir où elle prend de la terre pour fortifier cette couche, pour en mettre d'autres fous celle-ci. Il eft difficile, comme nous l'avons dit, de voir toute la fuite d'un travail qui fe paffe fous terre; mais des circonftances favorables ont mis à la portée de nos yeux ce que les differentes manœuvres de la conftruction des coques ont de plus fingulier. Nous parlerons bientôt de ces manœuvres, que quelques chenilles ne nous ont point cachées.

Nous ne nous arrêterons point à parcourir un grand nombre d'efpeces de celles qui vont faire leurs coques en terre, & qui les y font de terre; nous nous contenterons d'en indiquer quelques-unes. Une chenille * rafe & verte du chou, dont nous avons parlé ailleurs, qui fe cache le jour en terre, va auffi s'y mettre en crifalide dans une

* Pl. 41. Fig. 1.

coque que j'ai toûjours trouvée mal faite. Il en fort, en moins d'un mois, un papillon * de la feconde claffe des phalenes, qui porte fes aîles fuperieures paralleles au plan de pofition ; elles font mediocrement amples. La couleur du deffus des fuperieures eft un brun-gris, dont les nuances font faites de noir & de brun-gris mêlés enfemble. Ce papillon a trois huppes ; celle qui eft placée la premiere fur la partie anterieure du corcelet, eft formée par la réunion de deux goutieres mifes à côté l'une de l'autre ; il en a une autre femblable un peu plus loin, & une troifieme vers l'origine des aîles, qui ne fait qu'une feule goutiere.

Sans une forte d'étude, même affés fuivie, il arrive fouvent qu'il n'eft pas aifé de déterminer fi deux chenilles rafes & vertes, qu'on trouve fur differentes plantes, font de la même efpece, ou d'efpece differente. Des differences d'âge, d'être plus ou moins proches de changer de peau, ou de fe transformer, peuvent mettre entr'elles des varietés, ou même des reffemblances. Auffi n'oferois-je décider fi une chenille verte & rafe *, qui fait beaucoup de défordre dans les champs de navets, vers la fin de Septembre, n'eft point la même chenille verte du chou *, dont nous venons de parler. Celle du navet eft d'un verd plus ou moins beau, felon le temps où on la prend. Elle a tout du long du dos une efpece d'étroite raye plus brune que le refte, qui eft, je crois, formée par la groffe artere qui paroît au travers de la peau ; elle a de chaque côté, tout du long du corps, un petit trait un peu plus jaunâtre que le refte. Elle entre en terre dans le mois de Novembre ; elle s'y fait une coque de terre affés mal liée. Le papillon * ne fort de cette coque qu'au printemps. Il eft de la 2.de claffe des phalenes. Il porte fes aîles parallelement au plan de pofition. Le deffus des fuperieures a diverfes nuances de couleur de fuye, qui forment des ondes, dont quelques-unes font difpofées

* Pl. 41.
Fig. 3.

* Pl. 40.
Fig. 16.

* Pl. 41.
Fig. 1.

* Pl. 40.
Fig. 17.

en especes de rayes à peu-près paralleles à la base de l'aîle.

La chenille du chou * d'un brun couleur de bois, mais * Pl. 42.
nué pourtant de maniere que son corps est marqueté par Fig. 1 & 2.
des especes de lozanges, & qui est aussi une de celles qui
se cachent dans la terre pendant le jour, s'y metamorphose
au milieu d'une coque un peu plus ferme que celle de la
chenille précedente, mais qui cependant n'est pas de celles
qui ont le plus de consistance. Le papillon * qui sort, en * Pl. 42.
moins d'un mois, de la crisalide de cette chenille, est de la Fig. 4.
2.de classe des nocturnes, & est du genre de ceux dont les
aîles se moulent sur le dessus du corps; il n'est pourtant pas
de ceux où elles s'y moulent le mieux. Il a quatre huppes
sur le corcelet, dont la quatrieme est peu sensible. Ses aîles
ont assés d'ampleur; la couleur des superieures est d'un
gris-brun, qui est composée pourtant de noir, de gris &
de brun, differemment distribués.

Le pavot & la bistorte m'ont fourni une chenille que
j'ai crû inutile de faire dessiner; elle ne differe de la précedente que parce qu'elle a en ardoisé, & en nuances d'ardoisé, ce que la précedente a en brun couleur de bois.
D'ailleurs, le papillon nocturne qui en est sorti, a été, à mes
yeux, parfaitement semblable à celui de notre chenille
du chou.

Nous avons déja parlé des chenilles à seize jambes,
rases, brunes & tachetées de points plus bruns, allignés,
qui mangent les racines des laituës, & du papillon qu'elles
donnent. Ces chenilles * se font en terre une coque * dont * Pl. 41.
l'interieur est très poli *, & qui a assés de consistance. Celles Fig. 4. 5, 6
qui font leur coque en terre au mois de Juillet, y restent & 7.
renfermées pendant tout l'hyver sous la forme de crisalide. * Fig. 9.
Ce n'est qu'au printemps qu'en sort une phalene de la 2.de * Fig. 10.
classe *, & du premier genre de port d'aîles, de celui où * Pl. 41.
une des aîles superieures passe sur l'autre, quoiqu'elles Fig. 11.

foient toutes deux paralleles au plan de pofition. Leur deffus eft de cette couleur que nous appellons d'*écorce d'arbre*.
On y trouve une tache plus brune que le refte. Les aîles
de deffous * font pliées en éventail. Elles font des deux
côtés de couleur aurore. Leur bafe eft bordée par une
bande, par une efpece de galon noir, par-delà lequel il y a
encore un bord aurore, mais plus étroit. Cette phalene
marche extremement vîte.

Mais pour venir à des exemples de coques faites en terre
par des efpeces de chenilles qui ne fçavent ce que c'eft que
d'entrer fous terre que lorfqu'elles veulent fe transformer,
nous citerons cette chenille * verte & rafe de l'ortie, dont
nous avons déja parlé à l'occafion de fon papillon *, qui
eft de la claffe de ceux dont les antennes font à filets coniques, & qui ont une trompe, & dont les aîles paralleles au
plan de pofition, forment un triangle avec la tête, & font
un peu pliffées.

Une chenille * de la 1.re claffe, & rafe, d'une grandeur
un peu au-deffus de la mediocre, qui vit fur le bouillon
noir, fur le bouillon blanc, & fur la fcrophulaire, eft une
de celles qui fe font des coques de la forme d'un œuf,
épaiffes & bien compactes *. Cette chenille eft affés belle; le
fond de fa couleur eft un gris de perle un peu jaunâtre; elle a
des taches noires, qui font marquées auffi en noir dans la
gravure *; mais la gravure ne fait point voir de petites taches
d'un jaune-tendre, qui entourent les noires. Le jaune domine plus fur quelques-unes que fur d'autres. Les chenilles
de cette efpece que je faifois nourrir, font entrées en terre
vers la mi-Juillet. Leurs crifalides * font remarquables en ce
que la trompe du papillon n'y eft pas fimplement étenduë
comme elle l'eft dans les autres crifalides. Elle iroit jufques
au derriere, & par-delà, fi elle étoit entierement étenduë;
elle va en ligne droite jufques auprès du dernier anneau, là

elle

Marginal notes (left):
* Pl. 41.
* Fig. 13 & 14.

* Pl. 14.
Fig. 11.
* Fig. 12.

* Pl. 43.
Fig. 3 & 4.

* Pl. 43.
Fig. 5.

*Fig. 3 & 4.

* Pl. 43.
Fig. 8.

elle fe recourbe en deffous. La partie recourbée remonte vers la tête, & à la longueur de deux ou trois anneaux.

C'eft vers le quinze d'Avril que j'ai vû fortir de terre les premiers papillons que m'ont donnés ces chenilles *. Ils font de la feconde claffe des nocturnes, & du genre de ceux dont les aîles couvrent le corps en toit écrafé & arrondi. Les couleurs des aîles fuperieures font du brun & du gris-clair un peu jaunâtre, qui tire fur l'agathe. Il y a diverfes nuances de l'une & de l'autre couleur, qui font difpofées par des efpeces de traits qui vont de l'origine de l'aîle à fa bafe. Ils ne font point croifés par des ondes tranfverfales fi ordinaires aux autres aîles. Près du côté interieur de chaque aîle, il y a des nuances beaucoup plus brunes que le refte, qui font fouvent prendre les deux parties des aîles fuperieures qui fe touchent, pour le corps du papillon. Les aîles fuperieures * font affés étroites, & plus longues que les inferieures, qui n'ont qu'une couleur d'un blanc-jaunâtre avec un petit bordé brun. Une huppe * à large bafe, & qui fe termine en pointe, peut aider à faire reconnoître ce papillon. Quand il ouvre fes aîles *, il ne la montre point; il laiffe tomber les poils, qui, relevés, la forment, & alors elle difparoît entierement.

Une des chenilles précedentes du bouillon blanc & du bouillon noir, m'a mieux montré qu'aucune autre, l'artifice de leurs procedés pour la conftruction des coques. Je tirai la fienne du milieu de la terre, dans le temps où elle ne venoit que d'être finie, & où même fon interieur n'étoit pas encore fortifié *. Je la tirai rudement, avant que de l'avoir dégagée de tout ce qui l'environnoit; elle fe déchira; une portion en fut détachée; elle laiffa un vuide qui étoit bien le tiers de la furface exterieure. Je pofai cette coque maltraitée fur la terre, contenuë dans un poudrier, de maniere que l'ouverture faite par le déchirement n'étoit.

Tome I.   . **Dddd**

* Pl. 43. Fig. 9, 10 & 11.

* Pl. 43. Fig. 9.

* Fig. 10.

* Fig. 9.

* Pl. 43. Fig. 12.

ni en deſſous ni en deſſus. La chenille ne fut pas long-temps
à travailler à réparer le déſordre que j'avois fait, & quelque grand qu'il fût, elle parvint en moins de quatre heures à remettre ſa coque dans ſon premier état. Elle commença par en ſortir preſque entierement; elle ne laiſſa dedans que ſa partie poſterieure. Elle porta ſa tête auſſi loin
qu'il étoit neceſſaire, pour que ſes dents puſſent ſaiſir un
grain de terre *; dès qu'elles en furent chargées, elle rentra
dans l'interieur de ſa coque; elle y laiſſa le grain de terre,
& elle reſortit ſur le champ, comme la premiere fois, pour
prendre un ſecond grain de terre, qu'elle porta auſſi dans
l'interieur de la coque. C'eſt un manege que je lui vis
faire pendant plus d'une demi-heure de ſuite, & qu'elle fit
peut-être pendant plus d'une heure. Je remarquai que
c'étoit pourtant avec quelque choix qu'elle ſe chargeoit
d'un grain de terre; avant que de le ſaiſir, elle tâtoit à droite
& à gauche, pour reconnoître celui qui lui convenoit le
mieux. Après tout ce travail d'une heure, l'ouverture faite
à la coque étoit à peu-près la même. Il n'y avoit encore
eu que quelques grains de terre qu'elle avoit laiſſés ſur ſes
bords, & qu'elle y avoit arrêtés. Quelquefois au lieu de
porter le grain de terre dans l'interieur de la coque, elle
l'attachoit en quelque endroit du contour de l'ouverture,
mais cela arrivoit très-rarement; lors peut-être que la figure d'un grain, très-convenable à une certaine place, la
déterminoit à l'y poſer. Elle n'avoit donc, à proprement
parler, travaillé pendant une heure entiere, qu'à ramaſſer
& qu'à porter dans ſa coque la quantité de materiaux neceſſaire pour reparer la breche que j'y avois faite. Enfin, la
proviſion de materiaux étant raſſemblée, la chenille ne
ſongea plus qu'à les mettre en œuvre. Elle ne ſortit plus
de ſa coque; elle fut occupée pendant trois heures à les
employer. Elle commença par filer ſur un endroit de

* Pl. 43.
Fig. 12. t.

l'ouverture. Aprés y avoir mis une petite bande de toile
très-lâche, d'une espece de reseau, la tête quittoit les
bords de l'ouverture; la chenille rentroit entierement dans
sa coque, & la tête revenoit chargée d'un petit grain de
terre qu'elle engageoit * dans les fils de soye. Elle y engageoit de suite deux ou trois, ou un plus grand nombre de
grains, selon que la quantité des fils le permettoit. Elle les
y lioit aussi avec d'autres fils; après quoi elle tiroit des fils
sur les bords d'un autre endroit. En parcourant ainsi successivement tout le contour de l'ouverture, & en portant &
arrêtant des grains de terre dans les fils qui avoient été
étendus les derniers, elle rendoit le diametre de l'ouverture
de plus petit en plus petit. Souvent sa partie anterieure étoit
posée sur le bord d'une portion du contour de l'ouverture
qu'elle tenoit entre ses jambes, comme une chenille tient
une feuille qu'elle ronge. Cet endroit, quelquefois encore
trop mince & trop foible, pour porter une si grande partie du corps de l'animal, s'enfonçoit en dedans de la
coque; il perdoit sa rondeur. Bientôt la chenille la lui faisoit reprendre; elle rentroit dans la coque, & donnoit des
coups de tête contre la surface interieure de la partie enfoncée, elle la repoussoit en dehors; & à force de pareils
coups repetés, elle lui faisoit reprendre la courbure qu'elle
devoit avoir.

Ce qui me sembloit le plus curieux, étoit de sçavoir
comment elle acheveroit de boucher totalement l'ouverture dont elle avoit beaucoup diminué le diametre; car,
jusques là, ses procedés avoient demandé qu'elle mît sa
tête sur l'endroit du bord à qui elle vouloit ajoûter. Quand
il fut question de finir, de fermer entierement la coque, elle
sçut changer sa manœuvre. Lorsque l'ouverture fut reduite
à être un cercle de peu de lignes de diametre, elle tira des
fils d'un endroit du bord à un endroit opposé. Les fils

* Pl. 43.
Fig. 13.

Dddd ij

étoient dirigés comme les cordes d'un arc de cercle, &
elle remplit ainſi peu à peu tout l'eſpace de pareils fils.
Mais tous ces fils n'étoient pas paralleles les uns aux autres;
il y en avoit qui ſe croiſoient ſous differents angles; ainſi toute l'ouverture fut tapiſſée d'une toile peu ſerrée. Quoique
le dehors des coques ordinaires paroiſſe fait entierement
de terre, il ſembloit qu'il devoit y avoir un endroit de cette
coque raccommodée, qui ne ſeroit, & qui ne paroîtroit
bouché que par une toile de ſoye. Mais la chenille ſçavoit
le moyen de rendre ce même endroit ſemblable à tous les
autres. Elle n'avoit pas encore employé toute la terre
qu'elle avoit miſe en proviſion. Dès que la toile fut finie,
elle alla prendre un grain de cette terre entre ſes dents,
elle l'apporta contre la toile, & le pouſſant & le preſſant,
elle le fit paſſer au travers de ſes mailles, juſques ſur ſa ſurface exterieure. Ainſi ſucceſſivement, toute la toile fut
couverte de grains de terre. Peut-être qu'avant que de
contraindre un grain de terre à paſſer au travers de la toile,
elle l'entouroit d'un fil de ſoye, afin qu'il lui fût plus aiſé
de l'arrêter ſolidement. Mais c'eſt là une de ces manœuvres
qu'on ne peut que ſoupçonner. Enfin la chenille ne ſe contenta pas de rendre l'exterieur de cet endroit entierement
ſemblable à celui des autres; elle le fortifia interieurement,
elle y ajoûta ſucceſſivement des couches de grains de terre,
juſques à ce qu'il eût la ſolidité & l'épaiſſeur des autres endroits. C'eſt de quoi je voulus m'aſſûrer quand la coque
fut entierement finie. Je la coupai en deux, en faiſant
paſſer le tranchant du couteau par l'endroit qui avoit été
fermé le dernier, & je vis que la coupe de cet endroit n'é-
toit pas moins épaiſſe que celle des autres.

La claſſe des chenilles arpenteuſes qui n'ont que dix
jambes en tout, eſt très-nombreuſe, & peut ſeule fournir
un grand nombre d'exemples de chenilles qui vont faire

leurs coques en terre. Nous avons parlé ailleurs d'une arpenteufe de la biftorte *, & de fon papillon *, qui eft de
celles qui font leur coque de terre, & fous terre.

    Toutes les chenilles que nous venons de citer font ra-
fes; auffi ajoûterons-nous encore deux exemples de celles
qui font des coques fous terre; l'un d'une chenille demi-veluë, & l'autre d'une chenille très-veluë. Les Memoires précedents ont fait connoître en partie les deux efpeces dont
nous voulons parler. La premiere eft cette chenille * qui
porte une pyramide * charnuë fur le dos, & qui, tout du
long du milieu du dos, a une belle raye jaune. A chaque
côté de cette raye, il y en a une autre fur laquelle font
des taches de noir & de rougeâtre, nué en forme d'yeux.
Le deffous du ventre eft grisâtre. Elle eft des demi-veluës;
fur chaque anneau, au-deffous de la raye jaune, il y a une
efpece d'aigrette de quatre à cinq poils bruns. Des poils
blancs & plus courts partent d'au-deffous de la ligne des
jambes, & fe dirigent en bas; le crâne eft chargé de poils.
Elle mange, par préference, les feuilles d'abricotier & de
prunier, quoiqu'elle s'accommode, dans le befoin, de
celles de quelques autres arbres fruitiers, & même de celles
de divers arbuftes, comme de celles du rofier. Elle eft une
des premieres qui m'ait appris que lorfqu'on ne fçait point
encore l'hiftoire d'une chenille, on doit mettre de la
terre dans le poudrier où on la nourrit. Cette efpece
s'étoit extremement multipliée dans mon jardin; j'en
trouvois de refte fur les arbres, pour croire que je pouvois
me difpenfer du foin de les faire nourrir en chambre. Mais
je vis que j'avois eu tort; quand je voulus avoir de leurs
coques, ou de leurs crifalides pour connoître le papillon
qu'elles donnoient, je ne pus trouver ni coques ni crifalides. L'année fuivante, j'en mis un bon nombre dans de
grands poudriers, où j'avois cependant encore negligé de

Dddd iij

* Pl. 15.
Fig. 11 &
12.
* Fig. 13.

* Pl. 42.
Fig. 5 & 6.
* p.

leur donner de la terre. Les premieres qui fe voulurent
metamorphofer, m'apprirent à en pourvoir les autres. Elles
fe firent des coques, en liant avec des fils de foye les grains
d'excrements qui étoient au fond du poudrier; elles employoient ce qui pouvoit fuppléer à la terre qui leur manquoit. Il étoit aifé de voir qu'elles lioient les grains d'excrements les uns contre les autres avec des fils de foye; ainfi
fi nous ne fçavions pas d'ailleurs comment elles attachent
enfemble les grains de terre, ce fait fuffiroit pour nous en
inftruire. Lorfque je leur eus donné de la terre, celles qui
étoient près de fe metamorphofer la percerent, & allerent
bâtir, au milieu de cette terre, leurs coques *, qui font bien
faites & bien folides, & dont la furface interieure eft tapiffée d'une toile de foye très-fenfible. Elles ne font pas
long-temps à y perdre leur forme de chenille; mais le papillon refte plus de dix mois fous celle de crifalide.

* Pl. 42.
Fig. 9 & 10.

Le papillon * de cette chenille eft encore de la feconde
claffe des nocturnes, & du troifieme genre, ou du genre
de ceux dont la partie fuperieure des aîles fe moule fur le
corps, & dont le refte des mêmes aîles eft parallele au plan
de pofition. Le deffus de ces aîles eft un gris-blanc pointillé de brun, & marqué de taches d'un brun prefque noir,
qui imitent celles de l'hermine. Le deffous des aîles fuperieures & le deffous des inferieures, eft d'un gris-argenté,
fur lequel il fe trouve deux ou trois gros points bruns.

* Pl. 42.
Fig. 11.

Lorfque ce papillon marche, il a fouvent un port d'aîles *
different de celui qu'il a lorfqu'il eft en repos. Alors
les aîles inferieures font les feules qui approchent d'être
paralleles au plan de pofition; elles s'élevent même plus
qu'il ne faut pour cela. Mais il tient les aîles fuperieures
prefque perpendiculaires à ce même plan. Il ne les dreffe
pourtant pas au point de les amener à fe toucher l'une
l'autre; il refte entr'elles un efpace.

* Fig. 12.

La chenille que nous avons décrite ailleurs, & nommée *la lievre* *, à caufe de la vîteffe avec laquelle elle marche, ou *la chenille de la vigne,* parce qu'elle en mange les feuilles, quoiqu'elle aime encore mieux celles du coq dés jardins, eft très-couverte de poils roux; elle a dix aigrettes fur cha-que anneau, affés fournies de poils, & de poils affés longs. Je n'avois pas penfé que des chenilles fi veluës allaffent fous terre, où leurs poils fembloient devoir être tirés & arrachés. Faute apparemment d'avoir donné de la terre à celles-ci, toutes perirent chés moi, la premiere année que je voulus les nourrir, & toutes celles qu'un de mes amis nour-riffoit chés lui, y perirent de même. L'année fuivante je mis de la terre dans leurs poudriers; quand le temps de leur transformation approcha, elles entrerent dans cette terre, & y firent des coques. Les crifalides que j'ai ôtées de ces coques font petites par rapport à la grandeur de la chenille; elles font d'un beau noir-luifant; elles reftent tranquille-ment fous terre pendant tout l'hyver, & donnent une pha-lene dont nous parlerons dans un autre Memoire.

* Pl. 2. Fig. 16.

Nous devons encore dire un mot des coques qui ne font, pour ainfi dire, que des demi-coques de terre: une efpece de chenilles à corne fur le derriere, qui vit du caille-lait*, & qui fe transforme en un papillon-épervier, ou bourdon, nous a déja donné occafion de faire reprefenter une de ces fortes de coques*; il n'y a que le fond & une partie du contour de la coque qui foient de terre. Ces chenilles creufent peu avant, & elles ne creufent que pour faire une cavité égale à peu-près à celle de la moitié de leur coque; pour la ren-fermer, pour en former le deffus ou la voute, elles fe fer-vent des racines & des petites branches d'herbes, qui font à la furface de la terre; elles les lient bien enfemble avec une toile de foye affés épaiffe; elles portent même contre cette toile, & y arrêtent divers grains de terre. Plufieurs de ces

* Pl. 12. Fig. 1.

* Pl. 12. Fig. 2.

chenilles du caille-lait ont fait de ces efpeces de coques
contre les parois de mes poudriers, qui étoient très-bien
conftruites.

Il nous refte encore à examiner une efpece de coque de
terre, dont la conftruction femble éxiger plus de génie &
plus d'induftrie que la conftruction de celles dont nous
venons de parler. Les chenilles ne les bâtiffent pas dans la
terre. Quelquefois j'ai trouvé une de ces coques fur une
des feuilles qui avoient été données à la chenille * pour
aliment. Quelquefois j'en ai trouvé d'attachées contre les
parois, & contre le haut des parois du poudrier * dans
lequel la chenille étoit renfermée. Elle avoit donc été
obligée d'aller chercher au fond du poudrier, & de tranfporter affés haut toute la terre neceffaire pour bâtir fa
coque. Le travail qu'il lui en avoit coûté ne fut pas pourtant ce qui me toucha le plus, la premiere fois que je vis
une de ces coques. Les autres coques de terre dont nous
avons parlé, font raboteufes, ou au moins grainées par
dehors. La furface exterieure de celle-ci étoit liffe & polie,
comme l'eft celle d'une terre fine qu'on a pris plaifir à polir
pendant qu'elle eft humectée à confiftance de pâte; & la
furface exterieure avoit par tout ce même poli; c'eft ce qui
faifoit mon embarras. Je n'imaginois pas comment la chenille, qui devoit être renfermée dans fa coque au moins
pendant qu'elle achevoit d'en faire une grande partie, parvenoit à polir également toute fa furface exterieure. On
voyoit quelques fils * par lefquels la coque étoit attachée au
corps qui lui fervoit d'appui, c'eft-à-dire, au poudrier,
ou à la feuille contre laquelle pourtant elle étoit exactement appliquée.

Des chenilles de deux efpeces differentes m'ont fait de
ces fortes de coques, & peut-être y en a-t-il beaucoup
d'autres qui en font de pareilles. J'ai trouvé fur le chêne,

&

* Pl. 44.
Fig. 9.

* Fig. 8.

* Fig. 8.
ffff.

& feulement fur le chêne, la premiere des chenilles dont je
veux parler *; elle a de chaque côté une raye ondée de taches blanches, & eft d'ailleurs d'un roux qui lui donne quelque air de la commune; mais elle eft plus éfilée. Les rayes
blanches font immediatement fur fa peau; elles ne font
point dûës, comme celles de la commune, à des plaques
de poils. Enfin, fes poils qui font roux ne font point diftribués par aigrettes, comme ceux de la commune; ils
partent feparement de differents endroits de fa peau, dont
la couleur eft d'un brun-noir dans tous les endroits où les
rayes blanches ne paffent pas. J'ai eu cette chenille le premier May, & elle fit fa coque le 24 du même mois.

   Le pommier & le chêne m'ont fourni deux chenilles *
qui n'avoient entr'elles que de legeres varietés, & que j'ai
regardées comme des chenilles de la même efpece, depuis
que j'ai eu les papillons de l'une & de l'autre, qui étoient
encore plus femblables entr'eux que les chenilles qui les
avoient donnés. Cette efpece de chenilles eft un peu plus
grande que celles de grandeur mediocre. Elle a quatre tubercules fur chaque anneau *, d'où partent des poils roux
mediocrement longs. D'autres poils partent immediatement de differents endroits de fa peau, mais ils la cachent
peu; elle eft affés bien colorée. Ce qu'elle a de plus remarquable, & ce qui la rend une affés belle chenille, c'eft une
raye tranfverfale de couleur de fouci, qui borde la demi-
circonference fuperieure de chaque anneau, & qui fe recourbe de chaque côté pour fuivre une partie de la largeur
de l'anneau. La chenille qui a vêcu de feuilles de pommier *, avoit tout du long du corps une raye formée de taches blanches, que celle du chêne * n'avoit pas, celle-ci, en
revanche, a eu fur les côtés, avant fa derniere muë, des taches rondes d'un blanc-bleuâtre, & fouvent prefque bleuës.
Le refte de la peau de ces chenilles eft brun.

Tome I.   . E e e e

* Pl. 44.
Fig. 14.

* Pl. 44.
Fig. 5 & 7.

* Fig. 6.

* Fig. 5.

* Fig. 7.

Trois chenilles, fçavoir, celle que je n'avois trouvée que sur le chêne *, & deux de celles qui vivent de feuilles de chêne, & de feuilles de pommier *, firent leurs coques dans les poudriers à peu-près dans le même temps & aux mêmes heures, qu'elles choifirent mal pour moi. Elles les commencerent pendant la nuit, & lorfque je les vis le matin, elles les avoient finies, & elles ne venoient que de les finir. Deux m'offrirent une circonftance remarquable; la terre dont elles étoient faites étoit encore toute mouillée, elle n'avoit que la confiftance de bouë. Cependant la terre des poudriers dans lefquels ces chenilles avoient vêcu, étoit feche; les chenilles avoient donc bien amolli & bien humecté celle qu'elles avoient mife en œuvre.

Peu après que j'eus vû ces coques, il me vint une chenille du pommier *, que je me promis de bien épier. Après avoir bien mangé pendant une journée, après avoir dévoré plus de la moitié d'une très-grande feuille de pommier, le lendemain elle ne voulut plus toucher à une feuille nouvelle que je lui offris. Ce dégoût m'apprit que le temps de fa metamorphofe approchoit; auffi obfervai-je, dès les huit heures du matin, du jour fuivant, qu'elle fe mettoit à l'ouvrage. Elle tiroit fur une feuille des fils qui me parurent d'abord difpofés fans ordre; mais ceux qu'elle fila dans la fuite formerent un tout, qui avoit les contours & la figure d'une coque oblongue. Ce travail alla affés doucement jufqu'à deux heures après midi, que je ceffai de l'obferver pour me mettre à table. A la fin d'un dîner de durée ordinaire, de moins d'une heure, je quittai la compagnie, pour aller revoir ma chenille. Il étoit temps d'arriver, je n'avois pas compté qu'elle eût fait tant de befogne en fi peu de temps. Elle en avoit fait plus que je n'euffe voulu; la coque étoit prefque finie; fi j'euffe tardé moins d'un quart d'heure, un artifice que j'avois envie de voir m'eût

échappé. Les trois quarts de la terre étoient employés,
mais le quart qui reftoit à employer me fit voir les procedés effentiels, & me mit en état de fçavoir en quoi confiftoient ceux que je n'avois pas vûs. Ce qui étoit effentiel,
étoit de fçavoir comment cette chenille pouvoit faire tous
les dehors de fa coque d'une terre liffe & polie. Le procedé par lequel elle y parvient eft cependant bien fimple;
il reffemble en quelque chofe à ceux que nous employons
pour faire des ouvrages de torchis, de ces efpeces de murs
de terre molle appliquée fur des grillages de bois, & fur
des paquets de foin cordé. Pour reprendre le travail de
notre chenille où nous l'avons laiffé, elle fe fait une coque
de foye, dont le tiffu eft peu ferré, ce n'eft qu'une efpece de
grillage deftiné à foûtenir la terre. Quand cette coque ou
bâtis de foye eft avancé à un certain point, la chenille va
chercher de la terre ; elle en porte à differentes reprifes dans
fa coque, jufqu'à ce qu'elle y en ait fait un amas qui puiffe
fuffire à l'édifice qu'elle medite, s'il eft permis de parler de
la forte. Sa provifion de terre étant faite, elle acheve de
fermer fa coque de foye, d'où elle ne doit plus fortir que
fous la forme de papillon. Elle prend alors quelques parcelles de la terre qu'elle a mife en provifion ; elles les humecte avec une eau que fa bouche fournit ; elle applique
cette terre ramollie contre les parois interieures du grillage
de foye, elle la preffe contre ce grillage. La terre delayée
à la confiftance d'une bouë très liquide, paffe au travers
du refeau de foye contre lequel elle eft preffée ; elle arrive
fur fa furface exterieure, elle s'y étend, & y prend un uni,
un poli, qu'a toûjours la furface d'une terre fine, qui a
été renduë liquide, & à qui il a été permis de s'étendre librement, & de fecher peu à peu. Lorfque je vins, après
dîner, pour voir l'état de la coque de notre chenille, près
des trois quarts de fa furface avoient déja été couverts de

Eeee ij

terre, mais le dernier quart fut couvert de terre sous mes
yeux, & cela en quelques minutes. Je vis que la chenille
frottoit avec vitesse le dessous de sa teste contre les parois
interieures de la coque, elle les enduisoit de terre, & forçoit
en même temps la terre la plus liquide, la mieux délayée, à
passer au travers du reseau de soye, sur lequel elle couloit,
& s'étendoit dans l'instant. La coque de soye se trouve donc
ainsi renfermée entre deux couches de terre.

Comme je n'avois pas suivi la chenille dans le temps
où elle portoit la terre dans sa coque, je ne lui donnai pas
le temps d'achever de l'enduire entierement. J'ouvris la
coque avec des ciseaux pour voir s'il y restoit encore de
la terre à employer, & si cette terre étoit actuellement délayée. J'y en trouvai peu de reste, mais une quantité suffisante pour le petit espace qui restoit à couvrir. Cette terre
étoit à peu près aussi seche que celle du reste du poudrier.
D'où il suit que la chenille ne la détrempe qu'à mesure
qu'elle la met en œuvre. Tout ce qui m'a échappé est
donc ce temps du travail où la chenille étoit occupée à
porter la terre dans sa coque, mais ce que nous avons vû
pratiquer à une chenille du bouillon blanc, que nous avions
mise dans la necessité de reparer les desordres que nous
avions faits à la sienne, ne nous laisse rien à desirer sur ce
qui regarde le transport des grains de terre.

Après avoir ouvert la coque j'en tirai la chenille. Elle
eut encore assés de force pour s'en faire une nouvelle,
mais ce fut pendant la nuit. Celle-ci n'étoit que legerement couverte de terre, la soye paroissoit presque par
tout. Il n'étoit pas resté assés d'eau à la chenille pour suffire à humecter la quantité de terre qui eût été necessaire
pour bien enduire tout le tissu de soye, tant par-dessus,
que par-dessous.

De trois coques, faites par les chenilles des Figures 5

& 7, sont sortis trois phalenes parfaitement semblables *, * Pl. 44,
Fig. 10.
toutes trois femelles, & qui ne sont pas propres à s'attirer
de l'attention. Je les trouvai nées & mortes à la fin d'Octobre, au retour d'un voyage que j'avois fait en Poitou pendant les vacances. Le dessus de leurs aîles superieures est
d'un gris qui tire sur le cendré. Sur chacune il y a seulement deux rayes plus blanchâtres, paralleles à la base. Les * Fig. 11.
antennes de ces femelles * sont dentellées, ce qui apprend
que leurs mâles doivent porter de veritables antennes à
barbes de plumes. Je suis incertain si elles ont une trompe,
& par consequent à quelle classe de phalenes elles appartiennent. Mais je n'ai point eu le papillon de la chenille
de la figure 14, il a peri dans sa coque.

Il y a des coques de pure soye dont nous n'avons encore rien dit, parce que leurs figures reviennent aux figures
de quelques-unes de celles dont nous avons parlé, qui sont
arrangées d'une maniere que nous devons faire remarquer :
au lieu que les autres sont dispersées çà & là, plusieurs de
ces coques réünies forment un seul paquet, & quelquefois
une espece de grand gâteau. Il y en a quelquefois des
centaines exactement appliquées les unes contre les autres, & allignées de façon, que les bouts des unes n'excedent point les bouts des autres. On trouve de ces
coques renfermées sous une enveloppe commune, & on
en trouve qui n'ont point cette enveloppe. Mais il suffit
d'avoir indiqué cet arrangement, le temps d'expliquer
comment il se fait, viendra lorsque nous ébaucherons
l'histoire des chenilles qui vivent en societé.

Les coques de nos chenilles doivent encore nous apprendre à ne pas prononcer legerement sur le détail, pour
ainsi dire, des causes finales. Les chenilles qui se renferment dans les plus fortes coques sembleroient être celles
qui doivent se metamorphoser le plûtard en papillon;

E e e e iij

être celles qui ont besoin de se faire un fort étui pour se deffendre contre les injures de l'hiver. On n'a pas manqué d'en louer la prévoyance de la nature, qui ne sçauroit assûrement être assés louée sur tout ce qu'elle a fait pour la conservation & la multiplication des animaux. Mais ici, comme dans beaucoup d'autres cas, on a substitué de faux éloges aux vrais. Les coques des vers à soye sont des plus épaisses, de celles qui couvrent mieux le papillon qui y est renfermé sous la forme de crisalide, il en sort pourtant au bout de vingt jours. Au lieu que quantité de crisalides passent l'hiver dans des coques très-minces, ou même sans coques, comme plusieurs de nos crisalides angulaires le passent sous l'entablement d'un édifice, exposées à toutes les rigueurs du froid. La nature a sçû donner à leur corps, quoique délicat en apparence, la force de resister à toutes les injures de l'air, mais ce n'est pas par le plus ou le moins d'épaisseur de leurs coques qu'elle parvient à les conserver, comme on se l'est imaginé.

EXPLICATION DES FIGURES
DU TREIZIEME MEMOIRE.

PLANCHE XXXVII.

LA Figure 1, est celle d'une petite chenille trouvée sur le mouron, & qui se nourrit de ses feuilles; elle est rase. Quoiqu'elle ait seize jambes, elle marche à la maniere des arpenteuses. Elle porte deux petites cornes en devant de la tête. Le contour superieur de la plus grande partie de ses anneaux n'est pas circulaire.

La Figure 2, est celle de la coque que s'est faite cette chenille, en liant ensemble diverses petites branches, & des feuilles de mouron, avec une soye blanche.

La Figure 3, est celle du papillon nocturne qui est sorti de la coque, Fig. 2. vers la fin de Juillet, c'est-à-dire, environ un an après que la coque a été faite.

La Figure 4. est celle d'une chenille qui se trouve dans le mois d'Aoust, & vers le commencement de Septembre sur la linaire, & que la forme de son corps nous a fait appeller *la sang-suë*.

La Figure 5, est celle de la coque que se fait cette chenille, en ajustant les unes auprès des autres des feuilles de linaire, avec ordre, & les assujettissant avec des fils de soye.

Les Figures 6 & 7, sont celles de la phalene que m'a donnée cette chenille, & qui est sortie de la coque vers la fin de Juin de l'année suivante. Elle est de la 2.de classe, elle a des antennes à filets coniques, & une trompe; elle est du genre de celles qui portent leur aîles en toit assés élevé.

La Figure 8, & la Figure 15, sont celles d'une chenille veluë qui vit sur le titimale à feuilles de cyprès, que je n'ai trouvée que dans le mois d'Octobre.

La Figure 9, donne la coupe d'un des anneaux de cette chenille, & fait voir qu'elle a sur chaque anneau dix aigrettes de poils.

La Figure 10, est celle de la coque que se fait cette chenille, avec des feuilles de titimale très-bien arrangées, & liées par des fils.

La Figure 11, est celle d'une chenille veluë que j'ai trouvée sur l'ortie, & qui pendant quatre à cinq jours, n'en a mangé que les graines. Elle est semblable à une autre que j'ai eue sur l'aristoloche, & elle est peut-être la même. Elle a sur chaque anneau huit aigrettes de poils, courts & roux.

La Figure 12, est celle de la coque que s'est faite cette chenille, avec differents morceaux de papier qu'elle a détachés du couvercle du poudrier. Le papillon nocturne

qui eſt ſorti de cette coque l'année ſuivante au commencement d'Aouſt, eſt repreſenté Pl. 15. Fig. 6.

La Figure 13, eſt celle d'une chenille très-raſe, qui vit
de mouſſe d'arbres.

La Figure 14, eſt celle de la coque dans laquelle cette
chenille s'eſt renfermée.

La Figure 15, eſt celle de la chenille du titimale de la
Fig. 8. dans un autre point de vûë.

PLANCHE XXXVIII.

La Figure 1, fait voir une petite coque parquetée, ou
la coque faite de petits carreaux de peau, de grandeur naturelle.

c d, cette coque.

La Figure 2, repreſente la même coque groſſie au
microſcope.

La Figure 3, fait voir, en grand, comment la chenille
conduit le travail de cette coque.

a b e, a b e, les deux lames triangulaires qui doivent enſemble, avec partie de la tige de l'arbre *a a e e,*
former la coque. Elles ſont diſpoſées ici comme
les plumes d'une fleche renverſée. On voit que
la partie de la tige *a a e e,* eſt couverte de petits
carreaux de peau, de même figure que ceux qui
compoſent les lames triangulaires.

La Figure 4, montre la même coque des Figures précedentes en grand, & dans un autre point de vûë; les
lames triangulaires *a b e, a b e,* n'y ſont pas dans un même
plan, comme elles paroiſſent y être dans la Fig. 3.

La Figure 5, eſt en grand celle d'un des petits morceaux, ou carreaux de peau, dont les lames *a b e,* ſont
compoſées.

La Fig. 6, eſt encore en grand celle d'une coque qui
commence

commence à prendre forme; les deux côtés *b e, b e,* ont été rapprochés, & attachés l'un contre l'autre. Pour finir la coque, il ne manque plus que de réunir les côtés *a b, a b.*

La Figure 7, repreſente une feuille de chêne, ſur laquelle ſont deux coques en bateau, de figure ſemblable, mais vûës en des poſitions differentes. *g, h,* ces coques, qui ſont de ſoye blanche.

La Figure 8, eſt celle d'un papillon ſorti au commencement de Juillet, d'une des coques de la Fig. 7. J'ai négligé de m'aſſurer s'il avoit une trompe; il eſt d'un genre très-connoiſſable, une des aîles ſuperieures ſe recourbe ſur le corps, & paſſe du côté oppoſé; de ſorte qu'elle couvre une très-grande partie de l'autre aîle ſuperieure.

La Figure 9, eſt celle du même papillon qui a ſes deux aîles ſuperieures étenduës; elles ſont d'un gris brun.

P L A N C H E XXXIX.

La Figure 1, eſt celle d'une chenille veluë, au-deſſous de la grandeur médiocre, à ſeize jambes, qui recouvre ſa coque de fragments de pierres tendres.

La Figure 2, eſt celle de la coque de cette chenille. La partie obſcure *o o,* eſt celle qui étoit appliquée contre le poudrier.

La Figure 3, eſt celle du papillon de cette chenille. Il eſt de la ſeconde claſſe des phalenes; il a une trompe, & des antennes à filets coniques: il porte ſes aîles preſque horiſontalement.

La Figure 4, eſt celle de la même phalene, vûë du côté du ventre.

La Figure 5, eſt celle d'une petite chenille raſe à ſeize jambes, qui lie enſemble les feuilles de certaines eſpeces d'oſier, & qui ſe fait une coque en bateau.

Tome I.   F f f f

La Figure 6, fait voir une coque en bateau de la chenille, Fig. 5, attachée contre une tige d'osier.

La Figure 7, est celle d'une autre coque en bateau, de soye brune, qui a été faite à la fin d'Octobre, par une chenille verte du chêne.

La Figure 8, est celle d'une feuille de chêne, sur laquelle il y a une coque en bateau, d'une forme differente de celles des Fig. 6 & 7.

La Figure 9, est une coque en bateau, semblable à celle de la Fig. 8.

La Figure 10, est celle de la chenille qui a construit sous mes yeux la coque des Fig. 8 & 9, & qui en construit de mieux faites, telles que celle de la Fig. 11.

La Figure 11, est celle d'une de ces coques en bateau, qui ont par-dessus une arrête, *p o*.

La Figure 12, est celle de la coque en bateau de la Fig. 11, dont le papillon est sorti. *o r*, y marque l'ouverture qui lui a donné passage.

La Figure 13, est la phalene de la chenille de la Fig. 10, sortie d'une coque telle que celle de la Fig. 12. Le toit de ses aîles est à vive-arrête, & assés élevé, quoiqu'il ait une base large. Il est de la seconde classe; sa trompe est blanche.

La Figure 14, est celle du même papillon nocturne, vû par-dessous.

PLANCHE XL.

Les Figures 1, 2, 3, 4, 5, 6, representent la chenille de la Fig. 10. Pl. 39. occupée à se faire une coque en bateau, telle que celles des Fig. 8, 9, 11 & 12, de la même Pl. 39. Elles font voir cette coque en differents états, depuis que la chenille a commencé à lui faire prendre forme, jusqu'à ce qu'elle l'ait finie.

La Figure 1, fait voir la coque en bateau commencée, mais peu avancée encore. La chenille est placée entre deux especes de coquilles ou de calottes de soye.

c p, *d p*, ces deux coquilles, ou calottes de soye.

La Figure 2, represente les deux coquilles, *c p*, *d p*, devenuës plus grandes que celles de la Fig. 1. La tête *a*, de la chenille applique des mailles de fils en *c*, pour étendre encore la calotte *c p*.

La Figure 3, fait voir la chenille qui s'est retournée bout par bout, & dont la tête est occupée à attacher l'une contre l'autre, vers *p*, les deux coquilles.

Dans la Figure 4, on voit les deux coquilles écartées l'une de l'autre, & la chenille, *a p*, étenduë vis-à-vis l'espace qui reste entre le bord superieur de l'une & celui de l'autre. Cet espace doit être rempli par une lame d'un tissu soyeux, semblable à celui des coquilles, & la chenille commence à y travailler vers *p*.

La Figure 5, montre encore la coque dans un état plus avancé; l'espace *a p*, qui est entre les coquilles *a c p*, *a d p*, est rempli par un tissu de soye, mince pourtant encore, & qui laisse voir le corps de la chenille.

La Figure 6, represente la coque de côté; sa transparence permet de voir la chenille, dont la tête est vers la pointe *p*, de la coque, & dont la partie posterieure, plus élevée, & recourbée à angle droit, forme une espece de moule, qui force la coque à devenir plus élevée par le bout *a f*, que par le bout *p*.

La Figure 7, est celle d'une chenille verte & rase du chêne, du genre de celles dont la partie anterieure est plus grosse que la posterieure, qui a filé devant moi une coque en bateau, vers le 15. d'Octobre.

La Figure 8, est celle de la coque en bateau, de la chenille de la Fig. 7.

F fff ij

La Figure 9, fait voir cette chenille occupée à filer sa coque; elle commence comme celle dont nous avons parlé ci-deſſus, par faire deux coquilles de ſoye.

La Figure 10, repreſente en grand une petite portion du bord d'une coque en bateau, où l'on voit que la ſoye forme des mailles.

La Figure 11, eſt celle d'une chenille raſe de la luzerne, qui entre en terre pour ſe metamorphoſer; mais qui n'employe point de ſoye, ou qui n'en employe pas ſenſiblement à la conſtruction de la coque qu'elle ſe fait en terre.

La Figure 12, eſt celle du papillon nocturne de la chenille de la Fig. 11. Il eſt de la ſeconde claſſe, ayant ſes antennes à filets coniques, & une trompe.

La Figure 13, fait voir la même phalene par-deſſous.

La Figure 14, eſt celle d'une chenille raſe de l'oſeille, qui entre auſſi en terre pour s'y metamorphoſer, mais qui n'employe point, ou qui employe très-peu de ſoye à s'y conſtruire une coque.

La Figure 15, eſt le papillon nocturne de la chenille précedente, il eſt de la ſeconde claſſe; il étoit mort lorſqu'il a été deſſiné. Le verd eſt la couleur qui domine ſur ſes aîles.

La Figure 16, eſt celle d'une chenille verte & raſe, qui fait ſouvent beaucoup de deſordre dans les champs de navets.

La Figure 17, eſt celle de la phalene de la chenille de la Fig. 16.

PLANCHE XLI.

La Figure 1, eſt celle d'une chenille verte du chou, qui ſe tient ordinairement en terre pendant le jour, & qui en ſort la nuit pour venir manger. Elle lie aſſés mal les

grains de terre dont elle fait une coque, où elle se transforme en crisalide.

La Figure 2, represente la crisalide de cette chenille,
posée sur un fragment de sa coque.

La Figure 3, est celle du papillon nocturne de cette
chenille, il est de la seconde classe, & du genre de ceux qui
portent leurs aîles paralleles au plan de position, & qui
ont sur le corcelet des huppes de poils.

Les Figures 4 & 6, representent étenduës deux chenilles rases, qui different peu entre elles, qui se tiennent
assés volontiers en terre, & qui mangent les tiges, & les
racines des laituës.

Les Fig. 5 & 7, font voir les mêmes chenilles roulées.

La Fig. 8, est celle de la crisalide d'une de ces chenilles.

La Figure 9, est celle d'une petite motte de grumeaux
de terre, au milieu de laquelle se trouve la crisalide de la
chenille.

La Figure 10, est celle de la motte de terre de la Fig. 9.
ouverte. c, la crisalide qui y est renfermée, vûë par-dessus.
d, la dépouille de la chenille.

La Figure 11, est celle du papillon nocturne, qui sort
de la crisalide, Fig. 8 & 10. Il est de la seconde classe, &
du genre de ceux qui portent les aîles superieures croisées,
& paralleles au plan de position.

La Figure 12, est celle d'une aîle de dessous étenduë,
de la phalene de la Fig. 11.

La Figure 13, est celle de la même aîle pliée, comme
elle l'est lorsque le papillon est en repos, & vûë par-dessus,
ou du côté des plis.

La Figure 14, est la même aîle pliée, mais vûë du côté,
où une partie pliée couvre les autres plis.

Ffff iij

Planche XLII.

Les Figures 1 & 2, font celles d'une chenille rafe & brune du chou, raccourcie dans la Fig. 1. comme elle l'eft lorfqu'elle eft en repos, & allongée dans la Fig. 2. Differentes nuances de brun la marquetent affés joliment; elle eft de celles qui fe tiennent en terre pendant le jour.

La Figure 3, fait voir la crifalide de cette chenille, pofée fur un fragment de coque de terre, dont les parties font peu liées.

La Figure 4, eft celle du papillon nocturne de cette chenille; il eft de la feconde claffe; il porte fes aîles parallelement au plan de pofition, elles prennent pourtant un peu l'empreinte du corps. Il porte fur le corcelet quatre huppes, dont la quatrieme eft peu fenfible.

La Figure 5, eft celle d'une chenille de l'abricotier, & du prunier, demi veluë, qui eft caractérifée par la piramide, ou le haut tubercule charnu qu'elle porte fur le quatrieme anneau. *p,* la piramide, ou le tubercule charnu. La chenille eft ici dans une attitude qui lui eft affés ordinaire.

La Figure 6, eft celle de la même chenille plus allongée.

La Figure 7, eft celle de la piramide charnuë, marquée *p,* Fig. 5 & 6, repréfentée plus grande que nature.

La Figure 8, eft celle de la bafe de la piramide, dont la partie fuperieure a été coupée, pour faire voir que l'interieur eft folide.

La Figure 9, eft celle de la coque d'une des chenilles, Fig. 5 & 6, compofée de grains de terre très-bien liés enfemble.

La Figure 10, fait voir la même coque ouverte par un bout.

La Figure 11, est celle de la phalene sortie de la coque, Fig. 10. Elle est de la 2.de classe; lorsqu'elle est tranquille, la partie superieure des aîles se moule sur le corps, & le reste est parallele au plan de position, ainsi elle appartient au troisieme genre de port d'aîles horisontales.

La Figure 12, fait voir le même papillon dans des temps où il marche, ou dans des temps où il n'est pas tranquille. Alors il tient ses aîles superieures élevées, mais pourtant distantes l'une de l'autre, & les deux inferieures presque horisontales.

La Figure 13, est celle de la crisalide d'où sort ce papillon, vûë du côté du dos.

La Figure 14, fait voir la même crisalide, du côté du ventre. La grandeur de cette crisalide ne feroit pas attendre un aussi grand papillon que celui qui en sort.

La Figure 15, represente, en grand, le bout du derriere d'une des crisalides des Figures 13 & 14.

La Figure 16, fait voir encore plus en grand, deux crochets semblables à ceux dont il y a un paquet au bout du derriere des crisalides, Figures 13, 14 & 15.

PLANCHE XLIII.

Les Figures 1 & 2, sont celles d'une même coque, representée droite & couchée, qui étoit faite d'une portion de feuille de figuier, à qui la chenille avoit fait prendre cette forme. Une lame circulaire, coupée d'une pareille feuille, bouchoit le bout *bb* de la coque. Je ne connois point la chenille qui l'a construite.

Les Figures 3 & 4, sont celles d'une assés belle chenille rase à seize jambes, qui vit des feuilles de la scrophulaire, de celles du bouillon blanc & du bouillon noir.

La Figure 5, est celle d'une coque que cette chenille

se fait de terre & en terre. Elle est souvent très-solide.

La Figure 6, fait voir cette coque ouverte par le bout, elle en montre l'épaisseur. La partie *e* a été enlevée.

La Figure 7, est celle d'une autre coque d'une semblable chenille, ouverte dans un autre sens. Cette coque étoit moins épaisse que celle de la Figure 6.

La Figure 8, est celle de la crisalide de la chenille des Fig. 3 & 4, dont le caractere est d'avoir sa trompe coudée en *t*, d'où elle retourne vers la tête.

La Figure 9, est celle de la phalene sortie de la crisalide Fig. 8, ayant les aîles ouvertes. Elle est de la seconde classe.

La Figure 10, est celle du même papillon nocturne, en repos. Alors il porte ses aîles en toit arrondi & écrasé. Les couleurs du côté interieur de ses aîles superieures sont des bruns distribués de maniere à faire croire que l'aîle se termine où ces bruns commencent, & à faire prendre pour le dessus du corps, les bords des deux aîles superieures. Ce qui caractérise encore ce papillon, c'est une huppe *hl*, dont la base est large, & qui, après s'être assés élevée, se termine par une pointe fine; il ne la fait pas toujours paroître. Dans la Figure 9, il n'en paroît aucun vestige, tant le papillon la tient abbaissée.

La Figure 11, est celle du même papillon, vû du côté du ventre.

La Figure 12, fait voir une coque telle que celle de la Fig. 5, dont j'emportai une partie considerable, après que la chenille l'eut finie. La chenille va prendre des grains de terre dans le tas de terre *t*, pour reparer la breche.

La Figure 13, represente la coque de la Fig. 12, dont l'ouverture a déja été bouchée en partie, & où la chenille est occupée à attacher des grains de terre sur les bords de cette ouverture.

Planche

PLANCHE XLIV.

Les Figures 1, 2, 3 & 4, font celles de coques trouvées dans une balle de fené venuë de Moka, & faites par une chenille rafe à feize jambes. *p*, Fig. 1 & 2, le pedicule par lequel cette coque étoit attachée à une petite branche de tragacantha. *b*, le gros bout de la coque. *c*, le petit bout par lequel le papillon étoit forti.

La Figure 4, eft celle d'une de ces coques, qui a été ouverte tout du long, pour montrer l'épaiffeur des parois.

Les Figures 5 & 7, font celles de deux chenilles de la même efpece, en differentes attitudes, & qui ont quelques legeres varietés de couleur. Celles de la Figure 5, ont été trouvées fur le pommier, & ont été nourries de fes feuilles. Celles de la Figure 7, ont été trouvées fur le chêne, & nourries des feuilles de cet arbre.

La Figure 6, eft une portion d'anneau d'une de ces chenilles, fur lequel, outre deux tubercules qui portent des poils, il y a d'autres poils qui partent immediatement de differents endroits de la peau.

La Figure 8, eft celle d'une coque de terre qu'une des chenilles telles que celles de la Figure 5, a conftruite fur les parois du poudrier, où elle l'a attachée par des fils *ffff*.

La Figure 9, eft celle d'une autre coque de terre qu'une chenille telle que celle de la Figure 7, a faite, & attachée fur une feuille de chêne.

La Figure 10, eft celle du papillon nocturne, qui m'eft forti des coqués des Figures 8 & 9. J'en ai eu trois, qui tous trois étoient femelles.

La Figure 11, reprefente en grand une antenne du papillon de la Figure 10, qui fait voir que le mâle doit avoir fes antennes à barbes. Ils font du genre de ceux qui portent leurs aîles un peu pendantes, & prefque paralleles au plan de pofition.

La Figure 12, eft celle d'un tas d'œufs de cette phalene; ils font bruns. Elle les couvre de poils.

La Figure 13, eft celle d'un des mêmes œufs, en grand.

La Figure 14, eft celle d'une chenille du chêne, qui a quelque air de la commune, ayant les poils du même roux; mais ils partent immediatement de differents endroits de la peau, & n'ont point des tubercules pour bafes.

La Figure 15, eft celle d'une coque de terre que cette chenille a bâtie fur une feuille de chêne.

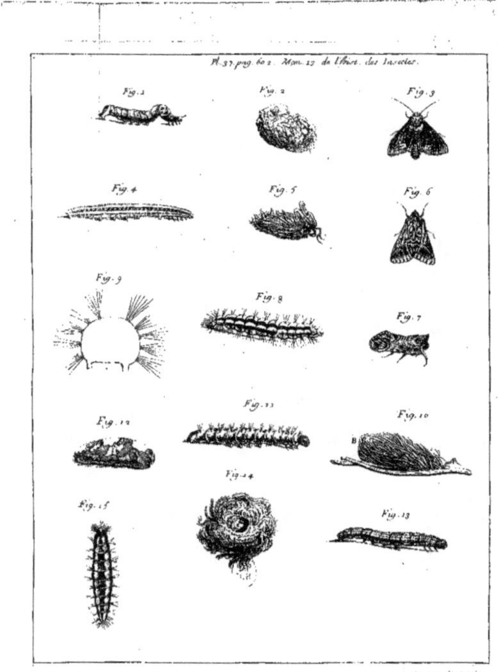

Pl. 37. pag. 602. Mém. 13 de l'Hist. des Insectes.
Fig. 1
Fig. 2
Fig. 3
Fig. 4
Fig. 5
Fig. 6
Fig. 9
Fig. 8
Fig. 7
Fig. 12
Fig. 11
Fig. 10
Fig. 15
Fig. 14
Fig. 13

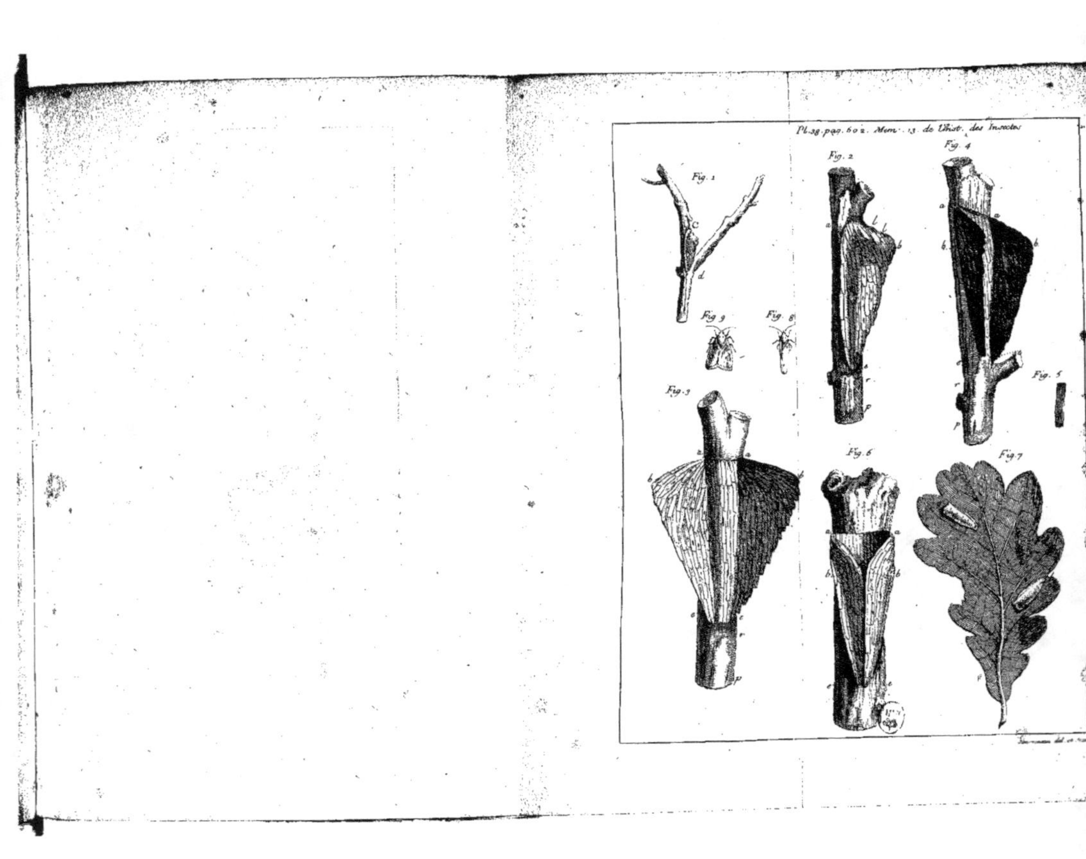

Pl. 38. pag. 602. Mem. 13. de l'Hist. des Insectes
Fig. 1
Fig. 2
Fig. 4
Fig. 9
Fig. 8
Fig. 5
Fig. 3
Fig. 6
Fig. 7

Pl. 39. pag. 602. Mem. 13. de l'Hist. des Insectes
Fig. 1
Fig. 2
Fig. 8
Fig. 3
Fig. 4
Fig. 5
Fig. 6
Fig. 7
Fig. 9
Fig. 11
Fig. 10
Fig. 12
Fig. 14
Fig. 13

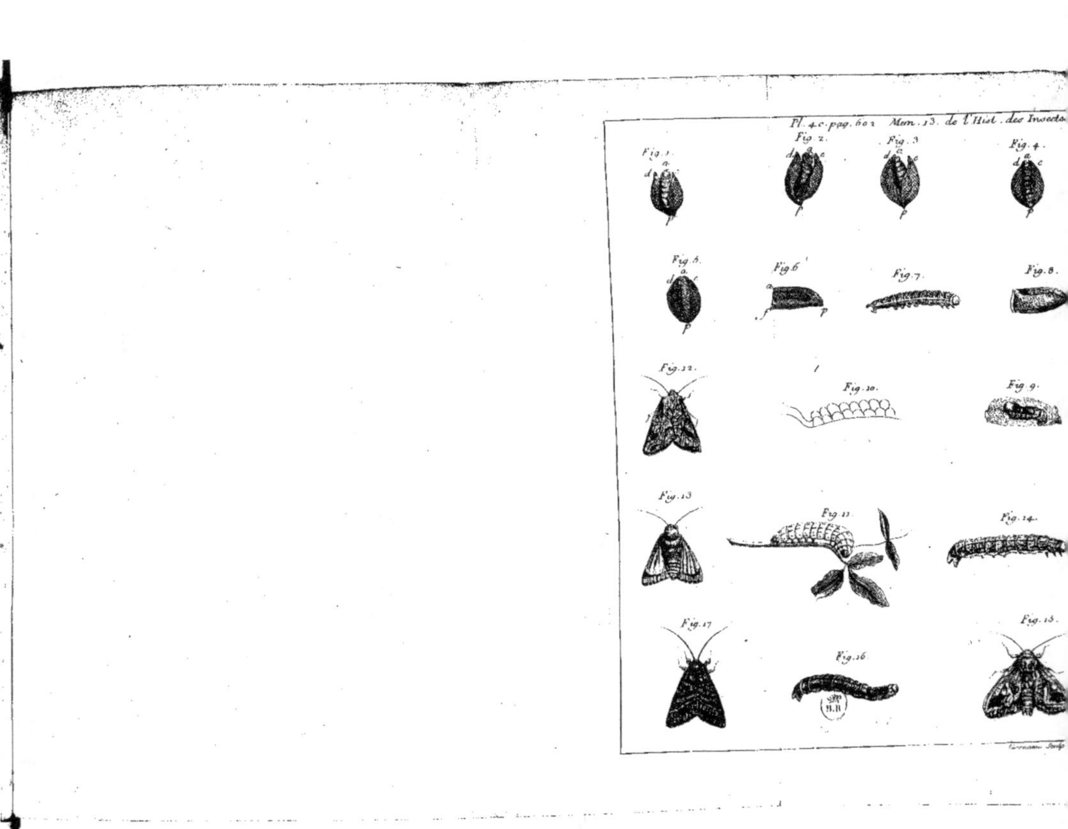

Pl. 40. pag. 602. Mem. 13. de l'Hist. des Insectes
Fig. 1.
Fig. 2.
Fig. 3.
Fig. 4.
Fig. 5.
Fig. 6.
Fig. 7.
Fig. 8.
Fig. 12.
Fig. 20.
Fig. 9.
Fig. 13.
Fig. 11.
Fig. 14.
Fig. 17.
Fig. 16.
Fig. 15.

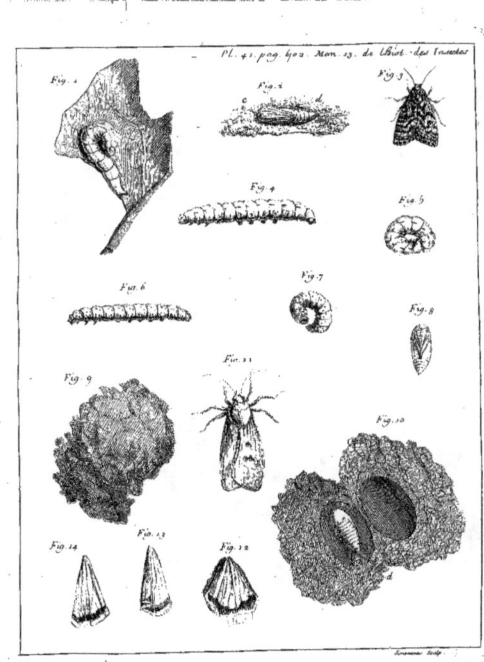
Pl. 41. pag. 402. Mem. 13. de l'Hist. des Insectes

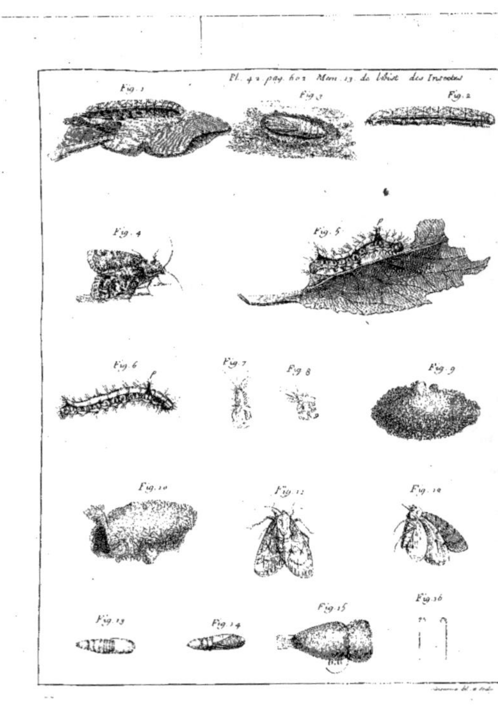

Pl. 42 pag. 602 Mem. 13 de l'Hist. des Insectes
Fig. 1
Fig. 3
Fig. 2
Fig. 4
Fig. 5
Fig. 6
Fig. 7
Fig. 8
Fig. 9
Fig. 10
Fig. 11
Fig. 12
Fig. 13
Fig. 14
Fig. 15
Fig. 16

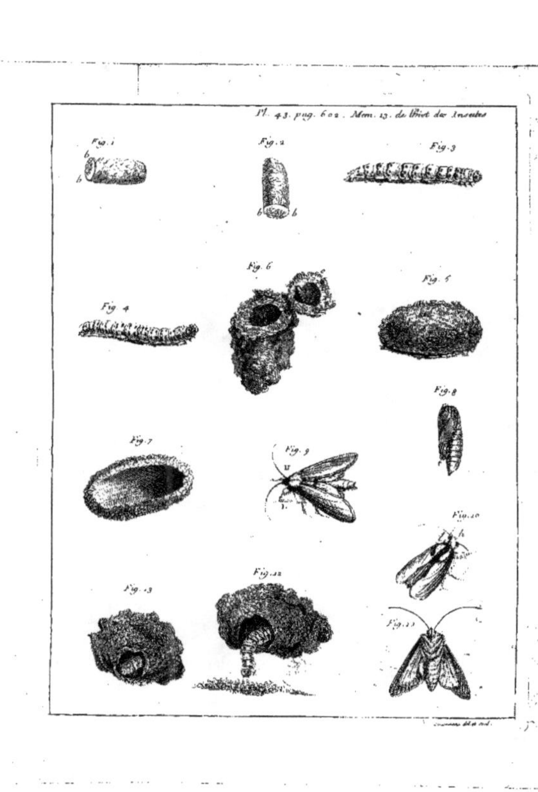

Pl. 43. pag. 602. Mem. 13. de l'Hist. des Insectes

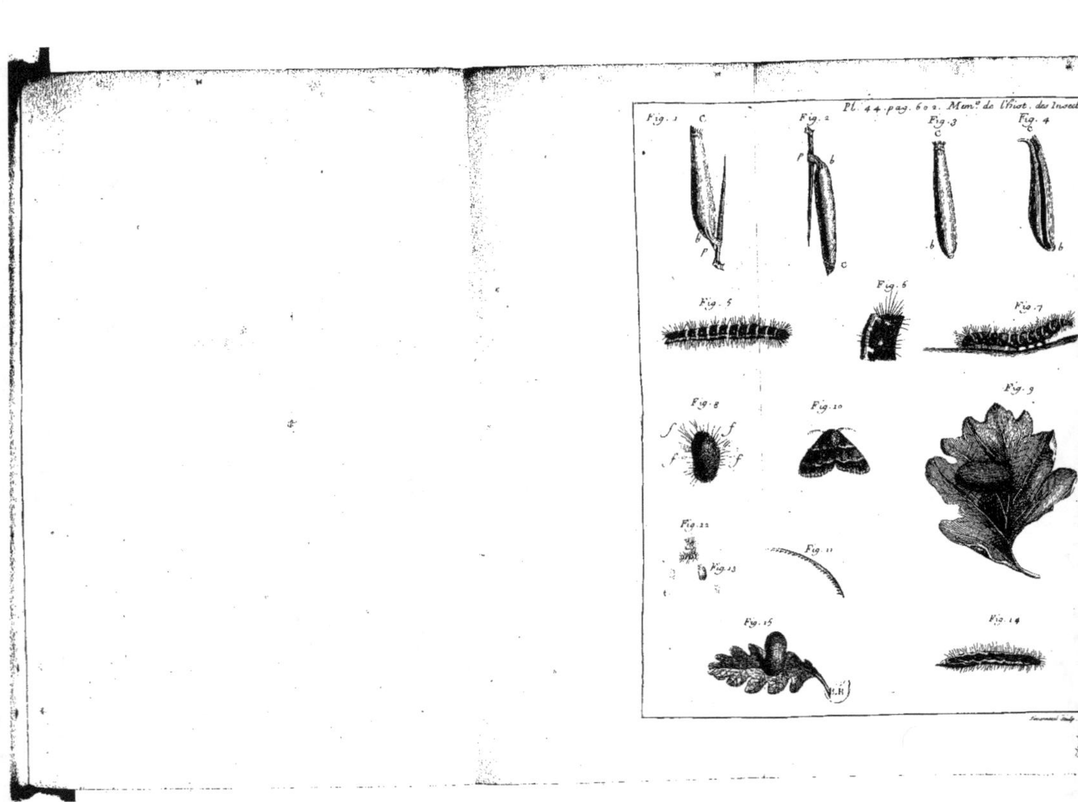

Pl. 44. pag. 602. Mem.e de l'Hist. des Insect
Fig. 1
Fig. 2
Fig. 3
Fig. 4
Fig. 5
Fig. 6
Fig. 7
Fig. 8
Fig. 9
Fig. 10
Fig. 11
Fig. 12
Fig. 13
Fig. 14
Fig. 15

QUATORZIEME MEMOIRE.

DE LA TRANSFORMATION
DES CRISALIDES
EN PAPILLONS.

NOus avons laiffé, dans le huitieme & le neuvieme Memoires, les papillons fous la forme de crifalides, ayant toutes leurs parties encore trop molles, & nageantes, pour ainfi dire, dans une liqueur, qui s'y doit unir pour les nourrir & pour les fortifier. Quand elles ont acquis la force & la folidité neceffaires, le papillon cherche à fe débaraffer des enveloppes qui le tiennent emmailloté, pour paroître fous fa veritable forme avec des aîles developpées & étenduës. Les uns ne vivent fous celle de crifalide que dix, quinze, vingt jours, &c. d'autres y vivent pendant plufieurs mois, & même pendant une année prefque entiere.

Les papillons ne reftent pourtant pas toûjours auffi long-temps fous la forme de crifalide qu'il feroit naturel de le croire. A la verité la regle generale eft que les chenilles qui fe conftruifent des coques, s'y transforment en crifalides, peu de jours après que leur coque eft finie. Mais c'eft une regle qui fouffre quelques exceptions qui m'ont paru fingulieres. Il y a telle chenille qui après s'être renfermée dans une coque y refte huit à neuf mois, avant que de devenir crifalide. Nous fommes fi accoûtumés à voir les animaux dans la neceffité de prendre des aliments pour foûtenir leur vie, qu'il doit nous paroître bien extraordinaire que la nature ait privé de tous les organes

Gggg ij

qui en peuvent fournir, des crifalides qui ont à vivre neuf à dix mois. Mais il eft bien plus furprenant que des chenilles pourvuës de dents très-fortes, que des chenilles très-voraces, fe renferment dans une coque où elles paffent, non-feulement une partie de l'automne, & l'hyver, mais encore le printemps entier, fans prendre aucune nourriture. Nous allons donner deux exemples de celles qui foûtiennent une fi étonnante diete avant que de fe metamorphofer.

* Pl. 49. Fig. 11.   Une chenille* qui vit fur le bouillon blanc m'en a fourni le premier exemple; fa tête eft petite. La grandeur de fon corps eft au-deffous de la mediocre; il eft affés gros par rapport à fa longueur, & quoique la chenille ait 16 jambes, elle a quelqu'air de certains vers. Sa couleur eft d'un blanc-jaunâtre; fur le deffus de fon corps il y a quatre rangs de tubercules bruns, deux de chaque côté, & entre ceux-ci, divers autres tubercules plus petits, qui y femblent jettés fans être allignés. Elle fe tient affés volontiers près du bout fuperieur de la tige du bouillon blanc; lorfqu'on y en trouve une, on peut compter d'en trouver plufieurs autres. Elles fe nourriffent foit de fa fubftance, foit de celle des jeunes feuilles, après avoir écarté le duvet cotonneux dont elle eft couverte.

* Pl. 49. Fig. 13.   Plufieurs de ces chenilles, qu'on m'avoit apportées vers la fin d'Août, & à qui j'eus foin de faire donner des feuilles de bouillon blanc, fongerent bientôt à fe filer chacune une coque d'une foye blancheâtre*. Les unes y travaillerent dès le dix de Septembre, & les autres quelques jours plus tard. Les unes fe contenterent d'appliquer les leurs contre les parois du poudrier, les autres attacherent les leurs contre des feuilles repliées, & les en couvrirent en partie. Leurs coques au refte n'ont rien de remarquable dans leur forme & dans leur tiffure.

Je crus que les chenilles, après s'être ainsi renfermées,
se transformeroient bientôt en crisalides. Il ne sortit point
de papillon de ces coques avant le commencement de
l'hyver. M. Bernard de Jussieu m'apporta dans le mois de
Janvier de l'année suivante, deux ou trois chenilles de
l'espece dont nous parlons, qu'il avoit trouvé envelop-
pées de soye. Elles me donnerent la curiosité de voir si
les miennes avoient conservé aussi long-temps leur forme
de chenille. J'ouvris plusieurs coques, & je trouvai dans
chacune la chenille telle qu'elle étoit quand elle s'y étoit
renfermée. Il me sembloit que tout ce que j'en devois conclurre, c'étoit que ces chenilles étoient de celles qui passent l'hyver, & qui, pour se mettre à couvert, sçavent se
renfermer dans une coque. Je m'attendis donc à voir mes
chenilles sortir de leurs coques au printemps, dès que les
feuilles du bouillon blanc auroient poussé. Les feuilles du
bouillon blanc parurent à la campagne, & mes chenilles
ne semblerent pas y songer. Je leur portai de ces feuilles,
& je les mis dans un endroit chaud, pour les déterminer
à sortir de leurs coques; elles s'obstinerent à y rester. J'ouvris des coques, & j'en tirai des chenilles, que je posai sur
des feuilles de cette plante; mais je les servois mal. Aucune
ne voulut y toucher; elles marcherent un peu, après quoi
elles se tinrent en repos, sans faire aucun cas du mets que
je leur avois offert. Je les laissai donc tranquilles, puisqu'elles vouloient l'être, étant pourtant attentif à ce qu'elles
deviendroient. Enfin, vers les premiers jours de Juin, elles
se transformerent toutes en crisalides, c'est-à-dire, après
avoir resté neuf mois complets sous la forme de chenille,
sans prendre aucun aliment, & dans des saisons où la nourriture est extremement necessaire aux autres chenilles. Les
papillons sortirent de leur fourreau de crisalide, les uns à
la fin de Juin, & les autres au commencement de Juillet.

Gggg iij

* Pl. 49. Le papillon * n'a d'ailleurs rien de remarquable; il eſt de la
Fig. 14 & ſeconde claſſe des nocturnes; il porte ſes aîles preſque pa-
15. rallelement au plan de poſition. Le deſſus des ſuperieures
eſt un gris-blanc tendre, dans lequel il y a un peu de jaunâtre; le tout forme des ondes. Les aîles ſuperieures cachent bien les inferieures.

* Fig. 17 & Des papillons de la même claſſe que les précedents *,
18. mais d'un autre genre de port d'aîles, du genre de ceux
dont les aîles ſuperieures paralleles au plan de poſition,
laiſſent partie du deſſus des inferieures à découvert, me
ſont nés de chenilles qui reſtent auſſi renfermées dans leurs
coques pendant près de neuf mois, avant que de ſe transformer en criſalides. Elles croiſſent ſur l'ortie; chacune ſe
tient dans la cavité que forme une feuille de cette plante,
* Fig. 16. qu'elle a eu ſoin de rouler ou de plier. Cette chenille * eſt
de la claſſe des chenilles raſes, dont la peau eſt tranſparente. Sa couleur eſt blancheâtre; elle prend pourtant une
teinte de couleur de chair, lorſque le temps où elle doit ſe
filer une coque, approche, & elle conſerve cette même
couleur pendant les neuf mois qu'elle vit ſans prendre de
nourriture. Elle n'a que deux taches remarquables, qui ſont
noires, & placées tout près de la tête, ſur le 1.er anneau.

Pluſieurs de ces chenilles ſe filerent chés moi, dans le
mois de Septembre, des coques de ſoye blanche, aſſés
minces, car elles laiſſoient entrevoir le corps de la chenille.
Ce ne fut que le 12 Juin de l'année ſuivante, que la plus
diligente de ces chenilles ſe transforma en criſalide; les autres ſe transformerent quelques jours plus tard. Enfin, un
papillon ſortit de la premiere criſalide, le 7. Juillet, & d'autres des autres coques quelques jours après.

Quoique ce papillon n'ait pour toutes couleurs que du
blanc & du noir, il eſt un très-joli papillon. La diſtribution
des taches, des ondes, des bordés noirs, eſt préciſement

celle des Fig. 17 & 18. Le blanc eſt ſatiné; il a de l'éclat.

Quoi qu'il en ſoit du temps que les chenilles paſſent avant que de paroître ſous la forme de criſalide, notre objet, dans ce Memoire, eſt de voir comment les papillons ſe défont enfin de leur derniere dépouille. L'operation de quitter le fourreau de criſalide ne ſemble pas à beaucoup près auſſi laborieuſe pour eux, que l'a été celle de quitter le fourreau de chenille; celui de la criſalide ſe deſſeche à un point auquel celui de la chenille n'eſt jamais deſſeché. Si, lorſque le papillon eſt bientôt prêt à ſortir de ſon enveloppe, de ſon eſpece de coque, on la comprime un peu, les doigts qui la preſſent lui font faire du bruit, une eſpece de cri; on ſent qu'elle n'eſt plus adhérante au corps; qu'il y a des endroits où elle ne le touche pas immediatement, & qu'elle eſt friable; auſſi ſe briſe-t-elle alors ſous les doigts, pour peu que leur preſſion ſoit rude.

Les papillons ſe défont de leurs fourreaux de criſalides dans les coques qu'ils s'étoient faites, lorſqu'ils étoient chenilles. Une coque, dont le tiſſu eſt ſerré & opaque, ne permettroit pas d'obſerver comment le papillon ſe tire de ſa derniere dépouille; mais on peut ouvrir la coque, en ôter la criſalide; & ſi on eſt attentif à ne la point bleſſer, ſi on la met doucement dans une boîte ou dans un poudrier, la derniere metamorphoſe s'y accomplira dans le même temps où elle ſe fût accomplie dans la coque. Pour bien voir cette derniere operation, il m'a pourtant paru plus commode de me fournir de criſalides qui ne ſont point dans des coques, telles que ſont les angulaires *, & ſur tout des angulaires qui ſe contentent de ſe pendre par le derriere la tête en bas; & parmi les coniques, de me fournir de celles qui ſe trouvent au milieu d'un tas de fils qui ne merite pas le nom de coque, & qui les ſoûtient ſans les cacher. Notre chenille à oreilles, du chêne *, eſt de celles-

* Pl. 46.
Fig. 8.

* Pl. 24.
Fig. 1 & 2.

ci; c'est celle que nous avons déja suivie pendant qu'elle
se transformoit en crisalide. Les crisalides de cette espece de chenilles, sont aussi celles d'où j'ai vû sortir plus de
papillons nocturnes. La facilité qu'il y a d'en trouver dans
la campagne en certaines années, m'avoit donné celle de
couvrir de pareilles crisalides une assés grande étenduë de la
tapisserie de mon cabinet. Chacune y étoit attachée par une
épingle qui passoit dans la feuille contre laquelle les fils
étoient collés, ou par une épingle passée seulement dans
leurs fils. J'ai aussi attaché contre la même tapisserie, quantité de crisalides angulaires d'une chenille épineuse *, extremement commune sur l'orme dans certaines années. Des
épingles assujetissoient, contre la tapisserie, les feuilles
d'arbre, les feuilles de papier & les autres corps ausquels
elles s'étoient penduës par le derriere la tête en bas. Avec
de pareilles provisions de crisalides, qui ne conservent leur
forme que 14 à 15 jours, je voyois souvent éclorre des
papillons, sans être obligé de perdre du temps à attendre
le moment de l'observation.

  Quand nous avons expliqué comment les chenilles se
défont de leur peau plusieurs fois dans leur vie, comment
les crisalides se dégagent du fourreau de chenille, nous
avons expliqué d'avance pourquoi il vient un temps où le
fourreau de crisalide se détache du corps du papillon, &
se desseche. Le papillon nous montre pourtant encore
mieux ce que les chenilles nous avoient déja fait voir.
Un papillon qui vient d'éclorre est tout couvert de
poils, & d'écailles; il ne les avoit point lorsqu'il s'est tiré
du fourreau de chenille, & qu'il a commencé à paroître sous la forme de crisalide. Alors ces écailles, ces
poils commençoient à peine à germer, pour ainsi dire,
ils commençoient à peine à percer la surface des parties
qu'ils couvrent par la suite, & au-dessus desquelles ils
s'élevent.

s'élevent. Les enveloppes, dont l'affemblage compofe le fourreau de crifalide, étoient donc, dans ces premiers temps, immediatement appliquées contre la peau du papillon; elles font forcées de s'en éloigner de plus en plus, à mefure que les écailles & les poils croiffent; une efpece de petit matelas fe forme entr'elles & la peau. Si ces enveloppes communiquoient par quelques vaiffeaux avec les parties qu'elles couvrent, ces vaiffeaux, trop tiraillés par la fuite, ceffent de faire leurs fonctions; ils fe détruifent peu à peu, & le fourreau de crifalide fe deffeche. Il doit encore fe deffecher par une autre raifon; les parties du papillon, nouvellement devenu crifalide, étoient baignées d'une liqueur, qui par la fuite paffe dans ces mêmes parties, qui s'y unit, qui s'y incorpore, & qui par confequent n'eft plus à portée de tant humecter l'enveloppe exterieure.

Lorfque les parties du papillon ont pris leur parfait accroiffement, ou, pour parler plus exactement, de la folidité, il n'a donc pas de grands efforts à faire pour obliger la membrane mince & friable qui les renferme, à fe fendre en divers endroits. Pour peu qu'il gonfle quelquesunes de fes parties plus que les autres, pour peu qu'il tende à fe donner de mouvement fous l'enveloppe, il la force à s'entr'ouvrir quelque part. De pareils mouvements réiterés aggrandiffent l'ouverture commencée, & lui en procurent une capable de le laiffer fortir. L'ouverture par où il fort fe trouve conftamment dans le même endroit; differentes fentes dirigées chacune conftamment dans le même fens, & au-deffus des mêmes parties, concourent à la former & à augmenter fes dimenfions.

Pour entendre l'ordre dans lequel les fentes fe commencent & fe dirigent, on fe rappellera que du côté du dos, foit dans les crifalides coniques, foit dans les angulaires, il y a une partie * affés confiderable de la coque fur

*Tome I.*Hhhh

* Pl. 45.
Fig. 2. *dc,*
c d.

laquelle on ne voit aucuns veſtiges de ces ſillons qui marquent ailleurs les ſeparations des anneaux ; nous l'avons
nommée *le corcelet*. Cette partie de l'enveloppe a plus d'é-
tenduë dans certaines criſalides que dans d'autres; elle y
avance plus du côté du derriere. Du côté de la tête, elle
ſe termine à une petite partie dont la figure & la poſition demandent qu'on lui donne le nom de *front* de la
criſalide *. Cette derniere eſt placée au-deſſus des yeux,
& des antennes ; d'ailleurs le nom de *front* lui convient encore, par les contours des lignes qui la terminent.
Le corcelet ſe joint de part & d'autre à la portion de l'enveloppe qui recouvre les aîles * ; il ſemble ſe prolonger &
ſe recourber du côté du ventre, pour les couvrir. Nous
avons encore à diſtinguer, du côté du ventre, une autre
portion de l'enveloppe. Celle-ci * eſt compriſe entre le
contour exterieur des aîles & le front ; elle recouvre les
antennes, les jambes, les yeux & le devant de la tête de la
criſalide. Pour lui donner un nom, nous l'appellerons *la
piéce de la poitrine* * ; ſi ſes contours n'étoient pas un peu
arrondis, elle reſſembleroit aſſés à ces pieces appellées
buſcieres, qui ſont ſur le devant des corps des Dames.
Quoi qu'il en ſoit, pour marquer la diſpoſition des fentes
qui vont permettre au papillon de ſortir aſſés commodement, il nous falloit connoître les trois pieces que nous
venons de décrire; ſçavoir, le corcelet avec ſes prolongements qui recouvrent les aîles *, le front *, & la piece de
la poitrine *.

Le milieu * de la partie ſuperieure du corcelet eſt aſſés
ordinairement marqué par une ligne, dont la direction eſt
parallele à la longueur du corps de la criſalide; là il eſt plus
élevé qu'ailleurs, même dans les criſalides ſimplement coniques, dans celles qui ne ſont point angulaires. Il eſt
vrai que cette élevation eſt ſouvent ſi petite, qu'on ne la

reconnoît qu'à la loupe. C'est vers le milieu de cette ligne,
de ce trait, que la coque, que l'enveloppe commence à
se fendre ; la fente commencée s'étend bientôt jusqu'à
l'un & à l'autre bout de la même ligne. Quelques efforts
que fait le papillon en ramenant un peu la partie posterieure de son corps du côté de la tête, produisent cette
fente. De pareils efforts, c'est-à-dire, assés legers, l'élargissent & l'étendent. Les deux parties du corcelet qui
viennent d'être separées, s'écartent l'une de l'autre, & laif-
sent voir une raye du duvet * qui couvre le papillon. La   * Pl. 45.
piece du front se fend aussi en deux, suivant la même di-   Fig. 4. bc.
rection. Ces fentes s'étendent ensuite, du côté du dos, le
long des contours des pieces que nous avons désignées *.   * Fig. 6.
Chaque moitié du corcelet se détache des parties sur les-   c l, c l.
quelles les anneaux sont marqués; ses prolongements qui
passent du côté du ventre, s'y séparent de la piece de la
poitrine * à laquelle ils étoient unis; de sorte que cette der-   * Fig. t.
niere ne se trouve plus attachée à la coque que par sa pointe, car par en haut, la fente qui a suivi les contours de la
piece du front, les a separées l'une de l'autre. Si l'ordre
dans lequel se font ces fentes étoit moins constant, nous
ne nous serions pas tant arrêtés à le décrire.

A mesure que les parties de la coque se separent, elles
laissent voir des portions, presque lineaires, du corps du
papillon; il lui est facile alors d'écarter davantage les unes
des autres, des parties qui ne tiennent plus ensemble. Pour
peu qu'il tende à aller en avant, les bords superieurs des
deux moitiés du corcelet s'éloignent l'un de l'autre *; cha-   * Fig. 5. &
cune emporte avec elle une des moitiés de la piece du   6. e l, e l.
front *, qui lui est restée attachée par un coin; la partie   * d, d.
superieure de la piece de la poitrine s'éloigne en même-
temps des deux parties du corcelet *. Ainsi le papillon se   * Fig. 8.
fait, sans grande peine, une ouverture capable de le laisser

Hhhh ij

* Pl. 45.
Fig. 9.

fortir. Peu à peu auffi il avance ; fa tête * fe prefente la premiere hors de la dépouille, & peu à peu il s'en retire entierement. Il eft pourtant plus de temps à fortir, que la crifalide n'en eft à quitter la dépouille de chenille.

La feule difficulté qu'il a à vaincre, n'eft pas auffi de tenir fuffifammment écartées des parties de l'enveloppe generale, qui tendent par leur reffort à fe rapprocher ; cette difficulté n'eft pas grande. Mais fous cette enveloppe generale, fes jambes, fes antennes, fes aîles & plufieurs autres de fes parties font renfermées dans des étuis particuliers, extremement minces, à la verité, mais d'où il faut pourtant dégager les parties qui y font logées ; cela eft plus difficile. Il ne l'eft pas moins de defengrainer chacun des anneaux du corps de ceux de l'enveloppe.

J'ai examiné l'interieur des dépouilles d'où le papillon venoit de fortir, dans la vûë d'y retrouver les fourreaux où chacune de fes parties avoient été renfermées. La piece de

* Fig. 11. k.

la poïtrine * eft celle qui recouvre les jambes, les antennes, la trompe ; fi on regarde groffierement fa furface interieure, elle n'offre qu'une couche de filets membraneux & comme foyeux ; mais fi on y regarde de plus près, on voit des membranes fines qui forment encore des étuis, ou des portions d'étuis, que les parties qui s'en font retirées ont laiffé vuides ; en fe retirant, elles les ont brifés en partie. La fineffe de ces membranes porteroit à croire qu'elles n'ont fervi que d'une efpece de couverture, étenduë fur la furface exterieure des jambes, des antennes & de la trompe, & qui fuffifoit pour deffendre ces parties contre les impreffions de l'air. Mais dans quelques metamorphofes laborieufes où le papillon employoit plus de temps que les autres à retirer quelques-unes de fes parties de l'enveloppe de crifalide, j'ai obfervé qu'il avoit fait fortir chaque partie d'un fourreau particulier. J'ai eu plufieurs papillons

diurnes d'une espece de petite chenille noire qui vit en societé dans les prairies, & qui aime sur tout le plantin; j'ai
vû la peine qu'avoit un papillon, venu d'une de ces chenilles, à tirer sa trompe d'une espece de gaine qui l'entouroit de toutes parts. L'avoir vû par rapport à sa trompe,
c'est l'avoir vû par rapport à ses autres parties, & par rapport aux parties semblables des autres papillons.

Si on considere l'interieur de la coque vuide dans des
endroits moins proches de la tête, on voit plusieurs gros
filets blancs-satinés; ils n'y sont attachés que par un de
leurs bouts *; d'ailleurs ils sont flottans. Les endroits d'où   * Pl. 45.
ils partent font reconnoître ce qu'ils ont été; chacun d'eux   Fig. 13. *****
est attaché au bord d'un de ces stigmates, d'une de ces
ouvertures qu'on sçait être destinées à donner entrée à l'air.
Ces filets sont donc des trachées dessechées. J'ai vû quelquefois que ceux qui partoient d'une ouverture alloient se
réunir à ceux qui partoient d'une autre; tous se dirigent
du côté de la tête de l'insecte. Cela nous conduit à penser que les trachées qui servoient à la respiration de la chenille, au moins une partie de celles qui y servoient, ne pe-
netroient pas dans l'interieur du papillon, qu'elles ram-
poient entre les membranes propres à la crisalide, & celles
qui sont propres au papillon. Sur la surface interieure du
fourreau de crisalide, laissé par quelques autres papillons
tel qu'est le grand papillon * de la chenille du poirier à tu-   * Pl. 47.
bercules de couleur de turquoise, j'ai trouvé, vis-à-vis cha-   Fig. 5 & 6.
que stigmate, un petit corps de forme d'entonnoir tron-
qué *, dont la base étoit à peu-près égale au contour du   * Pl. 47.
stigmate d'où elle partoit, & dont la hauteur étoit presque   Fig. 1. sss.
égale au plus grand diametre de cette base. Ce cone creux,   & Fig. 2 & 3.
cet entonnoir tronqué que nous avons décrit lorsque nous
avons parlé de la respiration des crisalides, & dont on peut
voir les parois interieures lorsque le papillon vit sous la

H h h h iij

forme de crifalide; ce même cone eft celui dont nous voyons la furface exterieure fur les dépouilles des gros papillons *; on en trouve un à chaque ftigmate.

* Pl. 47.
Fig. 2 & 3.

J'ai de même cherché fi je ne trouverois pas fur la coque vuide, les reftes des jambes membraneufes qu'avoit la chenille, & que le papillon n'a plus. J'ai bien reconnu les places où elles avoient été, mais il n'y avoit fur ces places aucune convexité fenfible vers l'interieur de la coque; je n'ai obfervé aucuns reftes, aucuns fragmens de ces jambes deffechées.

Ce qu'on obferve encore dans l'interieur de la coque vuide, c'eft que les anneaux dont elle eft compofée s'emboîtent les uns dans les autres, ils font en recouvrement; deux anneaux voifins font unis l'un à l'autre par une membrane mufculeufe; cette membrane forme dans l'interieur de la coque, à la jonction des anneaux, une lame plus mince que le papier le plus fin, perpendiculaire à la furface interieure de l'endroit d'où elle part; là la membrane eft pliée en deux; c'eft en fe dépliant qu'elle permet aux anneaux de s'éloigner l'un de l'autre, de ceffer d'être en recouvrement.

Mais revenons à notre papillon nouvellement forti de fa dépouille; quelques-uns reftent pendant du temps pofés fur les bords de la dépouille-même, les autres vont s'accrocher auprès. Les aîles font ce qui nous frappe le plus dans ces infectes. Le papillon qui vient de paroître au jour les a fi petites, qu'il femble un papillon manqué *;

* Pl. 46.
Fig. 1.

mais au bout d'un quart d'heure, ou d'une demi-heure, tantôt plûtôt, & tantôt plûtard, elles paroiffent dans toute leur étenduë *. Je ne fçache point que la maniere dont

* Fig. 5.

ces aîles fe developpent ait encore été expliquée, ni bien obfervée. Diverfes efpeces de fcarabés, de perce-oreilles, de ftaphylins, de punaifes des champs, &c. ont de longues

aîles; quand ces infectes n'en veulent point faire ufage, ils
les cachent fous des fourreaux, foit écailleux, foit cruftacés, foit membraneux, avec un art qui meritera d'être expliqué ailleurs; ces aîles font pliées d'une façon finguliere fous leurs étuis. Il femble qu'on ait crû, du moins
l'avois-je crû, que lorfque le papillon eft emmaillotté fous
la forme de crifalide, fes aîles étoient pliées dans leurs
fourreaux, comme le font celles des infectes dont je viens
de parler. C'eft pourtant par une mechanique tout-à-fait
differente qu'elles font reduites à occuper fi peu d'étenduë; des portions de l'aîle ne font point pliées fur les autres, c'eft fans de pareils plis que les aîles paroiffent d'abord
fous une furface qui n'eft quelquefois pas la cinquième ou
la fixieme partie de celle qu'elles auront après un quart
d'heure. Un accroiffement fi confiderable & fi fubit n'eft
pourtant pas un accroiffement réel; tout le myftere confifte en ce que ces aîles fi petites, font confiderablement
plus épaiffes qu'elles ne le feront dans la fuite. Si on s'avife
de faire attention à l'épaiffeur de l'aîle naiffante, les yeux
feuls la feront juger beaucoup plus grande que celle des
aîles ordinaires. Si on la prend entre fes doigts, & qu'on
y prenne enfuite une aîle parfaite, on reconnoîtra encore
par cette voye une difference d'épaiffeur bien fenfible. Il
eft donc naturel de penfer, & cela eft ainfi, que chaque
portion de l'aîle naiffante a une épaiffeur qu'elle ne doit
pas conferver; que pendant qu'elle étoit gênée par fes enveloppes, il lui a été permis de s'épaiffir, & non de s'étendre dans les autres fens. Mais dès qu'elle devient libre,
elle commence à perdre ce qu'elle avoit d'épaiffeur excedente, & ce qu'elle en perd eft employé à augmenter fes
autres dimenfions.

Dès que j'eus pris cette idée, il me parut qu'il s'offroit
un moyen fimple de s'affûrer fi elle étoit vraye; c'étoit

d'arracher une aîle à un papillon qui ne venoit que de
quitter fa derniére dépouille ; de la tirer doucement entre
mes doigts, & cela tantôt felon fa longueur, & tantôt felon fa largeur. Par ce moyen, je devois parvenir à donner à
cette aîle l'étenduë qu'elle eût acquife en peu fi je l'euffe
laiffée dans fa place naturelle. L'aîle prit entre mes doigts
toute l'étenduë à laquelle elle feroit parvenuë fur le papillon,
& ne me parut pas plus mince qu'elle l'eût été fi elle fe fût
developpée en fa place naturelle. Elle crût fans que je viffe
aucune partie de grandeur fenfible fe déplier : en un mot,
elle fe laiffa étendre comme eût fait un cuir mouillé. Inutilement tirailleroit-on une aîle ordinaire, une aîle qui a
toute fa grandeur ; on la déchireroit plûtôt que de l'allonger fenfiblement.

Dans cette aîle naiffante, fi petite, & où il n'y a
aucune partie de grandeur fenfible qui foit pliée, nous
devons donc imaginer un très-grand nombre de plis infenfibles. Quand une des fibres, qui, de l'origine de l'aîle,
fe dirige vers fa bafe, a cru, quand fon accroiffement la
portoit à aller en avant, fi elle a trouvé des enveloppes,
des obftacles, qu'elle n'étoit pas capable de vaincre, & qui
l'ont arrêtée ; elle aura été obligée de fe replier fur elle-
même, elle fe fera courbée en differents endroits. La
fibre qui cherchoit à avoir l'extenfion *AB* en ligne
droite, trouvant un obftacle, aura feulement acquis la longueur *AC*, & le furplus de fa longueur aura été confom-
mé à faire des ziczacs à peu près tels que la figure *DE*
les fait imaginer, mais plus preffés les uns contre les autres ; & cela fi la fibre a trouvé moins d'obftacle à fe courber, à prendre de pareils contours, qu'à s'allonger. L'aîle
compofée de fibres ainfi raccourcies, doit être plus épaiffe qu'elle ne le fera lorfquè les fibres fe feront dépliées.
Ce n'eft pas feulement le fourreau de la crifalide qui a
empêché

* Pl. 46. Fig. 7.

empêché les fibres de s'allonger, qui les a forcées à se plier,
elles avoient déja ces mêmes plis, & davantage, lorsqu'elles
étoient sous le fourreau de chenille. Car, autant que j'en
ai pû juger, en cherchant à étendre les aîles du papillon
qui ne venoit que de quitter l'enveloppe de chenille, qui
ne paroissoit pas encore crisalide, dès ce moment les fibres des aîles sont assés longues pour fournir à la grandeur
de l'aîle du papillon parfait. Si on observe alors avec une
loupe le dessus, & sur-tout le dessous de l'aîle, on voit des plis
ondés qui semblent être ceux que nous voulons faire imaginer ; ils ne paroissent pas si bien sur l'aîle du papillon
qui vient de se dégager de son enveloppe de crisalide,
parce que tout y est recouvert par les écailles.

Ce qu'ont fait mes doigts pour allonger l'aîle du papillon qui vient de naître, ce sont les liqueurs qui le
font. Dès que les aîles ne sont plus resserrées par leurs
fourreaux, il est probable que les liqueurs y entrent
plus librement: au moins celles qui y entrent, peuvent-
elles faire ceder les parties contre lesquelles elles frappent ;
elles ne sçauroient enfiler des canaux aussi tortueux que
ceux qu'elles suivent, sans les frapper, sans les pousser.
N'est-ce point aussi pour déterminer les liqueurs à couler
plus abondamment dans leurs courtes aîles, que les papillons nouvellement éclos les agitent de temps en temps,
qu'ils les font fremir avec vîtesse! Les liqueurs ne peuvent
entrer dans l'aîle que par l'endroit où elle tient au corps ;
dès leur entrée, elles tendent à redresser & à allonger des
canaux repliez ; elles y parviennent quand aucune force
exterieure ne s'y oppose. Cela étant ainsi, la partie qui
donne entrée à la liqueur, est celle qui doit s'étendre &
s'élargir la premiere ; c'est aussi ce qui arrive, ce que j'ai
observé, & ce qui m'a mis en état d'expliquer des faits
qui se passoient sous mes yeux, & qui s'y étoient passés

la premiere fois, fans que j'en euſſe bien vû la cauſe.

Les aîles du papillon naiſſant étoient bien planes, bien unies; elles me ſembloient ſeulement trop épaiſſes *. Pendant que je les obſervois avec attention, je les voyois croître, mais en même temps je les voyois ſe courber, ſe chiffonner, ſe contourner *. A meſure que leur ſurface croiſſoit, leur forme devenoit plus irreguliere *. Des aîles qu'on a vûës dans cet état, & qu'on n'a pas ſuivies dès que leur développement a commencé, ont fait imaginer à d'autres, comme elles me l'avoient fait imaginer lorſque je n'y avois pas regardé de près, que les chiffonnements, les plis étoient produits par les parties qui s'étoient dépliées, mais qui ne s'étoient dépliées encore qu'imparfaitement. La veritable cauſe à laquelle toutes ces eſpeces de chiffonnements doivent être attribués, c'eſt qu'il y a des parties qui ſe développent avant que celles qui les ſuivent ſe ſoient développées. La partie ſupérieure d'une aîle *, la partie la plus proche de la tête, acquiert, par exemple, preſque toute ſon extenſion, pendant que la partie * qui la ſuit n'a encore acquis que la moitié de la ſienne. S'il y avoit une ligne qui marquât la ſéparation de la partie qui a crû conſiderablement, & de celle qui a crû beaucoup moins, les plis finiroient préciſément à cette ligne; mais comme les différences d'accroiſſement ſont nuancées inſenſiblement, les plis ne ſe terminent pas préciſément à un endroit déterminé, il y en a nombre ſur la partie la plus proche de la tête, ſur celle qui s'eſt élargie & allongée le plus, pendant qu'il y en a peu ſur la partie de l'aîle qui en eſt voiſine, & qu'il n'y en a preſque point ſur le reſte.

Enfin ce qui arrive ſur la largeur de l'aîle, arrive auſſi ſur ſa longueur, la partie qui s'étend, s'étend & ſelon ſa largeur & ſelon ſa longueur en même temps. Pour fournir à un allongement aſſés ſubit, la partie qui s'allonge

s'éleve en arc * : dans cet arc il y a pourtant bien des
contours irreguliers; la figure de l'aîle eſt alors extremement
irreguliere en tous ſens. On a peine à imaginer que les aîles
qu'on voit en cet état, ne reſteront pas contrefaites. Mais à
meſure que les parties, qui étoient trop reſſerrées, qui bri-
doient celles qui les précédent, qui les forçoient à ſe froncer
& à s'arcquer, à meſure, dis-je, qu'elles ſe développent, les
plis des autres parties s'effacent, les courbures de l'aîle diminuent, & enfin tout s'unit, & tout s'applanit. Le bord * de
la baſe de l'aîle eſt le dernier à s'étendre; il bride le reſte
pendant long-temps; quand il commence à s'étendre, il
s'étend lui-même inégalement; il eſt tout gaudronné *.

 Dans l'inſtant que le papillon vient de paroître au jour,
ſes parties exterieures ſont encore humides, & ſemblent
mouillées; elles ſe deſſechent peu à peu. Mais ce n'eſt
pas l'exterieur ſeul, pour ainſi dire, qui ſe deſſeche,
l'interieur prend peu à peu une augmentation de conſiſtance; les aîles ſur tout s'affermiſſent, ſe durciſſent inſenſiblement; leurs fibres, d'abord auſſi flexibles que celles
des membranes & des muſcles, deviennent roides, & ſi
roides, que M. Malpighi les a regardées comme oſſeuſes.
A meſure que ces fibres, ou, ce qui revient encore au
même, que les canaux des aîles, dans leſquels la liqueur
circule, acquierent de la roideur, le pouvoir de cette liqueur contre les canaux s'affoiblit. S'il arrive donc que
quelque cauſe étrangere s'oppoſe à l'extenſion & au re-
dreſſement de l'aîle, dans les premiers inſtans après celui
de la naiſſance, la liqueur, dans la ſuite, n'eſt plus en état
de les étendre, de les redreſſer parfaitement, & les aîles
reſtent contrefaites pour toûjours. Un papillon, par exemple, qui, après avoir fait entr'ouvrir ſon enveloppe de
criſalide, qui, après avoir aggrandi cette ouverture au
point de s'être mis en partie à découvert, ſe trouve avoir

* Pl. 46.
Fig. 3. a.

* Fig. 4. b, c.

* Fig. 5. b.

I i i i ij

befoin de quelque temps de repos pour achever de fe dégager; ce papillon, dis-je, a ordinairement les aîles diffor-
mes. L'action de l'air leur fait prendre de la folidité
dans un temps où la liqueur qui entre dans leurs vaiffeaux
ne fçauroit agir avec fuccès contr'eux pour les étendre,
parce que la dépouille de crifalide dans laquelle les aîles
font encore logées en partie, les gêne trop. Il y a plufieurs
cas analogues à celui-ci, qui font que les aîles des papillons reftent informes.

Les figures aufquelles nous nous fommes arrêtés jufques
ici, pour faire voir ce qui fe paffe pendant que le papillon
force à s'entr'ouvrir l'enveloppe de crifalide, qui le tenoit
emmaillotté; pour faire voir ce qui fe paffe pendant qu'il
s'en dégage, & pendant que fes aîles fe developpent; les
figures, dis-je, aufquelles nous nous fommes arrêtés font
de crifalides coniques, d'où fortent des phalenes. Il ne faut à
prefent que jetter les yeux fur des figures de crifalides angulaires, pour voir que ce qui fe paffe, pendant le même
temps, dans les papillons, dont les crifalides font de cette
autre claffe, revient, pour l'effentiel, à ce que nous avons
déja vû. On y obfervera que c'eft fur le corcelet que la fente
commence à s'ouvrir *; qu'elle partage cette éminence qui
a l'air d'un nez *; qu'elle fe prolonge du côté anterieur,
jufqu'à l'extremité de la piece du front; qu'elle la divife en
deux. Qu'outre cette fente en ligne droite, il y en a qui fe
rendent à celle-ci, qui fuivent les contours de la piece du
front, & les contours de la partie fuperieure de l'enveloppe
de chaque aîle. Que fur la face oppofée, c'eft-à-dire, du
côté du ventre, il fe fait de même une fente qui fuit de
ce côté-là le contour de l'enveloppe de chaque aîle, & qui
fait que la piece de la poitrine n'eft plus attachée que par
fa pointe *. Toutes ces fentes étant faites, le papillon qui
fe tire un peu en avant, qui fe gonfle, & courbe fes parties

* Pl. 46.
Fig. 8. c b.
* e.

* Fig. 9.

antérieures, met tout son corcelet à découvert*. Un inftant
après il s'avance, ou fe gonfle un peu plus; fouvent même
il tire de deffous fon corps, & porte en avant une de fes
antennes*. Dans l'inftant fuivant, on lui voit fes deux antennes & deux jambes * dégagées du fourreau de crifalide; il fe tire fur celles-ci pour dégager encore une plus
grande partie de fon corps de ce même fourreau. Enfin il
parvient bientôt à avoir quatre jambes libres *, & alors il
eft bien près d'achever de tirer le refte de fon corps de la
dépouille.

    Mais ce que nous devons principalement remarquer,
c'eft que dans ces fortes de crifalides, au moins dans celle
de l'efpece que nous avons prife pour exemple, & qui
vient d'une chenille épineufe de l'orme *; & de même
dans les crifalides angulaires de plufieurs autres efpeces de
chenilles, les aîles des papillons fe développent plûtôt
que celles des papillons des crifalides coniques. Les aîles
dés premiers s'étendent, fe contournent, pendant que le
papillon eft encore logé en grande partie fous l'enveloppe *. L'effort qu'elles font pour fe redreffer, tient même
écartées toutes les parties de l'enveloppe qui font féparées
par des fentes. Tout ce qu'il en faut conclurre, c'eft que
la liqueur fe porte plûtôt, & peut-être en plus grande quantité, & avec plus de vîteffe, dans les aîles de ces papillons,
que dans les aîles de ceux des crifalides coniques. Ces derniers font auffi des papillons nocturnes, qui, comme nous
le dirons dans la fuite, font très-peu d'ufage de leurs aîles,
au lieu que les papillons des crifalides angulaires font diurnes; ils volent pendant la plus grande partie du jour. Les
mufcles qui font agir leurs aîles doivent avoir plus de vigueur; tous les environs de leurs aîles doivent être, pour ainfi
dire, plus animés. Il n'eft donc pas étonnant que la liqueur
foit pouffée plûtôt & plus vivement dans ces mêmes aîles;

I i i i iij

* Pl. 46.
Fig. 10.

* Fig. 17.
* Fig. 12.

* Fig. 13.

* Pl. 23.
Fig. 8.

* Pl. 46.
Fig. 12 &
13.

auffi achevent-elles de s'étendre & de s'applanir peu de temps après que le papillon eft forti de fa coque. Elles font pourtant encore molles dans ces premiers moments, à peine peuvent-elles fe foûtenir fans fe chiffonner; mais elles ne font pas long-temps à s'affermir & à fe durcir. Si quelque accident retenoit, pendant un temps trop long, un papillon de cette efpece, dans la dépouille qu'il a ouverte, fes aîles refteroient contrefaites.

Les papillons qui, fous la forme de crifalide, étoient renfermés dans des coques, foit de foye, foit de quelque autre matiere, fe défont entierement ou en partie de leur dépouille dans la coque même; & ils n'en font pas quittes pour fe défaire de cette dépouille. Un papillon qui vient de naître dans une épaiffe & forte coque de foye, & dont le tiffu eft ferré, fe trouve avoir un grand ouvrage à faire; il eft né dans une prifon, dont il eft obligé de percer les murs pour jouir du jour & de la liberté. Plus la coque que la chenille a conftruite étoit folide, plus elle étoit en état de deffendre la crifalide, & plus grand eft l'ouvrage que le papillon a à faire. Il doit paroître difficile, non-feulement par rapport à l'état de foibleffe où eft l'infecte, mais fur tout parce que l'infecte ne paroît muni d'aucun des inftrumens qui lui fembleroient neceffaires pour une telle operation; il n'a ni dents ni ferres. J'ai toûjours été étonné, & je le fuis encore, de voir fortir un papillon de certaines coques. Tout ce que j'ai pû obferver fur la façon dont il s'y prend pour y parvenir, contribuë même à me faire admirer qu'il en vienne à bout. Le vrai eft que je n'ai pas affés vû, à mon gré, comment le papillon perce fa coque; je ne fçais pourtant s'il y a quelque chofe à voir de plus que ce que j'ai apperçû, & s'il feroit poffible de le voir. Au moins n'ai-je negligé aucune des précautions qui me fembloient les plus propres à mettre à portée des

yeux ce qui se passe dans la coque. J'ai fait rassembler plusieurs centaines de celles de la chenille *livrée;* malgré la poudre jaune dont elles sont penetrées *, ces coques ont un degré de transparence que n'ont pas celles des vers à soye; on
voit mieux dans leur interieur. Afin que le jour m'aidât
encore à y voir, j'ai tendu diverses ficelles horisontalement
les unes un peu au-dessus des autres, vis-à-vis, & tout près
d'une fenêtre. Les bouts des cordes étoient attachés aux
montans des chassis qui portent les fiches. J'ai garni chacune de ces petites cordes des coques dont je viens de
parler; chaque coque y étoit arrêtée par une épingle. Le
premier papillon qui a paru au jour, & qui est venu sur les
cordes, m'a averti d'être attentif, que d'heure en heure,
de moment en moment, d'autres papillons se mettroient
en liberté. Les mouvemens que je voyois faire à quelques
crisalides dans leurs coques, me déterminoient alors à fixer
mes regards sur elles. J'ai vû aussi des papillons qui se tiroient de leur enveloppe de crisalide; j'ai vû peu après la
tête du papillon *, qui sortoit par une ouverture qu'il avoit
faite à la coque. Mais comment avoit-il fait cette ouverture! c'est ce que je n'ai pas assés vû, & ce qu'il n'est peut-
être pas possible de bien voir. Les coques minces, telles
que celles de nos livrées, sont percées très-vîte, & on
ne verroit pas percer des coques plus épaisses, parce qu'elles
sont plus opaques. M. Malpighi dit que le papillon du ver à
soye commence par jetter, par la bouche, beaucoup de liqueur sur la pointe de la coque, vers laquelle sa tête est
tournée; que la tête ensuite s'allonge pour presser & pousser
le tissu, pour écarter les fils sur les côtés. Que sa tête lui
sert comme une espece de belier, pour aggrandir l'ouverture. C'est constamment par un des bouts de la coque, par
celui vers lequel la tête de la crisalide étoit tournée, que
le papillon sort; mais je n'ai point vû que le papillon de

* Pl. 31.
Fig. 13.

* Pl. 47.
Fig. 4.

notre livrée humecte ce bout avec une liqueur qu'*il fait*
sortir de sa bouche. Cette pratique peut ne lui être pas
commune avec le papillon du ver à soye. Ce qui leur est
commun à l'un & à l'autre, c'est que leur tête est réellement
le seul instrument dont ils se servent pour s'ouvrir un passage. J'ai vû les papillons de nos livrées presser avec leur
tête l'interieur de la coque, vis-à-vis l'endroit où elle devoit s'ouvrir: mais cette tête est bien grosse pour faire l'office de coin, pour écarter, tout autour d'une circonference, des fils si bien appliqués les uns contre les autres, &
cela en si peu de temps. Je vois aussi peu comment des
coups de cette tête, & encore moins comment de simples
pressions, pourroient faire l'office de belier pour percer un
mur, mince, à la verité, mais flexible, qui par là se dérobe
aux coups; & d'ailleurs composé de fils qui tous se soûtiennent, & qu'il faudroit rompre tous à la fois. J'ai beaucoup de penchant à croire que les yeux du papillon sont
les instrumens qui lui servent alors le plus; ils sont ce que
la tête a de plus dur; ils sont composés d'une espece de
corne. On sçait de plus qu'ils sont taillés à facettes, ou,
pour ainsi dire, en espece de limes *. Ce sont des limes,
à la verité, bien fines; mais elles ne le sont peut-être pas
trop pour limer des fils de soye si fins. Il est certain que
la plûpart des fils qui bordent l'ouverture par où le papillon sort, ont été cassés; les coques des vers à soye qui ont
donné des papillons, ne peuvent être dévidées, parce que
leurs fils se trouvent coupés au bout où la coque a été
percée. Il y a donc eu des fils rompus, & en grand nombre. Or nous venons de voir qu'il n'y a pas d'apparence
qu'ils puissent l'être par les coups que la tête donneroit en
frappant en maillet; il est donc très-probable qu'ils ont été
comme coupés par une lime, & ce sont les yeux qui font
cette lime. Je me prête d'autant plus volontiers à cette

idée,

* Pl. 8.
Fig. 3.

idée, qui d'abord paroît assés étrange, que j'ai observé d'autres insectes, dont je parlerai ailleurs, qui se servent principalement de leurs yeux pour ouvrir leurs coques.

Quoi qu'il en soit, dès que le bout de la coque est
percé, dès que l'ouverture est suffisante pour laisser passer
la tête, elle se montre en dehors; alors les efforts que fait
le papillon pour porter son corps en avant, font faire à
son corcelet l'office d'un coing conique. Il gonfle même la partie du corcelet qui est dans le trou pour travailler avec plus de succès à l'aggrandir. Bientost il peut
faire sortir ses deux jambes anterieures par cette ouverture;
il les cramponne sur la surface exterieure de la coque; il
se tire alors sur ce nouveau point d'appui; d'autres jambes
sont en état de venir au secours de celles-ci, & enfin en
peu le papillon sort tout entier de sa prison.

Le papillon qui vient de sortir de sa coque, n'a pas
encore ses aîles développées à beaucoup près, elles ne
font alors que commencer à s'étendre; étenduës, elles
l'eussent embarrassé dans le passage étroit d'où il avoit à
se tirer : aussi le papillon a-t-il à peine commencé à se
dégager du fourreau de crisalide, il est encore dedans, en
grande partie, lorsqu'il commence à travailler à ouvrir
la coque; c'est de quoy les coques de quantité d'especes de
chenilles donnent des preuves. On en voit où la dépouille
de crisalide est à moitié en dehors, & à moitié en dedans
de la coque. Alors le papillon n'a achevé de se dépouiller
qu'en sortant de sa coque. Quantité d'autres papillons
néantmoins, comme ceux de nos chenilles livrées, & ceux
des vers à soye, laissent leur dépouille dans la coque même.
On y trouve toûjours deux fourreaux, celuy de chenille,
& celui de crisalide.

Certaines coques sont faites d'un fil si gros & si bien
lié, leur tissu est si fort & si épais, qu'il ne paroît pas qu'il

Tome I. . Kkkk

pût être poſſible à un papillon, qui n'a que les inſtruments que nous lui connoiſſons, de les percer, ou il faudroit qu'il y employât bien du temps : telle eſt la coque *, dont nous avons parlé pluſieurs fois, de la groſſe chenille du poirier à tubercules de couleur de turquoiſe * ; & telles ſont celles * de deux chenilles plus petites que la precedente, mais pourtant bien au-deſſus de celles de grandeur moyenne : l'une * a ſes tubercules couleur de roſe, & mange bien les feuilles de charmille, l'autre * a ſes tubercules jaunes. L'une & l'autre ont le fond de leur couleur d'un beau verd. La derniere a ſes anneaux bordés d'une large bande d'un noir velouté, & l'autre n'a qu'une tache noire ſur chaque anneau, & montre au plus un petit bord noir en quelques circonſtances. Les chenilles de ces deux Figures, Planches 49 & 50. ſont les mêmes qui ſont repreſentées Planche 2. Fig. 14 & 15. encore très-jeunes, & alors noires & veluës. C'eſt avec des feuilles de prunier que j'en ai élevé pluſieurs à la grandeur de celle de la Fig. 1. Pl. 50. La groſſe chenille du poirier *, & les deux dernieres ont une attention en fabriquant leurs coques, qui merite que nous la faſſions admirer. Nous n'avons point parlé dans le Memoire precedent de ce que ces coques, preſque entiérement ſemblables à l'exterieur aux coques les plus ordinaires, ont de particulier dans leur conſtruction, nous avons cru que ce ſeroit ici le lieu le plus convenable pour l'expliquer. Malgré la force & la groſſeur de leur fil qui égalent preſque celles des cheveux, malgré la ſolidité du tiſſu qui en eſt compoſé, le papillon qui naît dans une de ces coques, trouve moins de difficulté à en ſortir, que d'autres papillons n'en rencontrent à ſortir de coques dont le tiſſu eſt mince, & fait de fils foibles. Il trouve une porte, ou pour mieux dire, deux portes toûjours ouvertes ; il n'a qu'à vouloir ſortir, elles ne

s'y oppofent pas; je veux dire qu'il y a des ouvertures toutes
faites qui lui permettent le paffage; qu'il n'a point à percer
le tiffu, ni à écarter des fils entrelacés; tout l'obftacle fe
réduit à pouffer des fils flottants, ou une efpece de frange.

Si on confidere deux de ces coques, une où la crifalide eft encore , & une autre où il ne refte plus que la
dépouille que le papillon a laiffée, elles paroîtront toutes
deux parfaitement femblables. L'ouverture qui a permis
de fortir à un fi gros papillon, n'eft point fenfible fur
cette feconde coque; on n'eft pourtant pas long-temps à
reconnoître l'endroit qui lui a donné paffage, & le feul
qui a pû le lui donner. Un des bouts de la coque * eft
plus menu que l'autre, & on y voit des poils qui ne font
pas couchés comme ils le font ailleurs. Si on fe contente
de regarder groffierement ce bout de la coque, on juge
feulement que le fil n'y eft pas devidé, qu'il y forme une
maffe cotonneufe, femblable à celles qui enveloppent
d'autres coques en entier: mais fi on regarde plus attentivement, on obferve que tous ces fils, qui ne font pas
adherants les uns aux autres, fe dirigent vers un même
point pour former une efpece d'entonnoir qui eft le bout
de la coque; enfin le bout de la coque eft une efpece d'entonnoir formé par les fils d'une frange. La comparaifon
même aux fils de frange eft exacte; fi on prend une frange
avant que fes fils ayent été tors, ou en termes de l'art *guipés,*
alors chaque fil de la frange eft compofé d'un fil plié en deux,
c'eft en tordant ces deux parties du fil qu'on les réunit;
le bout de chacun des brins de foye qui fe rendent à la pointe
de la coque, eft fait auffi par un fil qui fe replie fur lui-même.
Nous avons déja dit que ces fils font gros; d'ailleurs ils font
bien gommés, leur reffort les tient tous dans la premiere
direction qui leur a été donnée, & les y ramene lorfque
quelque force les en a tirés.

* Pl. 48.
Fig. 4. f. Pl.
49. Fig. 3.
& Pl. 50.
Fig. 2.

Kkkk ij

Le papillon qui cherche à fortir, fe prefente à la partie la plus évafée de l'entonnoir ; il avance aifement dans cet entonnoir, il ne trouve pas grande refiftance à écarter les fils détachés qui en forment les parois ; & dès qu'il eft forti, le reffort de ces fils leur fait prendre leur premiere fituation ; de là il arrive que la coque qui renferme encore un papillon, & celle d'où le papillon s'eft tiré, font femblables à l'exterieur.

La facilité que le papillon a à fortir de fa coque, eft affés vifible par cette conftruction ; mais on pourroit craindre qu'il ne fût pas en fûreté dans une coque qui, quoique d'ailleurs extremement folide, a un endroit qui peut permettre l'entrée à des ennemis voraces, & les crifalides ont bon nombre de pareils ennemis. Ouvrons une de ces coques tout du long *, pour en mettre l'interieur à découvert ; tout ce qui étoit neceffaire pour la fûreté du papillon, & pour faciliter fa fortie, paroîtra avoir été prévû. Outre l'entonnoir exterieur, outre celui dont nous venons de parler, on en verra un interieur, formé précifement de la même maniere * ; mais dont les fils font encore mieux arrangés en fils de frange, & plus ferrés les uns contre les autres. Le nombre des entonnoirs n'augmente point, ou augmente peu la difficulté que le papillon trouve à fortir ; mais l'entrée dans la coque en eft renduë plus difficile aux infectes qui voudroient s'y introduire. On connoît la ftructure des naffes dans lefquelles on prend le poiffon ; leur artifice confifte en ce qu'elles font compofées de plufieurs entonnoirs d'ofier ou de refeau, mis l'un dans l'autre. La circonference évafée du premier entonnoir offre une entrée facile au poiffon, il n'en craint rien ; il parcourt tout ce premier entonnoir, & entre fans défiance dans le fecond, qui fe prefente de même à lui ; il fe rend dans la grande cavité de la naffe. Mais lorfqu'il veut revenir en arriere, il

* Pl. 48.
Fig. 6.

* Pl. 48.
Fig. 6 & 7.
& Pl. 49.
Fig. 4. n hii.

ne sçait plus trouver, ou enfiler les petites ouvertures par où
il est sorti de chaque entonnoir. Les entonnoirs de notre
coque font tournés, par rapport au papillon, comme les
ouvertures des nasses qui invitent les poissons à s'y engager;
& les entonnoirs de ces coques font tournés, par rapport
aux insectes qui voudroient penetrer dans l'interieur de la
coque, comme le font les entonnoirs des nasses par rapport
aux poissons qui en veulent sortir. Nous ne devons pas
encore oublier de remarquer que la chenille, avant sa metamorphose, se place dans la coque de maniere que la tête
de la crisalide, & par consequent celle du papillon, se trouveront tout près de l'entonnoir interieur.

Albin a, comme nous, comparé ces coques à des nasses,
mais il a negligé d'expliquer, & de faire representer l'artifice
de leur construction; il n'a rien dit du double entonnoir.
Je n'ai encore vû construire de ces coques en nasses, que
par les trois dernieres especes de chenilles dont j'ai parlé ci-
dessus. Elles se ressemblent en industrie, & elles se transforment en des papillons de même classe, de la 5.e des nocturnes, & de même genre, & qui d'ailleurs ont entr'eux une si
grande ressemblance, que si on ne cherche avec quelqu'attention en quoi ils different, ils ne paroissent differer qu'en
grandeur. Chacune des aîles de ceux de ces trois especes *,   * Pl. 47,
font ornées d'une belle tache en forme d'œil, qui paroît de   48, 49 &
l'un & de l'autre côté; ces taches ressemblent à celles des   50.
plumes des queuës de paons, & elles demandent qu'on
appelle ces trois papillons des *papillons-paons*. Le grand
paon est un des plus grands papillons; les femelles *, qui   * Pl. 47.
ne volent pourtant gueres, ont plus de cinq pouces de   Fig. 5 & 6.
vol. Je ne sçais si cette grande espece, qui n'est pas rare
dans le Royaume, & sur tout aux environs de Paris, se
trouve dans les pays voisins; ce qui fonde ce doute, c'est
qu'elle n'est point representée dans les Planches où Albin

Kkkk iij

a fait graver les infectes d'Angleterre, ni dans celles des infectes d'Europe, ou plûtôt d'Allemagne, de Mme Merian. Si ce papillon eft reprefenté dans une des Planches de Goedaert, où font les infectes de Hollande, c'eft que M. Borel, Ambaffadeur en France des E'tats generaux, ayant trouvé ce papillon au jardin du Roy, fut frappé de fa grandeur & de fa beauté; il crut le devoir envoyer à Goedaert. Alors on ignoroit la chenille d'où il vient. M. Lifter dans fes notes fur Goedaert, la foupçonne une de ces chenilles qui portent des cornes fur le derriere. M. Sedileau eft le premier qui ait fait connoître au public la veritable chenille de ce papillon, fur laquelle, & fur fon papillon, il a donné des obfervations dans les Memoires de l'Academie de 1692. où ils font gravés l'un & l'autre.

Le brun & le gris font les couleurs qui dominent fur les aîles du grand paon *, du paon moyen *, & du petit paon *, car on peut les diftinguer par ces trois noms. Le brun du grand paon eft, dans des endroits d'une étenduë affés confiderable, un brun minime; ailleurs il fe mêle avec le gris, qui a lui-même diverfes nuances; celui qui borde prefque la bafe de l'aîle, eft quafi blanc; à quelque diftance de fa bafe, l'aîle eft traverfée par une bande d'un gris un peu moins blanc. On apperçoit auffi en divers endroits des teintes de rougeâtre. La bande circulaire qui forme le contour de chaque tache en œil, eft noire: la moitié fuperieure de fa circonference interieure eft bordée d'une bande plus étroite, d'un rouge un peu foncé; cette derniere eft bordée de blanc; la tache du centre, la prunelle, eft noire, & tout ce qui l'environne eft blanc. Les couleurs du mâle *, & celles de la femelle *, font femblables, & femblablement diftribuées.

Les couleurs du moyen paon femelle *, & celles du petit paon femelle * different peu auffi des couleurs des

grands paons : elles font feulement plus claires, leur brun
eft moins brun, & combiné avec plus de gris. Leurs taches, en yeux, ne font faites fur quelques-uns que de
deux couleurs, d'une bande circulaire d'un beau noir,
qui entoure un anneau d'un brun-jaunâtre, au centre
duquel eft un cercle noir; mais il y a de ces yeux, où,
comme dans ceux du grand paon, on apperçoit du rouge
& du noir. Une raye tranfverfale fe trouve fur les aîles
fuperieures du petit & du moyen paon femelles au-deffus
des taches en yeux, dont la moitié de la largeur eft
blanche, & l'autre brune, on ne la trouve pas fi marquée
fur les aîles du grand paon. Près du fommet de l'angle
que leur bafe fait avec le côté exterieur, il y a une tache
rouge, plus grande fur les aîles du petit paon, que fur
celles du paon moyen.

Je n'ai eû que le petit paon femelle *, qui eft péri   * Pl. 49.
même fans avoir fait fes œufs : je lui en ai trouvé le corps   Fig. 7.
bien rempli, ils y étoient verdâtres & oblongs. Je ne fçais
fi c'eft le mâle qui eft reprefenté dans la treizieme Planche des Infeetes d'Europe de M.de Merian, de l'edition
In-folio.

Les femelles du grand paon font des œufs * de la forme   * Pl. 47.
des œufs ordinaires, un peu oblongs; ils font affés fouvent   Fig. 7.
blancs, ou blancheâtres, il y en a pourtant de bruns. Les
femelles du moyen paon m'ont pondu beaucoup d'œufs *,   * Pl. 50.
qui étoient auffi de petites boules allongées. Ils fembloient   Fig. 7 & 8.
être des grains d'un émail blanc un peu bleuâtre, ou d'une
porcelaine dont le blanc peche pour être trop bleu.

J'ai eu le mâle du moyen paon *, qui eft plus petit   * Pl. 50.
que fa femelle, & qui, felon la regle generale, porte de   Fig. 9 & 10.
plus belles antennes à plumes. Il a auffi fur chacune de fes
aîles une tache en œil; mais fes couleurs ne font pas auffi
modeftes que celles de la femelle : le deffus de fes aîles

ſuperieures paroît pourtant plus brun que le deſſus des
mêmes aîles de la femelle ; mais ſon brun eſt un brun vineux, dans lequel on trouve beaucoup de traits, d'ondes
& de petites taches de pourpre. Le deſſus des aîles inferieures eſt d'un beau jaune-ſouci, il y a ſeulement, aſſés
proche de la baſe de la même aîle, une bande noire parallele à cette baſe. Le deſſous des aîles ſuperieures eſt d'un
jaune plus pâle que celui du deſſus des aîles inferieures.
Le deſſous de ces dernieres, eſt, comme le deſſus des ſuperieures, d'un brun vineux, on y trouve auſſi du pourpre
& du noir, diſtribués d'une maniere dont on peut prendre
aſſés d'idée dans la Fig. 9.*

*Pl. 50.

La figure qu'Albin a donnée des antennes de la femelle du moyen paon, a trompé M. Derham ; elle lui
a fait dire que ſes antennes ſont liſſes, & il a adopté à
cette occaſion, la regle qui a été avancée par quelques
autheurs, que les antennes des phalenes femélles n'ont
point de barbes ; quoique les antennes des mâles en ayent
de très-belles. Si M. Derham eût eu occaſion d'obſerver
ce papillon, il nous eût lui-même détrompé de cette
regle. Il a trop le talent d'obſerver, pour que les barbes
des antennes du papillon femelle lui euſſent échappé ;
il auroit vû que le vrai de la regle ſe reduit à ce que les
antennes des femelles ont des barbes plus courtes, & plus
écartées les unes des autres que celles des antennes des
mâles, & des barbes moins chargées de poils.

Nous avons fait repreſenter une portion d'une de ces antennes de la femelle, en grand, Fig. 6. & plus en grand Fig.
12. où l'on voit que les barbes ont en quelque ſorte la forme
des dents d'un rateau. Chaque dent, chaque barbe eſt bordée de poils très-courts, mais elle porte à ſon bout deux poils
aſſés longs. Les antennes de la femelle grand paon ont
une ſtructure aſſés ſemblable, leurs dents ne ſe terminent
que

que par un feul poil. Enfin on voit dans la Figure 11 *, qui *PI. 50.
repréfente en grand une portion d'une antenne du papillon mâle du moyen paon, que les fiennes different principalement de celles de la femelle, parce que les barbes
font plus ferrées les unes contre les autres, qu'elles fe rencontrent deux à deux par leur extrémité, & qu'un des côtés
d'une des deux porte une efpece de frange de poils affés
longs; fon autre côté, & les deux autres côtés de l'autre
barbe font fimplement bordés de poils courts.

Ces trois efpeces de papillons font de la 5.me claffe des nocturnes, & de ceux qui lui appartiennent le mieux. On ne leur
trouve point du tout de trompe *; auffi les deux tiges barbuës *PI. 49.
entre lefquelles les trompes des autres papillons font logées, Fig. 8, 9 &
leur manquent; ils ont feulement, entre les deux yeux, un 10.
toupet de poils qui fe dirigent en bas. Leurs aîles font prefque paralleles au plan de pofition. Les fuperieures * laiffent *Fig. 10.
un peu, mais fouvent très-peu, les inferieures à découvert.

Peut-être qu'on ne trouvera pas affés de proportions
dans nos Figures, entre les trois efpeces de papillons-
paons & leurs chenilles. Auffi la nature n'obferve pas toûjours fur cet article celles aufquelles on s'attendroit. Nous
repetons ce que nous avons déja dit ailleurs; quelquefois
une chenille, plus petite qu'une autre, donne un plus grand
papillon que celui de la plus grande. Il y en a dont le volume diminuë confiderablement lorfqu'elles font prêtes à
fe transformer en crifalides, & c'eft ce que j'ai vû arriver
à la chenille qui a donné le petit paon.

A l'égard de la chenille du grand paon *, elle a été def- *PI. 48.
finée avant qu'elle eût mué pour la derniere fois, & par Fig. 1.
confequent avant que fon croît fût fini. Il y en a de bien
plus grandes que celle de la Figure 1. telles font fur tout
celles qui doivent donner des papillons femelles. On a
voulu la repréfenter dans l'état où elle eft, chargée de longs

Tome I. . LIII

poils, terminés par une tête semblable à celles des antennes
à boutons, d'autant que cette espece de poils lui est peut-
être particuliere, au moins ne l'ai-je encore trouvée à aucune autre chenille; celle de la même espece qui est gravée
dans les Memoires de l'Academie de 1692. n'a été dessinée
qu'après qu'elle eut perdu ses poils, terminés par un bouton.
La couleur dominante de cette chenille est, comme celle des
deux autres, un beau verd un peu jaunâtre. Quand elle est
près de se metamorphoser en crisalide, elle devient quelquefois toute brune; les tubercules d'un bleu de turquoise qui
la parent en d'autres temps, la parent encore mieux alors.

Le grand papillon-paon sort communement vers la mi-
May, de la coque où la chenille s'est renfermée dans le mois
d'Août. Peu de jours après que la femelle s'est dégagée de
sa coque, elle pond ses œufs; les petites chenilles en éclosent environ au bout de trois semaines. La couleur de la
peau de ces chenilles naissantes est noire; elles sont alors
chargées de quantité d'aigrettes de poils d'un brun-roux,
qui ne sont point terminés par des boutons, comme le font
ceux que les mêmes chenilles portent dans un âge plus
avancé. Le petit & le moyen paon paroissent quelquefois
dès le commencement d'Avril.

Dès que les chenilles dont nous venons de parler, font
leurs coques en nasses, dès qu'elles les laissent ouvertes, c'est
sans doute que l'avenir demande qu'elles soient construites
ainsi, que le papillon n'en pourroit sortir s'il avoit à percer la
sienne. S'il en falloit une preuve, le fait que je vais rapporter
la fourniroit. Je remarquai qu'une chenille du moyen paon
s'étoit fait une coque, qui se trouva fermée. Peut-être la
troublai-je pendant son travail; peut-être que quelque circonstance contraignit les fils du bout de l'entonnoir, à
s'appliquer contre d'autres, pendant qu'ils étoient encore
gluans. Enfin on attribuëra, si on veut, à la maladresse de la

chenille, de ce qu'elle n'avoit pas réuffi à menager une ouverture au bout de fa coque. Toûjours eft-il certain que je
vis une de ces coques dont l'ouverture étoit bien bouchée. Les papillons fortirent dans le temps des coques qui
étoient ouvertes; il en naquit un dans la coque fermée,
mais il y perit. Je l'y trouvai mort lorfque j'ouvris la coque.

Quand nous avons expliqué la maniere dont quelques
crifalides parviennent à fe pendre la tête en bas, nous avons
décrit une efpece de petite rape qui fe trouve à leur derriere, fournie d'une grande quantité de courts crochets
qu'elles cramponnent dans l'endroit où elles veulent que
leur derriere refte attaché. Les crifalides qui font renfermées dans des coques n'ont point cette efpece de rape,
mais la plûpart ont au derriere des crochets plus longs,
& autrement difpofés. Quelques-unes n'en ont qu'un feul;
leur derriere s'allonge un peu comme pour former une
efpece de queuë, qui bien-tôt fe termine par un filet de
nature de corne, dont la pointe fe recourbe en crochet
vers le ventre; c'eft de quoy la crifalide * de la belle che-   * Pl. 13.
nille du titimale nous donne un exemple. D'autres crifa-   Fig. 3.
lides ont au derriere un plus grand nombre de crochets
plus fins, dont les tiges font plus courtes, quoique confiderablement plus longues que celles des crochets difpofés
en efpece de rape. On les voit fans le fecours de la loupe,
mais il eft ordinairement neceffaire, pour mieux diftinguer
leur forme & leur arrangement. Dans plufieurs efpeces de
crifalides, les tiges paralleles les unes aux autres forment
une efpece de faifceau *. Dans quelques efpeces les cro-   * Pl. 45.
chets de ce faifceau font tous tournés vers le ventre; dans   Fig. 2 & 6.
d'autres efpeces, les crochets font tournés de tous côtés,   q. &c.
je veux dire qu'il y en a qui fe recourbent vers le ventre,
vers le dos, & vers les côtés; dans d'autres crifalides, les
crochets font allignés fur le même plan *; dans d'autres,   * Pl. 49.
LIll ij   Fig. 6. r.

il y a deux ou trois rangs de crochets les uns au-deſſous des autres. Je n'ai pas vû les criſalides faire uſage de ces crochets, mais le ſeul pour lequel ils ſemblent leur avoir été donnés, c'eſt pour leur procurer en quelques circonſtances, un point d'appui fixe. Au moyen de ces crochets, une criſalide peut arrêter ſon derriere contre quelqu'une des parties interieures de ſa coque ; elle peut ſe ſoûtenir, être moins flotante lorſque la coque eſt agitée, ſi elle eſt expoſée à l'être. La chenille peut même avoir à ſe donner certains mouvemens, certaines inflexions du corps dans la coque, qui demandent que le bout de ſa partie poſterieure ſoit fixe. Enfin il ſemble qu'un des grands uſages de ces crochets, eſt pour le moment où le papillon tend à ſortir de l'enveloppe de criſalide. Il doit lui être plus aiſé de s'en tirer, lorſque la dépouille eſt accrochée ; alors elle ne ſuit pas, malgré lui, l'inſecte qui travaille à s'en dégager. Il y a pourtant pluſieurs eſpeces de criſalides qui n'ont pas de ces crochets ; mais leurs papillons peuvent avoir de plus grandes facilités, à nous inconnuës, à ſe tirer de leur dépouille. Auſſi quantité de papillons qui viennent de ces criſalides, laiſſent leur dépouille dans l'ouverture-même de la coque. Les bords de cette ouverture produiſent par leur frottement, l'effet qui eſt produit par les crochets du derriere des autres criſalides.

Pendant que les aîles des papillons qui ſe ſont tirés de leur dépouille de criſalide, & de leur coque, s'ils en avoient une, ſe développent, ceux qui ont des trompes travaillent à les rouler en ſpirale. Elles étoient allongées & droites ſous le fourreau de criſalide ; dès qu'une trompe en eſt ſortie, il ſemble que ſon reſſort tend à la contourner. Mais nous ne nous arrêterons point ici à conſiderer comment le papillon roule les deux parties dont la trompe eſt compoſée ; nous ne pourrions que repeter ce qu'on a vû aſſés au long dans le cinquieme Memoire.

Peu de temps après que les aîles ſe ſont dépliées, lorſque

la trompe a été roulée, enfin quand le papillon s'eft feché, &
que fes parties fe font affermies, il y en a qui prennent l'effor;
mais d'autres, qui ne fongent pas fi-tôt à voler, marchent, &
ils vont fe placer fur quelque corps affés proche de l'endroit
où ils fe font dépouillés. Ils fe vuident ordinairement fur le
premier corps fur lequel ils s'arrêtent; il y en a même qui fe
vuident avant que de s'être éloignés de leur coque ou de
leur dépouille. Ils jettent des excremens liquides ordinairement rougeâtres; ceux de quelques-uns font très-rouges.

On ne croiroit pas que des excrements de papillons
fuffent capables de remplir de terreur l'efprit des peuples,
ils l'ont pourtant fait quelquefois, & peut-être le feront-
ils encore. Les Hiftoriens nous rapportent des pluyes de
fang parmi les prodiges qui ont effrayé des nations, qui
ont annoncé de grands évenements, des deftructions de
villes confiderables, des renverfemens d'Empires. Vers le
commencement de Juillet de l'année 1608. une de ces prétenduës pluyes de fang tomba dans les fauxbourgs d'Aix,
& à plufieurs milles des environs. Elle nous eût été apparemment tranfmife pour très-réelle & pour un grand
prodige, fi Aix n'eût eu alors un Philofophe, qui em-
braffant tous les genres de connoiffances, ne negligeoit
pas d'obferver les Infectes, c'eft M. de Peirefc, dont nous
avons la vie écrite par un autre grand Philofophe, par
Gaffendi. Cette vie eft remplie d'un très-grand nombre
d'obfervations curieufes. Entre celles que M. de Peirefc fit
en 1608. celle de la caufe de la prétenduë pluye de fang eft
celle qui a plû davantage à M. Gaffendi, auffi eft-elle très-
belle. Le bruit de cette pluye fe répandit à Aix vers le commencement de Juillet; les murs d'un cimetiere voifin de
ceux de la ville, & fur-tout les murs des villages & des petites villes des environs, étoient tachés de larges gouttes de
couleur de fang. Le peuple & quelques Théologiens les

LIII iij

regarderent comme l'ouvrage des forciers, ou du diable
même. Des Phyficiens qui attribuerent cette prétenduë
pluye à des vapeurs qui s'étoient élevées d'une terre rouge,
en donnoient une caufe plus naturelle, mais qui ne fut
pas encore du goût de M. de Peirefc. Une crifalide que
fa grandeur & la beauté de fa forme l'avoient engagé à
renfermer dans une boîte, luy en fournit une meilleure
caufe. Le bruit qu'il entendit dans la boîte, l'avertit que le
papillon y étoit éclos. Il l'ouvrit, le papillon s'envola après
avoir laiffé fur le fond de cette même boîte, une tache
rouge de la grandeur d'un fol marqué. Les taches rouges
qui fe trouvoient fur les pierres, foit à la ville, foit à la
campagne, parurent à M. de Peirefc femblables à celle du
fond de fa boîte, & il penfa qu'elles pouvoient de même
y avoir été laiffées par des papillons. La multitude prodigieufe de papillons qu'il vit voler en l'air dans le même
temps, le confirma dans cette idée, un examen plus
fuivi acheva de lui en démontrer la verité. Il obferva que
les gouttes de la pluye miraculeufe ne fe trouvoient nulle
part dans le milieu de la ville, qu'il n'y en avoit que dans
les endroits voifins de la campagne ; que ces gouttes
n'étoient point tombées fur les toits, & ce qui étoit encore
plus décifif, qu'on n'en trouvoit pas même fur les furfaces
des pierres qui étoient tournées vers le ciel ; que la plûpart
des taches rouges étoient dans des cavités, contre la furface
intérieure de leur efpece de voute, qu'on n'en trouvoit
point fur les murs plus élevés que les hauteurs aufquelles
les papillons volent ordinairement. Ce qu'il vit, il le fit
voir à plufieurs curieux, & il établit inconteftablement que
les prétenduës gouttes de fang étoient des gouttes de liqueur dépofées par des papillons. C'eft à cette même
caufe qu'il a attribué quelques autres pluyes de fang rapportées par les Hiftoriens, & arrivées à peu près dans la
même faifon, entre autres une pluye dont parle Gregoire

de Tours, tombée du temps de Childebert dans différents
endroits de Paris, & dans une certaine maison du territoire
de Senlis; & aussi une autre pluye de sang tombée vers la
fin de Juin, sous le regne du Roy Robert.

Presque tous les papillons qui sont nés chés moy, de
différentes especes de chenilles épineuses, ont jetté au
moins une large goutte, & souvent plusieurs larges gouttes
d'excrements d'une couleur d'un rouge de sang. Celui *
de la chenille épineuse de l'orme, que nous avons nommée
la *bedaude* *, en a même rendu dont la couleur étoit bien
plus belle que celle du sang; après être dessechés, ils en
avoient une qui approchoit de celle du carmin. Cette
belle couleur n'étoit pourtant qu'à la surface, car du papier
que je frottai avec cette matiere seche, ne sembloit avoir
été frotté qu'avec une ocre rouge. Une chenille de l'orme,
un peu plus grande que la précédente, & beaucoup plus
commune *, & dont nous venons d'examiner les crisalides
pendant que le papillon s'en dégage *; cette chenille, dis-je,
donne un papillon qui, immédiatement après qu'il est
éclos, se delivre aussi d'une assés grande quantité d'excrements rouges & liquides. Cette espece de chenille est si
commune en quelques années, qu'elle dépouille entierement les arbres de certains cantons. Il y en a des milliers
qui se transforment en crisalides vers la fin de May, ou
dans le commencement de Juin. Pour se transformer, elles
quittent les arbres, elles vont souvent s'appliquer contre
les murs, elles entrent même dans les maisons de campagne, elles se pendent aux ceintres des portes, aux
planchers. Si les papillons qui en sortent vers la fin de
Juin, ou au commencement de Juillet, voloient ensemble,
il y en auroit assés pour former de petites nuées, & par
consequent il y en auroit assés pour couvrir les pierres de
certains cantons de taches d'un rouge couleur de sang,

notes en marge :

* Pl. 27.
Fig. 9 & 10.

* Pl. 27.
Fig. 1.

* Pl. 23.
Fig. 8.
* Pl. 46.
Fig. 8 & 9.
&c.

& pour faire croire à ceux qui ne cherchent qu'à s'effrayer, & qu'à voir des prodiges, que pendant la nuit il a plû du sang. Quelques-unes de nos chenilles épineuses de l'ortie, comme celles qui vivent en societé sur cette plante*, & qui ont sur le corps des rayes d'un verd un peu foncé*, sur lequel sont des taches brunes, jettent aussi des excrements d'une couleur rouge.

* Pl. 29.
Fig. 5.
* Fig. 1.

Ce n'est au reste que peu de temps après que les papillons sont nés, qu'ils rejettent une si grande quantité d'excrements, *ils n'en jettent pas tant dans tout le reste de leur vie,* & peut-être n'en jettent-ils point du tout, au moins ne me souviens-je point d'en avoir remarqué dans les poudriers où j'ai renfermé & laissé périr des papillons que j'avois pris à la campagne. La quantité du suc qu'ils tirent des fleurs n'est pas bien considérable, peut-être la digerent-ils en entier, au moins laisse-t-elle peu de sediment dans leur estomach & dans leurs intestins. Il est plus aisé de concevoir pourquoi les papillons ne rejettent point ou peu *d'excrements dans le reste de leur vie, car nous dirons dans la suite, qu'il y en a qui la passent sans prendre d'aliments,* & que les autres en prennent peu, & de très-legers; *cela est,* dis-je, plus aisé à concevoir, qu'il n'est facile de rendre raison de la quantité des excrements que rejette le papillon nouveau-né. Nous sçavons que les chenilles se vuident entierement avant que de se transformer en crisalide: peut-être ne faut-il pas aussi regarder ces excrements comme un residu des aliments qui ont servi à nourrir le papillon lorsqu'il étoit emmailloté sous les enveloppes de crisalides. Ces excrements ont l'air d'une espece de *sanie,* s'il m'est permis de me servir en françois d'un terme trop latin, il semble qu'ils peuvent être formés des parties propres à la chenille, qui ne doivent plus se trouver dans le papillon, & qui ont été dissoutes, fonduës, ou comme pourries.

Mais

Mais comment ces parties, renduës liquides, font elles conduites à l'anus du papillon, ont-elles paffé par les inteftins ?
c'eft ce qui ne fe peut bien concevoir que de l'eftomach,
& des inteftins qui étoient propres à la chenille, qui pouvoient être contenus dans ceux du papillon.

Si on prend, dans les jardins, quelques efpeces de papillons diurnes, fur-tout ces papillons qui viennent de nos
chenilles du chou, on pourra obferver que leurs inteftins
contiennent une petite quantité de matiere rouge. Je ne
fçais fi elle eft un refte de celle qu'ils ont rejettée, ou fi elle
eft le réfidu de leurs alimens ; ce que je fçais, c'eft qu'étenduë fur du linge, elle lui a donné une couleur affés belle
pour m'avoir fait penfer avec regret qu'il y avoit trop peu
de cette matiere pour qu'on pût fonger à en faire ufage.

Les changemens qui fe font faits dans l'infecte, lorfqu'il
a paffé de l'état de chenille à celui de crifalide, ne font
pas plus grands que ceux qui s'y font, lorfqu'il paffe de
l'état de crifalide à celui de papillon. Nous avons vû que
fous la forme de crifalide il refpire encore par les ftigmates. Devenu parfait papillon, il n'y a plus fur les anneaux
de fon corps de ftigmates vifibles, d'ouvertures qui donnent entrée à l'air. J'ai huilé à fond le corps d'un très-
grand nombre de papillons, fans qu'aucun ait peri ; je dis
le corps, c'eft-à-dire cette partie compofée d'une fuite
d'anneaux complets, à laquelle nous avons reftraint ce
nom. J'ai auffi huilé la tête, & fur-tout la trompe & le
derriere de plufieurs papillons fans leur ôter la vie. Mais
quand j'ai bien enduit d'huile leur corcelet, je les ai ordinairement fait mourir en peu de temps ; les ouvertures,
ou au moins les principales ouvertures qui donnent paffage à l'air, font donc fur le corcelet. Je n'ai pourtant pû
encore reconnoître celles qui y fervent. Quelque foin
qu'on prenne pour dépouiller cette partie des poils & des

Tome I. . Mmmm

écailles dont elle eſt très couverte, il eſt difficile d'y parvenir, & on peut contraindre des poils, ou de petites
écailles à entrer dans ces fentes mêmes qu'on cherche à
voir, & à les cacher. Mais d'autres inſectes aîlés, dont le
corcelet n'eſt pas velu, m'ont permis de voir qu'is ont de
chaque côté du corcelet un ſtigmate très-diſtinct, & ne
m'en ont fait voir aucun ſur le reſte de leur corps. Il y
a grande apparence que le papillon a de même un ſtigmate
de chaque côté du corcelet, qui repond aux deux premiers
de la criſalide.

On ne voit plus dans l'interieur du papillon cette grande
quantité de trachées qu'on voyoit dans celui de la chenille,
quoiqu'on y en voye encore beaucoup. La diſpoſition de
celles qu'on y voit eſt d'ailleurs plus difficile à ſuivre. Mais
on trouve dans la partie ſuperieure du ventre une veſſie
pleine d'air, qui eſt d'une grandeur aſſés conſiderable; elle
a la forme d'une poire. M. Malpighi a obſervé, dans le papillon du ver à ſoye, qu'elle ſe termine par un col ou un
canal, qui aboutit à la bouche. Dans les papillons à trompe,
la trompe eſt leur bouche, & nous avons dit ailleurs que la
trompe qui pompe le ſuc des fleurs, pompe auſſi l'air; c'eſt
elle probablement qui porte l'air qui remplit la veſſie que
nous examinons, & c'eſt par elle que l'air en ſort.

Il y a quelquefois une quantité ſi conſiderable d'air dans
le corps du papillon, que ſon corps en eſt gonflé & tendu, on croiroit qu'il a une hydropiſie timpanite. Ce n'eſt
pas pourtant dans les inteſtins que cet air eſt contenu,
c'eſt dans la cavité même du ventre; il s'échappe, le corps
s'affaiſſe dès qu'on a percé les teguments du ventre. Dans
des temps où le ventre en eſt moins tendu, quoiqu'il ait
beaucoup d'air, on fait marcher cet air du côté vers lequel
on le preſſe. Je crois pourtant que ce n'eſt que dans le ventre des mâles, ou dans celui des femelles qui ont fait leurs

œufs, que j'ai obfervé cette quantité d'air ; car les femelles
qui n'ont pas commencé leur ponte, ont le corps fi rempli
d'œufs, que l'air ne fçauroit y trouver que peu de place.
Nous remettons à parler de ces œufs, des ovaires & de quelques autres des parties interieures, dans le fecond Volume.

Mais nous rapporterons encore ici une fingularité de
l'interieur du papillon, qui n'eft pas de celles qui pouvoient
échapper à M. Malpighi ; il fçavoit tourner fon attention
vers les objets qui la meritoient. Si on ouvre un papillon
tout du long du ventre , & qu'on enleve enfuite toutes
les parties contenuës dans fa capacité, on met à découvert la partie interieure qui eft tout du long du milieu du
corps. On peut voir alors, comme dans les chenilles, ce
gros vaiffeau, cette groffe artere, que nous avons appellé
le cœur, & que M. Malpighi a regardé comme une fuite
de cœurs. On voit que ce vaiffeau, par des contractions,
& des dilatations alternatives, pouffe la liqueur qu'il contient. C'eft fans doute le même vaiffeau dans lequel circuloit la liqueur analogue au fang, lorfque l'infecte avoit
la forme de chenille. Mais ce qui eft très remarquable,
c'eft que la circulation s'y fait dans un fens directement
contraire à celui où elle s'y faifoit lorfque le papillon étoit
chenille. Alors la liqueur étoit pouffée du derriere vers la
tête, & dans le papillon la liqueur eft pouffée de la tête
vers le derriere. M. Malpighi a même obfervé que dès
les premiers jours où le papillon eft emmailloté fous les
enveloppes de crifalide, le mouvement du fang a une
direction oppofée à celle qu'il avoit dans la chenille ; que
le fang va des parties fuperieures vers les inferieures. Il
ajoûte pourtant que ce mouvement du fang n'eft pas fi
conftant dans le papillon, qu'il ne puiffe eftre troublé ;
même par des caufes legeres ; qu'il fe fouvient d'avoir vû
dans un papillon, le fang qui alloit des parties inferieures

vers les superieures, mais que peu de temps après le sang
changea de route, qu'il commença à aller des parties superieures vers les inferieures. Il rapporte plusieurs autres exemples de pareilles variations. Cependant si on se donne la
peine d'observer le mouvement du sang dans le gros vaisseau d'un très-grand nombre de papillons, on se convaincra
que dans le papillon la vraye route du sang est des parties
superieures vers les inferieures, au lieu que dans la chenille
elle est des parties inferieures vers les superieures. La chenille est par rapport à la crisalide & au papillon, ce qu'est le
fœtus par rapport à l'enfant nouvellement né, & par rapport
à l'homme parfait. Une opinion qui a paru extremement
singuliere sur les differentes manieres dont elle veut que la
circulation se fasse dans le fœtus & dans l'homme, n'eût
pas paru si étrange, si on eût fait faire attention qu'il y a des
milliers d'animaux, nos papillons, en qui la liqueur circule
en un sens directement opposé à celui où elle y circuloit
lorsqu'ils n'estoient, pour ainsi dire, que des fœtus, lorsqu'ils estoient des chenilles.

EXPLICATION DES FIGURES DU QUATORZIEME MEMOIRE.

PLANCHE XLV.

LA Figure 1, est celle d'une crisalide de la chenille à
oreilles, du chêne & de l'orme, vûë par-dessus. Il y en a de
la même espece, de plus grandes & de plus petites que
celle-ci.

La Figure 2, represente la même crisalide, vûë par-dessus, mais grossie à la loupe. *a a a*, marquent quelques-unes
des touffes de poils qui partent de la partie anterieure de
cette crisalide.

b c, La ligne qui eſt en relief ſur le corcelet, & qui le
    partage en deux parties égales.

d d e e, le corcelet.

l l, les aîles qui ſont comme les appendices du corcelet.

d b d, la piece du front.

q, paquet de crochets qui eſt au derriere de la criſalide.

Les lettres employées dans cette Figure, le ſont dans les
Figures ſuivantes, pour marquer les mêmes parties.

La Figure 3, eſt celle de la criſalide de la Figure 1, repreſentée du côté du ventre.

La Figure 4, repreſente la criſalide de la Figure 1, dans
l'inſtant où le corcelet a commencé à ſe fendre en deſſus.
b c, la fente qui s'eſt faite ſur le corcelet.

La Figure 5, fait voir la même criſalide dans un inſtant
où les deux pieces du corcelet ſont plus écartées l'une de
l'autre que dans la Figure 4. Alors une partie du deſſus
du corps du papillon, qui repond à *b c,* eſt à découvert.

La Figure 6, eſt la Figure 5, repreſentée en grand,
pour rendre ſenſibles les endroits où les pieces du corcelet
ſe fendent, où elles s'écartent l'une de l'autre, & où elles
ſe ſéparent des autres parties à qui elles étoient jointes, &
cela, dans l'inſtant où le papillon eſt près de naître.

d d, les deux moitiés de la piece du front, actuellement
    ſeparées l'une de l'autre, & qui ne tiennent au
    corcelet qu'en *d & d.*

e e, les deux moitiés du corcelet ſéparées l'une de l'au-
    tre, & ſeparées de l'anneau *l c l.*

c b, large fente qui laiſſe à découvert une partie du
    corps du papillon. D'autres fentes plus petites
    laiſſent auſſi paroître alors de plus petites parties
    du corps du papillon.

q, le paquet de crochets.

Mmmm iij

La Figure 7, est celle de la crisalide de la Figure 5, vûë du côté du ventre, où la piece de la poitrine commence à se détacher.

La Figure 8, est la Figure 7, représentée en grand.

f, l'endroit où la piece du front s'est fenduë.

gg, l'endroit où la piece du front s'est separée de la piece de la poitrine.

ll, les aîles. Le contour interieur des pieces marquées *gg ll*, renferme la piece de la poitrine *k*, qui commence à se détacher.

La Figure 9, fait voir le papillon qui commence à sortir de sa dépouille de crisalide.

de, de, les parties dans lesquelles se sont divisées la piece du front & le corcelet. Le papillon les force de lui donner passage.

La Figure 10, est la dépouille d'où le papillon vient de se tirer, vûë du côté du dos.

e e, les deux pieces du corcelet.

La Fig. 11, est celle d'une dépouille d'où le papillon vient de sortir, vûë du côté du ventre.

e e, les moitiés du corcelet, & de la piece du front.

ll, les fourreaux des aîles, qui sont comme les appendices du corcelet.

k, la piece de la poitrine.

La Figure 12, est celle d'un morceau de la dépouille que le papillon vient de quitter, vû par-dessus.

La Figure 13, est celle du morceau de dépouille, Figure 12, retourné, & vû du côté interieur. *t t t t*, trachées qui sont resté attachées à cette dépouille, & qui partent chacune d'un stigmate.

PLANCHE XLVI.

La Figure 1, est celle d'un papillon nocturne qui vient de sortir du fourreau de crisalide, d'où il travailloit à se dégager dans les Figures 5, 6, 7, 8 & 9 de la Planche précedente. Ce papillon est femelle.

La Figure 2, est celle du papillon de la Figure 1, dont la partie anterieure *a, a,* de chaque aîle commence à s'élargir. Le dessus de ces mêmes aîles a pris de la convexité; elles ne sont plus planes comme dans la Figure 1.

La Figure 3, fait voir le même papillon, dont les aîles sont plus allongées & plus élargies que celles de la Figure 2. Elles sont chacune contournées, & comme arcquées. Elles se recourbent pour s'élever au-dessus du corcelet, & retombent ensuite en bas.

La Figure 4, represente le même papillon, dont les aîles se sont redressées, élargies & étenduës. L'aîle *b m o,* est actuellement moins avancée à se développer, que l'aîle *c.* Cette derniere a presque acquis toute sa longueur; mais la base, le bout de cette même aîle n'a pas encore pris toute la largeur qu'il doit avoir, ce qui fait que le reste de l'aîle est plissé. Le bout de l'aîle *b* est encore plus plissé.

La Figure 5, est celle du même papillon, dont les aîles sont presque entierement developpées. Leurs bases *b, b,* sont pourtant encore gaudronnées, ou plissées.

La Figure 6, est celle d'une phalene de la premiere classe, dont les aîles se developpent.

Dans la Figure 7, la ligne en ziczac *D E,* donne une image grossiere de la maniere dont chaque fibre est plissée dans une aîle qui n'eſt pas développée. Cette fibre étenduë auroit plus de la longueur de la ligne *A B*.

La Figure 8, eſt celle d'une criſalide angulaire. Le papillon a commencé à obliger le corcelet à ſe fendre. *b e c,* la fente qui partage en deux la piece du front & le corcelet. Elle partage en deux cette éminence *e,* qui a la figure d'un nez.

La Figure 9, eſt celle de la même criſalide, vûë par-deſſous, où la piece de la poitrine *k k,* eſt détachée.

La Figure 10, laiſſe voir la partie anterieure du papillon, qui a écarté les moitiés du corcelet, qui ſe touchoient encore dans la Figure 8.

La Figure 11, fait voir le papillon encore plus à découvert, & qui a déja tiré une de ſes antennes du fourreau de criſalide.

La Figure 12, nous montre les aîles de ce même papillon, ſes deux antennes & deux de ſes jambes, qui ſont dégagées du fourreau.

La Figure 13, repreſente le papillon dans l'inſtant où il va achever de ſe tirer du fourreau de criſalide.

P L A N C H E XLVII.

La Figure 1, eſt celle d'une portion de la dépouille d'une criſalide, quittée par le grand papillon-paon, vûë du côté interieur.

ſſſ, trois de ces entonnoirs, que les ſtigmates prolongés forment deſſous la peau de la criſalide.

t t t, paquets de trachées qui partent des ſtigmates.

La Fig. 2, eſt celle d'un de ces entonnoirs de ſtigmate,
détaché

détaché de la peau. *p p,* deux paquets de trachées qui viennent entourer cet entonnoir.

La Figure 3, repreſente, en très-grand, un de ces entonnoirs, attaché à la peau, & dégagé des trachées.

La Figure 4, fait voir une coque *c c,* de la chenille-li-
vrée, qui a été percée par le papillon, & d'où il commence
à ſortir.

t, la partie anterieure de ce papillon.

La Figure 5, eſt celle de ce grand papillon nocturne
que nous nommons le *grand paon,* vû par-deſſus. Celui de
cette Figure eſt la femelle.

La Figure 6, eſt celle du même papillon, vû du côté
du ventre.

La Figure 7, repreſente pluſieurs œufs de ce papillon.

PLANCHE XLVIII.

La Figure 1, eſt celle de la grande chenille du poirier à
tubercules de couleur de turquoiſe. Elle eſt repreſentée ici
avant ſa derniere muë, c'eſt-à-dire, avant que d'avoir pris
tout ſon accroiſſement, & lorſqu'elle eſt encore chargée
de ces poils *p p p, &c.* qui ſe terminent par des boutons.

   a, la tête de cette chenille. Elle la tient aſſés ordinaire-
      ment recourbée en deſſous.

   c, chaperon qui recouvre ſon anus.

La Figure 2, eſt celle d'un anneau de cette chenille,
groſſi à la loupe. *i i,* deux jambes membraneuſes.

   t t t t t t, les ſix tubercules de chaque anneau. Leur ſom-
      mité eſt terminée par un grain bleu de couleur de
      turquoiſe, & eſt environnée de cinq poils courts,
      & comme épineux. *p,* grands poils qui partent de

ces tubercules, avant la derniere muë.

La Figure 3, est celle du papillon mâle de la chenille de la Figure 1, vû du côté du ventre.

La Figure 4, est celle de la coque d'où est sorti le papillon de la Figure 3. *B*, le gros bout de la coque.
f, le petit bout qui est terminé par une espece de frange.

La Figure 5, est celle du bout *f* Figure 4, representé separément.

La Figure 6, est celle de la coque de la Figure 4, ouverte, pour faire voir deux entonnoirs qui forment une espece de nasse. *gg ii*, un de ces entonnoirs. *ii ff*, l'autre entonnoir.

La Figure 7, represente, en grand, le bout *gg ff*, de la coque de la Figure 6. *g h h g*, le cordon d'où partent les fils. *q*, le cordon qui sert de tête à l'espece de frange qui forme le premier entonnoir *h h, i i*.
i i, ff, les fils qui forment le second entonnoir.

La Figure 8, est celle de la crisalide qui est renfermée dans la coque Figure 4, ayant sa tête tournée vers le bout *f*.

PLANCHE XLIX.

La Figure 1, est celle d'une chenille verte, à tubercules de couleur de rose, que j'ai trouvée sur la charmille, & que j'ai nourrie de feuilles de cet arbre, & de feuilles d'orme. Elle n'a que quelques petites taches noires sur chaque anneau.

La Figure 2, est celle d'un des tubercules de cette chenille, representé separément & en grand. Il est chargé de six poils courts, & durs comme des épines.

La Fig. 3, eft celle de la coque de cette crifalide. *B,* le gros bout. *f,* le petit bout, celui qui refte ouvert.

La Fig. 4, eft celle d'une partie de la coque de la Fig. 3, prife près du petit bout *f,* repréfentée ouverte. *h h, i i,* la premiere frange qui forme le premier entonnoir. *h h, f f,* la feconde frange qui forme le fecond entonnoir.

La Figure 5, reprefente plus en grand, la difpofition de quelques fils pareils à ceux qui compofent les franges précedentes.

La Figure 6, eft celle de la crifalide de cette chenille, vûë du côté du dos.

La Figure 7, eft celle du papillon femelle que nous avons nommé le *petit paon,* qui eft forti de la crifalide, Figure 6, vers la fin du mois de May. Je n'ai point eu le papillon mâle.

Les Figures 8, 9 & 10, font voir en grand, des têtes telles que font celles des trois efpeces de papillons-paons, & montrent qu'on n'y apperçoit ni trompe ni parties analogues à la trompe.

La Fig. 8, eft celle de la tête groffie. On y voit, entre les yeux, des poils qui fe dirigent vers les jambes; ils partent immediatement de la tête, & ne tiennent point à des barbes, ou à des tiges barbuës.

La Figure 9, reprefente la même tête, à qui on a ôté tous les poils qui étoient entre les yeux, pour mettre à découvert cette partie où la trompe des autres papillons eft placée. On voit que cette partie eft liffe; c'eft un cartilage affés uni.

La Fig. 10, reprefente la même tête, dans une autre vûë;

N n n n ij

elle la montre en deſſous. On y peut remarquer une ca-vité *c* peu profonde, dans laquelle on apperçoit quelques petits corps dont il n'eſt pas aiſé de diſtinguer la figure, & qui ne paroiſſent aucunement ſemblables aux trompes.

La Figure 11, eſt celle de cette petite chenille raſe du bouillon blanc, qui ſe tient renfermée dans ſa coque pen-dant environ huit mois avant que de ſe metamorphoſer en criſalide.

La Figure 12, eſt celle de la criſalide de la chenille de la Figure 11.

La Figure 13, eſt celle de la coque dans laquelle la chenille, & enſuite la criſalide, eſt renfermée.

La Figure 14, eſt celle du papillon de cette chenille, vû par-deſſus.

La Figure 15, eſt celle du même papillon, vû par-deſſous.

La Figure 16, eſt celle d'une petite chenille qui ſe tient dans une feuille d'ortie roulée, & qui, comme la chenille de la Figure 11, ſe renferme dans une coque où elle reſte près de huit mois avant que de ſe transformer en criſalide.

La Figure 17, eſt celle du papillon de la chenille de la Figure 16, vû par-deſſus.

La Figure 18, eſt celle du même papillon, vû par-deſſous.

PLANCHE L.

La Figure 1, eſt celle de la chenille qui donne le moyen paon. Ses tubercules ſont jaunâtres. Quand elle a pris tout ſon accroiſſement, chacun de ſes anneaux eſt bordé d'une bande noire, & le refte eft d'un beau verd. Nous avons dit, Memoire fecond, que ces chenilles font noires & veluës lorfqu'elles font jeunes.

La Figure 2, eft celle d'une coque en naffe, que la chenille de la Figure 1 s'eft filée entre de petites branches de prunier.

La Figure 3, eft celle de la crifalide de la même chenille, vûë du côté du ventre.

La Figure 4, eft celle du papillon femelle du moyen paon, vû par-deffus, à qui on a écarté les aîles fuperieures, pour mettre les inferieures à découvert.

La Figure 5, eft celle du même papillon, vû du côté du ventre.

La Figure 6, eft celle d'une portion d'une antenne de papillon, reprefentée en grand.

La Figure 7, eft celle des œufs de ce papillon, de grandeur naturelle.

La Figure 8, reprefente les mêmes œufs, groffis.

La Figure 9, eft celle du papillon mâle dont la femelle eft reprefentée dans les Figures 4 & 5; il eft venu d'une chenille femblable à celle de la Figure 1. Ici il eft vû du côté du ventre.

La Figure 10, eft celle du papillon de la Figure 9, vû par-deffus. Ce port des aîles fuperieures eft celui qui eft le plus ordinaire à ce papillon, dans les temps de repos. Les côtés interieurs des deux aîles fuperieures laiffent un petit intervalle entr'eux, où les aîles inferieures paroiffent. On peut remarquer qu'en *a a*, les inferieures débordent les fuperieures.

La Figure 11, fait voir une petite portion d'une antenne du papillon des Fig. 9 & 10, extremement grossie au microscope. *t t* est une portion de la tige.

   d e, une barbe qui est au commencement d'une articulation.

   b c, la barbe qui est à la fin de la même articulation. Elle se recourbe en *c* sur le bout *e* de la barbe *d e.* La barbe *b c* a une espece de frange de poils qui vont atteindre la barbe *d e.* L'autre côté de la même barbe n'a qu'une espece de molet, ou de frange très-basse. La barbe *d e* n'a de chaque côté qu'une frange de poils courts, ou un molet. La structure des antennes du grand papillon-paon revient à celle de cette Figure.

Dans la Figure 12, une portion d'une antenne du papillon femelle des Fig. 4 & 5, est representée bien plus en grand que dans la Figure 6. *t t,* la tige. *b d,* barbe en dent de rateau. Il n'en part qu'une de chaque côté de chaque articulation.

Fin du Tome premier.

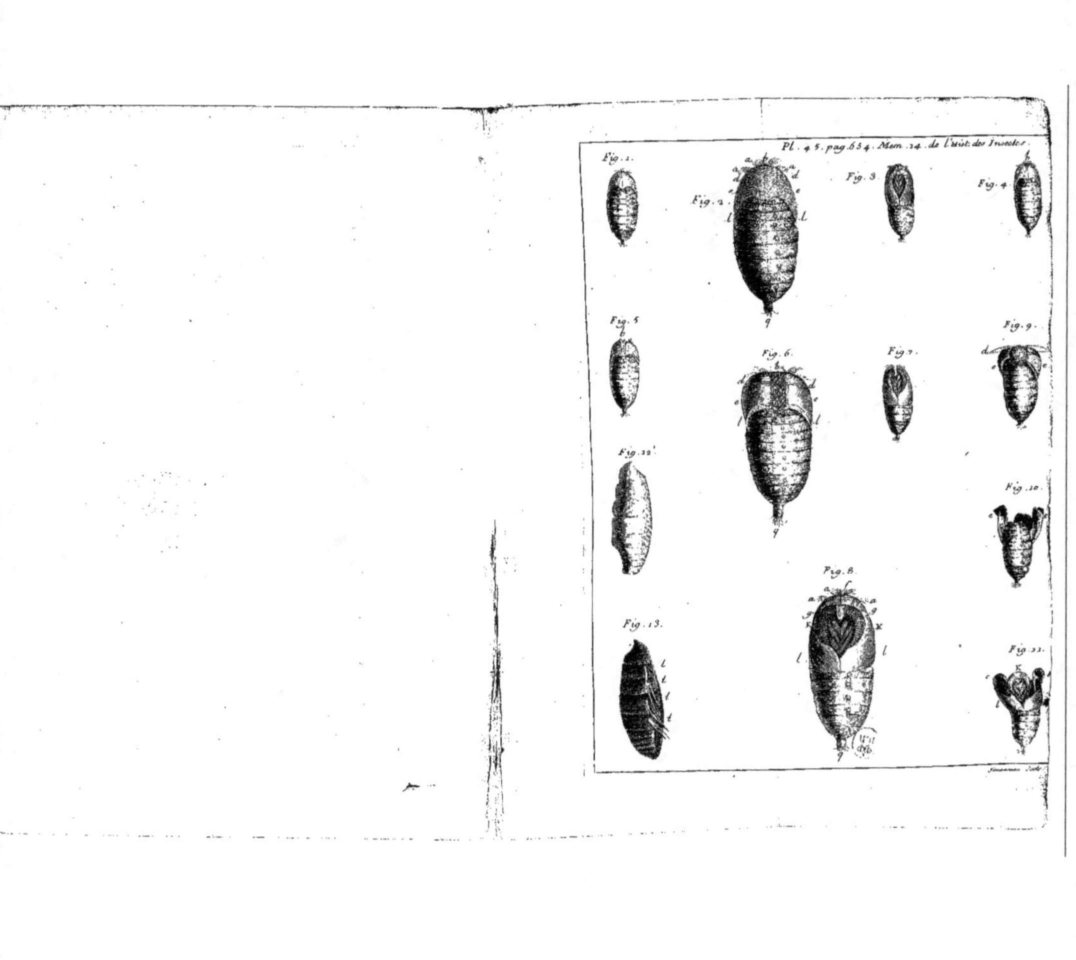

Pl. 45. pag. 654. Mem. 24. de l'hist. des Insectes.
Fig. 1.
Fig. 2.
Fig. 3.
Fig. 4.
Fig. 5.
Fig. 6.
Fig. 7.
Fig. 9.
Fig. 12.
Fig. 10.
Fig. 8.
Fig. 13.
Fig. 11.

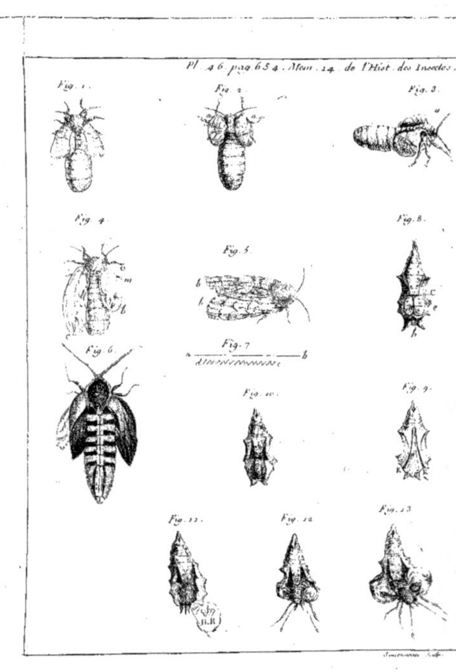

Pl. 46 pag 654. Mem. 24 de l'Hist. des Insectes.
Fig. 1.
Fig. 2.
Fig. 3.
Fig. 4.
Fig. 5.
Fig. 8.
Fig. 6.
Fig. 7.
Fig. 10.
Fig. 9.
Fig. 11.
Fig. 12.
Fig. 13.

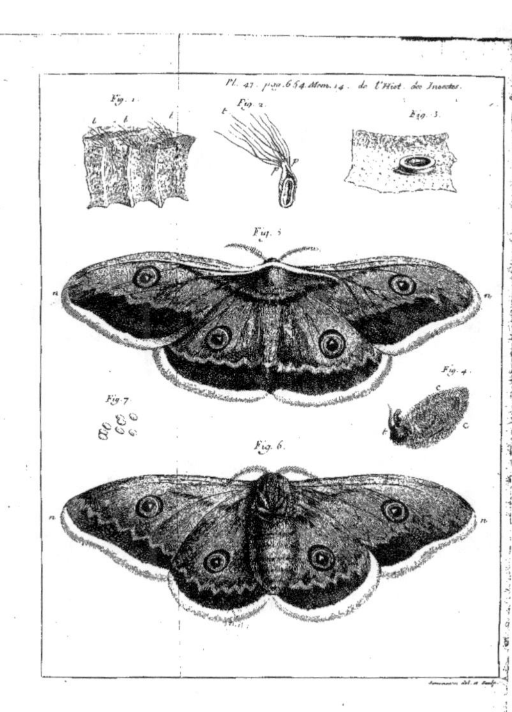

Pl. 47. pag. 654. Mem. 14. de l'Hist. des Insectes.
Fig. 1.
Fig. 2.
Fig. 3.
Fig. 5.
Fig. 4.
Fig. 7.
Fig. 6.

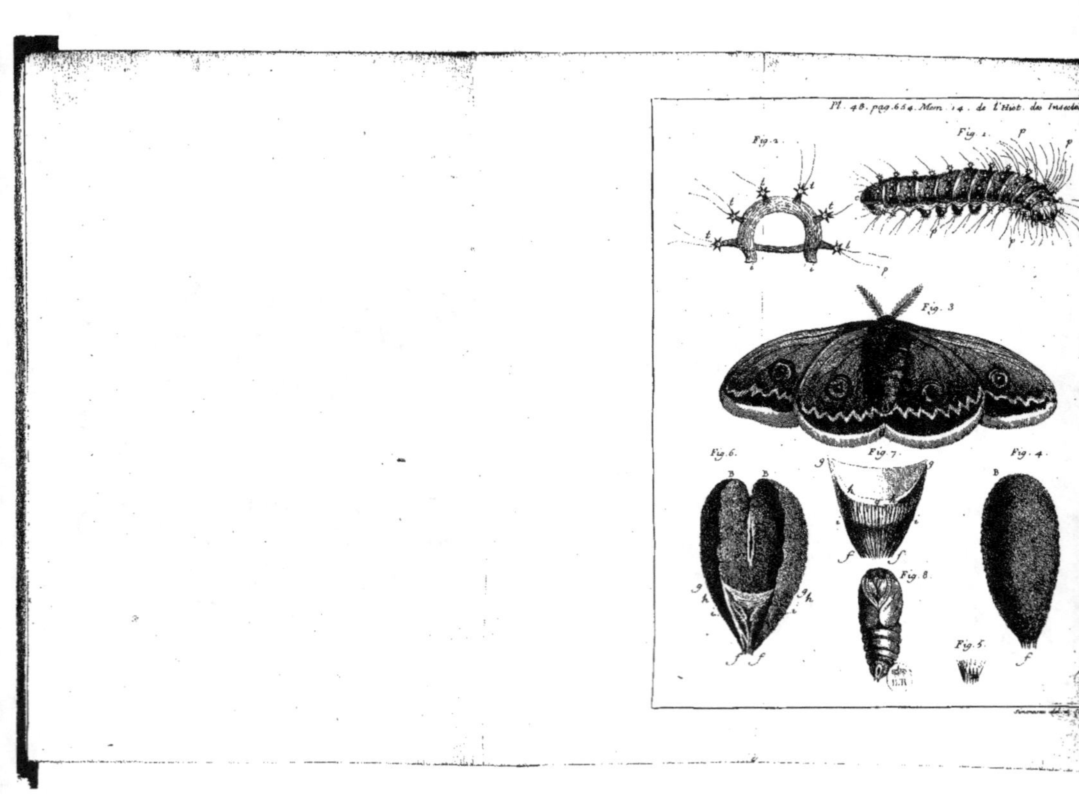
Pl. 48. pag. 654. Mem. 14. de l'Hist. des Insectes.
Fig. 2.
Fig. 1.
Fig. 3.
Fig. 6.
Fig. 7.
Fig. 4.
Fig. 8.
Fig. 5.

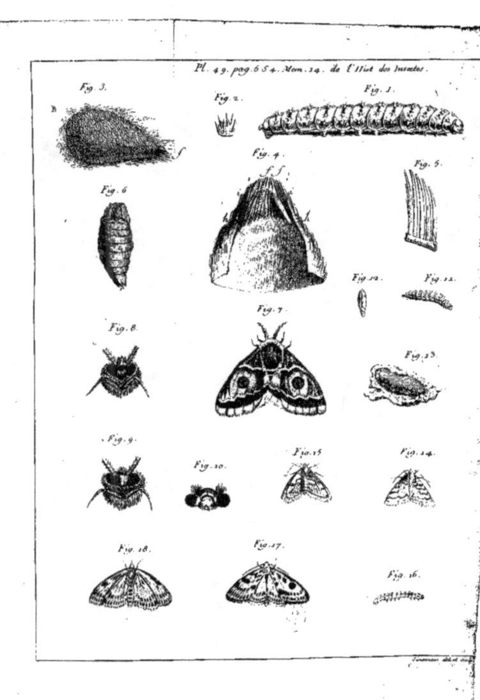

Pl. 49. pag. 654. Mem. 14. de l'Hist. des Insectes.
Fig. 3.
Fig. 2.
Fig. 1.
Fig. 4.
Fig. 5.
Fig. 6.
Fig. 12.
Fig. 11.
Fig. 8.
Fig. 7.
Fig. 13.
Fig. 9.
Fig. 10.
Fig. 15.
Fig. 14.
Fig. 18.
Fig. 17.
Fig. 16.

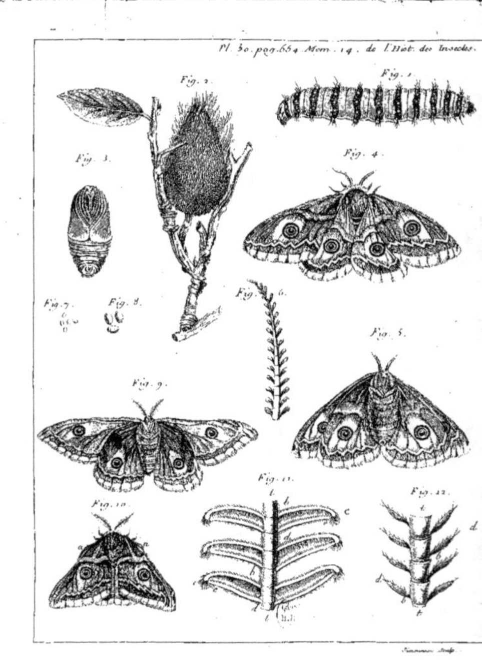

Pl. 30. pag. 654. Mem. 14. de l'Hist. des Insectes.
Fig. 1.
Fig. 2.
Fig. 3.
Fig. 4.
Fig. 5.
Fig. 6.
Fig. 7.
Fig. 8.
Fig. 9.
Fig. 10.
Fig. 11.
Fig. 12.